世界文学名著名译典藏

全译插图本

琥珀 下

〔美〕凯瑟琳·温莎◎著　傅东华◎译

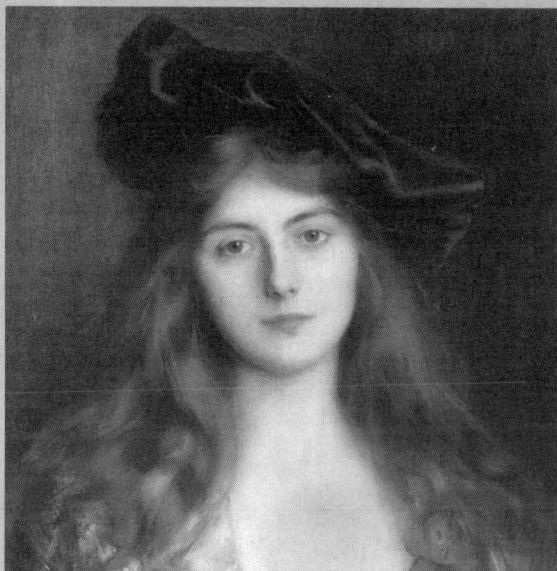

FOREVER AMBER

长江出版传媒 | 长江文艺出版社

图书在版编目（C I P）数据

琥珀：全二册 / （美）凯瑟琳·温莎著；傅东华译
. -- 武汉 ：长江文艺出版社， 2018.5
（世界文学名著名译典藏）
ISBN 978-7-5702-0238-6

Ⅰ. ①琥… Ⅱ. ①凯… ②傅… Ⅲ. ①长篇小说－美国－现代 Ⅳ. ①I712.45

中国版本图书馆 CIP 数据核字(2018)第 031621 号

著作权合同登记号 图字：17-2017-218

责任编辑：陈俊帆　雷　蕾　　责任校对：陈　琪
封面设计：格林图书　　责任印制：邱　莉　胡丽平

出版：长江出版传媒 | 长江文艺出版社
地址：武汉市雄楚大街 268 号　　邮编：430070
发行：长江文艺出版社
电话：027—87679360
http://www.cjlap.com
印刷：湖北新华印务有限公司

开本：880 毫米×1230 毫米　1/32　　印张：30.75　插页：8 页
版次：2018 年 5 月第 1 版　　2018 年 5 月第 1 次印刷
字数：739 千字

定价：82.00 元（全二册）

第三十四章

那天晚上的时光过得出奇地慢。

她将房间里收拾干净之后，就到厨房里去拿了些清水来，洗过了脸儿，擦过了牙齿，又将头发竭力刷了一回，然后从床底下拖出那张带转轮的活榻。她在那榻上躺下，心里却万分不安，一合眼就马上要惊跳起来，生怕伯鲁发生什么不测。

她重新爬起来，拿根蜡烛去照照他的脸，他还照常躺在那里，只是翻来覆去睡不安，嘴里不住喃喃地言语，脸上扭曲成了一种忧恼的神情。她看不出他究竟有无意识，因为他的眼睛虽然半开半掩，她跟他说话他却像没有听见，又分明并不知道是在哪儿。到了半夜时分，他身上的汗停止了，皮肤发干而加热，脸上和颈脖上绯红。他的脉搏跳得非常快，他的呼吸快得同急喘一般，有时还轻轻咳嗽一声。

到了四点钟，天已发亮了，她虽然眼珠子胀得发疼，疲倦得要晕过去，却决定索性不睡了。她穿上一件短褂和衬衣，赤脚套上一双低跟的鞋子，将前一天穿过的那套衣服穿起来，后边也不装骨箍儿，以致前面长得只能往上缩，然后她将头发急忙通了通，又胡乱擦了一把脸，脂粉面贴之类一概不用了。这是她有生以来不管妆扮好歹的第一次。

房间里一股臭气，因为所有窗口都是闭着的。她自己并不害怕夜间的空气，但她也同一般人一样，相信夜间的空气是不利于病人的；同时又未脱她那从乡下带来的迷信，以为家人有了重病，只要所有的门窗都闩得紧紧，死神就永远不能进来了。其时那气息非常浓烈，她因一直闭在里面不觉得，直至走到外面起居室里碰到一点干净空气之后方才觉出来。她到卧室里去生起一堆火，抓了一把干燥的草药进去让它烧着熏一熏。

她折起了那张活榻，将它重新推进床底下，然后趁他似乎比较安静的当儿，将那接吐盆子拿到厕所里去倒掉了，又用水将它冲干净。她又去提了两趟清水。这时她才记起单单清理家屋一桩工作也是非常吃力的，因为她已好久不干这种工作了。

他那强烈的口渴始终不止。她一杯又一杯地拿水给他，他却越喝越要喝，终于呛得喷出来。他的呕吐也始终不停，一次一次连心肝五脏都要呕出来似的，一面呕一面淌汗，累得神志一直都不清。琥珀一直扶着他给他接吐，看看那种神情觉得又害怕又心疼，同时渐渐涨起了一种恼怒。

他快要死了！她一面想着，一面将身子抵住他的脊背使他坐直起来，拿那盆子接在他的下巴颏底下。我已知道他快要死了！哦，这该死的瘟疫！它为什么要发呢？他又为什么要染上呢？又为什么染的偏偏是他而不是旁人呢？

他又重新倒下去了，直挺挺地仰在那儿。她突然扑到他的身上去，牢牢抓住他的臂膀，其时他的肌肉虽已失去了功能，却仍像是坚硬有力地藏在那褐色皮肤底下。她开始哭起来，拼命地将他抓住，仿佛在那里跟死神挣扎一般。他喃喃地叫着她的名字，中间又混着一些诅咒和亲热的话儿，她却越哭越厉害，终至如同疯癫一般了。

直至伯鲁一把抓住了她的头发，将她的头慢慢推开，她才突然从这疯癫状态醒过来认清了当前的现实。她觉得自己的头皮被他抓得有些发痛，这才抬起一张泪水纵横的脸儿，侧着眼睛将他看了看。这时她心中有些愧悔，急乎要听听他说些什么话儿，并且要知道他到底是否听见自己说话。

“琥珀！——”

他的舌头已经肿胀得几乎塞满了口腔，并给一层厚厚的白苔罩着，只是一个圈儿仍旧鲜红发亮。他的眼睛在发呆，可是对她瞠视着，像是又重新认识她了。只见他皱起眉头，竭力要把握住自己的思想，并且将它表达出来。

“琥珀——怎么，怎么你还不走——”

她小心翼翼地朝他看了看，仿佛一头落入陷阱里的野兽。“我是……伯鲁……我是要走了。我马上就走。”

他放开了她的头发，又深深叹了一口气，将头侧转过去。“上帝保佑。走罢——趁现在——”这几句话模模糊糊吐出来，他就又差不多安静了下来，只是嘴里仍旧喃喃地不知在说些什么。

慢慢地，小心地，她从床上抽开身子，她真正觉得有些害怕了，因为她曾听许多人说过，染了疫病的人是要发狂的。及等到她退到他的手伸不到的所在，将身子站直起来，她就出了一身大汗，松了一口气。其时她的眼泪已经收住了，因而心里也渐渐明白过来，如果她要帮他，必须先镇定自己，设法使他舒服，并且祷告上帝留住他的一条命儿。

于是她迅速下了决心，又重新开始工作。

她擦过他的脸儿和臂膀，又给他梳头发——因为她在码头上跟他见面的时候想，他是不戴假发的——然后又按平了褥单，重新敷了一条冷手巾在他额头上。这时他的嘴唇已经发焦了，给高热炙得裂开缝来。她就拿点头发油给他涂上。她又从育儿室里拿了几条干净毛巾来，将所有的脏东西打成一个大包袱。不过洗衣店里如果知道这家人发瘟疫，当然是不肯来拿的。这样忙忙碌碌的时候，她一直都仍留意着他，见他喃喃说话就去听听，以便他要什么就给他，免得他自己动手出力。

约摸六点的时候，街上有点活跃起来了。对面一家小杂货店的一个学徒在那里下牌门，一部马车隆隆地驶过，她又听见底下“牛乳来啦”的惯熟呼声了。

琥珀打开窗门。“等一会儿！我要买的！”她向伯鲁瞥了一眼，就悄然地跑开，经过梳妆台时顺手抓了一把钱儿，冲进厨房拿了只桶，匆匆下楼去了。“我要一加仑。”

那个每天从乡下进城来卖牛奶的女孩子脸上红艳艳的，显然非常健康。她从肩膀上面取下篮儿，倒出她的新鲜热牛奶。“今天又要热得不得了，你看罢。”她委实无话可说。

琥珀正留神听着伯鲁的声音——她下来的时候把窗口留着一条缝儿——所以她心不在焉地只对女孩子点点头。这个当儿，空中传来一种沉重的声音。那是丧钟的声音，一连响了三下——什么教区里面又死了人，听见钟声的人都要给他的灵魂祷告。琥珀和卖牛奶的女孩子不胜惊惶地急忙扫视了一眼，都闭上眼睛，喃喃地祷告了一会儿。

“三个便士，夫人。”那女孩子说道，琥珀见她的眼睛注视着自己的黑衫，显出一脸非常怀疑的神色。

琥珀给了她三个便士，提起那个沉重的桶儿，动身回屋里去。走到门口，她又转回头来。“明天你来吗?”

那女孩子早已挎上了她的篮儿，走出几步路去了。“明天不来，夫人。我要有一会儿不进城来了，这种日子是说不定谁有病的呢。”说着她又把琥珀浑身上下瞥了一眼。

琥珀就掉转头走了进去。她见伯鲁仍旧躺在那儿，跟她离开他的时候一样，但她才踏进门口，他就又恶心起来。她就连忙放下牛奶桶，三步并作两步地跑上前去。他的眼球已经不是那么血红，却已经变成黄色，并且陷进脑壳里去了。他已分明跟外界的一切东西都失去了接触，似乎耳目都已丧失了功能；他的行为动作都只凭着本能的指使。

后来她又买回来许多东西：奶酪、白白的一颗包心菜、几根大葱、萝卜、生菜、一盒白糖、一磅咸肉、一些水果。

她喝了一点牛奶，又把昨天晚上剩下来的一只鸭子吃了些，可是去劝伯鲁吃时，他没有回答，她将一杯牛奶放在他嘴上，他也将它推开了。她一时委决不下是要他吃好，还是不吃好，最后她才决定且等医生来再看。当时医生出门都带一根金色拐杖作幌子，所以她希望自己门前总可以看到他们。其时城里病人那么多，当然日夜都有医生出诊，那么不久就可等到的；因为她要亲自出去请医生，却不放心把他独个人留在家里。

谁知她发现他的呕吐物里面竟有一条条的血丝了。这一惊非同小可，她就决计不能在家里老等。

她拿了她的钥匙，走出大门口，穿过一条街，走到一个记得曾经见过一块医生招牌的所在。其时有一个由许多脚夫、叫卖的和家主婆组成的人群拥挤在街头，她好容易挨过他们开出一条路。一部过路的马车扬起一阵尘土，使她不觉吸进了一口；一个店里的学徒喝出一声彩，这才使她记起自己的衫子还没有穿好；一个邋遢的老乞丐手上脸上满是瘢痕，伸出一只手来要抓她的裙子；她经过三家门面，门上都画着红十字儿，并且都有一个卫兵看守在那里。

她气喘吁吁地跑到那医生门前，胸口里面已经干得发疼了，忙将门不耐烦地敲了一阵，看看没有回应，就向门上拼命敲。有一个女人出来开了门，那个女人鼻子上面扪着一个香球儿，对琥珀怀疑地瞪视了一会儿。

“医生到哪里去了？我得马上就见他！”

那个女人冷冷地回答她的话，仿佛怪她不该来似的。“巴登医生出诊去了。”

“回来请他就来。圣马丁胡同的羽饰馆里，就在那条大街的转角——”

说着她抬起臂膀向她自己家那边指了指，就旋转身子跑开了，一面拿手按着自己左腰上面刀刺一般的剧痛。但她回到家里却就放了心，因见伯鲁虽又吐过了一回，又吐了许多的血，却把身上的被单都掀掉，比她离开他的时候情形好了许多。

她神经紧张地等候着那个医生，从窗口探望了不止一百次，心中暗暗诅咒着他的迟迟未到。但到了点心时分，那医生居然来了，她就跑下楼梯亲自去将他迎上来。

“谢天谢地，你居然来了！赶快罢！”说着她早已跑上楼去。

那医生是个疲倦的老头儿，嘴里吸着满满一袋烟，拖着两条沉重的腿儿跟在她后面。“赶快！没有什么用的，夫人。”

她旋转了头，将他狠狠地盯了一眼，怪他分明没有把伯鲁当作一个特别重要的病人。可是他既然来，她也就觉得放心了。伯鲁的病状如何，乃至她应该怎样将他看护，他总可以告诉她罢。平时她对于一般医生的话都要怀疑的，现在她是对于任何一个走方郎中或是江湖术士的一句闲话都会相信了。

她在那医生的前头走到床边站着了，看着他慢慢走进房里。她的眼睛睁得大大的，显出一种恐惧的神情。这时伯鲁已经进入一种昏睡的状态，只是嘴里的言语仍旧不停，也仍不住地翻来覆去。巴登医生离开床边几英尺就站住了，掏出一条手帕捂住自己的鼻子。他看了看伯鲁，暂时没有话儿。

“唔？”琥珀问道，“他怎么样啊？”

那医生微微耸了肩膀。“夫人，你问得我没有话好回答了。我还不知道呢。他发过横痃了吗？”

“是的，昨天晚上才发的。”

她掀开被头，让他看看伯鲁腿夹里的那块红肿，这时已有半个浸在水里的网球那么大，上面的皮肤绷得紧紧的，发红而且亮油油的。

“你看像是这个东西使他疼得厉害吗？”

“我曾偶尔一下碰着它，他就吓杀人地大叫起来了。”

“疫肿长起来的时候是这种病最最苦痛的一个阶段。可是亏得长出来，否则这种病就没有救了。”

“那么他还仍旧有救的，医生，他还是会好的？”她的眼睛急切地闪出光来。

“夫人，这话我是难保的。我实在不知道，没有一个人知道。我们只得承认自己不懂其中的道理——我们没有办法。有时他们不过一个钟头就死了，有时他们也能拖几天。有时他们死得很容易，有时要经过一番大叫大喊的苦痛才会死。强壮而健康的人跟单薄而虚弱的人并没有什么两样。你拿什么给他吃？”

“没有什么。我拿什么给他，他都不肯吃，而且他常常要吐，就是吃了也没有用处的。”

“不过他得吃，你得设法强迫他，而且吃的回数要多——三四个钟头就得吃一次。给他鸡蛋、肉汤、补血酒之类吃罢。而且你必须将他盖得尽量热。拿你所有的被头将他盖上，不要让他打掉。烧几块砖头放在他的脚底下。如果你有石头做的烫瓶，你就拿出来用吧。

替他生起一个旺旺的火来，一直不要让它熄。你得有法子让他出汗，出得愈多愈好。他那疫肿也得做起一张膏药来贴它——你可以拿醋和蜜和烟丝来做，如果你家里有的话，再加一些烧焦的面包屑和很多的芥末儿。如果他要把膏药擦脱，你拿一条绳子扎牢它。除非他这疫肿裂开来，出了脓，否则他是没有好起来的机会的。还要给他一种强烈的泻剂，锑片浸白酒就可用得，或者你手边备有什么都可以。再得一种灌肠的药儿，我所能告诉你的不过如此了。还有你自己呢。夫人——你现在觉得怎样?"

"我觉得很好，只是疲倦。昨天晚上我差不多没有睡觉。"

"我把这个病人报到区里去，就会有一个看护派来帮你的忙了。你为防卫自己起见，我劝你拿些桂花或杜松子浸在醋里，每天将那冒出来的气闻几回。"说完他掉头而去。琥珀虽把一只眼睛看着伯鲁，却跟着送他出来。"还有，夫人，我看趁那看护未来之先，不如把家里贵重的东西藏好。"

"啊呀，我的天！你打算送我怎样一个看护啊!"

"区里对于自愿投效的人是不分好歹都收的——我们的人手已经不够支配了——其中固然也有很老实的人，可是不瞒你说，大部分人都靠不住。"这时他已走出了前室，及至他开始踏下楼梯，便又对她说道，"万一疫瘟瘢出现了，你就不如请教堂的殡仪司务来摇铃罢。到那时候是毫无办法的了。我等明天再来看。"他正说时，便听见屋外丧钟又敲响，敲的是两下，知道死者是一个女人，"这是上帝为了我们犯罪对我们施行的报复呢。好吧——日安，夫人。"

琥珀回到屋里，立刻着手她的新工作，因为她虽然疲倦，却巴不得有工作可做。这可以使她忘记种种心事，而且她给他做的每件事，都会给她一种称心满意的感觉。

她将厨房里烧着的热水装了好几个瓶儿，拿毛巾包扎起来，在他身边围着，又从育儿室再搬了半打被头将他盖起来。他竭力抗议，屡次将被头拨开了，她总耐心地重新给他盖上去。于是他脸上的汗同河水一般淌出来，底下的褥单都浸成了黄色。火炉里的火已在轰吼，她还将煤拼命地添，以至房间里热得像火坑似的。她脱掉了里面的衬衫，将袖子卷得高高，解开外边的衫子，那件绸子的小褂却仍粘着了她的肋骨，胳肢窝里都有汗水淋漓。她将一头浓重的头发掠了上去，在头顶心梳起了髻儿，拿着条手帕不住擦着脸儿和胸口。

她将那泻剂灌进他口里，不等它发生效验，就又将灌肠药也塞进去了。这是一桩非常艰苦的工作，可是琥珀早已不知疲倦了——她只照她必须做的去做，连想都不去想它。及至清去他那泻出的东西，洗过一把手，她便又走到厨房里去做那些芥末的膏药，并准备着热的牛奶和糖、香料、白酒等做一服奶花汤。

当她拿起那膏药贴上他那肿毒上去的时候，他并没有抗议，且像并不知道是什么似的。她这才放下心——因为她起先怕他会觉得疼痛——重新回到厨房里去将那奶花汤做好。

她先自己尝了尝味儿，再撒进一点肉桂粉重新尝了尝。味儿很好了，她才将它倒进一只双嘴镴罐儿，动身回到卧室里。谁知在这个当儿，她忽然听见一声大喊，那声音非常可怕，吓得她一个寒噤通过整条脊梁骨；随即又听见了一声，还有一种打破东西的巨响。

她将那个镴罐放进碗柜里，急忙奔回卧室来，只见伯鲁从地板上蹲起身，正挣扎着要立起——他分明是在爬下床的时候跌到地上来的，同时将床边的一张桌子也连带翻倒了。“伯鲁！”她向他尖叫着，但他并没有意识到她，也没有意识到自己是在做什么。慢慢地，他站直起来，转身去推开那个未经加锁的大窗户。她急忙奔上前去，从抽斗柜抓起一只蜡烛台，趁他一脚跨上窗台的时候，便一手抓住了他的臂膀，将那蜡烛台向他后脑勺狠命一敲。这时她隐约觉得底下街面有人抬头朝上看，并且听见一个女人尖叫的声音。

他被她一下敲昏了过去，摇摇晃晃地慢慢倒下来。她连忙一把抱住他，尝试将他抱回床上去。但是他的身体太重了，怎样也拖他不动，只是慢慢地向地板上溜下去。她看看没有指望，索性将他狠命地一推，连自己也给他带着滚倒。但她急忙爬起来，从床上抓起一条棉被来将他盖着，因为他当时是精赤光光的，而且在涌水一般地淌汗。后来她将他连扯带拖，出了一身臭汗，好容易将他弄回床上去。然后她在床边一张椅上面倒下来，完全脱力了，好像浑身肌肉都在搏搏地跳跃。

定了定神，她又扑上前去看他，只见黑沉沉的一缕血正从他的头梗上面弯弯曲曲流下来，于是她只得又站起来，拿了棉花和冷水，将那血迹拭干，又从一条干净的毛巾上面扯下一块棉布，将他的脑勺包裹起来。

“这个遭瘟的看护！”她愤愤地想着，“她怎么还不来呀？”她又给他换了一张芥末膏，看看那些热水瓶里的水快冷了，又重新装了一回热水。

她到厨房里去拿水的时候，顺便将那奶花汤拿起来狠命灌了一回。据说这东西是很提神的，她喝了之后的确也暂时觉得强壮了很多。她将那个罐儿放下去，拿手背擦了擦嘴儿。那个遭瘟的婊子早一些来就好了！她心里想道。她来了之后我也许可以睡一会儿。我再不睡是要死的。原来她这时一阵阵地感到疲乏，有几分钟竟至觉得连一动都不能动，一步都不能走了。但是过了一会儿，她又好了些，虽然未减疲乏，却仍做得动必须要做的事情。

伯鲁过了好几分钟才回复他的意识，但比先前更加不安更加吵闹了。先前他还不过是翻来覆去，现在竟至不住颠簸了，将身上的被头也统统打开；他的声音响亮而愤怒，她虽听不出他说什么，却知道他一直在那里诅咒。她拿奶花汤去灌他，但没有灌进多少，就被他拿臂膀一挥连汤带罐都打翻在地板上。

及至他稍稍安静了些，她就拿起纸笔坐在床边一张桌上要写一封信给南儿。但这信的措辞非常困难，因为她要把老实话带给南儿，却又不能让她担惊受怕。她写了半个钟头，写得非常辛苦，一连写了几张都撕了，最后写一张才觉得适用。她将它吹干了，打上一颗金色的封蜡，然后从桌子上拿了一个先令，走到窗前去打开窗门，心想她若看见什么年轻小伙子打街上走过，就可将这先令扔给他，托他到邮局去替她寄这封信。至于邮费是可以当作欠资到那边去补付的。

其时天上已经变成青灰色，有一两颗星星已经亮红起来。街上已经没有很多人走路，可是当琥珀探头出去的时候，街心正走过一个孩童，拿手捏着鼻子走过她门口。

她向自己的门口一看，看见一个卫士掮着一根长杆懒洋洋地靠在墙壁上。那么她的门口上面已画上红十字了，从此他们就要四十夜不能出大门，否则就要等他们统统死光才能够开放。这一种情形，若在几天之前是要使她大为恐慌的，现在她却差不多可以漠然视之了。

"卫士!"她轻轻叫了一声，那个卫士就离开墙壁几步，抬起头来看看她。"你可以将这封信交给一个人去替我寄掉吗？我给你一个先令。"那人点点头，她就信带钱一齐扔下了，重新将窗门关上。但她暂时不离开窗前，像个犯人似的站在那里看看天空和树木，顿了一会儿才旋转身，去给伯鲁重新将被头盖好。

等到那看护来时，已经差不多九点钟了。琥珀先听见底下一个人跟那卫士说了几句话，随即就有敲门的声音。她拿了一根蜡烛，急忙跑下去让她进来。"你为什么来得这么晚？"她质问道，"医生说是点心时刻就差你来的!"

"我刚刚丢开一个病人来的，夫人，他偏又死得那么慢。"

琥珀在那看护的前头跑上楼，将蜡烛高高照着，让她可以看见路。可是那老太婆走得慢吞吞，一路气喘吁吁，一步一步都得捧着自己的膝头跨上来。到了楼梯顶，琥珀掉转头来仔细看看她，却仍对她满肚子的气。

原来那个女人约摸已有六十了，而且长得很肥胖。她的脸孔滚圆而浮肿，却装着一个笔尖的鼻儿。她的嘴唇瘪成一条线似的。她戴着一蓬臃肿的黄色假发，弯弯曲曲地堆满一头。她身上穿一套深红丝绒的衣裳，脏得已经发了腻，破得两个臂膀一齐露出来，胸前却绷得紧紧的。她身上带着一种恶劣的气味，乃是腥气和臭气交混而成。

"你叫什么名字？"琥珀等她气咻咻爬上楼梯顶的时候问她道。

"我叫施朋，夫人，施朋奶奶。"

"我是威太太。病人在这儿。"说着她走进卧室，施朋奶奶迈着鸭子步儿跟着她，一双蓝色眼睛骨碌碌地只管顾视那灿烂的家具，对床上的伯鲁竟一眼都不去看。

于是琥珀发急，问她一声："唔？"她这才微微吓了一跳，当即傻头傻脑地咧开嘴来，露出几颗漆黑的牙齿。"哦——病人在这儿。"

她将伯鲁看了一会儿。“气色不大好呢，是不是？”

“原是不大好呀！”琥珀马上叱回道。她见派来这么一个蠢老太婆，心里颇为生气而且失望了。“你是一个看护是不是？告诉我怎么办罢，我该怎么帮助他？医生说的事情我已统统做过了——”

“唔，夫人。如果医生说的事情你已经统统做过，我也就再没有什么可以告诉你的了。”

“可是你看他的神气怎么样？你是见过这种病人的——他跟别人比较起来怎么样？”

施朋奶奶对伯鲁瞠视了一会儿，牙齿缝里吸进几口气。“唔，夫人，”她终于说道，“有的比他还要难看，也有的比他好看些。不过我对你讲老实话罢——他的气色并不怎么好。现在，夫人，你有什么吃的东西给一个快要饿杀的可怜的老太婆吃吗？上一个地方我是一点东西都没有吃，我可以赌咒——”

琥珀满肚子的厌恶，将她瞪了一眼，可是这时伯鲁又突然要呕吐起来，她就急忙奔去拿那个盆子去给他接吐，一面向厨房那边摆了摆手儿。“在那边。”

这时她觉得更加疲倦，而且全然灰心了。这个肮脏蠢俗的老太婆对她没有一点儿用处。她决不肯让她去碰伯鲁，而且这位奶奶本来也不见得会去碰他。她所能够希望的，至多是今天晚上叫她坐着看守他一会儿，好让自己睡几个钟头，一等明天就请她走路，再去换个好些的来。

半个钟头过去了，她听听施朋奶奶还没有一点动静，最后她光起火来，奔到厨房里看她去，只见她那整洁的厨房已经给她弄得狼藉得一塌糊涂了。食橱大大地敞在那里；地上碎着一个鸡蛋；一块火腿被她切下半块了；奶酪已经去了四分之一。那位奶奶听见琥珀的脚步声，有些惊惶地掉转头来将她看了看。其时她一只手里拿着一大片火腿，还有一只手里拿着一个香槟瓶——还是昨天晚上才开的。

“唔！”琥珀嘲讽地说道，“我希望你在这里不见得会饿杀了罢！”

“那是当然。夫人！”施朋奶奶同意说，“所以我总宁可在阔人家里做看护。他们家里总可以吃得饱的。”

“你到那边去看看老爷去罢。我得替他预备一些吃的东西。倘若他打开被头，或是要呕吐，你就叫我一声——可是你自已什么都不要动手。”

“他是一位老爷是不是？那么你也一定是位太太了？”

“这你不要管，到那边去，走罢！”

施朋奶奶耸了耸肩膀，走开了。琥珀虽然恨得咬紧了牙齿，皱起了眉头，可仍立刻动起手来准备病人的食品。数小时之前，她曾把头天晚上剩下来的那碗汤给他喝。他嫌她扰他的安静，曾经对她愤愤地诅咒，并把那汤匙竭力推开，可是她定要他喝，竟把那碗汤统统灌下去了。谁知不到一刻钟，他就仍旧把它吐得干干净净。

这回她拿那个盆子接着他的吐，心里已经装满一腔无可奈何的心情，就不由得幽幽地哭了起来。施朋奶奶却像没有这回事一般，管自指手画脚地坐在离床五六英尺外的一张椅子上，喝着她的酒，啃着她那一块冷鸭儿；又将鸭骨头扔到窗外去，跟底下那个卫士油腔滑调地搭起话儿来。及至琥珀从厨房赶回，见这情形不由大光其火。

“你敢再把窗子开开看。”她一面叱喝一面将窗子砰地关上锁起来，把个施朋奶奶吓了一大跳，“你到底在转什么念头呀？”

“天，夫人，我不会杀害老爷的！”

“你不要管，只听我的话好了，把那窗子关在那里不许开——否则你要懊悔的，你这老婊子！”她喃喃地骂了这一句，就回转去洗涤碗碟收拾厨房去了。当初她的姗娜姨妈是个精明能干的管家婆，她曾在她手下受过几年的训练。这几天她重新当起家来，也要把家里收拾得一尘不染，哪怕一天做十八个钟头的工作也在所不辞。

这时伯鲁越闹越厉害了，施朋奶奶告诉她说大概是因他那肿毒痛得厉害的缘故，又说她曾有两个病人，因熬不住痛，竟至发起狂来自杀的。

琥珀眼看他这般难受，却没有法子减少他的疼痛，怜惜得如同万箭钻心一般。她扑到他身上去看看他，试探着他需要什么。每次他将被子打开了，她就立即替他重新掩上去，那芥末膏药屡次掉下来，也当即替他重新贴好。有一次她扑到他身上的时候，他竟猛地向她挥过一拳。幸亏她躲闪得快，否则是要被他打昏的。他那疫肿继续长大，现在已经长到整个网球那么大小了，上面的皮绷得紧紧的，显得加厚而发紫。

那个施朋奶奶一直逍遥自在地坐在那里哼哼儿，唱曲子给自己听，拿那空酒瓶子在大腿上轻轻打着拍儿。琥珀一直都非常忙碌，并且为了伯鲁装着满腹的愁烦，竟忘记了施朋奶奶在那里，即使记起她来也不理睬她。

但到十一点钟的时候，她把屋里什么东西都弄清楚了，自己也已脱了衣裳洗过脸，这才对那老太婆说起话来。“昨天晚上我只睡过三个钟头觉，施朋奶奶，现在我累得什么似的。你只消看着老爷三四个钟头，就可以来叫醒我，我会起来替换你。我们轮流看护好了，因为老爷是一刻不能离人的。他倘使打开被子，你能给他重新盖好吗？”

“好的，夫人。”施朋奶奶表示同意，说着她将头点了几点，就把那蓬假发滑下来，露出她那薄薄一层肮脏的灰发，“你交给我好了，夫人，你尽管可以放心。”

琥珀从床下拉出那张转轮活榻来，伏着躺在上面，身上只穿着一件浴衣，其余一丝不挂，因为房间里面仍旧很热很闷。她并不想睡觉，因为她不放心他，但她知道自己非睡不可了，而且事实上也不由她不睡。所以不过几秒钟之后，她就失去了意识了。

睡了不多一会儿，她就突然被惊醒，只觉脸上受了一下笨重的打击，随即一个沉重的身躯压到她身上来。她不由自主地发了一声可怕的尖叫，当即明白怎么回事，连忙拼命要将自己挣脱。原来伯鲁因熬不住痛，这才爬下床来，倒在她身上，倒下之后他就不能动弹了，重沉沉的一堆压在她身上。

她大声呼喊施朋，可是没有回答。及至她抽出身来，朝她那边看了看，见她才慢吞吞地抬起头睁开了一只眼睛。这一气气得琥珀肚皮都快要炸破，连忙绕过床去狠狠打了她一个耳光，又抓住了她的一只软疲郎当的臂膀。

“起来啊！”她对她嚷道，“起来啊，你这老婊子！来帮帮我啊！”

施朋奶奶被她这一掌打醒过来，从椅子上刷地一下站起，比她平时的举动要敏捷得多。她们费了半晌的工夫，才把他抬回到床上去，他就直挺挺地躺在那里一动不动，瘫过去了。琥珀着起急来，俯下去看了看他的神色，一手按住他的胸口，一手捏住了他的手腕——脉搏还是微微在跳动。

这时她听见施朋奶奶在那里哭了。“哦，天，我是怎么啦！我碰到他身上了，我也要染上——”

琥珀怒不可遏地旋转身子对着她。“你是怎么啦！”她嚷道，“你这膨胀病的老婊子！你是睡过觉去，让他爬下床来了。你也许要害杀他的，耶稣知道，他若死了，你就不会染上疫病了！我要拿这两只手活活卡杀你！”

施朋奶奶吓得往后退了一步，发起抖来。“哦，天，夫人，我不过刚刚打了一个瞌睡呢！我可以对你赌咒！请你看在上帝分上，夫人，不要打我罢——”

琥珀将两个捏得紧紧的拳头放下来，满肚子厌恶地将头扭开了。“你不行，明天我要另换一个看护来。”

“那你是办不到的，夫人。派来的看护你辞不了。我是区里的先生叫我来的，他说我得等你们死光才能走。”

琥珀已经累得一点力气没有了，只好鼓起嘴儿叹了一口气，将披在脸上的头发拿手背擦去。“很好。那么你去睡罢。还是我自己来看护他，那边有一张床在那里。”她向育儿室那边指了指。

那一个长长的后半夜，她寸步不离地守在他身边。他已比先前安静些了，她也不再逼他吃东西，免得又将他打扰。但她烧了一些黑咖啡给自己提神，不时又喝一口樱桃白兰地，但那时她实在非常疲倦，酒喝下去就觉得头昏，所以又不敢多喝。隔壁房间里面施朋奶奶在那里不住地恶心，咳嗽。偶有一辆迟归的马车辘辘地碾过，其中夹杂着有节奏的马蹄声；那个值夜的卫士在那里踱来踱去，从那步声里面就可以听出他的疲倦来。什么地方一只猫儿在叫春；丧钟又响起来了，是很清晰的三下，随即听见更夫打着腔儿唱过来：

“当心你的钟，留神你的锁，火烛要小心，上帝保佑一夜平安。现在一点钟了！”

第三十五章

早晨终于来到了，太阳耀目而酷热地升在一片无云的天空里。琥珀朝窗外看看，巴不能够下起一阵雾。现在伦敦多少人家躺着病人和死人，这种光煜煜喜洋洋的太阳似乎就是一种残酷的讽刺了。

自从琥珀在码头上见到伯鲁的时候起，他脸上就一直带着一种忧恼的神情，直到今天将近黎明，方才变成一种漠然的脸色。他对周围的任何东西，乃至他自己的行动，似乎都没有一点意识。她将一杯水凑到他嘴边，他不由自主地将它咽下去了，可是他的眼睛呆呆地睁在那里，仿佛什么都没有看见。他的这种安静态度使她提起兴致来，以为他也许是好些了。

她仍旧穿上昨天穿过的那套衣服，动手收拾房间里面一夜积集下来的污垢。现在她的行动已经很缓慢，因为她的肌肉觉得沉重而发疼，她的眼球像烧一般了。她将好几个尿盆——除了施朋奶奶用过的一个——都搬到院子里的厕所里去，可是她看见一个男人在里边，仿佛十分悠闲自在，只得站在那里等了好一会儿。

到了六点钟，她去把施朋奶奶叫醒，在她的肩膀上狠命摇了一阵。那老太婆啜啜嘴，睁开一只眼睛看着她。“怎么啦，夫人？出了什么事啦？”

“起来吧！天亮了，你要再不帮帮忙，我就要把吃的东西都锁起来让你去饿杀！”

施朋奶奶露出一脸讨厌的神情看了看她，心里大为不高兴。“啊呀，天，夫人，我怎么知道已经天亮呢。”

说着她将被头掀开去，一个滚身爬下床，原来她除了鞋子以外浑身衣服都没有脱。她扣上衫子前面的纽扣，拉了拉下身的裙子，将她的假发胡乱装回原来的地方去，又将身子往后仰了仰，伸了伸，大声地打了几个呵欠，又将她那便便大腹按摩了一回，然后向嘴里伸进一个手指，剔出一些隔夜残留的肉屑来，将它抹在她那脏腻不堪的前襟上。

当她步过卧室要到厨房去时，琥珀将她叫住了。“这儿来！你来看看怎么样。他现在静些儿了——神气觉得好些吗？”

施朋奶奶回转身来将他看了看，可是马上摇摇头。“神气不好呢，夫人，坏得很。我看见过好几个人，临死不到半个钟头的时候都是这样的。”

“哦，天杀的东西！你以为是人人非死不可的！可是他偏不会死——你听见吗？你走你的罢——替我滚开去！”

施朋奶奶走开了。“我的天，夫人——你要问我，我总得告诉你……”

一小时之后，琥珀已将卧室里收拾干净，还有半碗汤也给他喂下去了。然后她对施朋奶奶说，她要到肉店里去买牛肉，大约二十分钟就好回来的，因为她知道有一家肉店就靠近林肯馆广场，离开那里不到四分之一英里路。她将她的衫子扎得尽量高，拿一条头巾来围着颈脖。那时天气太热，不能穿大衣，可是她从胸口里掏出一个黑网的风兜，将它扎在下巴颏儿上。

“卫士不肯让你出去呢，夫人。”施朋奶奶说。

“我想他肯的。这个你不要管罢，你且听我吩咐：你必须留神看着老爷，一步都离他不得；我回来的时候倘使见他有一点差错，或者是将被头打掉，那我就非捏掉你的鼻头不可，你记着罢！”说着她那褐色的眼睛闪出了光芒，两个漆黑的瞳仁绷出着，两片嘴唇噘得紧绷绷的。施朋奶奶大张着嘴，吓得同一只兔儿一般。

“天，夫人。你放心好了！我会同个巫婆一般把他看牢的！”

琥珀穿过厨房，走下后楼梯，就从房子背后一条小弄里溜出去了。可是她走不上二十码就听见背后呼喊的声音，她掉转头看了看，那卫士正在后面追着。

“逃吗，喂？”他仿佛觉得很有趣似的。“或者你还没有知道这房子已经封锁罢？”

“我知道是封锁的，我也并不逃。我去买点食物。一个先令可以放我走路吗？”

“一个先令！你当我是能够贿赂的吗？”他放低了声音。“那么三个先令罢。”

琥珀从手笼里掏出三个先令来扔给了他——他不敢近身来接，嘴里还衔着一支烟斗在那里，因为当时的人都相信烟草可以防疫。琥珀急忙穿过那条小巷，转上了一条大街。街上的人似乎比昨天更加少了，仅有的几个人也都不逗留谈话，各管各急匆匆地走过去，鼻子上面都扪着一个香球。一部马车拖着一大串装得满满的货车经过了，好几个人不胜艳羡地朝它们看了看。现在只有阔绰人家才搬得起家，其余的人都得待在那里听命于符录和草药，一路走去见有好几家人家都封锁了。

到了肉店里，她要了很大一块牛肉。那肉店老板将肉从钩子上取下来，仍拿钩子钩着递到她手里，将她的钱扔进一个醋坛儿。她将那肉用一条毛巾包起来，放进她的菜篮里，回家的路上又顺便买了两磅蜡烛、三瓶白兰地和一些咖啡。咖啡现在已经很贵了，所以街上已经没有人叫卖。琥珀虽然平时不大喝咖啡，却希望这几天里可以借此来提一提神。

她回来的时候，看见伯鲁还跟她离开他的时候一样，至于那施朋奶奶，虽然竭力自辩说她连眼睛都不曾离开过他，她却非常疑心，猜想她至少总在卧房里面搜索过一番金钱珠宝。其实所有值钱的东西都已锁在一块秘密壁板的背后，莫说施朋，无论谁也轻易搜寻不到。

施朋奶奶本来要跟她进厨房里去，可是琥珀将她打发回来，叫她仍旧去陪伴伯鲁。她将新买来的白兰地锁起来，因若不然，她知道它马上就要失踪的。可是在锁起来之前，她自己先喝了一个痛快，然后掠上她的头发，卷起她的袖儿，动手工作起来。她将一只熏黑了的罐儿装满了热水，把牛肉切成小方块放在里边，又将头一次买来的一些腊肉也放了进去；又将那些骨头也劈开来，同着里面的骨髓一齐加入；及等蔬菜切好了，也一起放了进去，其中有一片一劈四开的卷心菜、一些韭菜、红萝卜、青豆儿、一手把的草药，然后撒进了一些粗盐和胡椒末。

那一罐汤一连炖了好几个钟头，直炖得它稀烂黏稠为止。在这当儿，她又拿白酒、香料、糖和鸡蛋做了一服补血汤来预备给他喝。她将所有的蛋壳都擂得粉碎，因为她们乡下人有一种迷信，以为大片的蛋壳是要给巫婆拿去记名字的。她本来已经多事了，不愿再留这些蛋壳来惹起别的祸祟。

她将那补血汤拿去灌他的时候，发现他的舌苔已经开始剥落了，留下片片鲜红的精肉，又见他的牙齿已经在舌头上咬出好几个很深的印子。他的脉搏和呼吸都已加速了，有时他还微微咳嗽几声。他已深深进入一种昏迷状态，并不是睡眠，实在是完全失去了意识，无论如何不能唤醒他的了。甚至她碰了碰他腿夹里的那个疫肿——这时已经变成绵软的一团——他也没有一点感觉的表示。一个人病到这个地步，就是她眼里看去，也觉没有多少时候好活了。

可是她不肯这样想。事实上她已经疲倦非凡，几乎连想都不能想了。

之后她又回厨房里把东西收拾干净，把其他的房间也打扫过了，又将家具都掸个干净，所有的毛巾都在热肥皂水里和醋里浸起来，又提上来一些清水。于是她觉得实在不能动弹了，这才回到卧室去拖出那张活榻来，这时她的眼皮异常沉重，似乎谁在那里刮她的眼球，面前也一直挡着一个模糊的黑晕。

当她躺下睡觉的时候，已将近中午时分，虽然所有的窗帘都放了下来，酷热的阳光仍旧炙进房间里。她睡了几个钟头醒过来，觉得满身是汗，头痛非凡，仿佛一座屋子都在那里摇撼，原来施朋奶奶正在摇她肩膀。

“起来罢，夫人！医生在底下敲门呢。”

“真是天晓得！”琥珀喃喃地说道，“你难道什么事情都要吩咐吗？下去开门让他进来啊。”

施朋奶奶又不高兴了。“你自己叫我无论什么事情不要离开老爷的！”

琥珀疲倦地爬了起来，她觉得自己仿佛服过药一般，嘴里非常之难过，似乎已经一连睡了好几天似的。其实那时还只五点钟，房间里面虽然暗了些，那个火炉却使它仍旧很热。她推开了帐门，俯下身去看看伯鲁，他仍旧是那个样儿，也不见得坏。

巴登医生先走进屋里来，自己也疲倦得像是害病了，离开几英尺远将伯鲁看了看。琥珀觉得很绝望，知道他见过了不知多少病人和死人，恐怕早已辨别不清谁死谁活了。

“你看他怎么样？”她问他道，“他能活吗？”可是她自己的脸上也并没有显出怎样的希望。

“也许会活的；不过对你说老实话罢，我并没有把握。他的红肿破了吗？”

“没有，现在它已软了下来，可是按到底下还是有一块硬的。我碰了碰它，他似乎并没有觉得。我们就没有办法了吗？我想总还有法子可以救他的。”

“你信任上帝罢，夫人，我们是无能为力了。如果那红肿破了，你且将它包扎好——可是当心你自己不要碰上那血脓。我明天再来，如果那块红肿还未破，我就得替他开刀。我所能说的话不过如此了。再见，夫人。”

他微微鞠了一个躬，就动身走了。琥珀送了出来。“你有法子替我换一个看护来吗？”她问道，她的声音虽低却迫切，“这老太婆没有用，她除了吃喝之外，什么事情都不干，徒然在这里消耗我的粮食罢了。这跟我独个人在这里没有两样。”

“真是对不起，夫人，区里的管事现在忙得很，对于个人的问题无法加以考虑。所以看护实在都不能胜任，而且大多数是老年人——她们要是能够自谋生路，就不来干这种事了。区里派出她们来当看护，是为免得要公家赈济她们。还有一层你必须明白，夫人，就是你自己也随时都可能病倒，那么你就比独个人在这里好多了。”

他走了。琥珀耸了耸肩膀，当即下了决心，这老太婆既然不能送她走，就要设法派她的用场。这么想着她又回转厨房去。那汤已经炖好了，炖得非常浓厚，上面热腾腾地浮着一层油。她就臼起一碗来自己先吃了，吃了之后顿觉好得多，头也不痛了，又重新乐观起来，心里便又涌来了把握，以为单单凭她这般的意志力，也就可以保全他的性命了。

我是这么爱他，她想道，所以他决不会死。上帝不会让他死。

那天晚上她想要睡觉的时候，就决计跟施朋奶奶讲起条件来。“如果你可以醒到三点钟再来叫我，我就给你一瓶白兰地。”她的意思是，只要那老太婆坐夜看着他，让她自己好睡觉，那么她情愿白天让她整天喝酒。

这个条件使得施朋奶奶满意了，她便又口口声声地赌咒，说她连眼睛都不会闭一下。有一次琥珀突然醒过来，一下笔直坐起，眼睛朝着施朋奶奶看——其时房里有亮光，因为火炉是通宵旺着的。谁知道老太婆的确坐在他床边，两条臂膀交叉放在肚皮上，知道琥珀在查看自己，便咧咧嘴儿。

“不哄你的罢，夫人？”

琥珀倒转床上去，当即就又睡熟了。谁知睡不了多时，便给一种模糊的尖叫声惊醒，不由一下子跳起来，只觉一颗心怦怦跳着。原来伯鲁已经跪到床沿上，正将双手卡住施朋奶奶的咽喉。施朋奶奶手舞足蹈地在那里挣扎，可怜得同一条上了钩的鱼儿一般。再看伯鲁一脸的肉都已扭曲，牙齿狰狞地露出来，缩起了两个肩膀，将全身的力气都注到指尖，看看那老太婆的一条命危在顷刻。

琥珀急忙爬到伯鲁身边，抓住了他的两条臂膀，将他拼命地往后拖。伯鲁嘴里诅咒着放开那个老太婆，掉转身来抓琥珀，双手卡住她喉头，挤得喉头的血都涌上她的脸部和两个太阳穴，终至她的顶门几乎要炸裂，她的耳朵也轰鸣了，眼睛也黑了。她急得无法，只将一双手乱摸乱抓，刚巧碰到了他的眼睛，便将拇指头狠命地戳。他的双手这才渐渐松下来，随即突然一下倒回床上去，死一般地挺在那里了。

琥珀慢慢地倒下床来，因为她已昏晕得身不由己了，及至过了几秒钟，她才觉得施朋奶奶在那里跟她说话。

“——破了，夫人，那东西破了——他就为了这个发起狂来的呢!”

她慢慢地爬起身，扑到床上去一看，见那一团高高隆起的肿毒果然已破裂，好像火山冲开了一个喷口一般。那破口又大又深，尽可塞进一只手指头，殷红的血如同一条小河似的从里面流出来，在褥单上流成一塘，粘搭搭地凝在那里，稀薄的腺液混在血中，黄色的脓浆也开始涌出。

琥珀差施朋奶奶到厨房去取了些热水，立刻动手擦起血来，一面涌出一面就擦去。染了血的布片已经积成一堆，那位看护奶奶仍旧不住手地将一些干净褥单撕成绷带，但是绷带扎上一点儿没有用处，等不到半分钟就要被血浸饱了。琥珀从来少有见人流过这么许多血，见这情形大为惊吓了。

“他这样淌血下去是要淌死的呢!”她一面又将一块绯红的布片扔进身边的一只桶里去，一面万分着急地说道。这时伯鲁的面色已经由红而转白，拿手碰去觉得冷冰冰的了。

“他是一个很强壮的人，夫人——他是淌得起血的。可是你应该谢谢上帝，幸而这东西破了，现在他已有可活的希望了。”

过了一会儿，那血终于止住了，只是慢慢地继续有些沁出。琥珀将那创口扎起来，然后走开去拿了一盆干净的热水洗手。施朋奶奶走到她身边，哭一般对她发起了牢骚。

“现在已经三点半钟了，夫人。我可以去睡觉了吗?”

“可以，你去罢。谢谢你。”

“现在也快天亮了，夫人。你能把白兰地现在给我吗?”

琥珀走到厨房里去拿了一瓶白兰地给她，她就走到育儿室里去，关起门，低声哼了一会儿，其后就寂然无声，随即鼾声大作，一连数小时轰然不绝。琥珀继续给他换绷带，装热水瓶，一直都忙个不停。快到天亮的时候，她看见他脸色逐渐回复，呼吸渐觉正常，皮肤也干了起来，这才大大松了一口气。

到了第八天，琥珀就深信伯鲁不会死了。施明奶奶也是一样的意思，虽然她爽直说她本来当他要死的，不过她说疫病这东西不比别的毛病，要死就死得很快，谁要拖到第三天就已有点希望了，如果能够活到一星期，那就差不多一定可以好，只是复原的时间一定会拖得很长，并且身心都非常衰弱，差不多处于一种完全虚脱的状态，在这期间倘使出力过度，是马上就能致命的。

自从肿毒破裂的那天晚上起，伯鲁就一直卧在那里，始终没有一点自发的动作，先前那样的不安、谵语和狂暴的情形都已没有了，他的气力已经用净，竟至连动弹都不能动弹了。琥珀拿吃的喝的去喂他，他都服服帖帖咽下肚去，可是这么一来就又像在脱力了。他的眼睛差不多一直闭着，说不出他什么时候醒，也说不出他醒的时候究竟有没有意识，可是琥珀知道他大部分的时间都是睡觉的。

琥珀一刻不停地忙碌着。只是那肿毒溃破之后，她已能有充分的睡眠了。她的工作做得非常之热心，甚至于感到一种快乐，至少是自己觉得满足的。当初姗娜姨妈教给她的关于烹调、看护、管家的一切工作，现在她都记起来了，而且她对于这三口之家的工作竟比她的女仆们做得好些，便觉得很自豪了。

她不敢替伯鲁洗浴，可是仍旧设法将他身上擦干净，又得施朋奶奶的帮忙，把床上的褥单也换过了。其他各房间里也一直收拾得非常整洁，竟像有客人要来一般。甚至厨房里的地板也擦得干干净净的，所有的毛巾、褥单、食巾也都洗过烫过，每天都把那些镴盆用砻糠和肥皂洗擦一番，然后放到旺火旁边去烘干。这是姗娜姨妈教她的一个方法，可以使得镴器发亮不生斑点。因此她的两手已经渐渐地粗糙起来，又长起了好几个小茧子，同时她的头发也发腻了，脸上已有一个半星期没有沾过一点粉，但她觉得都没有关系。等他会注意我的时候——她对自己说道——我再腾出工夫来做这些事情好了。目前，她的观众就只有施朋奶奶，以及她去买粮食的那些店里的老板们，那是统统没有关系的。

南儿是杳无消息的，琥珀也颇替她和自己的孩子担忧，但她自宽自的心，以为她们一定没有什么。据她所知，瘟疫并没有传到乡间。至于那封信，那是很可能没有寄达的。她和南儿已经相处了多日，知道她很忠心，很有办法，现在她也只得仍旧完全信任她，当她们在那里平安无事。

她自己的健康一直都如常，她想她所以能够如此，不得不归功于那犀牛角，以及她嘴里衔的那个古钱，乃至她每天剪下一绺头发将它切得粉碎浮到一杯水里的那种方法。这方法是施朋奶奶教给她的，她们都虔诚地奉行起来，因为施朋奶奶做过八家疫病人家的看护，都靠这种方法保得太平，偶尔她也要做做祷告，当它一种权宜救急之策。

巴登医生来过两次就没有再来，施朋奶奶和她都当作他非死即逃了。因为疫势一天天加甚，逃走的医生也一天天多起来，可是伯鲁的病势继续有进境，琥珀就不耐烦再去找医生了。

每天早晨起来，她先喂他吃早饭——寻常总是一碗补血汤——接着给那蜕皮的创口换绷带，洗脸，又设法刷过他的牙齿，然后坐在他的身边给他梳头发。每天这一会儿工夫是她最享受的，因为她一直都忙着旁的事，很少有工夫可以和他相伴。有时他朝她看看，可是他的眼睛迟钝而没有表情，她看不出他究竟认不认得自己。但她每次俯身下去看他的当儿，脸上总浮起一个微笑，希望能够引出他的微笑来。

久而久之，微笑出现了。

那是在他害病以后的第十天，她坐在床上和他面对着，一心一意在梳他的头，这时他的头发已很松动而健康，跟平时没有两样了。她将一只手掌轻抚着他的一个发鬈儿，脸上笑嘻嘻的，心里也真正快乐得很了。就在这个当儿，她看出他正在注视她，并且的确是看见她的，已经认出她是谁，知道她在做什么了。她看见这情形，不由得浑身的肉涌过了一阵震动，又见他嘴角上正要挤出一个微笑来，她就连忙伸手去摸摸他的面颊。

“上帝祝福你，亲爱的——”他的声音温柔而粗嘎，比耳语高不了许多，说着，他就掉转头来亲她的手指。

“哦，伯鲁——”

她只能叫出他的名字，其余的话说不下去，因为她的咽喉胀得在作痛，同时一颗眼泪泼下她的面颊来。及至第二颗眼泪又涌上，她不等它滚落就连忙擦去了，其时他已重新闭上了眼睛，疲倦地将头扭开，发出一声轻轻的叹息。

自从那一回之后，凡是他有意识的时候她总知道，逐渐他就和她说起话来了。不过经过许多日子，他只能说几个字儿。她也不去强迫他多说，因为她知道他说话非常费力，说了之后总是十分疲倦。她在房间里的时候，他的眼睛往往要跟着她走，她看出那眼光里含着一种感激的神情，便觉得心痛得同绞也似的。她恨不得去告诉他，说她实在并没有什么功劳，不过因为爱他而做她分内所应该做的事罢了，又想去对他说，过去这几天工夫是她生平再也快乐不过的日子，因为她的精神和气力乃至每一点思想和每一分钟的时间都是为他而用的，不论他们之间过去有什么嫌疑，将来作什么归宿，他在这几个星期里面完全属于她，这几个星期总算被她享受到了。

伦敦是一天一天地在变化。

逐渐逐渐地，街上的叫卖人不见了，就是数百年来如一日的更夫的呼声也跟着他们一齐消灭；很多店铺都已关了门，那些站在柜台后面向过路人招揽生意的学徒也不见了——因为店员害怕顾客，顾客也害怕店员；朋友们远远看见就避道而行，免得碰头要说话；有许多人连食物也不敢买，怕食物上已经染了疫，所以有一些人竟已饿死了。

所有的戏院是五月里就关了门，现在有许多酒馆、旅馆，也都关门了。那些继续营业的奉命九点钟就得打烊，将所有的客人一概都摒逐出门。从前那种斗熊、斗鸡、变把戏、傀儡戏，现在一概都看不见了；就连法场上的行刑也暂时停止，因为这种事情照例是要引得大众来围观的。出丧本来也在被禁止之列，可是街上仍旧无日无夜无时无刻都可以看见长串的送丧人。

虽然大家都害怕染疫，教堂里却是一直拥挤的。所有正教的牧师多数都已逃走了，那些不服国教的牧师却大都留在都市中，正对一群昏迷苦恼的群众在那里滔滔不绝地指斥罪孽。至于一般妓女，都属生平所未有的忙，因其时正传布着一种流言，说是要防疫病，最好莫如花柳病，所以雀儿院、橙黄山、夜莺巷等处的妓院都是一天二十四个钟头开门的。妓女和嫖客往往搂抱着死在一块儿，那班龟奴就将尸首打后门拖出，免得前面客厅里的嫖客看见兔死狐悲。其时相信命运主义的人越发多起来，都道今朝有酒今朝醉，死到临头反正是逃不了的。因而就有许多人去占星算命，不论是谁摆个占卜摊，都是可望生意兴隆的。

死人搜索队出现在每条街上了。他们的职务就是搜查市内的死人，并将他们的死因报告到区里。这种队伍也是一班不识字的乡下老太婆组成，同那些投效当看护的是一类人物。疫病发生的时候她们就强迫将病人隔离开，走到街上总带着一根白色的手杖，以便人家看见她们立刻就好闷声不开口。

整个城市渐渐安静下去了。泰晤士河上来去纷忙的船舶都停在那里不动，因为一切船舶的进口出口都被禁止，所以那班整天喧闹的粗鲁船夫也都销声匿迹了。四万只狗和二十万只猫已被屠杀，因为大家相信他们会传播疫病。这时虽然远远在城里，也可听见伦敦拱桥底下涌水的声音，这是平时谁都不去注意的。只是钟声继续在轰响，镗镗镗怵耳惊心。

不久之后，死人就已不能各人独占一个坟墓了，于是便在城厢掘了个公坑——四十英尺长，二十英尺深——以备丛葬之用。每天晚上都有死人埋进里面去，有的还体面地装在棺材里，其他却只裹着一条褥单，或竟是赤身露体，同他们断气时一般。死人进入这个公墓里，便做了无名之鬼了。白天里，乌鸦老鹰群集在上边，见有人来方才飞到天上去，等人走了就又争来啄食，及至那些尸体烂起来，一阵臭气飘进了城里，就没有风能够将它吹散了。

那个夏天是从来没有这么热的。天上闪亮得跟一面铜镜一般，颜色蔚蓝得不见半点云彩，因而人人都把那种阴凉的雾当作上帝赐福了。庞大的鸟儿沉重地在那里辛苦飞行，教堂上的风信旗难得转动。四郊牧场的草都焦了，泥土硬得同砖头一般，一切的花卉都已枯萎而干燥。琥珀曾经掘了一些带着桂皮香气的红白花，将它栽在盆中放在阳台的阴处，但它也仍旧不能繁荣。

琥珀防御疫病的方法就是不去想它，因为那些不能不待在城里的人实在也没有旁的方法，就惟有维持他们的神志清明而已。

当她出去买东西的时候——因为这时街上已经没有叫卖人，差不多什么东西都得她亲自出去买了——她往往听见那些封锁的房子里面发出呼喊、呻吟和可怕的尖叫声。可怜的面孔从窗口出现，并且伸出哀求的手来："替我们祷告罢！"

后来疫势迅速地蔓延，街上看见已死和濒死的人就越来越多了。有一次她看见一个男人缩在一堵墙壁的旁边，将一个血淋淋的脑袋向壁上碰撞，迷迷糊糊地在那里呻吟。她惊怕得对他瞪视了一刻儿，这才捏着鼻子打他身边绕了一个半圆急忙跑开去。又有一次她看见一个已死的女人倒在一处门口，怀中一个娃子还在那里啜她的奶儿，她那雪白皮肤上的青色疫点是显然可以看出来的。她又看见一个女人腋下夹着一口小棺材，一路哭着慢吞吞地打街上走过。

有一天，她正在卧室里忙着，忽然听见远远一个男人的声音在那里大声呼喊，起先还不懂喊些什么东西，可是他走近来了，分明是向圣马丁胡同里来的，逐渐他的声音听得清楚了。"醒来罢！"他在那里喊道，"犯罪的人，醒来罢！瘟疫已在你的门口！坟墓张开大口等着你！醒来罢，悔罪罢！"她掀开窗帘向底下看了一看，看见那人正从她的窗口底下急匆匆地走过去，乃是一个裸着半个身子的老人，头发同茅草一般，挂着一部又长又黑的胡子，一路向着那些封锁的房子挥舞着拳头。

琥珀心觉厌恶地朝他看了看。"他见了鬼了！"她喃喃自语道，"这老不死的蠢东西！人家已经心里难受得紧了，还经得他这样来恐吓！"

还有一天晚上，是在七月的尽头，她又听见一种呼声，比这还要觉得可怕。先是一阵大车辘辘碾过石子路上的声音，接着是几声铃响，随后就是一个男人的低沉声音在那里叫喊："拿出你们的死人来罢！——拿出你们的死人来罢！"

她向施朋奶奶迅速瞥了一眼——因为伯鲁睡熟在那里，又赶回窗前。施朋奶奶也迈着鸭子步儿跟上去。她往底下一看，只见一部大车慢慢从那里赶过，一个人坐在赶车的位置上，一个人摇着铃在旁边步行，还有第三人拿着火把照着。她们凭着那火把的光亮，看见那部大车已装满半车的死人，横七竖八地堆叠在那里，指手画脚地乱成了一团；一个女尸半身挂在车板外，她的长发差不多要碰到地了。

"啊呀，我的天！"琥珀气喘吁吁地喊了这一句话，不期打起寒噤来，连忙掉转头缩回房中，却早已出了一身冷汗。

施朋奶奶也吓得牙齿格格地打颤。"哦，耶稣！这样乱七八糟堆在一起，竟连阿猫阿狗也分不出了！哦，天！这真叫人受不了！"

"你别多唠叨了罢！"琥珀不耐烦地喃喃骂道，"这跟你一点儿都不相干！"

"是啊，夫人，"施朋奶奶阴郁地表示同意，"今天是跟你我都不相干了。可是谁说得准呢？到了明天也许咱们都要……"

"你快住嘴好不好！"琥珀突然旋转身子嚷起来，见那老太婆被她吓了一大跳，这才有些惭愧自己不该这样惊惶，便马上接着说道，"你是跟娘子井的婊子一样多愁的，干吗还不到厨房里去拿瓶酒来喝喝呢？"

施朋奶奶带着满腔感激走开了，琥珀心上印进了刚才那部尸车的影像，却怎样也排它不开。她在街上看见的那些濒死和已死的人，耳中不断听见的那种丧钟的声音，公墓里面的那种臭味儿，城里那种很不自然的安静，乃至底下卫士告诉她的上礼拜内一共死了两千人的新闻——这种种东西积合起来的效果，业已开始对她产生压力了。先前伯鲁病得最最无望的期间，她是可以把恐惧和失望挡开去的，因为那时没有工夫去想。现在呢，却有一种迷信的恐怖开始在她的生活中发生作用了。

其余的人都陆续死去了，为什么我仍旧好好活在这里呢？如果他们都非死不可，我到底做了什么才配活在这里？偏偏她又明明知道自己并不比任何人有更多配活的道理。

恐惧是跟瘟疫一样会传染的，也跟瘟疫一样会蔓延开来。好好的人一旦怕害病，那么免病的希望就很少了，何况如今遍地都是死亡，你可以从呼吸里将它吸进来；你可以从一口食物里将它带进；你在街上碰到了它，它就跟着你回家来了。死是民主主义的。它不择贫富、美丑和老幼，都是一视同仁的。

八月中旬的一天早晨，伯鲁告诉琥珀，说他觉得他们再有两个星期就好离开伦敦了。那时琥珀正在替他摊床，就不假思索地回答了他一句，其实这桩心事她也已担了一些时候了。

“现在是谁都不许出城了呢，不论有没有健康证明书。”

“走总是走得了的。我已经想过，一定有法子可以出城。”

“那就再好没有了。现在城里啊——天晓得，简直是在这里做噩梦呢！”她赶快换了一个话题，向他微笑起来。“你想刮脸吗？我是一个超级理发师呢！”

伯鲁摸摸自己下颏上已经长了五个礼拜的胡子。“好吧，我要的，我觉得自己像个老渔翁一般了。”

她到厨房里去取热水，看见施朋奶奶垂头丧气地坐在那儿，膝胯里捧着一碗吃了一半的汤。“唔！”琥珀兴高采烈地说道，“你别对我说已经吃够了罢！”她将挂水壶的鹤嘴钩移开了火，拿个脸盆倒了点水出来，伸个手指头儿试试热不热。

施朋奶奶大为扫兴地长叹了一声。“天，夫人，今天我是见了鬼了，觉得不大好过呢。”

琥珀立即竖直了身子，将她狠狠地瞪了一眼。如果这老婆子也害起病来，她心里想道，我就将她赶出去，那区里的管事定要遭天诛！

可是当时她急着要替伯鲁做事，便丢开她回到卧室里，那些剃头用具早已在桌子上摆好了，便铺了一条大白毛巾在他胸口上，靠在他身边坐下来，然后一个抬起了脸儿，一个摩挲修刮着，双方都觉得其味无穷。琥珀更觉一种说不出的快乐沁澈了肺腑，及将身子扑上前去凑近他，又见他的眼睛盯在她的奶子上。于是她不由得心里怦怦跳起来，只觉得浑身慢慢爬过一股热。

“你一定是觉得好多了。”她温柔地说道。

“很好了，”他同意道，“已经会希望自己再好些了。”

不多会儿，她就已将他的脸修刮得干干净净，只剩得嘴唇上小小的一撮髭须，那是他一向都留着的。脸修好之后，这才看出他这场病害得多么凶，而且至今还是病容满面。他的皮肤向来是一种光滑的褐色，现在褪成一种淡淡的苍白色了。他的两颊也已削去而缩进，眼圈和嘴巴四周都已添出许多纹路来，全身肌肉也已削去了不少。但在琥珀的眼中，他还是跟以前一样潇洒。

她自己也略略修饰了一下，便将那盆水倒出窗外，把那些毛巾、剪子、刀子之类统统收起来。“再过几天，”她说，“我想你就可以洗澡了。”

“哦，天，我也这么希望呢！我一定是臭得同疯子一般了！”

于是他重新躺了下去，马上就睡熟了，因为他仍旧非常虚弱，稍稍出一点力就要疲倦的。琥珀想趁这个机会出去买东西，便拿起风兜，锁了卧室的门，免得施朋奶奶进去。她向厨房里走去的时候，看见那老太婆没精打采地独自在那里踱步，双眼呆呆地发着愣儿。琥珀当即联想到了那种尖鼻子的耗子，有的跑出洞来被她拿着一柄笤帚赶得慌。那种眼睛发愣儿的神情也是这样的。

“你觉得越发不行了吗？”琥珀一面对着镜子结风兜，一面注视着那老太婆的影子。

施朋奶奶带着哭声回答她。“倒也不怎么厉害，夫人。可是你不觉得这里很冷吗？”

“不，并不冷，我倒觉得热。可是你到厨房里的炉子旁边去坐着罢。”

她口里虽这么说，心里却非常懊恼，以为施朋奶奶如果真个病起来，她就得把家里的食物统统都丢掉，并且各房间里都得熏一熏。而且当初伯鲁病得厉害的时候，她虽然一点儿不怕传染，现在她却害怕起来了。因而她心里想道，等我回来，如果她的情形更不对，我就要请她走路。

她回来的时候，施朋奶奶在后门等着她，一双手儿插在裙子底下相绞着，哭丧着一张脸儿，那种可怜样子几乎有些滑稽。“天，夫人，”她立刻带着哭声叫起来，“我觉得难过得很呢！”

琥珀瞅起眼睛朝她看了看，只见她的脸是红的，两只眼睛都已充血，又趁她开口说话的当儿，可以看出她的舌头裹着一层厚厚的白苔，只有舌尖和舌边是鲜红的。这明明是染疫了，琥珀心里想着，就立刻将头扭开，免得碰着那老太婆的口气。她把菜篮放在一张桌子上，把买来的东西统统解开，立刻搬进仓库里面去，免得施朋奶奶碰着它。

“你如愿意走的话，”她竭力装起一种毫不在意的样子对老太婆说道，“我可以给你五镑。”

“走，夫人？叫我走到哪里去？我是没有什么地方好去的，夫人。而且我怎么可能走呢？我是派到这里来看护的。”说着她沉重地靠在墙壁上，“哦，天！我从来没有这样难过。”

琥珀刷地转过身子。“当然没有啰！你该知道是什么缘故罢——你已经染了疫了！哦，这是用不着瞒人的，反正你是不会好的了。你听我说罢，施朋奶奶，如果你肯到疫病院去，我就给你十镑。你到那里会有人招呼的。若是你待在这儿，那我预先警告你，我是绝不会帮你的。现在我就拿钱给你——你在这儿等着罢。”

说着她就动身去拿钱，可是施朋奶奶把她拦住了。

“这是没有用处的，夫人，我不愿意到疫病院里去。天，只要还有办法，我还是不想死的。我若去进疫病院，那就等于自己跳进公墓里去了。你真是一个狠心的女人，竟要把一个害了病的可怜老太婆赶出门外去，也不想想她曾经帮你救了老爷的性命回来。你简直不像一个基督徒了，夫人——”说着她疲倦地摇摇她的头。

琥珀将她狠狠瞪了一眼，其中充满着厌恶和憎恨。但她早已经下了决心，等到晚上非将这老太婆赶出去不可，哪怕拿刀去威胁她也在所不惜。不过，现在还只两点钟，是给伯鲁预备点心的时候了。

施朋奶奶蹒跚地回到起居室，也不想吃东西了，琥珀就动手做伯鲁的点心。

后来她将点心送进卧室去的时候，经过起居室，看见施朋奶奶躺在那一排窗口底下的一张长榻上，嘴里哼哼着，身上痉挛一般在那里发抖。她见琥珀走过来，就向她伸出一只手来。“夫人——我病了。求求你，夫人——”

琥珀连看都不看她一眼，管自走了过去，牙关咬得紧紧的，随即从围裙里摸出一把钥匙，旋开卧室的门。其时施朋奶奶正从长榻上挣扎着爬起来，琥珀大起恐慌，急忙拔出钥匙，推开门冲了进去，随手将它砰地锁起来。她听见施朋奶奶重新倒回榻上去，嘴里呢喃着，不知道念些什么东西。

她缓过一口气来，吓坏了，因为它曾经听人说，有些害疫病的人徘徊在街上，竟要抓住别人搂到怀里去亲嘴呢。她回头看看伯鲁，见他已经拿肘支着坐起来，正带着一种怪样的惶惑神情注视着她。

“怎么回事啊？”

“哦，没有什么事。”她给他一个迅速的微笑，就拿着那个点心托盘到他面前去了。她不愿他知道施朋奶奶害病的事儿，因为怕他着恼，而他现在这种境况是远不能着恼的，乃至任何有刺激的情绪都远经不起。“施朋奶奶又喝醉酒了，我是怕她跑进这里来吵闹你呢。”说着她将托盘里的碟子一个个摆出来，同时发出一种带着惊慌的浅笑，“你听她！她已醉得同母猪一般了。”

伯鲁就没有话说了，可是琥珀想他已经猜到那老太婆不是喝醉而是传染。此后她陪着他吃点心，但两个人都没有很多话说，也都鼓不起多大兴致来。及至她看见他重新睡熟过去了，才觉得心里宽松些，但她仍旧不敢离开他，继续守在他身旁，时而换换他的绷带，时而收拾收拾房间，同时侧着一只耳朵听着起居室里的动静，又屡次踮着脚尖儿凑到门上去听听。

她听得出她在那里辗转不安，听得出她在那里呻吟不息，在那里叫她的名字。及得傍晚时分，她终于听见很沉重的砰的一声，知道她栽倒在地板上了，再从她那喃喃诅咒的声音听起来，分明她在挣扎着想要爬起，可是她爬不起来。琥珀觉得丧气而惊惶，不住地看着伯鲁，便知他正睡得非常之甜。

这叫我怎么好呢？我怎么能把她弄出去呢？她心里想着。哦，这个死家伙，这个老不死的臭猪猡！

她站在那里看着光辉的落日，见它照得那些树木成了一片片的红色和橙色，又照在对街一面玻璃上边，映出一派使人目眩的光彩。慢慢地，她意识到一种从来没有的怪声，一时听不出它是什么，也辨不出它从哪里来。她听了一会儿才辨出它是从隔壁房间里传过来的，乃是一种咕咕如同流水的声音。她正要仔细听时，它却停止了，她就以为出于自己的幻觉，但一会又起来了，她不觉恐怖起来，因这流水声具有一种骇异的性质。但她虽然害怕，却不由得轻轻走到了门边，旋开锁儿开出一条缝向里面细细窥探。

只见施朋奶奶撑手划脚地仰在地板上，大张着嘴，一种带血的浓液从里面流出，又随她的呼吸从鼻孔里涌出来。琥珀瞠着眼睛看了一会儿，吓得浑身冰冷而麻木，连忙重新将门关起来，不觉用力过猛使它砰的一声响，她便急忙将身子缩了回来。这一声响分明惹起施朋奶奶的注意了，因为随即听见她喉咙里发出一种模模糊糊的声音，仿佛是在喊琥珀，吓得琥珀浑身长起鸡皮疙瘩来，急忙捂着耳朵奔到里面的育儿室里去，又将那扇门砰地关上。

过了好一会儿，她方才敢回到卧室里，一看伯鲁已经醒来。“我看你不在，不知你到哪里去了。施朋呢！她越发不行了吗？”

这时房间里已经黑了，她却还没有点蜡烛，看不出他的脸色。她侧着耳朵等了一会儿，听听那边没有一点声息，就知道老太婆已经呜呼了。“施朋已经走了，”她竭力装作一种若无其事的声音说，“是我送她走的——她到疫病院里去了。”说着她拿起一支蜡烛，“我到厨房里去点一个火来。”

在那起居室的昏暗光线中，她看见施朋奶奶的肥大身躯直挺挺地躺在那里，她且不去看她，及等她到厨房里点了那一根蜡烛回来，一照果然死了。

琥珀吓得不自觉地撩起了裙子，到卧室里点起其余的蜡烛来。

其时她的面色已变得雪白，并且大有要呕的意思，可是她照常做着事儿，决计不被伯鲁看出一点儿破绽。不过她仍觉得伯鲁是在注视她，所以她不去和他的眼睛接触，因为他若说起这桩事，她知道自己的神色是要把持不定的。她似乎已经近乎歇斯底里了，但她知道自己必须镇定，因为等收尸车来的时候，她还得将这尸体拖出门去呢。

这时天上还逗留着几缕丝绒一般的青色，但是她已经远远听见收尸车的第一次呼声了："拿出你们的死人来罢！"

琥珀挺直了身子，像一头野兽似的竖起耳朵倾听了一回，从桌子上拿起一个银制的烛插。"我给你做晚饭去。"说完她不容他有回答的机会，便匆匆出房去了。

走到起居室，她且不去看死人，便将蜡烛放在桌子上，先把通前室的门打开。街上的呼声又来了，已经近了些。她呆了一刻，便下了决心，掀起裙子，解开里面的背心，将它从脚上褪下，然后将那背心裹着自己的双手，弯下身去抓住施朋奶奶两个臃肿的手腕，往门口慢慢拖去。那老太婆的假发当即落下了，一身懒肉压在地板上面吱吱嗝嗝地作响。

及至拖到楼梯顶，她已经满头大汗，累得耳朵都在轰响了。她倒退着跨下楼梯，先将一脚探到了一级，站稳了才再探第二级；那楼梯弄里一片漆黑，但她听得出那老太婆的脚跟砰砰磕碰着梯级的声音。好容易拖到了底，她就去敲那大门。外面的卫士将门打开来。

"看护死了。"她有气无力地说道。其时她的面孔向着外面的卫士，在那昏暗的暮色里面白得同粉笔一样，那件麻纱的背心挂在她的一只手上。

尸车从那石子路碾过来，马蹄之声咯噔咯噔地响着，这时响起一阵意想不到的呼声："卖柴把儿呀！六个便士一把！"

她觉得非常奇怪，怎么这种日子这般时候还有人卖柴把？可是她正想时，尸车已经到了门前了，前面是个照火把的人，手里擎着一个烟腾腾的火把，他后面就是尸车，旁边走着一个摇铃的，边摇边喊道："拿出你们的死人来罢！"赶车的座位上面坐着另外一个人，这时琥珀才看清楚他手里拿着一个精赤孩童的尸体，看样子不过三岁，被他倒拎在那里。刚才听见叫喊“六便士一把的柴把”，就是从这人口里出来的。

琥珀正吓得莫名其妙地瞠视着他，他已转头来将那孩尸扔进车厢里，跨下车来同那摇铃的人来抬施朋奶奶了。

“咱们来看看，”他向琥珀咧了咧嘴说道，“这是什么一票货色？”

两个人都弯下腰去要抬了。谁知那赶车的突然抓住施朋奶奶的领口，将她的衣服一把撕开，以致她那一身懒肥肉全都露了出来。只见她从颈根一直到大腿，浑身都是青色的小点儿，这就是染疫而死的一种标志了。那赶车的连忙皱起了眉头，咳出一口浓痰向那尸体吐去。

“呸！”他喃喃说道，“哪里来的这么一票肮脏货色啊！”

其余那两个人对于他的这种行为不以为怪，谁也不去注意他，分明是他们看惯的了。然后他们抬起那尸体，将它一下扔进了车中。于是照火把的又向前进了，摇铃的重新摇起铃了，赶车的也重新爬上他的座儿。等他坐好了，他又回转头来看看琥珀。

“明天晚上我们再回来接你，我想你的尸体一定比这臭老婊子的要漂亮得多。”

琥珀砰地将门关起来，慢慢地爬上楼去，其时她身心交瘁，竟得一路扶着栏杆走了。

她走进厨房，动手做伯鲁的晚餐，心想等晚饭做好之后，又得拿热水和拖帚将起居室的地板洗擦一番。她忽然怨恨起工作劳苦来了，只觉得自己当前的任务做了一桩又一桩，仿佛一辈子都做不完似的。她恨不得立刻躺下去酣睡一番，只望醒来已经换了一番新天地。她终于觉得自己的责任成了一种担当不起的重担了。

而且尸车上那个赶车人的影像一直都跟着她。她无论怎样想把他赶开，却始终赶他不走。她又仿佛觉得自己并不是在厨房里，却仍在大门口看着那人，但被那人撕开衣服的并非施朋却是她自己，被他扔进尸车里的也非施朋却是她自身。

天啊！她心慌得不禁想道。我想我自己已经真正发了疯了！再过一天我就好准备进疯人院去了！

其时她在调糖酒，装食盘，一切动作都变迟钝了，最后她竟至失手将个鸡蛋落在地板上。她不觉皱了皱眉头，但仍拿一条布将它擦去，谁知她弯下身去的时候，她的脑门痛得要裂开一般，又是一阵非常厉害的眩晕，然后慢慢地重新挺直起来，不想整个身子都晃晃荡荡的，若不是急忙抓住桌边，早已一个倒栽葱栽下去了。

她站在那儿对地板瞠视了一会儿，转身回到起居室。其时她突然萌起一个想法来，但又急忙将它丢开。不，不，决不能是它，当然不能是……

她拿了那根蜡烛，到一张小小的写字台上去放着，然后将两个手掌按在台面上，扑上前去照着挂在墙上的一面金漆圆镜儿。那烛光清清楚楚地照出她的影子来。只见两只眼睛陷进了两个深洞，棱棱的睫毛戳进了她的眼皮，因而越发加深她那瞠目惊视的神色。后来她伸出舌头，又见它已经长了一层淡黄的舌苔，只有舌尖和舌边是清楚的，却带着一种不自然的粉红色。她把眼睛闭起来，立即仿佛天摇地转了。

天啊！明天就要轮到我了呢！

第三十六章

上帝的可怕呼声扫掠在城里了。

但在二十英里路外的汉普敦宫里，这种呼声是不会听见的。因为其他混杂的声音太多了。有洗牌的刷刷声，有掷骰的喀勒声；有写情书或是外交文件乃至机密函件时，鹅毛笔尖落在纸上的沙沙声；有秘密战场中钢刀相击的琅琅声，有交际场中的谈笑耳语声；有宴会中的吉他、提琴声，举杯相碰声，塔夫绸衣服的沙沙声。一切都跟平时一样没有改变。

晚上大家都聚会在王后的接待室里，也偶尔要谈论到瘟疫，如同谈论天气一般，理由也是一样的——就因它是非常状态的缘故。

“你们看过这个星期的死亡统计吗?”威尔斯维妮弗雷夫人跟司徒夫人及塞德雷爵士坐在那里亲谈的时候偶尔要问道。

“我是不忍看呢。这些可怜东西死得如同苍蝇一般。”

塞德雷爵士是个黝黑矮胖的年轻人，一双暴眼珠儿长得乌溜溜的，平时最讲究穿戴镂花的领结，这时听见司徒夫人那几句婆婆妈妈的话儿，便觉得大不高兴。“你又来了，馥兰！他们早死迟死有什么关系，城里反正挤得不堪了。”

“倘使疫病轮到你身上，爵爷，你就觉得有关系了!”

塞德雷笑了起来。“那是当然啰。不过，亲爱的，像我们这样有知识有教养的人，跟那种烤饼儿、做裁缝的蠢人，你总承认其间有个分等的罢？”

在这当儿，另外一位贵族走进来。塞德雷站起来欢迎他，伸出一条臂膀去搂住他的肩膀。“哈哈！卫尔牧来了！我们正在这里无聊得要命。除了瘟疫什么话都没得谈。你来好极了，我们可又提起精神了。你在那边得了些什么来？又有什么讽刺诗可以毁人名誉了吗？”

这罗切斯特伯爵卫尔牧约翰是个身材瘦削的年轻人，年纪不过十八岁，粉嫩的皮肤，色彩妖艳，以致他那脸庞儿有些近乎女性了。他从外国游历回来不过几个月，本来是早慧的资质，经过一番阅历更加老练了，但还不至于狂妄，而且还有点怕羞。自从进入了白宫，他很快就染上那种习气，为了贪图冒蕾姑娘的财产，将她拐带出来，以致触犯了刑章，关进堡塔里去，直到新近才放出来。

写作已成了当时贵族的一种风气。所有的廷臣都要写些东西出出风头，剧本啊，讽刺诗啊，对于朋友相熟们的诽文啊。至于这位伯爵却已不但显出了敏才，且以具有恶才知名了。当时他腋下夹着一个纸卷儿，原在房间里的三个人都有所期待地将它瞥了一眼。

“我抗议，塞德雷。”这位伯爵的笑容和态度都假装得非常柔和，并对司徒、威尔斯两位夫人极有礼貌地鞠了一个躬，使人再也不能相信他对所有女人的意见都是不大慈悲的。“照你这么说来，竟要使这两位夫人当我是个坏蛋了，不——我在等待卷好假发的时候信手涂来的。”

“念给我们听听看！”两位夫人齐声喊道。

“是的，看着上帝的分上，卫尔牧，让我们听听罢。你坐在杌子上面信手涂起来的玩艺儿一定比什么都好。”

“谢谢你，塞德雷。等你将来写完那个剧本，我一定坐在前排座儿上替你喝彩去。好罢，我写的那首诗是这样的——”

那罗切斯特伯爵就念起他的诗来。那诗咏的是关于一个牧人和他的爱人的一段漫长故事，半牧歌式的，情节也半庄半谐。那个女子先前一定不依从，那个牧人的爱情却过分热烈，到后来他终于得到她的依允，但已经误过兴头，觉得双方都不能够满足了。这是给予那种过分矜持的年轻女子的一个教训，也许就是暗讽司徒馥兰的。威尔斯夫人和塞德雷爵士都听得津津有味，司徒馥兰虽也听懂了其中的情节，却并没有把握住里面的深意。等到念完，他就突然将那纸卷成一团，扔进火炉里去了。这也是他们贵族中人的一种气派，决不肯让人看见他们对于自己的写作露出一点敝帚自珍的态度。

“你这个题目写得很不错，爵爷，”塞德雷说道，“会不会这就是你亲身遭到的不幸呢?”

那爵爷毫不在意。“你总好像晓得我的秘密一样，塞德雷，难道你跟我那个婊子也睡过吗?”

“倘使有这事情，你会不会动气呢?”

“决不会。我一直都说，一个男人若是不肯将他的婊子与朋友分享，那他就是一个天杀的促狭鬼，活该出天花死的。”

“好的，”塞德雷说道，“我只望你对待女人好些儿。她一直都在我面前怨你，说你没良心，对她太辣手。她又赌着咒说她恨杀爷了，从此不要再见你的面。”

罗切斯特突地哈哈大笑起来。“我的天，塞德雷！你真是太落伍了！那是我的最后一个婊子呢!”

正在这个当儿，罗切斯特的面容突然起了急遽的变化：他那蓝色的眼睛突地变黑，一种怪样的微笑沾上了他的嘴边。其他三个人觉得奇怪起来，回头一看，却原来是琶默芭芭拉已经出现在门口。她在那里站了一刹那，然后迈步走进屋里，只觉她光华夺目，气焰逼人，如同一阵热带的暴风刮进来一样。她穿着一套绿色缎子的衣服，那满身的珠光宝气四射得如同闪电一般。

“哦，天，”罗切斯特轻轻说道，“她是全世界顶顶美的一个女人呢!”

司徒馥兰立刻沉下脸，将头扭开了，因为她见查理对她那么垂涎，一向以为世界上只有她最美，听见人家拿这话称赞别人就要大不高兴的。至于威尔斯和卡塞曼两位夫人，也曾为了同一个男人彼此成了劲敌，平时只是面子上客气客气罢了。当时大家正在默默注视着，芭芭拉就已走进里边坐到她的牌桌旁去了。

“唔，”塞德雷说道，“你如果想要跟她睡觉，就必须先将你这种慌慌张张的毛病治好了。她看见一个男人带着这样的窘困，就要觉得很不耐烦的。总之，像你爵爷这一类型的男人，我想是不见得能讨她的喜欢罢。”

大家听见这话都禁不住哗然大笑起来，因为罗切斯特有一次冒昧要去跟芭芭拉亲嘴，曾吃芭芭拉一掴打得摇摇晃晃，几乎翻了身，这个笑话是谁都没忘记的。

那位爵爷自己也加入他们去笑，可是他的眼睛闪出一种恶毒的光芒。“不要紧的，”他耸了耸肩膀，“再过五年我包她就连我也会心甘情愿出钱倒贴了。”

那两位夫人听见这话虽然小小有点吃惊，却都露出了高兴的神色。难道芭芭拉当真已给情人倒贴了吗？塞德雷对于这点却公然表示怀疑。

“你别瞎说罢，约翰。你也明明知道，这位夫人心里想要什么，男人只消耸耸眉头就可到手的。她仍旧是白宫里的第一个美人——就说是伦敦城里的第一个美人也无不可——”

馥兰再也忍不住了，就向那边刚刚走过去的一个人摆了摆手。“再见，夫人——爷们——我得去跟曹戴克夫人说句话——”

留下来的三个人彼此交换了一个微笑。然后那爵爷开口说道：“我仍旧希望有一天司徒这小妮子跟卡塞曼打起来，那我就有一大篇史诗可写了！”

数小时之后，馥兰和查理站在一个临花园开着的折扇窗面前，温和的夜风送进一阵轻微的玫瑰花香和一种盆栽橘树的甜蜜香味。时间已经差不多半夜，所有的夫人爵士已息赌了。还有些人正在结赌账，输钱的唠唠叨叨，赢钱的欢心乐笑。

凯瑟琳王后跟巴铿汉公在那里谈天，对于查理迷恋司徒夫人的事情只是装作不知道，因为她在三年之前就已受过教训了，所以她虽然诚心爱查理，却也无可奈何，见他觊觎别的女人也从来不去反对。现在她已经改变作风，也肯打牌也肯跳舞了，穿起英国的衣服，梳起法国最时髦的发髻，尽她幼时教养所许可的程度做了一个英国女人了。查理对她的礼貌一直都没有欠缺，并且叫他宫里的人个个都得礼待她。她心里并不快乐，却一直装作快乐的样儿。

当时馥兰对查理说道："这是多么美丽的一个夜晚啊！真叫人不能相信二十英里路外正有成千的男女在那里病死。"

查理沉默了一刻儿，然后轻轻地说道："我的可怜的百姓，我真想不出这瘟疫怎么会起来的。我的百姓照理不应该遭这样的浩劫。我真不相信上帝为什么这么狠心，因为一个民族的统治者有了过失，竟惩罚了整个民族……"

"哦，陛下！"馥兰抗议道，"你怎么能说这种话呢！他们并不是因为你的过失获取惩罚的。若说他们的确是为过失受惩罚，那也是他们自己的过失吧。"

查理微笑起来。"你太忠心了，馥兰。我原知道你做我的百姓一定是很忠心的——不过你并不是我的百姓呢。我是你的——"

这话没有说完，卡塞曼夫人娇滴滴的声音就来打断了他们。"天，我今天晚上的手气怎么这么倒霉，竟输了我六千镑了。陛下，我又欠了一身债了呢！"

说着她格格地笑起来，同时睁大一双紫色眼睛将查理瞪了一眼。原来这位夫人的性情不像王后那么柔顺。查理却仍有时偷偷摸摸地要去会她，如今她肚子里又已怀着他的第四个孩子了，因而又有所挟持，不容易在大庭广众之中将她侮蔑。但是当时查理分明恨她不该来乱闯，只冷冷地将她看了看，立刻装起一种凛然不可侵犯的威势，因为这是他用得着时马上就可以装出来的。

"是你吗，夫人？"

馥兰立刻撩起了裙子，装出一种很不高兴的态度来。"对不起，陛下，再见，夫人。"她对芭芭拉连看都不看一眼，便掉转头要走。

查理连忙拍了拍她的臂膀。"等一会儿，馥兰——我来送你，如果你愿意的话。你是有人护送的罢，夫人？"他给芭芭拉的这个问题并不望她回答。

"不，没有的！大家都已走开了。"说着她的腮帮子鼓了起来，显出非常着恼的样子，仿佛马上就要泼口大闹起来一般，“我真是不懂，我就应该独个人走，你——”

可是查理将她打断了。“对不起，夫人，我要送司徒回房了。晚安。”他就很客气地鞠了一个躬，将臂膀伸给馥兰，两个人联袂而去。走不上几步，馥兰就抬起头来看了看他，突地发出一阵吃吃的嘻笑。他们走到馥兰的门口，查理跟她亲了一下，问她可否容他进去看她卸妆——因为这事他已干过不止一次了，有时带着一群廷臣同去。可是这回她只给他一个虚弱的微笑，并且显出一种恳求的神情。

“我累了。我的头又痛得厉害。”

他听了这话不觉大惊失色，因为瘟疫虽然没有传进宫里，大家见到些微病症也会害怕的。“你头痛吗？旁的觉得怎么样？你想要呕吗？”

“不，陛下。只是头痛，只是老毛病复发罢了。”

“那么你是常常头痛的，馥兰？”

“已经痛了一辈子了，自从我能记忆的时候就开始痛了。”

“你肯定它不只是一种借口——为给不欢迎的客人挡驾而用的吗？”

“不，陛下，我实在很痛。对不起——现在我可以进去吗？”

查理急忙吻吻她的手。“当然，亲爱的。请你原谅我刚才说话的唐突罢。可是你要答应我，倘使你痛得厉害，或是发现了别的征候，你得赶快去请博垒塞医生，并且通知我——好吗？”

“我答应你，陛下，晚安。”

她退进房间里去，将门轻轻关起来。她的确常发生剧烈的头痛，当她显得兴高采烈的时候，这部分属于神经性头痛，因为她没有卡塞曼夫人那种结实的精力。

在她房间里，那只从法国带来的长尾绿鹦鹉已经将头埋在翅膀底下睡觉了，但她进去的时候它就立刻醒过来，在它的架子上跳来跳去，喜得咭咭呱呱地叫着。从她襁褓时候起就一直跟着她的巴利奶奶已经坐在椅子里打瞌睡，现在她也醒过来了，急忙跑过来帮她卸妆。

她回到自己房中，用不着再作矜持的态度，不由自主地现出了倦容。及至脱去了她的外衫，解开了她那扎胸的骨带，她便松过一口气来坐下去，让巴利奶奶替她抽去头发里的首饰和带儿。

“你又头痛了吗，心肝儿？”巴利奶奶的声音里带着愁烦，但是温存而慈爱，她的手指头儿抚摸得十分体贴。

“痛得可怕。”馥兰已经差不多要哭出来了。

巴利奶奶取了一条布儿，是放在近边一个架上准备不时之需的，在一碗醋里熏了熏，然后将它贴到馥兰的额头上去，拿两个指头在两太阳穴上按住了。馥兰就闭上了眼睛，将头服服帖帖枕在巴利奶奶的胸口上。她们这样继续沉默了几分钟。

突然，外边起了一阵骚动。先是一个小厮平心静气地在那里说话，随后是一个怒气冲冲的女性声音回答他，于是卧室的门突然被推开了，琶默芭芭拉突然出现在门弄里。她向馥兰瞠视了一会儿，然后跨进门来砰的一声关上，那声音非常猛烈，仿佛连馥兰的脑子也被震动了，震得她不觉一怔。

“我要跟你评一评理，司徒夫人！”芭芭拉对她宣言道。

馥兰的自尊心触动了，便也不肯相让，当即扫去脸上的愁容，站起身来头翘了翘。“那么我在这儿候教了，夫人。你请吩咐罢，你要我怎样？”

“等我来告诉你罢！”芭芭拉一面回答，一面就急忙迈步上前，到跟馥兰只离三四英尺的地方站着。巴利奶奶摩拳擦掌地从馥兰肩膀上探头瞪视着她，那只鹦鹉也聒聒叫着在那里怨恨，但是芭芭拉一概都不去理。“你在大庭广众之下不必把我当作一个傻子！这是你办得到的一桩事情！”

馥兰分明带着讨厌的神气将她看了看，心里觉得非常奇怪，为什么自己当初竟会把这狂妄不羁的家伙当作一个至好朋友。她重新坐了下去，招呼巴利奶奶继续拆她的头发。

“我的确不知道我怎么能够使你做一个傻子，夫人——无论大庭广众之中或不在大庭广众之中。倘使你知道的话，那你只消感谢你自己。”

芭芭拉双手撑腰站在那里，眼睛徐徐有些眯起来。“你是一个狡猾不过的吉卜赛人，可是我来告诉你一句话罢：我是可以做一个非常危险的仇敌的。你也许以为自己把熊鼻子抓牢了。我只要存心的话，我可以照样把你弄出白宫。”说着她叭地弹了一下手指。

馥兰冷冷地一笑。“你能吗，夫人？那我欢迎你来试试——可是我想我是跟你一样讨万岁爷喜欢了——虽然我所用的方法跟你的不必一样——”

芭芭拉发出一种鄙薄嫌恶的声音。“呸！你那种装腔作势假正经，早就叫人头痛了！人家只要跟你睡过了一回，就要把你看得一钱不值！我可以拿我的右眼来打赌，要是万岁爷跟你睡过觉，他就要——”

馥兰也不和她争，只是非常厌恶地瞥了她一眼。谁知芭芭拉嘴里正在滔滔不绝的当儿，她身背后的门慢慢地推开了。出现在门口的不是别人，却正是查理，他摆摆手叫馥兰不要做声，懒洋洋地将身子靠在门框上，眼睛对着芭芭拉，脸上出现一种阴郁、不悦和愠怒的神情。

芭芭拉正在大声地叫嚷。“有一点你是无论如何比不上我的，司徒夫人！无论我的缺点怎么多，从来没有一个男人肯在半中间爬下我的床去……”

“夫人！”

这是查理的声音，很尖厉地从门口响起。芭芭拉急忙掉转了身子，直吓得一张嘴大张着合不拢，于是两个女人一同看着查理迈步走进房里。

“陛下！”芭芭拉急忙对他行了一个深深的万福。

“你这种丑话也该说够了。”

“你在这里多长时间了？”

“我在这里已经饱闻你那一套使人不愉快的话儿了。老实对你说罢，夫人，你有时候的作风实在是意想不到地恶劣。”

“可是我不知道你在那里呀！”她抗议道。她突然眯起了眼睛，从查理脸上看到馥兰脸上，又从馥兰脸上重新看回来。“哈哈！”她轻轻地说道，“我现在明白了。你们两个人干得多么巧妙，竟把我们大家都瞒在鼓里呢……”

“不幸是你错了。事情是这样的，刚才你从穿堂里面走来没有看见我，我却看出你到这里来，就跟你进来了。你的神气有些像不怀好意。”他见她听见这话颇为局促不安，便觉有趣地脸上微微一笑，但是立刻又沉下脸儿来。“我想我们是已经同意了的。你对司徒夫人的行为必须客气而友善。刚才我听见的这番话儿却既不客气也不友善。”

“你怎么能盼望我对于一个诽谤我的女人客气呢！”芭芭拉急忙替自己防卫起来，便这么反问他道。

查理发了一声短促的冷笑。“诽谤你！啊呀，天，芭芭拉，你竟以为这是可能的吗？现在我想司徒夫人一定是累了，想要休息了。如果你向她道歉一声，我们两个就都可以走开，好让她独个在这里了。”

“道歉！”芭芭拉不觉骇然地瞠视了他一眼，又回头对着馥兰从头到脚很轻蔑地打量了一番。“这是我宁死也不干的。”

于是他脸上的忍耐顿然消失，立刻换出一副一直潜伏在那里的阴险面容来。“你不肯吗，夫人？”

“不肯！”芭芭拉倔强地正视着他，以至两个人都把馥兰丢开不顾了，其时馥兰疲倦而不安地站在那儿，只巴不得他们到别处去闹。“这点鼻涕一般的乳臭小妮子，我是无论如何不会向她道歉的！”

“那也只好随你的便了。不过我对你有个提议，在你考虑这个问题期间，请你暂时退出汉普敦宫去。你经过几个礼拜静静的思索，也许可以对你的行动举止另抱一种见解。”

“你要把我赶出宫去吗？”

“你喜欢这么说也可以。”

芭芭拉毫不迟疑地哭了起来。“那么你竟是这样报答我了！我这许多年来都献身给你的！一个做皇帝的将亲生孩子的母亲驱逐出去，是全世界都知道的一种羞辱呢！”

他怀疑地耸耸眉毛。“我的孩子！”他轻轻地重述道，“好罢，也许有几个是我的孩子。可是我现在没有话说了。你就只有两条路可走——向司徒夫人道歉，或是到旁的地方去。”

“可是我有什么地方可去呢？现在到处都是瘟疫了！”

“讲到瘟疫，那是这里也有的。”

就连馥兰也从她的昏睡状态里警醒过来，于是两个女人齐声重述道：“这里！”

“一个马夫的娘子今天得疫病死了。明天我们就要搬到沙利斯柏力去了。”

“哦，我的天！”芭芭拉哭起来道，“现在我们都要染上了！我们都要死了！”

“我想不会的。那个女人已经埋掉了，所有跟她在一起的人都已经关了起来。至今没有发现新病人。你听我说，夫人，你赶快决定一下罢。明天你要跟我们一起去吗？”

芭芭拉看着馥兰，馥兰觉得她的眼睛移到自己身上，便挺直身子抬起头，带着一种冷酷的敌意去迎接着。芭芭拉突地将她的扇子掷在地板上。

“我不要跟你们去！我自己会到荔枝门，随你们去遭天杀！”

第三十七章

琥珀回到厨房里，继续预备伯鲁的饭菜。她打算趁她还做得到的时候，尽量给伯鲁做些事儿，因为她知道自己到明天就无能为力了，并且有一个新看护要来，也许比施朋奶奶还要不如的。她替他担忧的份儿多，替自己担忧的份儿少。他仍旧很虚弱，需要一个胜任的人看顾他。如果一个陌生人来了，不晓得他的脾气，也不管他的好歹，那怎么好呢？想到这层她就觉得非常着急。现在只有希望那人早些来，她还有机会可以拿钱买通她。

她发现自己有病的第一阵恐惧过去之后，就变成了一种听天由命的心情，并且近乎莫知莫觉了。一家人里面有一个害过疫病的人好起来，那就是一种吉兆，这家人家的其余人都不会死了。至于施朋的死，她是不算数儿的，而且差不多已经忘记了，仿佛那是一桩过去已久的事情，跟她自己和伯鲁都不相干。可是她除了这一种迷信之外，同时还有一个坚定的信心，知道她暂时不至于死。她的求生意志非常强，而且年纪还这么轻，许多希望都还没有实现，所以她决不能相信自己现在就会死。

她的病征跟伯鲁身上发现过的完全一样，只是连续不断地起来，比伯鲁身上的来得更快。

等她拿着一个托盘走进卧室的时候，她的头已经痛得非凡，仿佛一个钢箍套在上面越抽越紧似的。同时她已在出汗，胃里和两腿两臂都痛得同刀刺一般。她的喉咙干得很厉害，好像刚刚咽下许多的灰尘，一连喝了几勺水下去，也丝毫没有用处，反而越喝越干了。

伯鲁醒在那里，坐倚在床上——现在这种姿势他已常常会做了——手里拿着一本书，眼睛却急切地望着门口。“你去了许多时候了，琥珀，有什么不对吗？”

琥珀并不去看他，只把眼睛注视在托盘上。她感觉到如同波浪一般的阵阵眩晕，每当一阵眩晕掠过时，她仿佛置身在一种急转不住的境界里，连地板和墙壁都辨不清楚了。她站住了定一定神，把方位认个明白，然后咬紧牙关，发了一个狠劲儿走上前去。

“没有什么。”她仍旧说道，但连她的声音也已显得有些模糊了。她只希望他没有听出。

慢慢地，她将托盘放在床边的桌子上——因为她已经疲倦非凡，她的筋肉都十分沉重——伸手去拿那碗补血汤。她看见伯鲁伸出来拿住她的手腕，及至她终于抬起头来和他的眼睛相接触，她就发现他脸上带着一种恐怖的神情，正是她一直怕要看见的。

“琥珀——”他继续瞠视了她一会儿，瞅着一双绿色的眼睛竭力搜索着。“你不见得会——病罢？”这句话是慢吞吞勉强逼出口来的。

琥珀轻轻叹了一口气。“可是，伯鲁，我病了——我想是病了。不过你不要——”

她记起了那半句没有说完的话儿。“不要——着急。”

“不要着急！啊呀，我的天！哦，琥珀！琥珀！你病了，都是我不好！这是因为你待在这里服侍我而起的啊！哦，亲爱的——那时候你走了就好了，你走了就好了——哦，耶稣！”他放下了她的手，莫知所措地将他自己的头发拼命抓。

她弯下身子碰碰他的额头。“不要难过，伯鲁。这并不是你的过错。我是自己情愿不走的。我也知道那时有一个走的机会——可是我不能走。现在我也不懊恼——我不会死的，伯鲁——”

于是他朝她看看，眼里带着一种感佩的神气，是她从来没有看见过的。但在这个当儿，她已开始要呕了，只觉一阵东西漂上来，再也压制不下，等不得她到房间中心去就那盆子，便已哇地呕出口来了。

她每呕一阵，就要落得脱力一般，现在她两只手支在那里，扑在那个盆子上差不多一分来钟，一蓬焦糖色的头发披了她一脸。突然她发起一阵痉挛似的颤抖来，那间屋好像冷得彻骨，其实火炉是生着的，所有的窗口也统统关着，那天又是一个特别酷热的天气。这时她身后响起一阵哆嗦的声音。她掉头一看，看见伯鲁正要爬下床。她心里一急，不觉鼓起最后一阵气力，急忙向他奔去。

“伯鲁！你做什么！赶快躺着罢——”说着她就发疯一般拼命推搡他，可是她的筋肉似乎已不中用了。她从来没有觉得这样虚弱这样无能为力过，就是养了孩子之后也不这样的。

“我得起来的，琥珀！我得起来帮帮你的忙。”

他自从起病以来，至今不过起来过一两次，现在他已经满身是汗，脸上的肌肉都扭歪了。琥珀见这情景，就几乎歇斯底里地大喊起来。

“不要，伯鲁，不要起来，看在上帝分上！你简直是自杀了！你起来不得！哦，我这样辛辛苦苦地救了你，你又要自杀——”

突地她倒在地板上，双手捧着头呜咽起来。伯鲁也就倒回枕头上去，拿手擦着自己的额头，只觉晕得非凡，耳朵里面也在轰轰鸣响，不觉大大惊诧起来，因为他本以为自己已经快要复原的。他伸过一只手来按按琥珀的头。

“亲爱的——我不起来了。你不要哭——你需要气力。躺着休息休息罢，看护就快要来了。”

末了，她带着一种强烈的疲劳勉强站起身来，茫然地四下看了一会儿，仿佛是要记起一件什么事情来。“刚才我是在做什么的？”她终于喃喃自语道，“我是在做一桩事的——什么呢？”

“你可以告诉我你的钱放在什么地方吗？琥珀，我需要钱买东西。我身边一文钱也没有。”

“哦，是了——就是它，钱。”这一句话从她嘴里含含糊糊一字一字地摇曳而出，仿佛她是喝醉樱桃白兰地一般。“它在这儿——我去拿来——是在秘密的夹壁里。”

那个起居室仿佛是在许多英里路外，她似乎不可能跑到那里去一样。但她终于跑到那里了，又费了半晌工夫去辨明那夹壁的所在，好容易才找出来，从里面抽出一个皮囊和小小的一堆首饰。她将它们放在她的围裙里，回转卧室里来，到伯鲁身边统统倾落在床上。伯鲁勉强扑下身子抽出那张转轮活榻来，叫她在上面躺着，她就倒身下去，已经一半失去意识了。

伯鲁一夜都没有合眼，一直诅咒着自己的无能为力。但是他也知道自己用力过多是要亏损下去乃至送命的。这时他惟有节省气力，以期渐渐好起来，才可助她一臂之力。他躺在那里听着她一次又一次地呕吐，呕吐之后便是一阵苦楚的呻吟，其余的时候却都很安静，安静得使他恐怖起来。当他侧着耳朵去听她有无呼吸，这时又是一阵呕吐发作了。那个看护始终没有到。

到了天亮时分，她仰面躺在那里，眼睛固定着大大睁开，却没有看见什么。她的筋肉已经全然松弛了，对于伯鲁和她的环境都没有意识。他说话她也没有听见，她的病症比他发的时候进展快得多；这种疫病显出的征候原是各人不同的。

他已经下了决心，如果等等那个看护再不来，他就要爬起床跟那卫士说话去。但到七点三十分模样，他就听见底下的大门开了，一个女人的声音在那里叫嚷：“疫病的看护来了，你们在哪里呀？”

“上楼来罢！”

一会儿之后，就有一个女人出现在门口，她是一个高个儿，骨架儿很粗大，年纪约摸三十五岁。伯鲁见她身体很强壮，又不像十分呆笨的样儿，就觉心里宽了一下。“我是贾爷，我的太太病得很厉害，你自己看见的，得要十分细心地服侍她。本来我自己可以服侍的，可是我也正病着，还不能够起床。如果你肯好好服侍她，等她病好，我会酬谢你一百镑。”他所以谎说琥珀是他的太太，因为他知道这种事情对于一个看护是用不着说实话的，所以许给她一百镑，因为他知道许得太多，反而要使她起疑心不敢奢望。

那个女人很惊异地瞠视着他。“一百镑，老爷？”

这时她凑近那张活榻去看看琥珀，其时琥珀正将伯鲁替她盖上去的一条被头在那儿乱抓，但除那双手的神经性的动作之外，似乎全然没有意识。她的眼睛底下现出一些浑浊的绿色圈儿，下半张面孔亮油油地粘着许多已经干了的胆汁的呕液，她已隔了三个钟头没有呕吐了。

那个女人摇摇头。“她病得很厉害，老爷。我不知道——”

“当然你不知道啰！”伯鲁颇觉不耐烦地抢着道，“可是你可以试试看啊！她是连衣服躺在这里的。你把她的衣服脱下来，给她洗洗，擦擦手，将被头给她盖好。这样她至少可以觉得舒服些。刚才她已替我烧好饭了，汤啊什么的，你要的话可以到厨房里去拿。那间房里有干净的毛巾和褥单在那里——地板得要擦一擦，起居室里得收拾收拾。昨天有个女人死在那里。现在你就动起手来罢！你叫什么名字？”他想了一下之后又问道。

“赛克司奶奶，老爷。知道了，老爷。”

赛克司奶奶告诉伯鲁，她本来是替人家做奶妈，因她丈夫染疫死了才丢了工作，现在她听了伯鲁一番嘱咐，便勤勤谨谨地做起事来。伯鲁一直躺在床上督促她，不容她有闲荡或是休息的机会，她虽明知伯鲁不能够下床，却很柔顺地服从着他的命令——至于她是尊重他的爵位呢，或是看在那一百镑的分上，他也不去深究了。

到了晚上，琥珀的病势似乎越发严重了。一个毒瘤从她的右腿夹长出，一会儿就长得很大，却一直硬绷绷，并没有要出脓的模样。赛克司奶奶看着急起来了，因为这种疫状是极凶险的，贴上去的芥末膏药虽使得皮肤起泡，却见不出一点效验来。

“我们怎么办呢？”伯鲁问她道，“我们总得有个办法！你服侍过的病人当中若有肿毒不破的，你是怎么办的呢？”

赛克司奶奶低头瞠视着琥珀。“没有办法的，老爷。大部分人都这样死去了。”

“她是不会死的！”他嚷道，“我们总得想办法。我们总得有个法子来救她——她是死不了的！”这时他的神气已经没有昨天那么好，可是他竭力熬着不睡，仿佛以为只要自己不睡就可以保住她的性命。

“我们就只有开刀，”那看护终于说道，“倘使明天还是这样的话，这是医生的办法。不过开刀痛得很，有时要使病人发起狂来的——”

“你住嘴！我不要听这种话儿。去拿点东西进来给她吃罢。”

这时他已差不多脱力了。他的脾气变得非常暴躁，因为他见自己这样无能为力，不由得痛心起来，止不住一遍一遍地在那里怨恨。她的病是由我而起的，现在她需要我了，我却像一个醉汉似的躺在这里无能为力了！

使他几乎觉得惊异的是，琥珀居然平安无事地活过那一宵。但到早晨的时候，她的皮肤开始出现一种灰黑颜色，她的呼吸短促了，她的脉搏微弱了。赛克司奶奶告诉他，这些就是她已经临危的征状。

“那么我们应该给她开刀了！”

“但是也许要把她开杀的！”

原来赛克司奶奶什么事都怕动手，因为她想病人危险到这样，无论怎样动一动手总都要促使她呜呼，那么她那一直想得到的大财就要立刻化成画饼了。

但是伯鲁几乎对她叫嚷了。“你不要管。你只照我的话去做罢！”他把声音放低些，改做一种平静却迫切的命令语气吩咐她，“那边那张桌子的上格抽屉里有一把剃刀，你去拿来。从那窗帘上去解下那条索儿，将她的膝盖捆在一起，然后将索儿绕床扎起来，让她动弹不得。将她的两手吊在床角上。再去拿些毛巾和一个盆子来。赶快！”

赛克司奶奶慌慌张张地手忙脚乱起来，可是不到两分钟工夫，她已遵照他的指挥将一切都办妥帖。琥珀已经被她在那床榻上面牢牢捆绑起来，但是仍旧没有意识。

伯鲁已将身子挪到了床沿。“但愿上帝不让她知觉——”他喃喃自语了一会儿，对那看护说道，“现在！拿起那把剃刀——要快，要狠，这样可以少痛些。赶快！”说着他的右手紧紧捏起了拳头，他的血脉统统暴涨着。

赛克司奶奶手里牢牢拿住剃刀，不胜惊惶地看着伯鲁。“我不能，老爷，我不能。”她的牙齿格格打战了。“我害怕！倘若一刀开下去她就死了呢！”

伯鲁身上的汗如泉水一般涌出来。他将舌头舔了舔他干燥的嘴唇，痉挛一般咽下了一口唾沫。“你能的。你这傻子！你非开不可！现在——动手罢！”

赛克司奶奶继续瞠视了他一会儿，然后仿佛被他的意志力催眠起来似的，扑下身去将那刀口搁在那高高隆起的红肿硬块上。这个当儿，琥珀动弹起来，将她的头转过来朝着伯鲁。赛克司奶奶不觉一下跳起来。

“切开来呀！”伯鲁嘎声说道，已经恨得一个拳头簌簌发起抖来了。他的面孔涨得发紫，颈脖上和两太阳穴上的血脉都同粗索一般在那里搏动了。

赛克司奶奶横了一横心，将那剃刀往那硬块里一揿，便听得琥珀呻吟起来，那呻吟声逐渐提高做一种颤抖的尖叫。她急忙放开剃刀，退后一步瞠视着琥珀。琥珀已经发狂一般挣扎起来，想摆脱身上的捆缚，一面不住一声一声地急叫。

伯鲁正要从床上爬下来。“扶我一下罢！”

赛克司奶奶急忙走过去，一手扶住他的脊背，一手撑住了他的肘膀。他立刻在那活榻旁边跪下去，抓住了那把剃刀。

“按住她！这儿，按在膝盖上！”

赛克司奶奶不管琥珀继续在那里挣扎和尖叫，竟听着他的话将她按住了。琥珀只把一双眼睛同一头发狂的野兽一般睁得圆圆地在那里滚着。伯鲁尽他身上所有的一点余力，将那剃刀狠命戳进那硬块里去，并且扭转来划了一刀。当他将刀拔出的时候，血就跟着喷出来，溅在他的身上，琥珀就又往后一仰丧失意识了。伯鲁也突地将头落进自己的手中，因为他自己的创口又已重新开裂，绷带上面又沁出了殷红的鲜血了。

赛克司奶奶试图将他扶起来。“哦，老爷，你得回床去了！老爷——哦！”

她从他手里接过了那把剃刀，伯鲁借着她的力终于爬转床上去。

她拿一条被头将他盖好了，立刻回转来看看琥珀，只见她的皮肤已经白得同白蜡一般。她的心很微弱地在那里跳着，很多血从创口里淌出来，但是不见脓，肿块里的毒并没有泄出。

赛克司奶奶拼命地工作起来，现在已完全出于自发，因为伯鲁已经沉入一种昏睡状态了。她将琥珀淌出来的血随时吸取，又烧起了几块热砖头，将所有的热水瓶装满了热水，统统砌在琥珀的身边，又将热布覆在她的额头上。只要有法儿可以救她的性命，她已经什么都做到了，看来看去在那一百镑的分上。

及至伯鲁恢复了意识，已经差不多过了一个小时了。他突地一下跳起，挣扎着想坐起来。“她在哪里？你没有让他们将她拿走罢！”

“嘘，老爷！我想她已睡觉了。她还没有死，而且，老爷，我想她已经好些了。”

伯鲁靠到床沿上看了看她。“哦，谢天谢地，我可以赌咒，如果她能好起来的话，你一定还可以拿一百镑。那么你一共有两百镑好拿了。”

“哦，谢谢你，老爷！可是现在，老爷，你不如躺回去歇歇罢——要不你是没有这么舒服了，老爷。”

“好罢，我会躺回去的。你来叫我一声罢，万一她有什么——”这话没有说完就听不出了。

后来琥珀创口里终于出脓，蕴藏的毒渐渐出来了。她重新变得非常沉静，渐渐陷入一种昏睡状态中，但她皮肤上的灰黑颜色已经褪去，两颊也缩上了两颧，眼睛旁边出现了皱纹一般的圈子，脉搏渐觉有力而且稳定了。这时丧钟之声突然充满房间里。赛克司奶奶不由一下跳起来，但旋即松懈下去；今天晚上的丧钟无论如何不会为她的病人而敲了。

到了第四天的早晨，赛克司奶奶就向伯鲁开口道：“我是为我的钱拼命工作的，老爷。现在她准保会好了。这钱我可以拿了吗？”

伯鲁对她微笑笑。“你的确辛苦得很，赛克司奶奶。我对你的感激真是口里说不出来的。可是你还得稍等几天。”其实他手头的确没有这么多钱，那些首饰他又不肯给，因为那是琥珀个人的财产，不便由他做主送给人，同时又怕那看护见财起意，萌起偷窃的心思来，或是做出其他的歹事；他也知道那看护的确已经很尽职，却仍觉得未便完全信任她。“现在我们家里只有几个先令了——那还得留着买粮食吃。一等我能够出门我就立刻把钱付给你。”

现在他已经能够起来坐坐，一天里面可以坐得大半天，且如有必要的话，他也可以下床来走走，只是每次不能超过几分钟。他这一时不能恢复气力的情形，在他是觉得又可笑又可恨的。“我是肚皮也给子弹穿过的，肩膀也给刀儿戳过的，”他有一天慢慢走回床上去的时候对赛克司奶奶说道，“我又曾经被毒蛇咬过，曾经害过热带的热病——然而从来没有这回这么虚弱。”

大部分的时间他都在读书，不过那个公寓里供给的书并没有几种，大部分又是他已经读过的。那些书本来只是房间中的装饰，数目虽少，却都是名著，除圣经之外，霍布斯①和培根的哲学著作，乃至博蒙特和弗莱彻②的剧本都有在内的。

至于琥珀自己收集的书，数量更加少，性质却活泼得多。其中有一本日历，已经给她翻得稀烂了，并且涂抹着许多字，所有的吉日和忌日都特别标出，还有宜于通肠或是放血的日子也都加上特别的符号，不过他知道她平时实在难得干这套事情。此外还有五六种书，都是言情小说，也给她涂注得一塌糊涂了。他一看见它们就不由得笑起来，因为这套书籍虽然宫廷里每位夫人的密室里面都藏着，却特别可以代表琥珀一类女人的典型。

这几天他一直都坐在床沿注视着琥珀，连她一些极轻微的动作或是一点极轻微的声音，都逃不过他的注意。她虽好得非常慢，病情却一点点有进境，只是那创口继续加阔加深，竟至烂成两英寸口径的一个洞。但是他跟赛克司奶奶心里都十分明白，当初那一刀倘使不开，她的性命是保不了的。

---

① 霍布斯（1588—1679）：英国政治哲学家，机械唯物主义者。

② 博蒙特（1584—1616）和弗莱彻（1579—1625）都是英国詹姆斯一世时期的剧作家。两人合写了七余部剧本。

有时她要把他吓一大跳，因为她突然会像挥拳一般伸出一双手，同时嘴里哀求地在那里呼喊：“哦，不要！求求你，不要给我开！”这种呼喊慢慢就成一种悲惨的呻吟，他听见了总不由得冒出一身冷汗。然后她又重新陷入无意识的状态，但有时虽在昏睡状态中，也仍要抽搐不安，发出一阵凄怆的低泣。

直到了第七天，她方才能够认识人。当时伯鲁从起居室里走回去，见她正靠在赛克司奶奶的臂膀上在那里喝牛肉汤，还是那么呆呆地毫无精神。他就走到她那活榻前面去跪着注视她。

她似乎觉得他在那里了，慢慢将头旋转来，只将他看了半晌，方才同耳语一般做起声来：“伯鲁吗？”

她勉强挤出一个微笑，还想跟他说句什么话，可是半天说不出口来。他怕她吃力，便站起来走开。但到第二天一早，赛克司奶奶正在替她梳头发的时候，她又跟他说起话来了，不过那声音非常微细，他得凑上耳朵去听。

“我躺在这里多少时候了？”

“今天是第八天了，琥珀。”

“你还没有全好吗？”

“差不多了。再过几天我就能服侍你了。”

她就闭了眼睛，深深叹了一口气。她的头从枕头上侧转来。其时她的头发已经脱落了不少，稀疏而脏腻地结成了饼儿。她的喉咙从那绷得紧紧的皮肤底下尖棱棱地戳出来，她的肋骨也已一根根数得出。

就在这一天，赛克司奶奶病了，但她还竭力强辩，说她并没有什么，不过吃坏东西肚里稍有点不舒适。其实伯鲁心里已经很明白，他不要她再服侍琥珀，叫她到育儿室里去躺着歇歇，她也就不再拗了。然后他披上一条毯子，亲自跑到厨房里去。

这几天赛克司奶奶原是很忙，没有工夫去清理东西，同时她也没有这兴趣，或竟是本来就不知道怎样清理，以致厨房和各房间里都一片狼藉。地板上是东一堆西一堆的垃圾，桌凳上面都积了厚厚的灰尘，吃剩的食品都没有收藏，任意摊在桌子上甚至于地板上。

天气那么热，什么东西都坏得很快，但是赛克司奶奶一点都不管，并没有托那门口的卫士去买来补充，所以等到伯鲁去检查的时候，白菜也发臊了，牛奶也发酸了，好几个鸡蛋打开来都是臭的。他寻出一盆汤——那是赛克司奶奶的烹调品，滋味无论如何及不得琥珀从前做的——自己先喝了下去；然后竭力拣了几样好吃的东西装在托盘上去送给琥珀。

当他慢慢一瓢瓢地喂给她吃的时候，赛克司奶奶突然在昏迷之中大叫起来。琥珀一把抓住他的手腕，眼睛里面充满着恐怖。

“是什么？”

“没什么，亲爱的。街上的人嚷嚷呢，这儿——现在已经吃够了。你得重新躺下了。”

琥珀依着他的话躺下去，但是眼睛一直看着他。他走到育儿室的门口，将锁旋上，抽出钥匙来扔在桌子上。

“有人在那里边呢，”她轻轻说道，“是在那里害病罢。”

他回转来重新到她身边坐下。“是那看护——可是她现在不能出来了。你在这里可以放心的，亲爱的，你得再睡一会儿——”

“可是她死了怎么办呢，伯鲁——你怎么把她弄出去呢？”她的眼神坦白地显出她心里的思想！想到了施朋奶奶，想到当初拖她下楼去的情形，想到那收尸车的可怕。

“你不要担心，连想都不要去想。我有法子弄她出去的。现在你得睡觉了，亲爱的——多睡睡可以快些好起来。”

一连两三个钟头，赛克司奶奶都在时歇时作地吵闹。她敲着门，喊着要他放她出去，向他索讨许给她的钱，可是他一概置之不理。育儿室的窗口朝着后院和后弄堂，后来约摸到半夜时分，他听见她在那里捶窗狂叫，随后就听见她大喊一声，从窗口跳到二层楼下去。等到收尸车到来，他推开窗子告诉底下的卫士，说后弄堂里有一个女尸。

第二天差不多中午时分，又来了一个看护。

其时伯鲁仰卧在床上，在一种瞌睡的状态中，因他早晨拿东西给琥珀吃，又替她换绷带，擦手脸，已弄得脱力了。及至他慢慢地睁开眼，便见一个老太婆站在床前，带着一种好奇和默想的神情在那里注视他。他皱起了眉头，深怪这老太婆为什么这般贼头贼脑，因而马上对她怀疑起来了。

那看护年纪已经很老，身上穿得肮脏皱巴，呵出气来奇臭不可闻，但他注意到她戴着两只钻石耳环，看上去并非假货，手上戴着好几个戒指，也很值几个钱。那么她不是个贼就是个夜叉了，或竟是个夜叉而做贼的。

“日安，老爷，区里的管事先生派我到这儿来的，我是玛佳奶奶。”

“我快要好了，”伯鲁说时狠狠地瞪了她一眼，希望她不要把自己当作一个无能为力的人，“只是我的太太还需要细心照顾。今天早晨我已给她吃过一顿了，现在已经得吃第二顿。前头一个看护把厨房里弄得一塌糊涂，已经没有吃的东西了，今天你可以叫底下的卫士去叫他们送来。”

当他这么说时，那老太婆的眼睛正在掠过房间里的一切布置：床架上和椅子上绷着的银丝布，大理石面的桌儿，炉台上排列着的精致的花瓶。

“钱呢？”她嘴里问道，眼睛仍旧没有看着他。

“那边桌子上有四个先令。这是什么都够买的了——卫士的小费他自己会扣去的。”

她拿了那几个先令，从窗口里扔了下去，叫那卫士到饭店里去买些现成烧熟的东西来——分明她是不高兴动手烹调的。到了下半天，他叫她帮琥珀换绷带，她竟老实不客气地推卸不肯换，说她知道的看护当中，曾给病人裹毒的没有一个不死，她却还不愿意这样的死法呢。

伯鲁不由得大怒，但平心静气地回答她：“你既然不肯帮忙，那就不如走了。”

那老太婆带着一种侮慢的神情对他咧了一咧嘴，伯鲁就怕自己这种外强中干的情形被她看出来。“不，老爷。我是区里派来的，我要走了就拿不到钱了。”

他们面对面地瞠视了一会儿，然后他披上一条毯子，勉强爬下床来。她站在一旁注视着他向琥珀榻旁跪下去，意思是要窥测他究竟有多少气力，但他终于冒着一脸怒火转头来对着她。

“走开！到那间房里去！”

她又咧了一咧嘴，走开了，随手将门关上。他大声地叱喝她，叫她不要关门，但她置之不理。他就只得喃喃诅咒着，换好了琥珀的绷带，重新回到床上休息。隔壁起居室里一点儿没有声息。半个时辰之后，他重新爬起床来，轻轻走出门一看，见她正向一张桌子的抽屉里拼命搜索；又见房间里的东西狼藉不堪，分明她对于每一件家具都做过有计划的搜索了，分明是想寻出什么秘密储藏的所在。

“玛佳奶奶！”

她抬起头，冷冷地看了他一眼。“什么，老爷？”

“你是不会找到什么值钱东西的，你认为值得一偷的东西统统都在眼前了。我们家里除了买粮食要用的几个子儿之外是没有钱的。”

她没有回答，过一会儿就转身到餐室里去了。这时伯鲁既愤怒又慌张，只急得满身大汗，因他知道这老太婆倘若发现这里存着差不多七十镑钱，她就毫不迟疑地要把他们谋杀了。他又知道一般当看护的都从最下层的阶级出来，有的是穷困一生，有的是漏网的罪犯，现在瘟疫流行期间，还有一些是受了贫穷的灾难的逼迫出来的。

那老太婆见育儿室里的赛克司奶奶害病的形迹，就无论如何不肯进去，硬要睡在起居室里。伯鲁知道她在那里，一宵都没有好好睡觉。夜里他听见她两三次起来走动，就一直紧张而畏惧地醒在那里不敢合眼，心里只在不住地盘算：倘使她一定要来谋害我们，我就非将她勒杀不可。可是他试将拳头捏了捏，便大为失望，因为他觉得平时的手力都不知跑到哪里去了。

第二天快要天亮的时候，他不觉酣睡过去了，及至醒来，只见那老太婆正扑在他身上，一只臂膀已经伸进他底下的垫子里来了。直等他大大睁开眼睛，她才慢慢将身子竖起，脸上竟没有一点惊惶的神色，他从她的神情上看不出她究竟有没有发现那一包钱和首饰。

“我不过给你掖掖褥单呢，老爷。”

“那是我自己会管的。”

“昨天老爷你不是说叫我走吗？现在你给我五十镑，我马上就走。”

伯鲁狐疑地朝她看看，知道她这是一种探试，不过借此探知他们家里有没有这许多钱。“我早已告诉你了——我们家里就只有几个先令。”

“怎么？老爷只有几个先令——一个做老爷的，并且住着这样阔绰的房子。”

“我们的钱都存到金铺里去了。昨天吃的东西还有剩的吗？”

“没有了，老爷，卫士偷了好些去了，今天又得再叫了。”

那天一整天，当他从床上下来的时候，他一直都觉得她在注视他，虽然她大部分时间都并不在房间里。他想她一定已经知道家里有钱了，那么晚上她非动手不可的，因为她即使找不到现款，就是拿一些家具去卖到旧货摊上去，也已经可以发一票大财。

他从早起来就开始考虑计划，知道他若要保全他们两个人的性命，就非对这老太婆有个准备不可，以便她无论做出什么事来都有法子可对付。那天白天里就听见收尸车经过门前，先后共有三次，因为死人一天天多起来，单在夜里收尸已经来不及了。

他将每一种可能性都考虑到了。

他若去叫那卫士来帮忙，老太婆一定会先听见，而且那卫士本人也并没有理由可以加以信任。他似乎再没有旁的办法，这个局面只得由他自己一个人来应付了。他想她不见得会动刀，因为那是要落形迹的，他们当时都非常虚弱，只消一段索儿或是绳子就很可以将他们勒死了，而且她一定会先来杀他，因为琥珀同一头小猫一般不能抵抗。想到这里他就碰上了许多问题，都似乎无可解决，无论如何哄不了她。如果将门锁起来，她也要破门而入。那就要发生公然的决斗了，他无论如何不是她的敌手，因为他的力气虽比她大，行动却不迅速，而且很快就会脱力。

末了，他想出一个方法来，就是将床上的被褥扎成一束，装做一个人模样，自己却到床背后的窗帘底下藏起来，等她进来的时候，就拿一只笨重的蜡烛狠命向她头上打去。但这计划仍旧行不通，因为她始终都不肯关门。到了傍晚时分，他叫她把门关上，她倒听话了，但是过了几分钟之后，他又听见那门慢慢推开来，一看那门留着一英寸来长的一条缝。如此这般地过了一个多钟头，他又向她大声叱喝。

“把门关起来啊——关紧了。”

她没有回答，就把门关上了。夜色渐渐浓起来，房间里越来越暗。他躺在床上等了半个钟头，这才缓慢而审慎地爬下床，眼睛看着门口，动手去捆床上的被褥。谁知快要捆完的时候，忽又听见吱哦一声，那门又开出一条缝来了。

他懊恼极了，便又大声喝叫着她的名字：“玛佳奶奶!”她没有回答，但他觉得她站在那里注视他，因为当时虽然没有点蜡烛，房间里是有的，不过那月光从他背后照过来，他看不见她，她却看得见他。他只得回到床上去躺着，恼怒出一身大汗来，心想他们好容易渡过了疫病的危险关头，却想不到现在竟要死在这么一个脏老太婆的手里。

可是耶稣晓得，我们决不会！我决不会让她来杀害我们！他觉得对于琥珀的性命负着一种责任，甚至比他自己求生的意志还强烈而坚决。

一个钟点一个钟点地过去了。

有好几次他听见那收尸车的声音，丧钟也已至少敲过二十来遍了，他心里虽不愿意，耳朵却侧着听它，又数着它的记数，听出今天晚上到这时候为止已死了十二个女人和八个男人了。他怀着一种恐怖，只怕自己会睡熟过去，因为瞌睡已同波浪一般一阵阵地袭来了，所以他打起精神把生平读过的诗一首首地默诵，唱过的歌曲一则则在心里温习起来，又将他平时念过的书、睡过的女人，乃至游过的城市，暗暗在心里开出一张单子来。总之他要维持自己的清醒。

那老太婆终于走进房来了。

他先看见那门慢慢推开，然后听见一块地板吱吱嗝嗝地响起。这时月亮已经下山了，房间里一片漆黑。他的心开始沉重地跳起来，他的整个身体都觉得反常地机警，他的眼睛紧张地瞪着周围的一片黑暗，他的耳朵尖起来听着，以至连他自己身上的血液循环都听得出来。

那老太婆慢慢地一步一步进来，每次他听见一块地板吱嗝一声响之后，接着就是一个差不多无穷期的死寂。后来他就不能辨别那声音究竟从什么方面传过来了，这一下等待是非常难受的，可是他强行让自己静静躺在那儿，深彻而自然地呼吸着。他的神经非常敏感而颤抖，并有一种强烈的冲动想要跳下床来抓住她。但是他不敢，因为他怕她脱身逃走，那就一点儿没有办法了。同时他心里非常惊慌，惟恐他的气力在这样的紧张形势之下不能持久。就是现在他已觉得力气一点点地乏下去了，他的腿儿的和臂膀上的肌肉都觉得非常痛楚。

这时仿佛出乎意外一样，他接触着她的口气了，便知她已站在自己的身边。他的眼睛大大地睁开，但是什么都没有看见。他迟疑了片刻，可是猝不及防地，一个绳套落到他头上来了，且立刻就被抽紧。他急忙伸出臂膀，狠命将她掀倒，同时把那绳套从他自己头上脱出来，反套到她头上去。随即他使出全身的气力，抓住那条绳套儿狠命地抽。那老太婆被他抽得双手乱抓，他却一丝也不肯松手，过了几分钟，听听她已经没有气息，才将她一推推倒在地板上，自己也仰回床中，几乎已经没有意识了。琥珀依然在那里酣睡。

第三十八章

伯鲁将玛佳奶奶拖到楼梯下，等收尸车装她，同时给那卫士五个基尼阿，叫他不要到区里去报告，他不愿意再有看护了。现在他已觉得自己很强壮，可以亲身服侍琥珀了，只是最近几天里面大约还得吃点苦。

第二天早晨，他发现厨房里面给玛佳奶奶弄得一团糟，比赛克司奶奶还要厉害些。腐烂的食物和菜狼藉满地，以致整个厨房都臭气熏天。一块腐肉上面积着一大堆虫，面包上面都已给霉菌包裹，寻来寻去也不见一点可吃的东西。他又还不能动手清理，也不能亲自烹调，只得差那卫士到饭馆里去叫现成的饭菜。

但是过了几天，他逐渐强壮起来，虽然起初还得做一会儿歇一歇，后来他就可以连续工作，竟把所有的房间都重新清理出来。有一天琥珀在睡觉，他就将床铺弄干净了，把她放上去，自己改睡那张转轮的活榻。于是收拾房间和烹调食物两桩事情都由他一个人包办了，琥珀就常常拿他开玩笑，因为有一天早晨她看见他身上只围着一条毛巾在那里拖地板，不觉好笑起来，从此就常常要笑他了。她称赞他的食单配得好，等将来雇厨子来一定要传授给他，又问他的褥单之类怎么能够洗得这么白，因为洗衣店里送来的东西有时比没有洗还要脏。

不久之后，他就亲自出去买东西，因为病家门前的卫士觉得没有用，早已经撤去了——街上也已经差不多没有人。

这时城里染疫而死的已经每礼拜有一万多人，其实还有很多人是未经报告也未列入统计的。收尸车无时不出来，但是街上遗尸还是数以百计，公共场所里更堆积如山，有时竟要一连堆几日，惹得野耗子成群而至，有些尸体等到殡葬时候早被啮去半个了。病家门上已经不画红十字，却用印成的招贴来代替了；墙基石的中间都长起青草来；成千的人家都已没有人，有些街道竟是整段被封锁，因为其中的住户已死的死逃的逃了；就连丧钟也已经停敲，整个城市显得完全寂静、酷热而发臭。

伯鲁出去买东西的时候，就同那些店里的人谈起天来。那些人起先也曾经觉得恐怖，后来就将那种恐怖耸耸肩膀祛却了，因为大家对于死人早已觉得同家常便饭一般，所以都以一种蔑视的心情来代替恐惧。有些胆子小些的，一直关在家里不出门。那些做惯日常工作、过惯日常生活的人，都已养成了一种命运主义，甚至什么都不顾忌了。出丧送殡的人已经差不多绝迹，到了九月的第一个礼拜里，平均每日死的总有二千人之多，几乎家家户户都有人死。

其时到处都可以听到种种荒唐可怕的故事，不等真死就被活埋的传说已经非常普遍了：部分由于那种像死一般的昏迷状态很容易引起误会，还有部分是因那班当看护的心太黑，巴不得早些将病人送了出去以便大肆搜劫。有一个故事说一个屠夫已经穿好尸衣放在门口等收尸，收尸车将他遗漏掉了，第二天早晨竟回复意识。据说后来这人竟好起来了呢。又说有一个人发起狂来，从他家里逃出去，跳到泰晤士河中，等到游到河边病也就好了。又有一个人被遗弃在家里，扑到蜡烛火上烧起来，竟至活活烧死。又有一个年轻女人在她的娃子身上发现了一个疫点，便将娃子往墙上一碰碰出脑浆来，然后奔到街上去大声狂叫。

伯鲁能够出门的头一天，就跑到半英里路外的阿木笔府，拿把钥匙自己开门进去，到他向来住的那几间房里去取了些干净衣裳，将身上穿的衣裳换下来烧掉。其时阿木笔府里有两个仆人留在那里看房子，他们都不敢走近伯鲁的身边，只站得远远地跟他答话，等他走了方才放了心。

到了九月第二个星期的终了，琥珀就已能够穿起衣服，每天到院子里去坐几分钟了。开头几次都是伯鲁将她抱上抱下的，后来她就求他让她自己走，因为她急于要长起气力来，以便他们可以出城去。现在她相信伦敦已被上帝判了死刑，除非他们赶快避出城去，否则就要跟别人一样难保性命，因为她的身体已好得多，却还带着一种阴郁悲观的气息，跟她往常的态度完全相反。伯鲁呢，已经差不多完全复原，所以对于自己的信心和乐观都已回复，并且竭力要使她高兴起来——但这是不容易的。

“今天我听见一个很有趣的故事。”有一天早晨他们坐在院子里的时候他对她说道。

他已替她搬下一椅子来，她就病歪歪地倒在上面了。当初她看护他时穿的那些衣服都已经烧掉，剩下来的一件衫子是高领纯黑绸子的，穿在身上显得她的皮肤焦黄而枯干。她的眼睛底下陷进两个深深的黑潭，头发很脏腻地结成饼儿拖在肩膀上，可是一个鬓角插着一朵红玫瑰，是他那天早晨出去买东西的时候替她找来的。现在伦敦城里的鲜花已差不多绝迹了。

“什么故事？”她没精打采地问他道。

“唔，这话听起来有些荒唐，但是他们赌咒说真有这回事。据说前几天晚上一家酒馆里面有个吹笛人喝醉酒了，跑到门口躺下就睡觉，刚巧收尸车打那里经过，就将他扔进车里带走了。走到半路上，那吹笛人酒醒过来，并没有给他的同伴们吓坏，竟拿出笛子吹了起来，那赶车的和照火把的都吓得没命狂跑，当他们车上出了鬼呢……”

琥珀听了并不笑，甚至连嘴都不咧一咧，只带着一种十分惊诧的神情朝他看了看。“哦——哦，多么可怕啊！一个活生生的人放在收尸车里——哦，不会有这种事的——”

“对不起，亲爱的，”他见她这样，立刻觉得懊悔起来，急忙改换了一个话题，“你知道罢，我已经想出我们出城的方法来了。”那时他正跪在她面前的一块石板上，身上只穿着短裤和汗衫，一绺粗黑的头发贴在他的额角上。他抬起头带着微笑朝她看了看，侧着眼睛对阳光眨了几眨。

“怎样呢？”

“阿木笔的游船还在这里，现在吊在水埠头，尽可以装得几个礼拜的粮食。”

“可是我们到哪里去好呢？你不见得能坐游船去出海，是不是？”

“这个我们当然不会去尝试，我们要从泰晤士河里的汉普敦宫方向溯流而上，经过温莎和处女角一路而去。等到我们完全复了原，不致将病传到别人身上去，那就可以到厚来福区，阿木笔的乡村别墅里去了。”

“可是你说他们不放船只离港的。”原来她这时衰病之躯，跟健康时期的心境完全两样，那时看来虽是极其荒唐的计划，也看得很容易，现在听见这样简单的办法就也觉得为难了。

“他们原不肯放的。所以我们得当心。我们得在夜里走——可是你不用操心。我有办法的，我已经在着手——”

他这话没有说完，就见琥珀瞠视着他，脸上已经发了青，整个身体都僵硬起来在那里倾听。随即他也听见一部收尸车从墙角隆隆地碾过，一个人的声音远远在那里高呼。

“拿出你们的死人来！”

琥珀已经摇摇晃晃要向前面扑，但他也急忙站起来一把将她抱住。他将她抱上楼梯到了廊子上，然后穿过起居室走进卧室将她轻轻放上床，她只丧失一歇工夫的意识，现在又重新睁大眼来看着他了。原来这一场病已经使她全盘都得依赖他；她希望他给与气力和自信，也得等他供给一切忧惧的回答和解决，他已成了她的爱人、上帝和父母了。

“我永远不会忘记那种声音，”她低声说道，“我将每天晚上都听见它，恐怕这一辈子都要如此。我只要闭上眼睛就会看见那种吓人的车辆，”说着她眼睛里冒出光来，她的呼吸激动得非常急促，“从此我将什么事情都不能想了——”

伯鲁弯下身子去，将他的嘴唇印在她的面颊上。“琥珀，不要！不要去想它，不要容你自己去想它。你是可以忘记它的，一定可以的，而且你也不得不忘记——”

过了不多几日，琥珀和伯鲁就坐着阿木笔的游船离开了伦敦。乡间的景物美丽非凡。沿河的矮木材场上密密铺着万寿菊，夹岸长着水百合和灯心草，一簇簇的水藻如同绿色的头发一般，浮在那湍急的河面上。到了下午，又一路见牛儿闲立在水畔，静静地仿佛在那里出神。

他们一路碰到许多船只，大都是划子一般的瓜皮小艇儿，上面往往挤满着全家人口，都因没有乡间别墅才用这个法儿避疫的。那些船只虽也彼此呼传消息，船上的人却仍互相疑忌，因为他们好容易才落得一个平安，现在自然谁都不愿再来冒险了。

他们前进得很慢，经过了汉普敦、斯丹市、温莎、处女角，都停泊很多工夫。等到他们走出一日一夜，再回顾伦敦和它千万濒死的民众，就宛如另外一个世纪了。这一天一夜以来，琥珀的起色显得特别快，她就决计跟伯鲁一样，要把前情的回忆竭力排开，有时病中的情景不免浮现到她眼前来，她就咬紧牙关不去正视它。

我定要忘记自己见过这番瘟疫，她固执地对自己说道。

于是逐渐地，她就觉得伯鲁的病和她自己的病乃至这三个月来的一切事情，仿佛都不是新近发生的，而是许多年前发生的了。她甚至觉得这些事情仿佛发生在别人身上，跟他们自己全不相干一般。她不知道伯鲁是否也有同样的感觉，可是她从来没有问过他，因为这个题目是他们不肯提出来谈论的。

一时之间，琥珀对于自己的容貌大为恐慌起来，她怕她的美已经消失，从此就要一辈子丑下去了。伯鲁虽然想出种种话来竭力安慰她，她每次对着镜子却仍要愤怒而绝望地大声喊起来。

“哦，我的上帝！”她竟要凄怆万分地哭起来道，“我落得这副样儿倒不如死了！哦，伯鲁，我——是永远不能跟从前一样了呢！哦，真要恨死我了！”

于是他便搂住她，跟一个顽皮孩子似的向她微笑着，尝试宽解她的恐惧和忧恼。

“你当然会跟从前一样，亲爱的，可是，天啊，你正在大病之后呢——你不能指望几天工夫就复原。”其实他们到船上没有几天，她的健康就已经大有进步，逐渐恢复原来的气色了。

这时他们方才认识到他们的确可以享受生活——大约他们以前从来不曾有过这种感觉罢。他们大部分时间都拿垫子垫着躺在甲板上，沐浴着那温暖的阳光，只觉那热直透入骨髓。伯鲁一直光着身，所以不久他就浑身回复一种深浓的褐色了。琥珀怕她那一身乳白色的皮肤要晒黑，一直都当心着穿好衣服。他们为求兴致的加浓，一切都共同享受，仰起头来便见那夏季的天空一片蔚蓝而皎洁，只是这里那里点缀着薄薄几片云头；每逢浓露渐渐的早晨，便可听见田间稻鸡的鸣叫；时或下起了骤雨，便有阵阵的泥香扑鼻而来；下一条浅溪旁边长着棵白杨，正在招展银绿的叶子；有时看见一个女孩子，站在一片白蒲公英的当中，被她放的一群鹅儿围绕着。

再过了几日，他们就跑到那些乡村里去买东西了，有时竟去吃了一顿饭回来，这在当时已似乎是一种难得的奢侈，甚至要称豪举了。琥珀非常惦念南儿和苏姗娜，但是伯鲁竭力安慰她，要她相信她们都平安无事。

“南儿是个很有见识的女人，而且再忠心也没有的，倘使她待的那个地方发生了危险，她一定会搬到旁的地方去。你信任她罢，琥珀，千万不要着恼。”

“哦，我原是信任她的！”她就说，“可是我不能不着恼啊！哦，我要是知道她们真的平安无事，那该多快活啊！”

这时琥珀眼中接触的一切都使她记起梅绿村和她当初跟姗娜姨妈、马太姨爹过的那种生活。因她当时经过的那些地方也是一个富有的农业区，跟厄塞一样到处是繁荣的农场，都有箩笼圈着，此外便是无数的果园，安静而优美的小村落，彼此相距总不过两三英里路程。至于其中的居民，往往本来是彼此相隔两三百英里的，那些农家大都是红砖头的墙、橡木的框架，上面盖的茅草如同铺厚被一般。牵牛花和玫瑰攀援着它们的墙壁，盘据着它们的轩窗；珍珠灰的鸽子歇在人字坡的屋顶上，在那里低声地咕咕鸣叫；一群群的麻雀儿在那灰尘飞扬的道路上跳跃啁啾。在她看起来这一切情景都意味着和平的宁静，像这样的满足是旁的任何地方都找不到的。

她将自己心中的感想告诉他，并且补充道："我从前待在这里的时候是向来没有这种感觉的——不过天晓得，我决不想回到那里去！"

他温存地笑笑。"你是老练起来了，亲爱的。"

琥珀不胜惊慌而怨愤地看了看他。"老了！见什么鬼罢！我并没有怎么老！我还不到二十二岁呢！"原来女人一到二十岁，就会对自己的年龄产生一个自我意识。

他笑起来。"我并不是说你的年龄已经老了，我只是说你已经老练得能记忆了——而记忆是总要带着几分伤感的。"她将这几句话沉默地咀嚼一番，然后轻轻叹了一口气。其时已是傍晚，他们正穿过一片泥泞的牧场回到河上来，他们听见附近一只青蛙放开擂鼓一般的声音，同时许多硬甲虫在那里嘤嘤地鸣响。

"我想你这话不错。"她同意道，突地抬起头看看他，"伯鲁——你还记得我们初次会面的那天吧！我现在闭着眼睛，还可以清清楚楚地看见你——你骑在马上的那种姿势，你拿眼睛看着我的那种神情。这使我心里大大地发抖——我从来没有见人那样看我。我还记得你当时穿的那套衣服——一套镶着金边的黑天鹅绒，哦，那是多么奇妙的一套衣服啊！而且你那样儿多美啊！可是你也使我有点儿惊吓。就是现在，我想你也还是使我有点惊吓——我真不懂为什么。"

"我也实在是想不到。"他似乎觉得很好玩，因为她往往将过去的这种琐屑事情搬出来，一丝一毫都不曾忘记。

"哦，你就想想看罢！"他们刚刚渡过一条摇摇欲倒的大木桥，琥珀走在前头，突地掉转头来看了看他。"倘使那天姗娜姨妈没有差我去给铁匠师娘送姜饼呢！那我们连认识都不认识了。我到现在还住在梅绿村呢！"

“不，你不会的，其他骑士也要经过梅绿村——无论你有没有看见我，你还是要离开那里的。”

“这是什么话呀，贾伯鲁，我不会的呢！我当时跟了你来，那是因为命里注定的——那是天上星宿的关系！我们的一生早在天上注定了，这你知道的罢！”

“不，我并不知道，就是你也未必见得知道，你也不过这么空想想罢了，心里未必真有这样的感觉。”

“我真不懂你讲些什么话了！”他们过了那座桥，两个人又已走到并排儿去了。琥珀正拿一根树枝在那里拨弄，突地将那树枝扔下，掉转头面对着他，两手抓住了他的臂膀。“你还以为我们真的没有缘吗，伯鲁？现在你该相信我们是有缘的了罢？”

“你这个‘现在’是什么意思？”

“怎么——经过我们的许多关系到现在方才明白啊！要不然的话，你怎么会待在那里服侍我的病呢？你好起来之后，尽管可以丢开我自己走的——倘使你并不爱我的话。”

“啊呀，我的天，琥珀，你是把我当作多么糟糕的一个坏蛋了！不过我当然是爱你的。而且在某种意义上，我也可以同意你说我们彼此有缘那句话。”

“在某种意义上，这是什么意思呀？”

他的臂膀搂住她，他的指头梳着她那光泽的头发，他的嘴儿已经凑近她的嘴边了。“就是我心里想的这种意思。”他轻轻说道，“你是一个美丽的女人——我呢，是一个男子，当然我们是彼此有缘的了。”

当时她就没有话说了，但这并不是她所期望的回答。当初她留在伦敦，拼着自己的性命服侍他的时候，原不曾想望他的感激或报答。但是后来他也留在那里服侍她，并且跟她服侍他一样体贴，这使她相信他已经回心转意，相信他会跟她结婚了。她一直带着忧疑和恐惧的心情在那里等着，等他自己把这话说出口来，谁知他始终没有说。

哦，但这是不可能的！她屡次这么自宽自解。如果他因爱我以至这样服侍我，他自然也因爱我而要跟我结婚了。她想他自己心里明白，一等我们可以结婚的时候就要结婚，所以他至今不说什么……他想我……

但她虽然这样自宽自解，心里却仍旧疑惧忧煎，日甚一日。现在她才渐渐明白过来，他实在并未回心转意，仍旧要照他的原计划去生活，就同没有经过这场疫病一般。

她急于想要跟他将这事情谈一谈，但又怕他们当时彼此间的和谐因此损坏，因为他们自从相识以来，那一期间的和谐是几乎毫无缺憾的，所以她又把这意思搁开了，且等有适当的机会再说。

在这期间，日子过得非常之迅速。栎树已经变成深红了，果园里面停着满装果实的货车，空气里面充满秋初红熟苹果的香气，入秋的雨已下过一两次了。

他们将船泊在阿屯宾，投到一家幽静的老客店里去宿夜。那家店的主人主妇将他们盘诘许久才肯承认他们的健康证明书，但仍满脸流露着疑惧。伯鲁见情形不佳，虽知身边带的钱已快用尽，也只得添给他们五个基尼阿，方才得他们留宿。到了第二天早晨，他们就租了几匹马儿，雇了一个向导，动身到六十英里外阿木笔的别墅去了。他们从大路上先到哥罗斯德，在那里宿了一宵，第二天继续再走，及至近午时分到得巴贝列山边，琥珀已经完全脱力了。

阿木笔乐得大喊着迎出门来，一把将琥珀凌空抱起跟她亲了一个嘴，又在伯鲁脊背上捶了一拳，说他曾经千方百计地寻找他们，万想不到他们会碰在一起，又说他替他们实在担心，现在看见他们平安无事，真是喜出望外了。艾米丽虽然消瘦了许多，却也跟他一样高兴。当时大家笑乐了一会儿，就都走进门去了。

这巴贝列山的别墅并算不得是阿木笔伯爵最重要的乡间产业。但他的祖遗房产就只剩这一所了，这所房子的规模比不得河滩上的阿木笔府，它的幽雅处却有过之而无不及。那建筑是L形的，都用红砖砌成，刚刚靠在巴贝列山的山脚，一部分是四层楼，一部分却只三层，都是涂过沥青的石板屋顶，有许多三角墙和轩窗，还有好几个螺旋形的烟囱；所有的房间都装饰着精致的雕刻和模塑，天花板上堆积着各种石膏的图形，跟新年饰上的花草一般繁缛；那张大楼梯上也铺满着伊丽莎白时代的精雕细刻，而且到处都装饰得五颜六色的。

阿木笔立刻派了一批人去找南儿，将她接到这里来聚会。琥珀稍稍休息了一会儿，借了阿木笔夫人一件衫子来换上（她也知道那衫子好不到哪里去，只得拿些别针来扣着），然后就同伯鲁到育儿室里去了。原来他们自从那天在阿木笔府里分别以来，已经有一年多没有看见他们的儿子，不觉他已长了许多，变了许多了。

现在那个孩子已经四岁半，个儿特别高，长得健康而结实。他的眼睛跟伯鲁的一样，灰绿色，他的头发成浪纹披在肩膀上。他已穿上了成人的服装，是他四周岁的时候给他换上的，于是处处地方都同贾爷一个模里印出一般了，乃至腰间挂着的小刀、帽上插着的鸟羽，也跟他父亲的一模一样。

这种成人服装似乎象征着暖室里边拔苗助长的烈力，因为他已经在学习读书写字，而且会做简单的算术了；骑马的课程也已经开始，舞蹈和仪度也都在教了。不久之后还要增加其他许多的课程，就是法文、拉丁文、希腊文、希伯来文，乃至于剑术、音乐、歌唱等。这样，他的儿童时期缩得很短促，成人时期早就开始了，因为人生至多只是一种毫无把握的冒险，光阴是一点荒废不得的。

他们走进育儿室的时候，小伯鲁正同阿木笔的大儿子坐在一张小小桌子旁读书。但他分明知道他的父母要来看他，因为他们刚刚开门进去的当儿，他就有所期待地急忙回转头来看了看，这就可见他早已在那里巴望了，随即听见那本书噗地落在地板上，他就跳下椅子欣然跑着迎上前来，但他听见那保姆吆喝了一声，就马上停住脚，脱下帽子先向伯鲁后向琥珀恭恭敬敬鞠了一个躬。

“很高兴见到你，爵爷，还有你，夫人。”

可是琥珀并不顾忌那保姆，她立刻奔上前去，一跪跪在地板上，将孩子搂在怀中，拿热烈的吻去印他粉红的面颊，眼泪从她眼眶里亮起来，随即纷纷地落下，可是她又乐得呵呵大笑着。“哦，我的宝贝儿！我的宝贝儿！我总以为永远不能和你见面了。”

那孩子也搂住她的脖子。“可是为什么呢，夫人？我知道总有一天可以见你们俩的。”

琥珀笑起来，随即低声埋怨道：“天杀的保姆，你不要叫我夫人呢！你该照我的名份叫我才是呢！”说得大家都大笑起来，那孩子就凑到她耳边去轻轻叫了一声“母亲”，然后又一半恐惧一半反抗地掉转头看了那保姆一眼。

他对伯鲁的态度比较沉着，分明心里知道他们都是上流人，不应该表现得太过火。然而他敬爱父亲的心情却也是显而易见的。琥珀站在旁边看他们，不由感到一阵嫉妒的痛楚，但她立即责备自己心眼儿太小，并且觉得有点惭愧了。约摸过了一小时，他们离开了育儿室，回到对面分给他住的房间里来。

琥珀突如其来地说道：“这是不对的，伯鲁——让他过着这样的生活。他是一个私生子，现在却让他学得像个贵族一般，这有什么用处呢？天才晓得他大起来要过怎样一种日子呢！”

说时她将眼睛横过去看了看他，但是他的表情并没有变化。一会儿他们走到他们自己的房间，琥珀推开门，他们走进里面去，她急忙旋转身对着他，立刻看出他要说出一套不中听的话来了。

“这桩事情我正要跟你谈，琥珀——我要把他立为我的嗣子了。”这话使她脸上不觉闪过一阵希望，谁知他又急忙接着道，“在美洲是没有人知道他合法不合法的——他们都会当他是我前妻所养的儿子。”

她大为诧异地瞠视着他，面孔仿佛突然受了一下猛掴扭动起来。“前妻？”她轻轻地重述道，“那么你现在是结过婚的了。”

“不，没有，不过我总有一天要结婚的……”

“这就是说你仍旧不愿跟我结婚了。”

他默然，只对她看了好久，不觉将手擎了擎，但又立刻放下去。“是的，琥珀，”他终于说道，“这你早已知道，我们以前已经彻底谈过了。”

“可是现在不同了！你是爱我了……这不是你亲口说的吗？我也知道你是爱我的！你一定爱我的！哦，伯鲁，你当时说这句话不见得是……”

“不，琥珀，我说的是真心话，我的确是爱你的，可是——”

“那么为什么不肯和我结婚呢——如果你爱我的话？”

“因为，亲爱的，爱跟结婚是一点儿没有关系的。”

“一点儿没有关系！我看是全然有关系的呢！我们并不是小孩子，不能由我们的父母吩咐跟谁结婚就跟谁结婚了！我们都是长大了的人，什么事情都好由自己的心愿了——”

“我也但愿如此。”

她对他瞪视许久，心里越想越气恼，恨不得伸出手去打他一个耳光，可是她突然记起他眼睛里那种强硬的表情，终于熬住了没有动手。他也站在那里看着她，仿佛是等她有什么举动一样，可是等了一会儿终于掉头出去了。

两个礼拜之后，南儿方才带着苏姗娜、她的奶妈，以及苦菊儿和华大约翰一同到来。这四个月当中，他们不住地一个乡村一个乡村搬着避瘟疫，一路的事故虽然多，却只失窃了一车行李，琥珀的衣服和私人物件差不多全部无恙。她心中感激非凡，当即应许南儿和华大约翰回到伦敦之后每人赏给一百镑。

伯鲁一看见他那七个月的女孩子，当即爱得着了迷一般，原来苏姗娜的眼睛已经不复有灰色，却变成了种澄清的绿色了；她的头发也已变成一片闪亮的纯金，不像她母亲的那种棕褐色了；她的模样儿跟伯鲁和琥珀都不相像，但已可以看出将来定是一个美人儿，而她也似乎已经意识到自己的命运，因为她看见了男人，已经会挤眉弄眼笑嘻嘻地献媚了。于是阿木笔调侃琥珀，说她这个女儿一定能够传衣钵的。

南儿到的那一天，琥珀当即把艾米丽那件不成样儿的黑色衫子脱下来还给她去，到她自己衣箱里挑了半天，挑出一件低领口的古铜色缎衫，骨箍长裙一概齐备。她就搽上了脂粉，贴上三个面贴儿，又叫南儿将她那几个月没有整理的头发重新梳成长长的卷儿，盘起高高的头髻，从那些首饰当中，拣出了一双翡翠耳环和一双同样也是翡翠的镯子来戴上。

“天！”她踌躇满志地对镜子里的影儿端详着说道，“我几乎忘记自己是怎么一个模样了呢！”

其时伯鲁同阿木笔打猎去了，她在那里巴望他回来，好让他看看自己打扮起来这种千娇百媚的模样，但她心里终觉有点惴惴然，因为那时她的丧服还未满，他若责怪她起来怎么办呢！因照当时的礼节，一个寡妇除非再醮人，否则得终身穿着纯素黑衫披着长长的头纱。

等了一会儿，她终于听见隔壁推门的声响，他的长靴踩过地板橐橐而来了。他叫了一声“琥珀”，便已经跨进门来，一面松着颈脖子上的领结。她睁大眼睛心里惴惴地看着他，只见他突然站住，吹了一声长长的口哨，展开一张笑脸。她撑开扇儿，款步走到他的面前去。

“我这样儿怎么样？”

“你这样儿怎么样？怎么，你这爱虚荣的小淫妇，你这样儿同个天使一般呢——你自己也知道的！”

她笑着向他奔去。“哦，真的吗？伯鲁！”可是她的脸色突地变严肃，低头看了看手里的扇子，数起那扇骨儿来。“你觉得我很坏吗——脱孝脱得这么快！哦，不过，”她又抬起手急忙补充道，“我回到伦敦当然要穿回去的。这里乡下没有人看见，也没有人知道我是个寡妇，暂时脱脱不妨的，你说是不是？”

他弯下身子咧着嘴儿轻轻吻了吻她，她虽竭力搜索着他脸上的表情，却看不出他心里究竟在想什么。“当然并没有什么坏。你也知道穿孝是穿在心上的——”说着他又轻轻碰碰她左边的奶子。

经过一个非常酷热而干燥的夏季，到了十月尽头，天气就起剧变了，暴风狂雨一阵阵紧接而来。到了十一月中旬，就已经浓霜遍地。伯鲁和阿木笔却仍旧出去骑马打猎，只是因为火药濯湿了，往往空手而回。大多数早晨琥珀都消磨在育儿室里。有时爷儿俩打弹子，她就站在旁边看他们，又有时候三个人一起玩牌或是猜字谜消遣。艾米丽难得加入，因为她是一个旧式的主妇，烹调扫除等琐事都要亲自去监督，不像多数新式太太那么一概交给佣人。琥珀见她整天不是在育儿室里，就是在厨房里或是洗衣房里，就不懂她为什么能有这样的耐心，但是艾米丽不在的时候，他们二男一女才觉得玩得痛快些。

往常，巴贝列山到了这个时候总是宾客盈门的，因为这位伯爵和伯爵夫人都有无数的亲戚，但是今年因疫病流行，人人都待在家里不敢出门了，所以只有几家邻舍偶尔来拜访。不过伦敦方面的消息传来，已经渐渐使人有些兴头了。死亡的数字虽然一个星期仍要超过一千人，却已逐渐在减少，有些在每星期还死不到一百人的时期就出城来的，现在都陆续地回去了。伦敦街上满是身被疫疮的乞丐，但已没有遍地尸体的情形。收尸的车辆也只夜里出来，一种乐观的情感弥漫了全城，因为大家都以为最恶劣的阶段已经过去。

伯鲁渐渐觉得焦躁起来，因为他想起了他的船只，想起了他带回的掠获品，不晓得现在究竟如何，以至非常焦灼，恨不得立刻回到伦敦去，并等一有可能就扬帆回美洲。琥珀看出他这种情形，就问他打算什么时候走。

"一到能走就要走。只要船上的人愿意跟我签合同，我就要动身走了。"

"我想跟你一起去伦敦。"

"我想你不如不要这样，琥珀。我打算先到牛津，现在行宫在那里，我要去陛见皇上，跟他谈一桩土地配给的事儿。天气又这么可怕，我是不能坐马车去的——而且我一到伦敦，一定就会忙得没有工夫去看你。你在这里跟阿木笔再等一两个月罢，城里现在还没安全呢。"

"我不管，"她固执地坚持道，"无论城里安全不安全，我只要能见你的面，就要跟你同去。无论路途怎么远，我都会骑马去的，你尽管放心好了。"

谁知有一天中午，她站在窗口往外看，看见一片朝南迤逦的山坡，上面罩着一片灰沉沉的天色。一群骑马人跑近前来，她不由得产生一种恐惧的怀疑的奇异感觉，因为她等不到那些马儿和骑马的人一个个辨认清楚，就已发觉伯鲁不在当中了。她突然掉转了头，撩起裙子，跑出房来，穿过廊子，奔下那张大楼梯，碰见阿木笔刚刚走进穿堂。

“伯鲁呢？”

阿木笔身上披着一件骑马装，脚上踏着一双高统皮靴，一蓬褐色的头发经雨濯透了，帽上的鸟羽更是水滴淋漓。他听见琥珀问他这话，便觉忸怩不安地朝她看了看。“他走了，琥珀，回伦敦去了。”说着他摘下帽子，在自己膝头上拍打着。

“走了，也不带我走！”她瞠视着他，脸上先是惊惶，后来逐渐变成仇怒了。“可是我也要走的！我曾跟他说过我也要走的！”

“他说他已经告诉过你了，他要独个儿走。”

“他要天诛地灭”她喃喃地骂了一句，就掉转头管自走了，“唔，我偏不让他独个人走！我也要走了！”

阿木笔大声喊着她，可是她不理，一直奔上大楼梯去了。奔到半楼梯，她碰到了一个人，是她从来没有见过的一位衣装齐楚的老头子。那人当即回转头去看看她，可是她不理，一个劲儿管自往前奔。“南儿！”她一面冲进自己房中一面大嚷道，“把我的衣裳装一些起来！我要回伦敦去！”

南儿将她瞠视了一眼，随即朝窗外看看，只见倾盆一般地下着大雨，一棵榆树的尖头都被大风扭歪了。“回伦敦去，夫人！这样的天气？”

“管他妈的天气！装起我的衣裳来罢，我告诉你！随便什么。我都不管了！随便扔些进去罢！”

她一面说着，一面就将紧身的骨箍拉开来，脱下了她的衫子，然后跑到梳妆台上卸下了镯头，将它放进她的木匣里去。其时她满脸怒容，她的牙齿在那里格格地打战。

这天杀的！她心里恨恨地想道。至少他该替我留点面子！我定要跟他算账！我定要跟他算账！

南儿当即手忙脚乱起来，将那些钩子上面和抽屉里边的衫子、裙子、鞋子等乱拉了一阵。阿木笔跑到门口和她们说话，她主仆二人都不知道。

“琥珀！你见了什么鬼了！”

“我要到伦敦去啊！你还当是什么？”

她连看都不看他一眼，只把头发里那些定针拔出来，以致头发披了一肩膀。阿木笔急忙赶到她的背后去，他的面孔就从镜子里面照出来。她对镜中的他狠狠地瞪了一眼，仿佛是同他挑战一般。

“你出去罢，南儿，”他说道，及见南儿眼睛看着琥珀在那里踌躇，又说道，“你听我说！你真的要做傻子吗？他不要你到伦敦去。他觉得你到伦敦不安全，且也不愿带你去受累——他会非常忙的。”

“我不管他愿不愿，我无论如何要去。南儿！”她转过头来大声叫着她，可是阿木笔抓住了她的手腕，一把将她拉住。

“你是去不成的——我哪怕将你捆在床柱上边也不让你走，你要知道疫病害过一回是要再害的。你只要稍稍还有点脑子，就不肯无缘无故回到那里去了。伯鲁所以去，是因为他不能不去。他的船只现在也许被毁或是被抢了，即使还安全，等到伦敦人多起来很快也就难免的。现在，亲爱的，你心里明白些罢，他过一天还要回到这里来——他说要回来的。”

琥珀抬头看看他，她的下唇仍很固执地长长地挺出，只是眼睛里冒出泪水来了，并且开始挂到她的面颊上。她唏嘘地啜泣着，但他拿臂膀去搂住她的时候她并没有抗议。“可是为什么，”她终于幽幽咽咽地问他道，“为什么他连一句告别的话儿都没有呢？昨天晚上——怎么，昨天晚上他还是和平常一模一样的——”

他将她的头揿到他的胸口，抚摸着她的头发。“那也许是，宝贝儿……那是因为他不愿意跟你吵闹的缘故。”

琥珀听见这话更加悲悲切切地哭起来，并且捧住了他的颈脖。“我——是不会跟他吵闹的！哦，阿木笔，我实在是非常爱他！”

阿木笔将她搂得更紧了，让她去尽情地哭，由她自己慢慢地安静下去。他掏出一条手帕，将它交给她。“你刚才下楼去的时候看见一位先生走下楼来吗？”

她擤了擤鼻子，擦擦她的红眼睛和涕泪纵横的面颊。“不，没有看见。怎么呢？”

“他刚才向我问起你是谁，说他觉得你是他生平看见的第一个美人呢。”

于是琥珀就觉得一点虚荣袭入她的愁烦了。“真的吗？”她又唏嘘了几声，低头看看那手帕，将它扭弄了一会儿，然后又擤擤鼻子。“那人是谁呢？”

“他姓穆，名叫阿蒙，是猎得岩的伯爵，英国顶顶悠久顶顶光荣的一个世家。来罢，亲爱的，是吃中饭的时候了。我们下去罢——他要我替他介绍呢。”

琥珀叹了口气，走开了。“哦，这我不管的，我不要再认识什么人了。”

阿木笔给她一个谄媚的微笑。“那么你是情愿待在自己房里发闷了，是不是？好罢，那也随便你，可是他要大为失望的。老实告诉你罢，我想他也许会向你求婚呢。”

“求婚！见鬼，我为什么还要嫁人呢？我永远不愿再结婚了！”

“连一位伯爵也不嫁吗？”阿木笔装作不信的样子问道，“好罢，亲爱的，那也只得随便你，可是我记得你有一天晚上仿佛跟伯鲁说过‘你看我做起泥塘港的伯爵夫人来罢’那句话。现在是你的机会来了——你舍得把它错过吗？”

“我想你一定跟那老家伙提起过我多么有钱了。”

“这个吗——唔，也许提起过，我不记得了。”

“哦，好罢，那么，我下来就是了。可我并不是要和他结婚，什么伯爵夫人不伯爵夫人，我是不管的！”

可是她心里已经在想：倘使伯鲁下次见到我的时候，我已经是猎得岩的伯爵夫人了，那我包他一定会对我另眼看待的！

他不过是个男爵呢！

第三十九章

那天的中饭延迟半个钟头，为的是琥珀要重新妆扮一下，并且擦去她脸上的泪痕，然后她披上一件翻毛大氅，就动身到饭厅里来了。往年冬天的时候，从这间房到那间房得披上大氅，今年天气特别冷，就得把大氅一直穿在身上了。

阿木笔和他的客人站在大火炉前面。阿木笔夫人坐在他们的近旁，在那里做针线。两个爷儿回转身子，阿木笔就给他们介绍起来。琥珀对猎得岩伯爵行着万福的时候，就将他从头到脚仔细掠过了一眼。她的第一个反应来得很迅速：他是多么丑啊！她当即下了决心，断然不和他结婚，然后大家都坐下去吃饭了。

那穆阿蒙今年年纪五十七，看去却像六十开外了。他的身材大约要比琥珀高三英寸，但因琥珀当时穿着高跟鞋，两个人站在一起是一般高的。他的体格瘦削而纤弱，窄窄的肩膀，细细的腿儿，因而他的脑袋似乎太大，又加他戴着一蓬浓密的假发，就越发显得头重脚轻了。他的表情严肃而矜持，说起话来两片薄嘴唇露出一副焦黄的牙齿，只有他的衣服是她看得上眼的，因为材料非常讲究，式样也处处精工。他的仪态虽然冷漠得使人难以接近，却也是无懈可击的。

“这位伯爵，”阿木笔在刚开席的时候就说道，“近三年来都在大陆旅行。”

“哦!”琥珀很客气地说道。她肚子并不觉饿，就后悔没有待在自己房里不下来了，又觉得喉咙口有一个作痛的块儿不住冲上来，只得借那食物将它竭力压下去。“可是为什么偏偏拣现在回来呢——正在这种瘟疫盛行的时候?”

那人回答她的声音是经过细细琢磨的，由此就可以看出他平日为人一丝不苟的精神。“我已不比青年时期了，夫人。疾病和死亡已经不能吓倒我，我的儿子两个礼拜之内要结婚——我就是为他的婚礼赶回来的。”

“噢。”她想得起来说的就只有这一声了。

在她当时看起来，那人对她的注意似乎并没有阿木笔形容的那么厉害，也并不如她所期待的那样瞪着眼睛看她，所以她就感到失望和厌倦，从此她对于席上其余的谈话就不大去注意，一等席完就逃回自己房里去了。

那一厢房子她跟伯鲁已经住了一个多月，现在人去楼空，就觉得凄凉寂寞，何况伯鲁去了不多时，那种冷热相形的情景更加令人难受了。她从这间房走到那间房，触景生情，一切都使她想起伯鲁。一张大椅摊着一部书，是伯鲁新近在读的。她拿起来一看，原来是培根著的亨利七世实录。还有一双满是烂泥的长靴，两三件穿脏了的白麻衬衫带着强烈的男性汗臭，一顶帽子是他出去打猎的时候戴的。

突地，琥珀跪在地板上，将那帽子抓到手中，就浑身颤抖着大哭起来。她觉得自己有生以来，从来没有像这样寂寞、伤心而失望。

两三个小时之后，阿木笔敲了敲门，走进她房里来。其时她正伏卧在床，头埋在臂膀里，已经不哭了，只是没情没绪地在那里出神。

“琥珀——”他当她睡熟了，轻轻叫了她一声。

她就扭转头。“哦，进来罢，阿木笔。”

他到她床边坐下，她将身子仰转来，躺在那里看着他。她的头发乱蓬蓬的，眼睛红肿，脸上呆呆的没有表情。阿木笔带着一脸的正经和慈祥，弯下身去在她的额头上吻了吻。

“可怜的小宝贝！”

琥珀听见他这种温存抚慰的声音，不由得眼泪又如泉涌，从眼角里淌下两太阳穴。她急忙咬着下唇，决计不再哭，但是两个人一时都默默无言，阿木笔只将一只手掌在她脑袋上轻轻抚摸。

“阿木笔，”她终于开口说道，“伯鲁不肯带我去，是因为他要结婚的缘故吗？”

“结婚？哦，天，我从来没有听说过！不，我可以赌咒，他决不是去结婚。”

她叹了一口气，将头扭开，看到窗外去。“可是，他总有一天要结婚——他说他结婚之后就要立小伯鲁做嗣子了。”说到这里她把眼睛重新转过来，微微瞅了瞅，突然露出非常怨恨的神情，“他不肯跟我结婚——可是他要把我的儿子做他的嗣子，好一个计策啊！”说着她将嘴唇恨恨地一歪，又将脚后的被头狠狠地踢了一脚。

“不过你是愿意让他结婚的，是不是？到底这是对于那个孩子顶好的办法啊。”

“不，我不愿意让他结婚！为什么该愿意呢？他若是要小伯鲁的话，就可以跟我结婚啊！”

阿木笔继续注视了她一会儿，突然换了一个话题。“告诉我：你对于猎得岩伯爵的意见到底怎么样？”

她做了一个鬼脸。“一件讨人厌的老废物，我恨他。而且他见了我也不见得怎样着迷啊。怎么，他一经介绍过之后，就连看都不看我一眼了呢。”

阿木笔微笑起来。“你是忘记了，亲爱的，他同我们不是一个时代的人呢。当初查理一世的宫廷是极严肃守礼的，吊膀子这种事情还不曾时兴，无论爷们对娘们怎样地看中。”

“他有钱吗？”

“他很穷，战争把他的家业都毁了。”

“那么他是因此才觉得我美的！”

“并不是，他说你是他四十年来见到的第一个美人，又说你使他想起多年以前见过的一个女人来了。”

“那人是谁呢？”

阿木笔耸耸肩膀。“他没有说啊，多半是他从前的一个情人罢，男人家对于自己妻子的回忆是从来不会有好感的。”

到了第二天吃中饭的时候，琥珀又跟猎得岩伯爵见面了，但是这回添出两个客人来：一个是艾米丽的堂姊妹劳斯通夫人，一个就是她的丈夫劳斯通爵士。劳斯通爵士是个彪形大汉，个儿有阿木笔那么高，但比他加倍肥硕，笑起来哗啦哗啦的，长着一张绯红的脸儿，满身是马房里的气息。他一看见琥珀，就立刻高兴得不得了，一顿中饭吃到底，都从桌子对面把双眼牢牢盯住她。

他的太太神气之间有点酸溜溜，仿佛对于丈夫这种行为虽已看了许多年，却仍旧有点想不开似的。那猎得岩伯爵也已经觉察到了，虽然竭力装作不看见，心里也未免有点着恼。他一直低头看着自己面前的盘子，微微皱起了眉头，仿佛觉得这种情形只足招惹将来的祸祟似的。琥珀看看他们两个人的这种神情，心里只觉得好笑，便索性对那劳斯通爵士多方狐媚，时而努努她的下唇，时而乜斜着眼睛瞟他一眼，继而扭着身子撩拨他。但是这种消遣也不能使她十分开心，寂寞无聊的感觉依然一阵阵向她侵袭。

她离开餐桌的时候，看见劳斯通爵士竭力回避着太太的皱眉，鬼鬼祟祟地从壁角里边走过来找她了。可是猎得岩伯爵捷足先登，早已占去了她的身伴。他就对她鞠了一个躬，僵硬得如同一年多没有上过油的木偶人似的。

“给你请安哪，夫人。”

“给你请安哪，爵爷。”

“也许你还记得罢，夫人，昨天阿木笔爵爷提起过我有几桩珍贵物品，从海外带回来的！现在那些东西都在我的马车里，但因希望你或许肯赏脸观看，昨天晚上我已提出一箱来解开了。现在你可以赏脸去看看吗，夫人？”

琥珀本想拒绝他，但一转念之间，觉得去看看也好，总胜于回到楼上去独个人坐着哭。她便说道：“谢谢你，爵爷，我很乐意去看。”

“就在藏书室里边，夫人。”

那间莫大的藏书室黑沉沉镶着橡木壁板，点着一些灯火也仍是昏暗无光，火炉前面放着一张大桌子，桌子上面陈列着一些东西，旁边放着一盏油灯，至于那一书架一书架的书都离得远远地靠壁放着。阿木笔平时不读，那间房里不常通气，充满着一股霉味。

琥珀不大感兴趣地走近那张桌子，但是看了一眼，她就立刻高兴起来，因为上面陈列着的，的确是许多难得看见的珍品。其中有一件是个白大理石的小雕像，雕着维纳斯，可惜一个头已经断了；又一件是个乌木雕的小黑人，鸵鸟毛做的翠绿裙子，头巾上和肌肉丰满的肥臂膀上围着真正的钻石；又一件是个沉重的金镜框，雕镂得非常精致；此外还有一些玳瑁壳的珠宝链、钻石纽扣、雕花玻璃的蓄水瓶。每一件东西都做得非常精致，显得收藏者的志趣十分高妙。

“哦，多么美丽啊！哦，你瞧这个呀！”她十分兴奋地将脸朝着他，一双眼睛睁得亮晶晶的。“我能把它拿在手里看看吗？我会当心的。”

那伯爵微笑起来，又鞠了一个躬。“当然的，夫人。你请拿罢。”

这时她已忘记自己并不喜欢他，竟对他七搭八搭地问起话来了。他把各件东西的来处、历史，以及从谁手里传到他的经过，一一都给她说明。她最喜欢那个黑人的故事：

“三百年以前，威尼斯有一个贵族太太，很美丽的——因为传说里的贵族太太照例都很美丽——家里住着一个魁梧的黑奴，她的丈夫相信他是阉割过的。其实他并没有阉割，后来那位太太跟他养出个黑色的孩子来，她就将它杀掉，拿个白色孩子去调包。谁知道那个产婆和太太有仇，竟把她跟黑奴不规矩的事情告诉了她的丈夫，她丈夫就当着她的面将那黑奴杀了。后来她雕起个乌木雕像来——当然是秘密雕的——算是替她的情人做纪念。”

及至她觉得终于无话可说了，这才谢了一声，叹一口气走了开去。“这些东西都妙得很，我真妒忌你呢，爵爷！”原来琥珀只要看见一桩美丽的东西，无有不心痒巴巴想要将它取得的。

“你可不可以容许我，夫人，送你一桩礼物呢？”

她急忙回转头来。“可是爵爷！这些东西都是你顶顶宝贵的呢！”

“我当然是宝贵的，夫人，我承认。可是我见你这样赏识它们，就知道你也会非常宝贵，跟我自己没有两样的。”

琥珀就将那些东西瞠视了好久，一件一件地仔细审查，决计要找一桩不致后悔的出来。当时她弯身下去，将她的扇子拍着下巴，专心致志地注视在上面。慢慢地，她感觉到他在那里注视她，她就急忙往斜刺里瞟了他一眼，因为她要趁他表情未变的时候把握住它。但正不出她预料，他急忙将头扭开了，不肯和她的眼睛相接触。然而她使他突然吃一惊的那种神情，特别相形出劳斯通爵士对她竭诚企慕的态度，显得天真而纯朴。于是她初次和他见面时的那种厌恶感情重新起来了，而且比当初更加强烈。这老头儿到底什么道理啊？她想道，他很奇怪——奇怪而且讨厌。

她拣出了那个黑人——非常沉重且有二英尺多高——就回头朝着伯爵。他又重新呈出一张冷漠而客气的面孔来，跟一个隐士的容颜一般严肃。

“我要的就是这个。”她说。

“当然可以，夫人。”她仿佛看见一个隐约的微笑潜伏在他那薄薄的嘴边，但她并没有看清楚，到底是她这种选择使他觉得有趣呢，或是她自己的想象使她觉得如此。她一时取决不定。“可是你若胆子小的话，夫人，那么你就不如另选一桩比较可以放心的东西。关于这个雕像向来有一种迷信，说它是会作祟的，谁要藏着它时都要碰到不好的运气。”

她狠狠瞥了他一眼，暂时竟吃了一惊，因为她也迷信很深，而且她自己十分清楚这个。但她立刻就转了一念，断定他是舍不得那个黑人，想她另挑一件不值钱的东西去。于是她就决计拿走它，不管它会作祟不作祟，因而眼睛里面当即闪出一种反抗的光芒。

“呸，爵爷！这套话儿只好吓吓小孩子跟老太太的！它吓不倒我的！你若是不反对，我就要把它拿走了。”

他又鞠了一个躬，这回她却见他真的微笑了，只是那笑容非常微弱。“我抗议，夫人，我并不反对，而且我知道你是一个聪明伶俐的人，决不会被这种愚蠢的话吓退。”

第二天，猎得岩伯爵走了，三天之后，就有一封信寄来给琥珀。当天早晨，南儿正给琥珀梳头的时候，阿木笔到她房里来跟她谈天，她就把这封信拿给他看。

阿木笔咧开嘴来。“那么这老山羊是把你当作一个绝色美人了呢!”

琥珀正将一个面贴儿搭上她左边的嘴角。“自从我做了一个有钱的寡妇，我的容貌就已比从前好起一百倍来了。”

“这是单就结婚的关系而说的。你的容貌本来一个可以抵得十二个，可是现在这种世情，倘使单有容貌没有钱，那就仍得去恳求一个诚心诚意的男子。现在你有了钱了，你就可以在一打男人里面随意挑选一个了。”说着他站了起来，扑到她的耳边去，放低了声音，不让当时在房里的侍女们听见，“就说我罢，倘使还没有结婚的话，也会向你求婚的。”琥珀不觉笑起来，以为他是跟她开玩笑。

但他将脸凑得更近些，一边亲了亲她的面颊，一边跟她耳语了一句话儿，她也凑到他耳边回答了一句不知什么话，于是他们在镜子里彼此丢了个眼色，他就走出房去了。原来伯鲁已经给他二人之间的情好做成了一个枢纽：琥珀因阿木笔是伯鲁的朋友，所以格外喜爱他；阿木笔也因她是伯鲁的情人，并且是他儿子的生母，所以格外对她有好感。因此伯鲁不在的时候，阿木笔有时要去慰藉琥珀，这是他们三个人都不以为奇，也不认为不义的。

此后不过数日，猎得岩伯爵又差人来了。他送给她一面佛罗伦斯的金漆镜子，装着一个很阔的镜框，上面雕着鸵羽一般的密密花纹。附来一张条子说这面镜子曾经照过意大利的一个绝色美人，现在希望它来照着欧洲最最美丽的一副容颜。此后不到一个礼拜，他又送了一篮橘子来，这在现在战争期间和这样冷的天气要算是稀有的珍品，并且橘子里边还埋着一个黄玉的项圈。

“他一定是想跟我结婚了。”琥珀对阿木笔说，“做男人的谁都不肯送人这么贵重的礼物，除非他企望别人把原物仍带回去。”

阿木笔笑起来。“我想你这话是对的。不过他果真向你求婚，你怎么样呢？你接受吗？”

琥珀长叹了一声，耸了耸肩膀。“我不知道呢。我想一个人若不弄到个封爵，就是有了钱也没有什么用。”她又做了个鬼脸。“可是那老臭货我实在恨他。”

“那么嫁个年轻人好了。”

她愤然地瞥了他一眼。“怎么，我宁可拿去埋了也不愿嫁你们这种强盗一般法国化的花花公子呢！我已经把这种人看透了。他们把你玩出了孩子，就送你到乡下去生养，他们自己就好逍遥自在留在伦敦，拿你的妆奁去送戏子包相好。多谢罢，这种孱头我是不做的。这种榜样我已见得太多，用不着亲身去受教训了。倘使我要为着封爵去嫁人，我也宁愿嫁老头子，不要年轻人。嫁了老的至少可望早些自由啊。”

阿木笔听了不觉呵呵大笑，琥珀颇觉惊异地看了他一眼，心里有些着恼了。“唔，我的爷，什么东西使你笑得这么发痴？”

“就是你自己呀。我想你六年之前，还是那么一个乡下傻姑娘，规矩得那么厉害，连我那么诚心诚意地向你献殷勤，还要吃你的耳光。谁想得到你会说出这种话来呢！我只当你还是梅绿村草场上面那个天真烂漫的孩子，真想不到你已变得这么厉害了！”他说这话的时候，声音神色之间都流露出有点可惜的意思。

于是琥珀又不高兴了，因为她盼望阿木笔对她的一言一行无论好歹都会赞成，不该对于她的改变表示丝毫惊异。“这个我也莫名其妙啊，”她愤然说道，“倘若当初的确有过那么一个女孩子的话，她现在已经走了。她在伦敦是待不长久的。”

他急忙拿住了她的手，很温存地将它一捏。“这话对了，亲爱的，她是待不长久的。不过我们说正经话罢，我想你若跟猎得岩伯爵结婚，那是一个大大的错误。”

“怎么？这不是你自己先给我提议的吗？”

“这话不错，不过我当时因你想伯鲁想得厉害，只是拿这桩事来解解你的烦闷罢了。现在旁的且不要说，这位伯爷是负债负得没顶的。你也许得花一半财产才能救出他来呢。”

“哦，我一切都计划好了，我要跟他订起契约来，我的资产仍旧得归我自己管理。”

阿木笔摇了摇头。“这是无论如何办不到的。有了这种契约他就不肯和你结婚了，譬如他要保留封爵归他独个人享受，你也不肯和他结婚的。你若要和他结婚，就得将你所有的钱都签给他去。可是你想自己受得了跟他同居的生活吗——就不要说同床罢？”

“哦，这个吗？到了伦敦我不会去管他的。我会整天都待在宫里——或许连夜里也待在里边。”说着她有所示意地将嘴角翘了起来，原来她要去给皇上做情人的那种野心始终都没有完全断绝，每次贾爷走开的时候，她这种想望就要死灰复燃。

她常常想入非非，以为自己一旦做了皇上的情人，那就人人都要害怕她，嫉妒她，羡慕她了。而且她就可以作威作福，对于平时遗憾的事儿都可以扬眉吐气一下。她又深信自己进不得宫则已，若进得宫是一定可以把卡塞曼夫人的地位取而代之的。

就因抱着这样一肚子的野心和信念，所以当圣诞节后不多几日，猎得岩伯爵果然来向她求婚的时候，她就一口应承下来了。

其实在她这方面已经不胜焦急地等了一个星期之久了，因为她虽然始终都很厌恶他，但她越向往进宫的乐趣，越要做伯爵夫人，而且她觉得自己跟他结了婚之后马上可以换得这样的光荣回来，论起代价也算不得怎么吓人。至于此番伯爵回到巴贝列山来，据他自己说是“来给威太太贺节”的，但他来了之后既不对她献殷勤，也没有其他表示，一点看不出他有求婚的意思，甚至连那天在藏画室里那么对她注视的神情也看不见了。

及至他要动身北去的前一天，他们两个单独坐在画廊里打双陆。那个画廊在二层楼上，是跨过院子两端的一个大房间，四周围开着许多水晶片的窗，壁板上面挂着几十幅画像，天花板上漆着一片淡蓝，有大簇的金色玫瑰点缀着。那伯爵头上戴着帽子。两个人身上都穿着翻毛大衣，身边都放着一盆炭火，火炉里边也是烈火熊熊。

但虽有着这样的设备，他们两个还是冷得非常不舒服。

琥珀将棋盘上的一根箸子挪了挪，变动了一下局势，然后她静坐在那里瞠视着，等他下第二着棋，等了几秒钟不见动静，她就抬起头看了看他。“该你下了，爵爷！”其时他正注视着她，注视得出了神，但仿佛是在看画，并不像看人似的。

“是的，”他低声下气地说道，一面仍旧目不转睛地看着她，“我知道。”于是琥珀也瞠视着他，只听他继续说道，“夫人——我也明知自己太冒昧，不该对于一位成寡方才九个月的太太求婚。然而我对你倾心已极，所以不得不甘冒不讳了。夫人，我现在至庄至敬地向你问询——你肯否赏脸做我的妻室？”

琥珀立刻就回答他道：“我愿意，爵爷。”因为她自始就抱着一种意见，以为双方既然是知己知彼，各有需求，如果还要学巴托罗牟市场里的舞伴那样半推半就装腔作势，就未免荒唐了。

于是她又仿佛看见他的嘴角露出一点微笑，但仍旧捉摸不定。“谢谢你，夫人，想我何德何能，得蒙夫人如此优宠，真是荣幸万分了。我一等过了元旦就必须回伦敦，你倘肯和我同行，那么到那时候我们就好结婚的。我想现在伦敦的疫势已经大大减轻，回去的人也已经渐渐多起来了。”

原来伯爵的意思，当然是要趁未结婚之前查究一下，她的遗产经过这番大疫是否仍保存无恙，而琥珀因为厌倦乡间生活，也急乎要回伦敦去。

到了一月二日，他们就坐着伯爵的马车赶往伦敦，都穿得浑身是皮，车里又拿层层的皮毯盖着，因为当时天气非常冷，呵出气来都像浓雾一般。路上冻得铁硬，比下雨天可以走得快得多，但到下午四点他们就停了下来，因为爵爷吃不消那样的颠簸。

婚约在巴贝列山上就签好了。琥珀以为那天晚上他就要照当时通行的习惯跟他同床了。谁知八点钟的时候他就向她鞠了一个躬，道过晚安，就回他自己房里去了。琥珀和南儿目送着他，都瞠着眼睛觉得有些惊异，等到关上了房门，主仆两人就彼此相视着不禁吃吃笑起来。

“他一定是干不了事的!”南儿低声说道。

“但愿如此呢!”

等到他们到达伦敦的时候，已经是第五天的傍晚了。他们走近了城圈，琥珀心里不免有些惊恐，但等穿过了几条街道，那种心情就渐渐消失了。街上已经没有收尸车，也已看不见尸首，人家门上也难得有红十字了。那个公墓上面已经长起蔼蔼的青草，那几万尸骸的形迹已经掩没得干干净净。酒馆里面已跟从前一样光明而拥挤，载着漂亮的年轻男女的马车又已经来往如梭，有些人家竟传出了悠扬的音乐。

于是琥珀松了一口气，回想当初瘟疫盛行的期间，仿佛只是一场噩梦。

猎得岩伯爵的府邸在安妮胡同上首的赤杨门大街，刚刚就在城门外。那条街道两边夹道的房屋都是巨厦高楼。伯爵告诉她，伦敦所有的街道就只这条像意大利的马路，现在城市里的世家旧宅，也只有这个地方有了。

那个府邸实际已经差不多二十五年没有人住了，只有少数仆人在那里看房子，大部分的窗子都是拿砖头砌没了的。走进里面，只见一片黑沉沉，到处都灰尘坌拥，所有的家具都拿污脏的白布罩着。且从八十五年前建造以来，迄今不曾见过一点时式的设备。那建筑的样式是一间房一间房彼此穿通，宛如一个迷阵一般，且除中心一张大楼梯之外，所有的过道和楼梯都很狭窄而黑暗。琥珀见到她自己的一间厢房里至少已经收拾过一下，通过一通风，才觉得放心些，但是除此以外也就比其余的房间好不了多少了。

第二天早晨，她就去看牛散达，知道她所有的钱都丝毫无恙地保存在那里，又从牛散达那里得知了消息，贾爷已在两个礼拜之前开船到美洲去了。她回来把存款无恙的话告诉伯爵，伯爵就说一等准备好了马上就可以结婚。她知道他是一个天主教徒，所以婚礼必须要举行两次，因为天主教的婚礼是可以宣布无效的。

这事商定后，琥珀就告诉伯爵道：“我想去叫我的裁缝定做一件衫子，现在我身边已经没有一件新衣服了——我想我那裁缝十天左右就可做好的。"

"我想你这办法不安全，夫人——现在外边的病症还没有十分干净呢。可是你若肯赏脸的话，我有一件现成的礼服藏在那里，希望你拿去穿。"

琥珀听见这话不觉有些惊异，想他无缘无故怎么先备一件结婚礼服在那里呢？但她觉得这种请求并没有什么了不得的关系，当即就应允了。

过了些时候，他又到她房里来，手里捧着一件叠挺的白缎衫子，满身都绣着小珍珠。当他将它抖开时，她看出上面有许多很深的褶印，仿佛折叠在那里很久了。她这才认出了它实在是一件衣服，白色已经发了黄，那剪裁和样式都已陈旧了许多年：腰身做得很高，四边镶着四条胖出的套帔；领子是低方口的，四面转着很阔的花边，长长的袖子上也镶着花边的袖口；裙子敞开着前襟，露出里面银丝布的衬马甲。

那伯爵看见琥珀脸上带着一种疑惑的神情，便对她微笑说道："你也看得出，这件衫子并不新，但仍旧很美，你若肯穿我就非常感激了。"

琥珀伸手将它接过去。"我很乐意穿，爵爷。"

后来她跟南儿又将那件衫子仔细审察一番，并且对它做着种种的猜测。"这一定是做了四十年了，或者还不止，"南儿说道，"不晓得从前是谁穿的。"

琥珀耸了耸肩膀。"也许是他的前妻罢，或者是他的一个情人也未可知。等我过些天再来问他。"

谁知她穿在身上觉得非常合身，仿佛是给她定做的一样，因而她觉得大为诧异了。

第四十章

“琥珀现在是猎得岩伯爵夫人了。”她向镜里看着自己的倩影，耸了耸鼻子，弹了弹指头，便这样自言自语地走开了。“这对于我到底有多大好处啊！”

其时他们结婚刚刚一个礼拜，照那一礼拜的情形看起来，她的生活比之做平民的威太太时期并不见得怎样兴奋，比之在皇家戏院里做孙夫人的时期自然更差得远。当时天气冷得很厉害，出门是不大舒服的，上个礼拜的疫病死亡差不多还有一百人，皇上和一班廷臣都还没有回到白宫。她一天到晚都待在家里，难得离开她那一间厢房——因为其余的屋子仍旧肮脏昏暗——一直都感到厌倦和怨恨：难道她花了六万六千镑就只买了这个吗！这是大大折本的生意了——只落得一肚子的无聊和一个非常可厌的男子。

因为现在做了伯爵的太太，越加觉得那位伯爵是一个谜了。

她一天到晚难得见他的面，因为他的兴趣非常复杂，都不跟琥珀公开，琥珀也不愿意去过问。差不多每天好几个钟头，他要独自藏在那间跟他们卧室毗连的实验室里，并且常常要添些新的仪器进来；出了实验室，他就又到藏书室去了，或是走进下层的办公室，在那里读书，写字，算账，做着改造房子和添置家具的种种计划。这分明都要动用到琥珀的钱，但他从来不跟她商量，也从来不把自己已经定好的计划告诉她。

寻常，他们每天只有两次会面——吃中饭的时候和在床上，吃中饭的讲话是客气而乏味的，大部分都为教训一班仆人。但是到了床上他们就什么话都不谈了。原来这位伯爵实际上是不能和她做爱的，因为他的确患了阳痿，而且分明已患了多时了。惟其如此，所以她虽有时激起了他的情欲，他也不但不欢喜她，反而要憎恨她，但他一直希望恢复健全，有些晚上似乎有点效验了，而结婚终成画饼，于是他感觉到没奈何，处处地方都恨着自己又恨着她了。

自从头一个早晨起，他们就已成了怨偶了，但是等过了几天，方才从暗地里的嫌憎变成公开的冲突，这是为着金钱问题而起的。

他拿给她看一张写得清清楚楚的字条，是写给牛散达的，只见那上面写着："祈付猎得岩伯爵穆阿蒙或来人现款一万八千镑。"他要她在上面签字，因为他依那婚约虽然可以除一万镑之外支配她的全部资财，那笔款子却仍旧用她的名义存在那里。

其时他们站在一张小小的写字台旁边，他将那张字条递给她的时候，同时拿起一支鹅毛笔，在墨水瓶里蘸蘸，一同递给她。她先对那张字条瞥了一眼，顿时大张着嘴抬起头看了看他。

"一万八千镑！"她怒气冲冲地大嚷道，"照这样子开起来，我这点妆奁没有几次好开呢！"

"对不起，夫人，我也跟你一样知道钱是用得很快的，可是我也并不愿意将你的遗产拿去浪费，除了你自己知道的那种万不得已的用途，这一万八千镑是我要拿去还债的，因为我已经告诉过你，我这债务已经积了二十五年了。"

他说这话的神气如同对于一个不很聪明的孩子解释一种非常困难的问题一般。琥珀就愤愤地瞪了他一眼，又踌躇了一会儿，心里仿佛这里那里刀戳似的。末了她夺过那支鹅毛笔，向墨水瓶里蘸了一蘸，在那字条上匆匆涂了一个名字，却泼了满纸的墨水。然后她丢下笔，撇开了他，跑到窗口去向底下胡同里看着，其时适有两个渔婆在那里相骂打架，她却并没有看见她们。

一会儿之后，她听见他走出房去将门带上了，突地她掉转头来，抓起了个小小的中国花瓶，狠命地将它往地上一掷。“闪电打杀他!”她嚷道，“这天杀的臭老鬼!”

南儿急忙奔上前去，仿佛要去救起那花瓶一般。“哦，天，夫人，哦，夫人！他看见你这种行为是要发起疯来的呢！这个花瓶是他非常喜爱的!”

“是啊，不错！可是我也喜爱那一万八千镑呀！这个光棍！我恨不得这是他的脑袋呢！天！我真不懂一个做丈夫的人怎么会这般下作!”她四面看了看，急于要找件东西来消遣。“苦菊儿到哪里去了?”

“爵爷吩咐我，等你卸了妆之后他是不许到房里来的。”

“哦，有这种事吗?那么我们等会儿瞧罢!”她就走过去推开门，大声喊道，“苦菊儿！苦菊儿！你在哪儿呀?”

她一时听不见回应，却从一只笨重的雕花箱子背后露出一个头巾来，然后他那漆黑发亮的面孔也露出来了。他先瞌睡沉沉地眨了眨眼睛，然后张大嘴打了个呵欠，仿佛半个面孔都给那张嘴儿占去了。“怎么，夫人?”他慢吞吞地说道。

“你在那个背后搞什么鬼呀?”

“睡觉呢，夫人。”

“你怎么不睡这儿的垫子啊?”

“那儿不让我睡了，琥珀姑娘。”

“为什么呢?”

“是老爷吩咐的，夫人。”

“老爷是胡说八道的！你到这儿来罢，以后要听我的话，别听他的话！听见吗?”

“听见了，夫人。”

刚刚吃完中饭之后，伯爵进房来了，还是照常那么悄悄儿的，一看琥珀盘腿坐在地板上，正跟苦菊儿和南儿在那里掷骰子，各人面前放着一堆钱，两个女人正在嘻嘻哈哈笑着苦菊儿的怪样。琥珀已经看见伯爵走进来，却不去理他，伯爵就走到她身边去站着了。苦菊儿慢慢地掉转头来，一双眼睛珠子骨碌碌在眶子里滚着，南儿也吓得不敢动了。琥珀不以为然地瞥了伯爵一眼，却将一把骰子在手里摇了几摇，其时她虽然愤怒，心里却是越跳越厉害，但她已经告诉过南儿，说她要让他早些明白她是不受管束的。

“唔，爵爷？我想你的那些债主现在总都该快活了罢？”

“真的，夫人，”伯爵爷慢吞吞地说道，“你使我惊骇了。”

“是吗？”说着她将四颗骰子一掷掷在地板上，趁它们转定的时候去辨认它们的点数。

“你这是天真的行为呢，或者实在是放荡？”

琥珀又迅速瞥了他一眼，抽了一口长长的气儿，将那骰子的点数看清了，然后一下站了起来，随即又弯下身子，抓住苦菊儿的手腕，将他一把拉起来。突然她觉得手背上一阵刺痛，使得她全身的神经都发生了震动。苦菊儿发了声尖叫，急忙抓住她的裙子来掩护自己。

“你赶快放开那个家伙，夫人。”伯爵的声音平稳而冷酷，但他眼睛里面闪出了凶光。“你替我滚开罢！”他又向苦菊儿吆喝，苦菊儿就一溜烟地跑了。

南儿站在琥珀的身边，伯爵朝她看了看。“我是吩咐过你的，南儿，夫人卸妆以后不许这小野兽进房来。你怎么——”

“这跟南儿不相干！”琥珀急忙抢着道，“她已对我说过这话了！是我自己叫他进来的！”

“为什么呢？”

“为什么不呢？他跟了我两年半了——向来是在我房里直进直出的！”

“以前他可以如此，以后却不准如此了。你现在是我的夫人，倘使你自己不顾礼节，我就有责任来纠正你的良心。”

琥珀怒不可遏，决计用她自己所能依持的一件武器来戳一戳他的心，便用显然嘲讽的语气轻轻说道：“唷，我的爵爷，你总不见得会怕这么一个孩子让你当乌龟罢？”

伯爵听了这句话，当即把眼白涨得通红，额头上青筋也根根暴起了。琥珀见他脸上涌起了一脸杀气，也觉得有点害怕，但他似乎立刻就把自己控制住了，这使她放下一颗心，随即他将自己的领结轻轻拍了拍，仿佛上面沾着了灰尘似的。

“夫人，我真想象不出你以前的那个丈夫是怎样一种人。老实告诉你罢，一个意大利的女人倘使对她丈夫说出你刚才说的那种话，她就立刻要觉得恼悔不及了。”

“唔，我并不是一个意大利女人，这里也并不是意大利——这里是英国！”

“那么你以为英国的男人就不应该有夫权了。”说着他就动身要走，“明天我定要送走这个黑猴子。”

琥珀突然觉得懊悔起来，因为她现在明白过来，这个丈夫是不能像黑坛头或是甘路加那么辱骂，也不可像冒雷士或是威萨默尔那么来玩弄的，因为他既然并不爱她，所以也就不会怕她了。而且辱骂丈夫虽已成了当时的一种风气，她心里却明白，做妻子的便是丈夫的一种动产，律有专条不容违反的。做丈夫的可以随意摆布他的妻子，甚至于谋杀她——特别是当他有权有势的时候。

于是她将口声变软了。“你总不至于伤害他罢？”

“我是要送走他，夫人，我不能再容他待在我家里。”

“可是你不会伤害他的，是不是？他同一条小狗一般无能为力呢。这回跑到房里来也不是他的过错呀！哦，你让我把他送到阿木笔那里去罢！他会照顾他的。哦，求求你罢，爵爷。”她原不愿意向他哀求，但因欢喜苦菊儿，惟恐他要被伤害，所以不得不这么低声下气了。

于是伯爵脸上流露出一种暗暗得意的表情，说出的话儿也使得琥珀同样地难受。“一个女人若是不想拿这小黑猴子来派什么用场，她是决然不会喜欢得他这个样儿的。”

琥珀听了只得咬紧牙关竭力忍受着，末了她又重述一遍道：“你会把他送到阿木笔那里去的罢？”

他见她这样忍受，就越发得意起来，脸上竟然露出隐约的微笑。“好罢，我明天就送他去。”但这依允的话竟同打了琥珀一个耳掴一般了。

琥珀垂下了眼皮。

“谢谢你，爵爷。”

可是她心里在想：我总有一天要破开你的肚皮，你这老不死的禽兽！

到了二月一日，查理回到白宫里来了。其时地上积着很深的雪，教堂里的钟敲得欣欣然。入晚，烟火照耀得黑黑的天空如同白昼，举国都在欢迎皇上回銮了。可是王后和所有的宫人都仍留在汉普敦宫，卡塞曼夫人新近又养了一个儿子；王后也再闹了一回小产。约克公已经不跟公爵夫人说话，因为他觉得她跟英俊的薛亨利睡过觉了，不过他若故意这么诬蔑她也未可知。

猎得岩伯爵进宫侍奉皇上去了，琥珀要等到宫人们回来之后方能进宫，并且要经过一次舞会或是其他仪式方才能介绍进去，不过伯爵进宫觐见过一次之后就也不常去了。他那样的人是查理不能深加信任的，加以他的宗教关系，始终不曾在宫里担任过实职。何况他已离开宫廷日子长久了，一个新世代的人物正在那里长足地进步，那种步伐是他无论如何跟不上去了。其时宫里已经形成了一种新式的生活，在他心目中只觉得浅薄浮嚣，毫无雅趣也毫无目的，其中大多数的男子都被他认为是流氓或蠢人，或者是既下流而又愚蠢，那些女人呢，他就认为是一群没有头脑的娼妓，他把自己的太太也包括进了这一个范畴。

琥珀呢，就只觉得这段时间过得特别慢。她终日无事可为，只有拿苏姗娜来消遣，带着她学习走路，替她搭积木房子，同她在一起玩，将她自己从小唱熟的十几支抚儿曲唱给她听，总之她对那女孩子非常溺爱。可是她并没有心绪在她自己周围营造一个舒适的家庭，她一心渴望着的只是那个繁华富丽的世界，现在她总算已经花钱买了来，已可以从它的前门昂然直入，不必再跟小贼似的偷偷摸摸打后门口进出了。她见伯爵对于宫廷里的生活不很热心，倒也巴不得如此，因为他不常到宫里去，她独个人倒可尽情享受了。

她本来就巴不能够一直都不跟他见面，因为她仿佛觉得他已在自己身上作祟了，即使他不在面前，她也觉得他仿佛伏在自己肩膀上，盘据在自己心头，总是那么阴沉沉吓死人。她在家里总只独个人，而且又别无消遣，所以他们之间的一言一行都显得特别重要，因而她仿佛是一只口里衔着骨头的狗，处处都要疑忌了。

有一次她实在觉得无聊，竟到实验室里去探险。

她先将门试了试，见是开着的，便悄悄地走进里面，想不惊动他。只见地板上面堆着整捆的书籍和稿本，是新近从菩提别墅寄来的。此外有好几个骷髅头，几百个罐儿和瓶子，一些油灯，各种样式和大小的陶器——炼金术所用的全副行头都在那里了。她知道他正从事一种所谓“伟大工程”，就是当时很多头等哲人都在殚精竭虑地提取试金石，据说那工程非常繁重，得费七年工夫才能完成。

她踏进房里去的时候，他正面背着她站在一张桌子旁边量一种黄色的粉末。她一言不发，慢慢向他身边走去，一路审察着那些装得满满的架子和桌子。突然他吃了一惊，就把手里的瓶子落下了。

琥珀怕要污损自己的衫子，连忙往后一跳跳回来。“哦，对不起。”

“你到这里来做什么？”

琥珀不由得动气。“我不过来看看呀，难道就害了你了？”

他也就软了下去，将一脸的怒容收起。“夫人，你要知道有些地方是女人家无论如何都不能去的，实验室就是其一。请你以后不要来打扰我罢，我已经费了许多年月和金钱在这计划上面了，决舍不得它因为一个女人的失手以致全部破坏。”

除了炼金术之外，他的最大兴趣就在他的藏书室，每天总要花好几个钟头在里面。他一生中的大部分时间都在搜集难得的书籍和稿本，并且非常有秩序地将它们储藏起来，极细心地编造它们的目录，摘录它们的内容。但是他的乐趣并不单单在收藏，也不专在欣赏它们的装潢和版本，却是对于书籍的本身感兴趣。所以他不但收藏，并且也阅读，其中有希腊的戏剧、西塞罗的书简、马克斯奥利略斯的冥想录、普罗塔赤和但丁的著作、西班牙的剧本、法国哲学家和科学家的名著——统统都是原文的。

他并不禁止琥珀到他的藏书室里去，但实际上琥珀直到他们结婚好几个星期以后方才进去，因为那时她觉得无聊之极，竟至想到读书上去了。可是她那一次进去的时候，并不晓得他也在里边，后来才看见他坐在火炉旁边，手里拿着一支笔，面前一张写字台上摊着一册庞大的书。她就有点踌躇，掉转头想走，但是他已抬起头来看见她，便微笑着很客气地站了起来，倒使她吃了一惊。

“请进来罢，夫人，我想一个女人是没理由不许她到藏书室来的——哪怕她在这里面看见的东西不见得会合胃口。不过也许你是一个天生的怪物，身为女人却有书癖罢？”

他说到最后一句话的时候，不觉露出嘲讽的意思，将嘴咧起来，因为当时一般男人无论自己的造诣怎样高深，总都抱着一种共同的意见，以为女子受教育总是荒唐而甚至于滑稽的。当时琥珀对于他那一句挖苦却像没有听见，因为这一类事情向来不会使她感到难受。

“我想我也许可以找点东西来消遣消遣。你这里有英文写的剧本吗？”

“有好几家。你喜欢谁的——明淮孙、马洛、博蒙特和弗莱彻，或是莎士比亚？”

“不管是谁，我反正统统演过。”她明知他不愿意她提起自己以前演过戏剧的事情，却偏要常常提起它来使他难受难受。直到现在为止，他都没有上她的这种当。

可是这回他显然露出不高兴的神色来了。“夫人，我一直都希望你稍存点羞恶之心，不要再让我听见这句话罢！”

“为什么不呢？我不觉得羞愧。”

“我可觉得羞愧啊。”

“你这羞愧并不会阻止你和我结婚呀！”

其时他们两人站的地方要距十来英尺，便彼此相对瞠视起来。琥珀一直都觉得有把握，以为她只要能够打破他那种冷漠平静的神情，就立刻可以将他收伏，又想她如果动手打他一下，从此她就不会怕他了，但她始终都鼓不起勇气。她明知道他暗中潜伏着一种凶恶和狠毒，只是表面上被他磨练得丝毫没有形迹罢了。但她往往又要萌起良心或慈悲心来，使她觉得无法可以控制，所以她往往因恐惧而致踌躇，惟有深深愤恨自己的胆怯。

“不错，”他终于承认道，“我的羞愧并不会阻止我和你结婚，因为你具有其他的吸引力，是我觉得不能抗拒的。”

“是啊！”琥珀急忙抢着道，“那吸引力有六万六千镑之多呢！”

伯爵笑起来。“你这女人真聪明得很，”他说，“难得难得！”

琥珀瞠视了他一刻儿，心里痒巴巴的，恨不得一拳挥到他的脸上去，但她又觉得这拳挥去定要使他那张脸儿像个木乃伊似的纷纷碎下来，那种神情一定是可怕的。于是她突地往书架那边掉转头去了。

“唔，在那里呢！你要什么随便拿好了。”

她匆匆忙忙地胡乱抽出三四本来，因为她急于要离开他。“谢谢你，爵爷。”她眼睛也不朝他看地说了一句，就拔腿转身走了。但是刚刚走到门口，她又听见他说起话来。

“我有几册难得一见的意大利语书，相信你一定会感兴趣。”

“我不懂意大利文。”她头也不回地说道。

“这几册书用不着懂得文字也能读，它们是用共同的文字——就是图画——写的。”

琥珀立刻懂得他这话的意思，便站住了脚，因为她向来都喜欢看这种富有刺激性的春宫书。伯爵见她这样有兴趣，便展出了一个玩世的微笑，从一个书架上抽出一册手工制的皮脊书来，将它放在一张桌子上，站在一旁等着。琥珀回转身，踌躇了片刻，怀疑地看了他一会儿，仿佛那是一个为她特设的陷阱一般，然后她倔强地翘了一翘头，走上前去将那册书翻开来，翻过了五六面一点不识的文字，才看见一幅图画，把她惊异得大大张开嘴来。原来那册书非常美丽，是手工做的，书里一对对年轻男女，都赤身露体，正在那里努力地狂欢。

琥珀像着了迷一样对那书看了一会儿，突然抬起头，见他正非常注意地凝视着自己，那种表情跟他第一次在阿木笔藏书室里注视她的时候一般，但它一刻儿就消失了，也同那次一样。于是她捡起了那册书，就向门口走去。

“我想你一定会感兴趣，”她听见他在说，“可是请你要特别当心，这是一本很古的古书，极难得的——这一类书中已经要算一种珍本的。”

她没有回答，也没有回头，管自出去了。她心里觉得惶惑而愤怒，一面兴奋得非常适意，一面却又深觉嫌憎，仿佛她已觉得自己的弱点被他抓住了。

第四十一章

王后的引见室里挤满了廷臣，那些夫人命妇都是满身镶衮着花边，穿着洒花缎子和丝绒的衣服，有的石榴红，有的银红，有的连馨黄，有的梅子绿，有的像火焰，而且肩膀上、胸口上、手腕上都闪耀着珠光宝气。数百支蜡烛高高地在壁龛里和烛台上燃烧，那些雄赳赳的卫士还高擎着烟腾的火把。皇上和王后坐在宝座上，上面荫着大红丝绒的伞儿，都是金银镶边的，频频伸出手来让大家亲吻。对面一个角落里坐着一班乐工，身上穿着五颜六色的塔夫绸制服，头上都戴着花环，静静地在那里弹奏各种乐器。外边画廊里面并没有看热闹的人，因为瘟疫至今还没完全肃清，死亡的效率仍旧不定，所有的宫女都是新近刚从汉普敦宫回转来。

“卡塞曼伯爵夫人！”那掌礼官高声报道。

“阿林敦男爵！阿林敦夫人！”

“邓汉谟爵士！邓汉谟夫人！”

“舒鲁贝伯爵！舒鲁贝伯爵夫人！”

每一个名字报出来的时候，所有的眼睛就都转向门口，当即许多扇子背后传出喊喊喳喳的私语，彼此抛起眼色；然后听见女性痴笑的声音，时或也有男性吃吃的低笑。

“他妈的，”其中有个花花公子向他的同伴议论道，“想不到舒鲁贝夫人竟敢到大庭广众之中来露脸呢，她跟宫里的一半男人都睡过觉，那位伯爵竟是至今都不想争一点面子。”

“呸，他干吗要争这种面子呢，你说?”他的同伴驳斥道，“一个男人若是靠他的太太争面子，那就是个大傻瓜了。”

“你瞧!”一个二十来岁的公子哥儿摸了摸他的假发，拍了拍他的花边袖口对人耳语道，“约克公又跟邓汉谟夫人在那里眉来眼去了。我可以拿一百镑来打赌，他跟她早已睡过觉了。”

“我可以打赌没有这回事，邓汉谟夫人是很规矩的。”

“规矩！呸，杰克，世界上没有一个女人能规矩一辈子。”

“也许她不一定规矩，”一个贵嫔插口道，“可是她被监视得很严紧。”

“一个女人哪怕监视得再严紧，只要她有心，就可以拿绿帽子给她丈夫去戴。”

“你瞧，今天阿林敦夫人这件怪模怪样的衫子是从哪里弄来的?她穿衣服总是连一个乡间绅士太太都不如!”

“她是一个荷兰女人，亲爱的，怎么能够晓得讲究衣服呢?”

突然之间，一桩出乎意外的事情发生了——那掌礼官报出两个不熟悉的名字来；一种新的成分加入他们那个编织紧密的系统里来了。

“猎得岩伯爵！猎得岩伯爵夫人!”

猎得岩伯爵，他到底是谁呀?一定是前代留下来的一个已经背上长青苔的龙钟老叟罢?他的夫人呢，也总至少是个鸡皮鹤发五六十岁的老婆婆了，对于现在这种时髦的款式一定会跟一个清教徒时代的市长太太那样不大赞成的。当时众目睽睽都向门口那边注视着，及至猎得岩伯爵和他的夫人从门里露进脸来，当即一阵骇浪惊澜涌过了全室，使得大家那种懒洋洋的冷漠态度顿时振作起来。怎么!一个女戏子也到王宫里来引见了!

“耶稣基督!”那班爷儿们当即相互传语起来，“她不就是琥珀吗?”

“怎么!”一个愤怒的夫人耳语道，“那是唱喜剧的呀——叫做什么夫人的，两年之前还在皇家剧院里登台的呢！”

“太不像话了！”

琥珀昂着头，并不左顾右盼，只是一直向前对着王后看。她从来没有像这样激动，这样着急，这样惊慌。那天她一直都在壮自己的胆：我是一位真正的伯爵夫人了；我跟任何人一样有权利到白宫里来，我决不让他们惊吓我，他们也一样是人，跟我和任何人都并没有什么两样。但是实际上，她却相信他们的确有些不同——至少现在在这白宫里。

她的心捶得非常厉害，使她连气都喘不过来了。她的膝头在发抖，她的耳朵在轰鸣，她的颈脖在作痛，她的眼睛一直向前看着那宝座，但她所能见的只是一片模糊，仿佛是在水底下睁眼似的。她向前慢慢地走去，手指头儿挽在伯爵的臂膀上，簌簌颤抖着——经过一个由无数面孔夹成的长走廊，向皇上王后并排坐着的宝座而去。一路她感觉到窃窃私语声、嘻嘻冷笑声、嘘嘘嗤鼻声，实际上她什么也没有听见，什么也没有看见。

那伯爵的穿戴非常华丽。他的假发是白色的，他的上褂是金紫两色的绣花，裤子是淡绿的缎子，刀把儿上面嵌着亮晶晶的宝石。他脸上呈现出一种非常严峻的神情，仿佛不许别人批评他的太太，不许别人记起她从前做过女戏子，却要别人羡慕敬仰她。琥珀的装饰呢，也跟在场的夫人们一样华丽：一件拖着长裙的衫子，是金丝布的质地，四面镶着笔挺的金裥褂；一面长长的面纱罩着她的头，满身都是翡翠的饰物。

现在他们到达宝座面前了，琥珀展开了一个深深的万福，伯爵就跪了下去。王后伸下一只手，琥珀将它亲了亲，一面抬起头看了一眼，只见王后脸上笑嘻嘻的，确是一种温和而诚恳的笑，因而立即对她心悦诚服了。她很和气，琥珀想道，可是她心里不快乐，可怜的王后。随即她又下决心道，她对我是无害的，所以我要喜欢她。

但是她不敢正视查理，因为这里是他的宫殿，正围绕着严肃的朝仪，他就非同三年之前晚上秘密会见的那个人了，他现在是查理二世，统治大不列颠、法兰西和爱尔兰的奉天承命的帝皇。他是整个英国的光荣和权力——因而她不得不在他面前肃然跪下了。

等她慢慢地站起身来，她就退后了几步，列入那个由宝座分披而下的长班里去了。其时她仍旧觉得有点模模糊糊，及等过了一会儿，方才觉得眼前的境界逐渐开展。她向右首瞥了一眼，先看见柏爷在那里，咧着嘴儿在看她，又见塞德雷别转头来向她眨了眨眼。她又转到正对面，只见巴铿汉公在那儿，他从草市场龙宫荣馆那天晚上以来一直没有跟她见过面，现在却向她微笑，因而她也觉得感激。此外还看见好些熟人：季多马父子、陶狄克、韩密登，以及从前常到她化妆室里来的几个年轻小伙子。突然，她的眼光停住不动了，因为她看见芭默芭芭拉了，芭芭拉也正在注视她，脸上露出一种猜度的神色。两个人的眼睛互相瞠视了几秒钟，倒是琥珀先转过脸，同时显出一种全然不以为意的神情，因为她现在已经明白，这一班人虽在这天宫上，也到底不是什么神道呢。

后来觐见礼完毕，皇上做了个手势，就听见满屋子乐声悠扬起来——举行舞会了。这是用滑步舞开头的，皇上对王后，约克公对约克公爵夫人，孟冒司公对孟冒司公爵夫人。每次只有一对儿独跳，那种舞的步伐非常迟缓而庄严，动作也很繁复，需要高度的艺术和风度。

琥珀对皇上的舞姿看得出了神。

他是多么美啊，她心里想道，他的一动一静多有风度啊！哦，我能不能去请他同舞呢？因为她知道宫中的礼仪，是得命妇们去向皇上请求同舞的。我不晓得他记不记得我了——哦，当然他不会记得的，怎么会记得呢？那是三年半以前的事了——自从那时以来天才晓得他碰到过多少女人呢。可是，我是要跳舞的——我决不能独个人在这里站一晚上啊！

在这样的激动中，她竟忘记猎得岩伯爵是在她身边，默然无声一动不动地直立在那里。

滑步舞完毕之后，查理就吩咐跳“阿勒蒙”①，可以若干对舞伴

① 阿勒蒙：一种日耳曼式的古舞。

同时参加。一时地板上布满了脚，琥珀就气急巴巴地在那里等着，惟恐没有人来找她做伴。她像一个初入舞场的小女孩子，觉得凄惶且十分难受，恨不得平平安安躲在家里。谁知正在着急，却见柏爷走上前向他们鞠了一个躬，使她松了一口气。

“可……可……可否容我陪夫人跳一跳这曲舞，爵爷？”原来柏爷在没喝醉的时候有点儿口吃，这是他自觉非常懊恼的一桩事情。

琥珀就对柏爷嫣然一笑，将她的手放到他肩膀上去。其时所有的舞对都在房子中心成双成对地站着，他们就走出班来加入了他们。查理和卡塞曼夫人组成第一对，其余都随他们的领导——向前几步，退后几步，然后是一个停顿，这种舞式令大家都有机会可以眉来眼去谈情说爱。

柏爷低下头来对琥珀微笑着。“你见……见什么鬼跑到这里来呀？”

“怎么，你这是什么话呀，爵爷？我是一个伯爵夫人了！”

“你以前告诉我的，夫……夫人，你说你不……不再结婚了。”

琥珀嬉皮笑脸地瞟了他一眼。“可是我改变主意了。我想爵爷不见得会容不得我罢。”

“哦，天，没……没……没有的事！你真不晓得我们宫里见到一张新鲜脸儿会多……多么高兴呢。我们自己这几个人都闹得厌……厌倦透了。”

“厌倦！”琥珀吃惊地嚷道，“你们怎么会厌倦呢？”

可是他不能回答她了，因为这时他们舞到屋子的末端，不得不分开了手，爷儿们站到这边，娘儿们站到那边。然后各对儿重新会合，走了几步，成了个方形，那场舞就此完了。柏爷仍旧将她领回猎得岩伯爵这里来，向他道过谢，就将她丢在那里。琥珀立刻看出伯爵心里不高兴，就知他不愿自己将他撇开独自享乐而惹起别人的注意。

“今天你总算是乐了一个晚上了罢，夫人？”他冷冷地问她道。

“哦，是的，爵爷！”她迟疑了一刻儿，又期期地问他道，“你呢？”

但是他没有回答，因为皇上突然走到他们面前来了，脸上笑嘻嘻的。“你真会体恤大家呢，爵士，”他说，“竟去娶了这么一位美人儿来。今天晚上在这里的人没有一个不感激你。”伯爵鞠了一个躬。“我们都觉厌倦得很了，看来看去这几张面孔，谈来谈去这几个人儿。”

查理低头向琥珀笑着，琥珀也正在看他，立刻被他那强大的魔力迷住了，仿佛真有一股力量逼人而来似的。他那一双深黑的眼睛跟她的眼睛一接触，她的头就迷迷糊糊地打起旋来，但她心里仍旧很明白，现在众目睽睽之下站在自己面前的是大不列颠的君主，正在笑嘻嘻地恭维自己呢。

“陛下真是一位仁爱的君主。”伯爵说道。

琥珀行了个万福，可是她的舌头没奈何地结住了。她的那双眼睛却是胜如说话，而查理的那张脸儿一见到美女也一直要露出原形来。伯爵在那里注视他们，他自己的面容跟一个木乃伊一般毫无动静。

但不过一刹那工夫，查理就又回转头来跟伯爵说话：“我曾听说，爵士，你新近得到一件非常难得的柯勒乔①真迹了。”

伯爵那双冷冰冰的蓝色眼睛立刻亮起来，他凡提到画事的时候一直都如此。“是的，陛下，可是现在还没有寄到。大概不久就要到了，那时陛下若是有雅兴的话，自当进告御览。”

“谢谢你，爵士，我很想看一看它。现在你可以容许我吗，爵士？”说时他已经将臂膀伸给琥珀，及至伯爵鞠了躬表示应允，他们早已踏进场子里去了。

这时琥珀浑身膨胀着得意，不觉身子轻飘飘起来，仿佛自己突然置身一阵炫目的光辉里面，其余的世界都成了漆黑一团，都把眼睛集中在自己身上。想不到皇上竟会打破成见，亲自跑来找她跳舞！

---

① 柯勒乔（1494—1534）：意大利文艺复兴时期重要画家，创作了大量的油画和天顶画，多以宗教和神话为题材，著名作品有《耶稣诞生》、天顶画《圣母升天》。

而且是在这众目睽睽之下，在他自己的宫殿里呢！她在这狂喜的心情之下，就觉得过去跟伯爵厮守在自己家里的几个星期，及至他那种无可奈何的性欲，那种厌恶侮蔑的神情，霎时都消失到九霄云外了。这是她出代价买来的，然而那代价并不算高。

皇上吩咐下去，叫奏一种滑稽的民间舞曲，名叫“乌龟乱阵儿”，然后面对面地站在那里等乐起，趁此低声向琥珀说道：“我选择这个舞曲，想来你的丈夫会疑心我有什么用意罢。我看他那副样儿，仿佛他是不大愿意做乌龟的。”

“我还不知道呢，陛下，”琥珀低声道，“到底他愿意不愿意。”

“怎么？”查理假装惊异地问道，“结了两个月的婚还仍旧替他守节吗？”

但是这时音乐已经奏起来，那舞活泼得不容他们说话了。以后他就再没有说话，及等那场舞跳完，便仍将她领回到伯爵身边，向两个人道过谢，微微鞠了一躬走开了。琥珀因心里非常激动，又加跳舞拼命卖力，已经喘得说不出话来，谁知她正从一个万福抬起身，就见巴铿汉公又向他们这边走来了。

哦，天！她真喜得发狂一般在想道，那么是真的了！他们当真已经看厌那些熟面孔了！

她急忙向四下掠了一眼，看见许多眼睛都在注视她，有的是不胜羡慕，有的是觉得好玩，也有的含着敌意。但是只要他们都在看，无论他们为什么看，怎样看，又有什么关系呢？因为今天晚上我做了“白母羊”① 呢——她记起一句阿弥萨斯的古话来。

当时的确人人都想跟她跳舞。约克公、那个著名的花花公子兼剧作家罗切斯特、艾斯利佐治、阿伦伯爵、鄂索利伯爵、塞德雷陶狄克，乃至泽民亨利，所有的风流少年都争来献媚，当面恭维她，请求她自行指派舞伴。那些娘儿们呢，都在竭力找她的错儿，指出她衣服上、头上、态度上的各种缺点，最后却归纳到一个聊自解嘲的结论，说她今晚不过是新鲜，而且又有钱，从前又曾做过女戏子，

① “白母羊”是人人喜爱的东西，典出《日约·撒母耳记》下十二章。

怪不得一班男人都要跟苍蝇一般去追她。总之，今天是琥珀光荣胜利的一夜。

但她正在这种踌躇满志的境界，忽然落下一颗流星来，将她的满腹欢喜霎时都砸得粉碎。原来她刚刚同一个人跳完舞送了回来，伯爵就轻轻对她说道："我们要回家了，夫人。"

琥珀仿佛吃了一个晴天霹雳一般瞥了他一眼，因为这个当儿孟冒司公和韩密登上校都已站在她身边了。"回家，爵爷？"她不信地说道。

孟冒司公就立刻接了下去。"你不见得就想回家罢，爵爷？怎么，时候还早啊。你的夫人是今天晚上的红角呢。"

伯爵鞠了一个躬，他那薄薄的嘴唇缩成一个紧绷绷的勉强的微笑。"请你不要见怪，殿下，我已不是一个年轻人，这般时候在我已经觉得很晚了。"

孟冒司公笑起来，那是一个快乐由衷的笑，无论如何不会得罪人的。"那么，爵爷，你何不将你夫人留在这里交给我们呢？我会亲自送她回家的——并且还叫一班鼓乐来送，还叫两个人来擎火把。"

"哦，对了！"琥珀一面嚷着，一面急切朝她丈夫看了一眼，"就这么办罢！"

伯爵不理她。"你说笑了，殿下，"他说着，僵硬地鞠了一个躬，然后就朝着琥珀，"来罢，夫人。"

琥珀的金色眼睛冒出反抗的火焰，本想不依他，可是又有点不敢。她向孟冒司公和韩密登上校行了个万福，一直将头垂下不敢抬起来。及至走到皇上面前去祝晚安的时候，她就已经羞愤得满脸通红衔着眼泪了。她只听见皇上带着挖苦的口气在那里问她为何去得这般早，她却不敢抬头看他。等到他们走出来，一路都有窃笑和耳语之声直送他们到门口，因为他们当时造成的这种印象，就仿佛是一个初次出场的小孩子犯了过错，被父母拖回家去一般了。

他们都默默无言，径直上了马车，就颠颠簸簸碾向王街上去了。这时她再也熬忍不住。"我们干吗定要走得那么早？"她一面质问着，一面就迸出一肚子失望来。

“我年纪太大了，夫人，在这样喧嚣的热闹场中享受不了几个钟头。”

“恐怕原因并不在这里！”她责备地呼喊道，“你自己也该知道的罢！”

她说时将眼睛瞠视着他，不过他的脸儿藏在阴影里，因为街上是黑暗的，月亮只有苍白的微光，如同一支蜡烛从一片污浊的玻璃后照过来一般。“我没有精神跟你讨论这种事情。”他冷冰冰地驳斥道。

“我可有啊！你要叫我走，是因为你看见我在享乐的缘故！你是熬不得看见别人快乐！”

“完全相反，夫人，我一点也不反对别人的快乐，可是我不忍看见我的妻子闹笑话，将自己的身体在那里招摇。”

“笑话！这有什么笑话的！我不过是跳跳舞，跟人家笑笑，这就要算是笑话吗？也许你自己也跟别人跳过笑过，倘若你从前也曾经年轻过的话！”说着她显得非常厌恶地看了看他，又顿时将脸扭开，嘴里叽叽咕咕地说道，“不过我怀疑你是否有过年轻的日子！”

“你并不这么天真，夫人，也用不着假装。你也同我一样，明明知道今天晚上那班男人在打什么主意。”

“唔！”她紧紧捏起拳头嚷道，“那又怎么样呢！男人心里打的主意不都一样吗？就是你自己的主意不也是这个样儿吗，哪怕你是——”但她说了半句，突然停住了，因为他带着一种非常狠毒的眼光急忙瞪了她一眼，那神气非常可怕，竟使得她顿时哑口无言了。

第二天天还很早，琥珀和南儿都穿着大衣，戴着风兜，拿着手笼，走下楼来了。走到门口她向跟车的说道：“请你去把爵爷的大马车配起来，我要出门了。”

“那部马车在修理呢，夫人。”

“那么我坐我自己的马车去好了。”

“对不起，夫人，那部马车也拿去修理了。”

琥珀很觉不耐烦地深深抽了一口气。“很好，那么！我就叫一部车子去罢。开门，请你。”

“对不起，夫人。门是锁着的，我没有钥匙。”

她突地怀疑起来，对他看了看。“那么钥匙放在谁那儿呢？”

“爵爷罢，夫人，我猜是。”

琥珀更不发一言，便掉转了头，从门厅奔往藏书室，门也不敲一下就同一阵狂风似的一冲而入。伯爵正坐在一张桌旁在那里写字，手边放着一大叠纸儿。“你可不可以告诉我，为什么要把我当作一个囚犯？”她嚷道。

他突地抬起头来，仿佛她的确是一阵扰乱的狂风，并不是一个人似的，然后他将她浑身上下掠过一眼，又给她一个隐约的微笑，仿佛一个很忍耐的人感觉到有些厌倦一般。

“你想到哪里去？”

她本来要说她去的地方用不着他管，可是想了想把口气软下来。“到交易所去，我有一些东西要买呢。”

“我想象不出你还有什么东西要买。不过一个女人总是贪心不足的，一辈子也买不完的东西。好罢，倘使你还缺少一双新手套或是一瓶香水的话，差南儿去买好了。”

琥珀顿着脚。“我不要差南儿去！我要亲自去！我要亲自去！天杀的，爵爷，我为什么不应该出门呢？我到底犯了什么罪了，要这样对待我！”

那伯爵呆了许久才回出话来，只是忙着将自己手里的一支笔在那里转着。“这个时代真是奇怪了。一个男人要不让妻子叫他乌龟，人家就当他是傻子呢！”

琥珀觉得打了胜仗一般将一张嘴扭歪起来，显出一种嘲讽的态度。“那么我们到底明白了！你是害怕别人替你养出孩子来吧？唔——不过——这也奇怪吗？”

“你可以走了，夫人。”琥珀却仍瞠视着他，他就突地厉声呵叱起来，“出去！回到你房间里去！”

琥珀眼里冒着火，仿佛单凭她那一股憎恨的气焰就可以将他熏死似的。突地她诅咒了一声，将她的扇子一掷掷在地板上，便掉转身走出来，故意将门开得大大的，然后使尽她全身气力将它拼命砰的一声关上。

但她马上就发现，这样声嘶力竭的闹法对于她是一无所获的，他有合法的权利可以将她锁闭在家中，甚至该打的时候竟可将她打死。她见伯爵那么脆弱的身体，自己比他气力大得多，打起架来原可无须怕他，但她又怕他或许要用毒，或是拿把刀来刺杀她，虽然她料他不敢这样，但是终于有些不放心，所以觉得小心为上了。

此后几天她怒气冲冲觉得没处出。她曾想要绝食，以期他可以软化下来，但是她饿了两顿之后就觉得这种办法只是害了自己，害不得他。于是她就全然不去理睬他。他到房里来的时候她总背过脸儿去，嘴里唱着淫荡的曲子，分明是丝毫不把他放在心上。

她已想尽一切解决的方法了，却不得不想了一桩丢一桩。倘使她丢开他走，那她所有的钱都要落到他手中，而且她的封爵也从此丢了。离婚是不可能的，就是卡塞曼夫人也至今没有办成离婚呢。取消婚约也差不多一样为难，因为这种案子必须以男的阳痿，或是女的不通人道为条件，但她怎么能够证明自己是个处女或者证明他阳痿呢？更有一点不利的，就是她十分清楚宫廷里面对于这种案件决不会给女人这边帮忙，因而她就下了决心，倘使她在未结婚之前都可以忍耐他，那么现在也应该忍耐。于是她又跟他客气地说起话来，吃饭也同桌，又常趁他在藏书室里的时候到里面去寻书了。同时她又特别注意自己的装扮，希望能够因此诱起他的淫欲来。

到了那名贵的柯勒乔真迹寄到的那天下午，她也跑到楼下去看他们拆包，及等那张画儿终于挂起来，琥珀偷偷看了他一眼，见他脸上已经有了笑容了。原来他凡刚刚获得一件宝贵物品的时候，总比平常心境愉快些，也比较容易进言。

“我想，爵爷，”她又偷偷看了他一眼，重新看到那幅画上去，然后试探地开起口来。“我想今天我可以出去一趟了罢——就只坐坐马车，兜个圈子。我已经有三个礼拜没有出过大门了，一定变得苍白而且憔悴了。你看怎么样？”说着她就急切地看着他。

他掉转了头，面对着她，嘴角边露出一点觉得有趣的微笑。“我早就猜着了，你这几天脾气这么乖，一定有所要求。好的，你去罢。”

“哦，谢谢你，爵爷！现在就可以去吗？”

“随你的便罢，我的车夫会送你去的——可是你要记得，他已经服侍我三十年了，决不受你的贿赂的。”

琥珀的笑容突然冻结，但她惟恐这允许和特权要被收回去，急忙把一腔怒气掩起来。她撩起了长裙，走出房间，穿过过道，两步并作一步地奔上楼梯去，带着一个胜利的呼声走进房，把个南儿吓得几乎落下手里的针线。

“南儿！穿起大衣来！我们要出门去了！”

“出门！哦，天，真的吗？到哪里去呢？”原来南儿也跟她太太一样关在家里，只偶尔出去买过几回带子和手套之类，因而她也觉得非常气闷了。

“我不知道呢！总有地方的——不管什么地方罢——赶快！”

主仆二人都穿着丝绒裙子，拿着皮手笼，一阵旋风似的跑出大门口，喧哗欢笑着跳上马车，仿佛刚从乡下到伦敦来看风景似的，因为好久未出门，觉得空气新鲜得有些刺鼻。那是个阴沉沉的刮风天，桃花瓣儿被风高高地飘起，雪片似的落在屋顶上面乃至烂泥中。

其实城里的瘟疫还没有完全肃清，只是每星期的死亡率已不过是五六人，而且重新退进那种拥挤幽暗的贫民区里去了。街上已经看不见封锁的房子，小贩和学徒们叫卖的声音又已满街都是了。那场大疫留下来的唯一的痕迹，只有许多窗口上面贴着的那种可哀的招贴：“这里有医生出诊。”因为当初那些医生大批地逃走，已把他们那点本来就不坚固的信用丢失得干干净净了。其时全城人口已经死了五分之一，但是似乎一切都没有改变——还是那么一个繁华热闹藏污纳垢的伦敦城。

一个穷小孩子一本正经地跟在一个绅士后边在那里扒窃他背后的银扣子，几个脚夫跟一些学徒在打架。一条胡同里，有一个人在那里跳索，许多人围在那里看他。一些做小贩的女人坐在街角上，篮子里边放着甜山薯、鲜蕈儿、酸橘子、大葱、干姜、向日葵之类。

她指挥车夫经过舰队街和河滩向焦十字架那边去，因为那一带

有些时髦酒馆开在那里。她以为路上偶然碰到熟人站住谈谈天，想来总不算犯罪，所以她一路睁着眼睛向车窗外看着，又叫南儿也同样留心。后来将近殿北坝的时候，她就在魔鬼酒家前看见三个熟人了，就是柏爷、塞德雷和罗切斯特做着手势在说话，惹得过路的人都向他们注目。

琥珀立刻将身子扑上前，拍了拍前面的车板，叫赶车的停下车，然后放下车窗，将头探到窗外去。“喂，爷儿们！”她喊道，“你们赶快不要闹，否则我要叫巡捕来抓你们了！”说完她发出一阵轰然的大笑。

那三个人都不觉一怔，默然看了她片刻，然后都扑到她马车边来。“哦，原来是夫人！”“你这三个礼拜跑到哪里去的呀？”“我们在宫里怎么看不见你？”他们一个扑在一个肩膀上，都将肘膀子靠着车窗，嘴里喷着白兰地和浓烈的桔花露气息。

“不瞒你们说，爷儿们，”琥珀带着一个狡猾的微笑对罗切斯特眨了眨眼说，“我害了一场顶顶厉害的忧郁症了。”

大家都哗然大笑。“那么一定是那刁钻古怪的老妖精把你关在家里了！”

“我说一个老头儿是不配跟年轻女子结婚的，要是他不能依她往常的习惯供她消遣的话。你家伯爵办得到这一层吗，夫人？”罗切斯特问道。

琥珀连忙换了一个话题，因为她怕那些跟车的或是那个忠心的老车夫听见了要去报告伯爵。“刚才你们在这里辩论什么？我在车里看见你们好像是在开辩论会呢。”

“我们刚在这里讨沦，是先在这里喝醉了再到妓院里去呢，还是到了妓院之后再喝。”塞德雷告诉她说，“你的意见怎么样，夫人？”

“我说这要看你们去妓院打算怎样消遣而定。”

“哦，还是寻常的消遣，夫人，”罗切斯特告诉她，“妓院里边玩的不过那一套，因为我们还没有老，用不着去干那套损德的把戏。”原来罗切斯特只有十九岁，年纪最大的柏爷也不过二十八。

“啐，卫尔牧，”柏爷反对道，这时他已喝得相当醉，说话并不口吃了，“你的教养到哪里去了？你不知道女人顶顶可恶的就是听人在她面前提起别的女人吗？”

罗切斯特耸耸他那瘦骨嶙峋的肩膀。“一个婊子是算不得一个女人的，她只是一种便利。”

“请进来跟我们喝一杯罢，”塞德雷邀道，“我们有几个好提琴手在那里，要叫婊子可以到班纳脱夫人那里去叫。我在酒馆里边是随时都可以跟在妓院里一样的。”

琥珀颇觉踌躇，心里很想去，却又不知那个车夫究竟能否拿钱买得通，但是南儿早已拿胳膊在捣她跟她使眼色了，因而她委决下来，倘使为了这点事情，再被关三礼拜，或竟不止三礼拜，着实是大大犯不着的。而且她知道伯爵或竟要光起火来，将她送到乡下去住，那就大为糟糕了。这时她的马车已经妨碍了交通，许多脚夫、挑子、小贩、乞丐、学徒，乃至抬轿子的，都在她马车后边拥塞着，对她的车夫大声叫骂起来了。

“我们都是有事情的呀，”一个轿夫大嚷道，“不像你们这班老爷太太这么闲空的！”

“我不能奉陪了，”琥珀说道，“我答应过爵爷只是逛逛，不下马车的。”

“让开一条路来呀！”一个推车的又在大嚷了。

“靠靠边儿呀！”一个脚夫也在那里怒吼。

罗切斯特丝毫不动声色，只是冷冰冰地掉转头，举起右手向他们摆了摆。于是那群人中传来一种低沉的抗议并且夹杂着一阵高声的咒骂，柏爷马上一把拉开了车门。

“好罢，那么！你既然不能下来，我们为什么不能上去呢？”

说着他就爬上车——罗切斯特和塞德雷也跟了上去——插进两个女人当中坐下来，两条臂膀儿一边搂着一个。塞德雷将头伸出车窗。“走罢！到圣詹姆士公园去！”及当马车碾上前去的时候，罗切斯特又向背后那群人很鲁莽地摆了摆手。其时一阵风刮了起来，随即下起雨来了，下得非常之骤而且急。

琥珀兴高采烈地回到家中，一进门厅就将她那被雨濯湿的大衣、手笼扔开去，一直跑到藏书室。其时她离家已差不多四个钟头，但她看见伯爵仍旧跟她出去时一样坐在那里写字。他抬起头来。

“唔，夫人，你出去坐车快乐吗？”

“哦，妙得紧呢，爵爷！这一趟出门妙不可言了！”说着她就走到他身边，开始除下手上的手套，“我们经过圣詹姆士公园，你猜我见到谁了？”

“唔？——”

“看到万岁爷了呢！他正带着一班爷儿们在雨里走，那班爷儿们都像水淋狗一般，头上的假发都浸饱水拖在那里！”说着她欣然大笑，“可是万岁爷当然戴着帽子的，所以身上一点儿都没怎么样，他叫我们的马车停下来——你想他说了什么了？”

伯爵笑笑，仿佛听着一个天真的孩子在那里叙述一番丝毫无关重要的愚蠢的冒险一般。“我猜不出来。”

“他问起你了，问你为什么这许多时候不进宫去。他说不久就要到你这里来看画儿，不过班纳脱亨利会来和你预约的。还有，”说到这里她略略停了停，以便把最后这个消息特别强调，“他请我们今天晚上到他的引见室里去参加一个小小的舞会。”她一面说一面看看他，但她分明并没有把他放在心上，甚至连他这个人都没有意识到，更重要的事情把她的心思占据去了：今晚舞会上她该穿什么衣裳，戴什么首饰，拿什么扇子，头发应该怎样梳；至少他不能拒绝皇上这个邀请——只要她的计划能成功，她就可以将他一脚踢去，送他到菩提别墅去跟他的书籍、雕刻、图画做伴，从此不再烦她。

第四十二章

牌桌旁边坐着两个女人，面对面地瞠视着，一个是赤褐色的头发，萝兰色的眼睛，还有一个的头发同草一般褐黄，身上都穿着纯黑的衣裳。

整个宫廷都在替一个女人服丧，其实从来没有人见过那个女人，就是当今王后的生母葡萄牙太后。但是凯瑟琳王后虽在居丧，她的宫殿里面仍旧拥挤着廷臣和命妇，赌台上面堆叠着黄金，一个法国的孩童在他们当中走来走去，手里轻轻弹着一把吉他，口里唱着他本乡诺曼底的爱情歌曲；一些凑热闹的群众围在赌台边，看着卡塞曼夫人和猎得岩夫人像两头敌意的猫儿似的在那里相对狞视。

皇上刚刚漫步到琥珀背后，巴锶汉公将琥珀旁边的一张椅子让给他坐，他摆摆手不要坐；另一边是塞德雷爵士别着一双手儿站在那里看着她。芭芭拉那边呢，她有一伙卫星在那里围绕着，泽民亨利、梅拜伯、卜龙克亨利——这一班人虽在她似乎已落下风的时候也仍旧忠心于她，因为他们是要靠她的。猎得岩伯爵站在那里跟另一位老年爵士假装谈园艺。其时在场的人似乎都已忘记他在那里了，连他自己的太太也是这样的。

但在过去的两个钟头里，琥珀心里很明白，伯爵一直想引起她的注意，以便邀她一同回家，但她故意不理他，一直不让他有跟自己说话的机会。因为自从皇上上次请他们进宫，又已过了一个礼拜了，在这一礼拜当中，琥珀对于她自己的将来愈想愈觉得有把握，对于伯爵也愈看愈瞧不起了。查理对她那么公然属意，芭芭拉对她妒忌得那么厉害，一班廷臣对她那么竭力奉承——这些都是风信旗一般准确的预兆，因而使她不觉沉醉了。

“今天晚上你的手气很好呢，夫人！”芭芭拉将一大堆基尼阿推到琥珀面前去说道，“几乎是太好了！”

琥珀给了她一个骄矜的微笑，同时将嘴微微扭了扭，乜斜着一双眼睛。她知道查理在那里看她，桌上的人也差不多个个注视着她。这种注意就同一种提神酒一般，使她觉得自己非常之重要，跟任何人都可以匹敌了。

“你这话是什么意思呢，夫人？”

“什么意思？你自己明白得很啊！”芭芭拉喃喃说道，那声音非常之低。

这时芭芭拉心里已经觉得非常之气愤，只是怕要献丑，才竭力将自己控制住，因为查理曾在无意之中老实不客气地对人说，他很想跟这个戏院出身的婊子睡觉，这就已经够糟糕了。而况那天杀的巴铿汉公无缘无故对她使了一回坏，以致她栗栗危惧，怕被逐出英国去，一直都不敢放肆撒野了。

哦，那些天杀的信！那天杀的巴铿汉！什么都是天杀的！我恨不得挖出那婊子的眼珠来！我定要教训教训她，叫她再不敢这样欺侮我！

“这儿！”她嚷道，“我要拿这所有的钱跟你来孤注一掷！”

琥珀将眉毛微微一耸，耸得个千娇百媚，因为芭芭拉那边越是冲动，她就似乎越冷静了。她抬起头来和查理交换了一个微笑，当即将他收进她的俘虏营，而他也就咧着嘴儿愿作她的俘虏了。

她毫不在意地耸了耸肩膀。“有什么不可以呢？你先掷罢，夫人！”

芭芭拉咬牙切齿地瞪了查理一眼，若在从前的时候，查理吃了这眼就要跟受到警告一般，现在他却只觉得很好玩似的。她从桌上抓起三颗象牙骰子，撒进一只骰子盒里去。于是周围一切声音都停了，爷们娘们都挺着脖子来注视。芭芭拉捧住那骰子狠命摇了一阵，将骰子簸了出来，那骰子在光滑的桌面上滚了一会儿，终于都站定了，两个六和一个四。

有一个人轻轻吹了声口哨，旁观人中响起一片嗡嗡的声音。芭芭拉抬起了头，脸上带着一种胜利的微笑，眼睛骨碌碌地发亮。“瞧呢，夫人！看你还能胜得过我不！”

原来这种掷法只有三颗骰子一色为最大，否则就要拿那两颗同色来比点数，所以连琥珀自己也得承认她的机会的确不多了。

她像发狂一样四下看了看，想要找个法子来解救。我总得有个法儿——我决不能在这许多人的面前让她打败我！我总得有个法儿——法儿——法儿——

谁知正在这当口，她觉得旁边的巴铿汉公拿膝盖碰了碰她，又觉有一件东西塞进自己的膝胯子里，突地她就觉得头脑冷静清楚起来，一点儿也不发急了。当即她用一种仿佛出于自动的手势，一手拿起那个骰子盒，一手抓起那三颗骰子。说时迟，那时快，她已将那骰子盒落进自己膝胯里，将巴铿汉公刚刚塞给她的那一个掉包上来。她用不着看，就知那是一个假骰子，里面漆得跟真的毫无二致，随即将骰子放了进去。又因她在白衣僧镇的时候对于此道曾经有过许多时间的训练，现在就将那本领显出来了。真是说也奇怪，那三颗骰子竟像在御林军里受过训一般，完全听她的口令，一个五，一个五，再是一个五。于是全场的人都看得张开嘴来，琥珀自己也假装十分惊异的样子，但是那卜龙克已将一张红萝卜一般的脸儿凑到芭芭拉耳边去说起话来。

芭芭拉就一下跳了起来。“你的手段好得很啊，夫人！”她嚷道，“我可并不是这么容易受骗的！这里头有鬼把戏——我可以对大家起誓！”她又向周围的观众——特别是皇上——补充说道。

这时巴铿汉公虽已将他的假骰盒换了回去，琥珀手里拿的已经是芭芭拉原来摇过的那个盒子了，她心里却有些着慌。但她仍旧准备虚张声势下去。

“难道人家不用手法就赢不得你吗？”这一句话惹得大家都哄笑起来，琥珀心里觉得稍稍舒适些，便将那个盒子往桌上一撂。

告发别人作假到底是一桩严重的事情，可是当时宫里的女人都有这样的脾气，就如人人都有几分假正经，所以赌起钱来也谁都要装得自己十分规矩。当时琥珀口里虽然强，心里却怕在整个宫廷面前丢丑，实在吓得要死。因为叫她在这众目睽睽之下吃芭芭拉的败仗，那是她无论如何忍受不了的！

芭芭拉自己以为已将兔子赶到角落里，便毫不容情地一步步紧逼上去。“这种骰子只有用假盒子才掷得出来！如果规规矩矩干，想必连千中取一的机会也不会有！”

此时琥珀已经心虚动摇，怔了一会儿才回得出话来，但到她回出口来的时候，语气就又非常俨然，谁都看不出她的亏心来了。“你就想想看罢，夫人你自己这一掷也好得差不多同假的一般——”

“我自然会让你看的，夫人，我并不是一个骗子！”芭芭拉嚷道，因为她常常输钱，就以为别人只会当她手段差，决不会当她作假，“我刚才用的盒子在这里！请检查一下罢，你们哪一位——”说着她就抓起那个盒子，突地扑过台面，将它递给皇上，“现在，陛下，这桩事情你是目睹的！照你看来怎么样？你说一声罢，这一场赌究竟是谁做假！”

查理接过那盒子，将它里里外外仔细检查过一番，脸上显得非常认真的样子。“在我看来，”他最后说道，“这个盒子一点毛病都没有。”

琥珀僵直地静坐在那儿，心里捶得非常厉害，竟像要昏厥过去似的，以为这一下完结了，万事全休了，从今以后也用不着再活下去了。

“哈哈！”芭芭拉又嚷起来，那声音很得意，竟把琥珀的神经刺得一根根地竖起来，“是不是！我早知道的——”

“可是，”查理慢吞吞地说道，“你们两个既然都用这一只盒子，我就不懂你们为什么要有这场吵闹了。”

这话使得琥珀心里突然一松，却因这个剧变险些扑到那赌台上去，可是芭芭拉已经急得大声尖叫起来。

“怎么！我们并没有同用一个盒子！她掉过包了！她——”

“对不起，夫人，可是你自己刚才说的，这桩事情我在旁目睹，照我看来这位夫人是玩得跟你一样规矩的。”

“可是——”

“时候已经不早了，”查理置之不理地继续说道，一面就将他那一双漆黑的眼睛向赌场环顾一圈，“我想我们该去睡觉了，诸位同意吗？”

众人听了这话都笑起来，知道这一出戏已经完毕，就开始散开去了。芭芭拉悻悻地喃喃自语道：“真奇怪的好办法！”她又扑过台面对琥珀咬牙切齿地说道，“从今以后，哪怕是一根烂铁钉也不跟你对赌了！”说完她别转身子就走，以致卜龙克、梅拜伯、泽民三个人也同跟班似的慌忙追了上去。

这时琥珀仍觉得心虚，最后才抬起头给皇上一个感激的微笑，并且吹了一个无声的口哨儿。查理弯下身来托了一托她的胳膊，她就乘势站了起来。

“谢谢你，陛下，”她轻轻说道，因为她知道查理当然早已看出自己的弊病，“否则我要羞一辈子了。”

查理笑起来。“羞辱吗——在白宫里？这是不可能的，亲爱的。你听说过地狱里边有人受过羞辱吗？”

于是琥珀的精神和自信都重新回复，其时巴铿汉公仍旧嬉皮笑脸地站在她身边，她就朝他看了看。“谢谢你，殿下。”不过她也明知公爷将那假盒子传给她的用意，并非为要帮助她，却是为要屈辱芭芭拉。

巴铿汉公一脸滑稽。“我抗议，夫人，老实告诉你罢，这是你自己的手气好，跟我一点儿不相干的，全世界都知道我是一个老实人。”

于是三个人都笑了起来，其时琥珀意识到那些爷儿娘们都把眼睛转来看她，她也知道那些人心里在作何感想。今天晚上，皇上帮了她的忙，当着众人的面剥下卡塞曼夫人的面子，这只能有一种意义。猎得岩伯爵夫人不久就要成为宫里的第一红人了，她在心里暗暗地想着。

她同查理站在那里面面相觑的当儿，两个人的笑容都慢慢消失，巴铿汉公向他们道过晚安自己走开了，他们也没有注意。琥珀知道自己对查理未免有情，且除贾伯鲁之外不会有第二个男人能使她这般心热。他那懒洋洋的黝黑眼睛已经将她的情欲挑拨得死灰复燃起来，那是猎得岩伯爵曾经屡加挑拨，却从来拨不起火来的。所以她现在一心只想到他怀里去躺一下了，她已完全忘记伯爵站在近旁看着他们，且其时她心花怒放，也早已顾不得这些。

“你什么时候可以逃得开你家的女仆呢？”查理低声说道。

“无论什么时候，听陛下吩咐罢。”

“明天早晨十点钟好吗？”

“好的。”

“我留一个侍卫在那里替你开门，你从候班门进来好了。”说着他别转头看了一看，露出一个隐约的微笑，“你的丈夫走来了——他已经气得疯了呢。”

琥珀觉得身上通过一阵很不愉快的震荡。

你的丈夫！

她心里厌恶极了，想她现在早已用不着他了，他却偏偏还要老着面皮活在世界上。她又仿佛当他是个施过符咒的魔鬼，早已该去得无影无踪。现在他却明明在那里，站在她自己身边，查理正在笑容满面地和他打招呼。后来查理走开了，伯爵就将臂膀伸给了她。她愣了一会儿，才把指尖放在他的臂膀上，慢慢地走了出去。

琥珀挣扎了许久，方才渐渐恢复意识。她觉得她的头上仿佛有一桩非常笨重的东西压在那里，她的眼睛在搏跳，她的脖颈在抽搐，以致她动一动便有一阵疼痛从她的臂膀上面直透过她的脊梁，因而她低声呻吟起来。她似乎觉得自己已经在一种碾滚和颠簸的运动中，经过一个仿佛无穷的时期，以致她的胃都在作痛。她费了很大劲才睁开眼皮，向四下里看了看，以期发现自己究竟在什么地方，到底怎么一回事。

她首先看见的是一个男人的一双青筋暴胀的小手儿，叠在一根叉在两腿之间的手杖上。她慢慢移过眼光，就落在猎得岩伯爵那张毫无表情的脸上了。这时她明白她的所以不舒服，是因她的两腿都被捆着，大腿上捆了一道，膝弯子底下又是一道，她的两条臂膀也紧缚在她身边。他们是在马车里，车窗的玻璃映出一方灰色的天空和一片葱绿的郊野，以及成千棵的树木。她想开口说话，问他为什么会到这里来，但她头上的那种压力越来越觉沉重，以致她重新失去了意识。

以后她就一无所知。及至她突然睁开眼睛，马车已经停下了，正有人抱她出去；她觉得晚间的凉爽空气扑到脸上来，便深深吸了一口进去。

“最好不要让她醒，”她听见伯爵在说，“她现在着了魔，决不能动她。否则她又要闹起来了。”这分明是一种骗人的话，说来侮辱她的，于是她怒不可遏了，但她没有气力向他抗议。

当时她身穿着大氅，那个跟车的又拿一条镶皮的车毯包着她抱在手中，走向那家店里去，另外一个人就将门推了进去。客店里边很暖和，充满着新焙面包和炉子里烤鸡的香气。许多狗候在那儿，尾巴不住地摇着，鼻子咻咻地嗅着。一些孩子出现了。茶房奔出门来替他们解马，一个满面春风的老板娘出来招呼了。她一看见琥珀闭着眼睛将头靠在那跟车的胸口上，便发出一声同情的惊叫，连忙奔上前来看。

“哦，这位太太有病吗?”

伯爵从她身边擦过去，冷冷地说道：“我的太太有点不舒服，可是并不怎么严重。我自己会招呼她。给我们找一个房间，晚饭送上来吃罢。”

老板娘吃了一鼻子灰，便带路上楼，开出一个干干净净熏过香的房间，一双眼睛一直偷看着琥珀。然后她点起一枝蜡烛，里面也生起一个旺旺的火来了。跟车的已经将琥珀放到床上去，她就又逗留着看看她，仿佛十分可怕似的。

“我的太太用不着你招呼！”伯爵这话说得非常之刺耳，老板娘不觉吓了一大跳，连忙跑出房去。伯爵就随后关上门，并且侧着耳朵听了听，听她的确下去了，这才回到床边来。

这时琥珀虽已完全恢复意识，但仍觉得麻木、沉重而恼怒，她的头和全身肌肉都僵硬疼痛。她深深叹了一口气，两个人都默然地等了一会儿，末了她才开口道："唔，你怎么还不替我解开？我现在是逃不走的了！"说着抬起头来怒目看看他，"你自以为巧妙得不得了呢！"她已经明白过来，他所以把她捆缚，不过是为了满足他自己的一种幻想，因她当时已深深中了迷药，就是要把她送出城来，也其实无用束缚的。

伯爵耸了耸肩头，脸上现出一点微笑，显然自鸣得意了。"我相信我的化学不算白学了，东西当然是在酒里的。你一点也闻不出来，尝不出来，是不是？"

"你想我当时如不被逼是肯喝的吗？现在看在上帝分上，赶快把这些绳子解开罢——我的两腿两臂都酸死了。"说着她将身子扭动起来，想要寻找一个比较舒适的姿势，并使身上的血液重新流通，因她觉得浑身寒冷而麻木，似乎全身血液都已停止流动了。

他不理她的请求，只在她身边一张椅子上坐了下去，仿佛安慰一个跟自己无关痛痒的病人一般。"这回你不能跟他相会，实在是一大憾事，我只希望他没有等得太久罢。"

琥珀急忙看了他一眼，慢慢展出一个恶毒的奸笑。"将来还有日子啊，你总不能永远拖我下去。"

"我并没有这个意思，你尽可以回伦敦，随时到白宫里去卖淫——可是你如果这样的话，夫人，那我就要上一个诉状，将你的全部金钱收归己有。而且我想这场官司定可打得赢，不会有多大困难的。皇上也许会愿意跟你睡觉，可是你若想他为你的事情费点心，那还差得远呢。一个婊子跟一个情人到底是不一样的——哪怕你自己看不出其间的区别。"

"我看得明明白白！我们女人并不像你心里想的那样都是傻子。有些事情你当我不明白，我实在是明明白白的。"

"哦，真的吗？"他的口气之间隐隐带着一种侮蔑的讥讽，这是他从结婚以来一向如此的。

“你尽管假装只要我的钱，我可知道你的意思并不是如此。你因为自己干不了的一桩事情别人替你干了，你就气得发了疯。你这回把我弄出城来就是为此目的。刚才恐吓我要把我的钱统统拿去也是为此目的。你这不中用的老废物——你是——”

“夫人！”

“我不怕你！你对于每一个有能耐的人都要嫉妒，并且要恨我，因为你自己不能——”

伯爵的右手突然伸出来，打了她一个耳光，打得非常之猛烈，以致她的头歪过一边，血液漂上面颊。他的眼睛冷冰冰的。

“我是一个上流人，本来不赞成打女人的。我也从来不曾干过这种事。不过我是你的丈夫，要你对我恭恭敬敬地说话。”

琥珀像一头吁气的怒猫，把个身子紧紧地收缩，她的呼吸几乎停止了，她那金色斑驳的眼睛在冒火，当她说话的时候，她白森森的牙齿露出来，像是一头凶猛的野兽。“哦，我多么恨你——”她轻轻说道，“总有一天我要跟你算账——总有一天我会要你的命。”

伯爵带着满脸的轻蔑和厌恶朝她看了看。“一个会恐吓的女人就像一头汪汪叫的狗，我对这种女人是跟对这种狗一样尊敬的。”这时外面有敲门的声音，他迟疑了一下，终于掉转他的头。

“进来罢！”

原来是老板娘，粉面含笑，腋下夹着一条台布、几条餐巾和一些台面上用的锱器。她的背后跟着一个十三岁的女孩子，手里擎着一托盘香喷喷的蔬菜；那女孩子后边又跟着她的小兄弟，手里拿着两个灰尘堆积的绿酒瓶和一对亮晶晶的玻璃杯子。老板娘看了琥珀一眼，见她仍旧盖着那条车毯，侧着半个身子拿胳膊支着躺在那儿。

“唔！”她轻轻地说道，“夫人现在好些了！我高兴得很。今天的晚饭很好的，我希望你好好吃一顿。”说着她给她一个友善的微笑，表示她对一个年轻女人初次孕期中的情态是完全能够了解的。其时琥珀脸上仍旧觉得热烘烘，却也勉强报给她一个微笑。

第四十三章

那菩提别墅已经有了一百多年的历史，它的建筑还在天主教堂没有分裂之前，穆氏盛极一时之日，它那严肃而优雅的美就是代表那种权力和威严的。别墅用的是淡灰色的石块和樱红色的砖头，上面开着许多方玻璃的大窗，成一种完全对称的形式。房子共有四层，有三个轩窗从那红石板的屋顶上挺出，又竖着许多烟囱，排列得非常匀称。正面三层都开着凸出的窗口，也有方形的，也有圆形的。底下是一座二百多英尺长的平台，下临一片意大利式的园子。若拿这个别墅跟市政厅去比较，便觉后者已经衰败不堪，前者还保存得相当好，每一棵树、每一座喷泉、每一个石瓶，都还是完完整整的。

一列马车从这别墅的前门绕进来，绵延了几百码路，向后院里有一座喷泉正在喷水的所在而去。这座喷泉偏西一段路，可以看见一个砖头砌成的诺尔曼式圆形大鸽笼和一口池子；往北，就是一列马房和车房，都属樱红砖头和银色橡木建成的美观建筑。第二层的正门有并排的两部台阶，那行列中的第一部马车就靠着这台阶停下了。

猎得岩伯爵先从车上踏下去，然后伸手去搀扶他的夫人，这时琥珀已经解除了束缚，药性也已过去了，便也从车里踏了下去。她脸上怒气冲冲，并不去理睬伯爵，直同没有他这个人一般，但是她的眼睛将那建筑掠过一眼，仿佛觉得很有趣似的。就在这时，一个年轻女士从上边的门口奔出，打那台阶上向他们跑来。她先怯生生地瞥了琥珀一眼，才对伯爵深深行了个万福。

“哦，爵爷！”她一面站起身来一面嚷道，“我们想不到你会来，腓力已经骑马跟罗伯爵士打猎去了！不晓得他什么时候回来呢！”

琥珀知道这个女人定是詹尼弗，就是伯爵的儿媳妇，今年才十六岁，因为伯爵虽然没有谈到她，却曾提起过她的名字。她长着一副纤弱的身材，一张平凡的面孔，一头淡黄的头发已经有几缕快转黑了。当时她见他们两个人忽然闯来，分明显得有些害怕的样子。

哦，天！琥珀不耐烦地想道，你们这种乡间生活原来就是这样的！她竟好像已经忘记自己大半世住在乡下了。

伯爵一味地慈祥客气。“你用不着操心，亲爱的。我们来得太突然了，并且来不及差人送信。夫人，”他向着琥珀，“这是我的儿媳妇詹尼弗，我跟你提起过的。詹尼弗，我可以把伯爵夫人介绍给你吗？”詹尼弗又偷偷瞥了一眼琥珀，这才对她行了个万福。于是两个女人照例互相拥抱起来，亲了几下。琥珀觉得那女孩子的手很冷，且在那里簌簌地发抖。“夫人路上不大舒服呢，”伯爵开口说话了，琥珀就仇视地瞪了他一眼，“我想她要休息一下了。我的房间预备好了吗？”

“哦，是的，爵爷。那是一直都预备着的。”

其实琥珀并不觉得疲倦，也不想休息，她只想去逛逛那个大别墅，看看那园子、马房、凉亭、橘圃，可是她身不由己地跟着伯爵上了楼，进入那长廊西北端的一间房里去了。

“我并不觉得疲倦啊！”她面对着他倔强地嚷道，“你打算把我在这里关到什么时候呢？”

“只要关到你准备不再光火的时候。你现在对我的看法并不使我感兴趣，可是我不愿意让我的儿子和我的仆人看见我的夫人像个脾气暴躁的婊子。这两条路由你自己选择罢。”

琥珀深深抽了一口气。“很好，那么，我如果对别人说我喜欢你，我想一定没有人会相信，可是我一定竭力装作忍耐的样儿，替你顾全面子。”

腓力到了晚饭时分才回来，琥珀就见着他了。他是一个普通的年轻人，年纪约摸二十四，健康，快乐，还没有变坏。他的衣服穿得很随意，他的态度也随随便便，他在知识上的最大兴趣似乎只在养马和训练斗鸡。谢谢上帝，琥珀一看见他就这么暗暗想道，他一点不像他的父亲！但他虽然不像他父亲，他父亲却和那孩子甚为亲近——这一种品性是她在那冷酷、骄傲、寂寞的老人身上从来想不到会发现的。

琥珀花了好几天工夫探究那菩提别墅。

其中有几十间房子，统统塞满家具、图画和器物，由世界各地收集来的。那片意大利式的房子非常广阔，靠房子的东南两边都有平台关拦着，并有大理石的踏道和石子铺的阔径跟它通连。园中有松柏阴翳的小径，修剪齐平苍翠欲滴的菩提树夹道，台阶和小径的两旁以及栏杆上面都有石瓶插着的花儿。到处都看不见有纷乱的篱笆或是一点野草。连那马房也弄得清清爽爽，里面铺着荷兰的瓦片，都粉刷得一片雪白。此外还有一个橘圃、几间绿室和一个玲珑小巧的凉亭。

于是她心里想道，这就怪不得他要负债了。可是现在她既然知道她的金钱怎样花，心里也就不太怨恨，因为她看见了每一件值得赞美的东西，感觉到自己是它的主人了。她一路走去，经过一件东西心里都要计度一下，到了时候究竟该保留它或是卖掉它，因为她觉得这样的好东西不应该放在这种没有要人赏识的乡下地方。这些东西都该搬到伦敦去，或是陈列在白宫中，或是移到圣詹姆士广场乃至皮卡迪利那些新房子里去。

起先詹尼弗觉得羞涩，但是琥珀因觉得没有旁的事可干，或又因自己有点可怜她，所以竭力跟她亲近。那女孩子也怀着一种温暖的感激之心，因为她是大家庭里长大的，在这虽有二百多个仆人却空洞无聊的大别墅里，也感觉到寂寞了。

这时已是四月的尽头，天气往往温暖晴朗。夜莺已经到来了，樱桃和杏子都已进入盛期，园子里面充满盆栽百合的香气。詹尼弗和琥珀联袂游园，轻绸衫子飘在微风里，在那些草绿色的地上散步笑谈，赏玩那些沙声鸣叫的孔雀。她们似乎立刻就成了亲密的朋友。

詹尼弗从来不曾到过伦敦，琥珀却一直跟她谈伦敦。她谈到了戏院，谈到酒馆，谈到了海德公园、滚球道和白宫，谈到了王后引见室里的赌博和舞会、放鹰等，因为在她看来，伦敦就是宇宙的中心，谁要不是住在伦敦，就无异于住在其他星球上。

“哦，你要是看见整个宫廷的人都在跑马场里赶着车子跑！”她由衷地嚷道，“天下再也没有比这好看的东西了！那些车子兜着圈子过来的时候，所有的人都会鞠躬微笑，连万岁爷看见那些夫人，也要向她们脱脱帽子，有时还叫她们的名字呢。哦，詹尼弗，你总得有一天到伦敦来一趟！”她说这套话的口气一直都像自己仍旧在伦敦一般。

詹尼弗一直都听得津津有味，并且提出许许多多的问题，但是现在她发出一种道歉似的微笑了。“这些事情听起来真是有趣得很，可是——唔，我想我是宁可耳闻不愿目睹的。”

“怎么?”琥珀听她这话大为逆耳，深为惊异了。“伦敦是世界上唯一值得待的地方呢！你为什么不愿意去呢?”

詹尼弗模模糊糊做了一个表示不赞成的手势，因为她一直意识到琥珀的个性比她自己强，所以老觉有点为难，以为把她自己的意见发表出来就差不多跟犯罪似的。“我不知道，我想我到那里会觉得陌生的，那地方那么大，人又那么多，所有的女人都非常漂亮，都穿那么好的衣服——我是轧不进里面去的，这么就是要迷失的呢。”她的声音带着畏怯而几至于发急，仿佛她已经迷失在那可怕的大城市里了。

琥珀笑起来，伸了一条臂膀去搂住那小媳妇的腰。“怎么，詹尼弗，只要你搽上一点脂粉，贴上几个面贴，穿起一件低领口的衫子来，你就会跟任何人一样美丽！我担保，那些花花公子决不肯放过你——他们日夜都会来追求你。”

詹尼弗吃吃笑起来，脸上有点粉红色了。“哦，夫人，你知道他们不会这样的！我的天！我要见到一个花花公子是连话都要说不出来的!”

“没有这回事，詹尼弗，你跟腓力是有话说的，是不是？男人家都是一样的嘛！他们跟一个女人在一起的时候就只对一个题目感兴趣。”

詹尼弗的面孔变得绯红了。“哦，不过我是跟腓力结过婚的。他呢——唔——”她急忙换了话题，“他们说的宫廷里的那些事是真的吗？”

“你是说什么事情？”

“哦，你知道的。他们说的许许多多可怕的事情。他们说宫廷里面人人都要喝酒，都要赌博，甚至万岁爷到礼拜天也要打打纸牌。又说万岁爷有时候会跟王后几个月不见面，因为他忙着应酬其他的——嗯——夫人们!”

“瞎说！他每天都跟王后见面，而且他跟王后十分恩爱——还说她是世界上头一个好女人呢。”

詹尼弗这才松了一口气。“那么他们说他对王后不忠不是真的了？”

“哦，这倒是真的，所有的男人都不忠于自己的妻子，只要他们有机会，是不是？”詹尼弗听见这话神色就又大变了，琥珀急忙捏了她一把道，“不过那些住在乡下的男人又当别论——他们是两样的。”

事实上，琥珀起先对于腓力也的确当他有点儿两样。腓力最初跟她见面的一刻，眼睛里面也曾燃起惊慕的神情，但因他的父亲在面前，那种神情很快就过去了。以后他就难得见她，寻常总只中晚两顿饭的时候才见面。他总一味地尊敬她，当她比自己至少大二十岁年纪一般，因为他知道她是父亲的配偶，就以为她的年龄也该跟父亲相当，不能当是自己的同辈。于是琥珀就断定他心里有些怕她，事实上也的确如此。

后来琥珀实在觉得无聊了，又因蓄意要对伯爵报仇，便决计去勾引腓力。但她早已知道伯爵的脾气，所以干得十分小心，不敢放开手去做。因为事情万一败露呢，那他是什么强暴残酷的手段都干得出来的，那就不堪设想了。然而如今菩提别墅里面就只有腓力一个年轻力壮的男性，而琥珀既爱男性的奉承，又不肯自甘寂寞，哪里肯把他放开手呢？

一个下雨的早晨，她在走廊里遇见了腓力，就跟他站住谈了一会儿天气。当时腓力本来马上就要走，她却邀他同她滚球儿，腓力正要藉词推托，她已经将他拉到滚球桌子上去了。这事以后他们曾经一起滚过几回球，打过几回牌，又有两次偶然在马房里碰了面，就一同骑马出去了。其时詹尼弗身上怀了孕，不能骑马。

但是腓力一直都将琥珀当一个继母看待，甚至对她有点敬畏。这种情绪琥珀在男人身上从来不曾引起过，无论那男人年轻年老，琥珀因而断定他在欧洲游历期间学得的一切一定都已忘记了。

现在她跟伯爵见面的回数比在城里的时候稀少了。伯爵是不容女人管家的，家里除了仆役头儿应管的事情，无论怎样琐屑的工作都要亲自去监督；园子里面有了新布置，工人都由他亲自指挥，其余的时间就消磨在他的实验室里或是藏书室里。他从来都不骑马，也不参加游戏，也不动一桩乐器，虽也有时出出门，却总有一桩事，不是出去闲游的，目的达成就立刻回到家里。他又一直都在写作，仿佛永远写不完似的。琥珀问他写什么，他也会告诉，他说他要将自己收藏的贵重物品写一篇完完全全的历史，使得后人可以知道他家里有些什么东西。他也写写诗，可是从来不念给琥珀听，琥珀也从来不去问他。她总以为这是一种极其无聊的工作，不懂他们男人为什么自愿关在黑暗的房间里，竟至忘记外边的白萝兰正在芬芳，掬树花正在结实，清洁而凉爽的春风正在吹拂呢。

有时她跟他吵闹要回伦敦去，他就老实不客气地告诉她，说她以前在那里的行为有些愚蠢，而且那地方的引诱太多，所以不配待在那里。他又屡次告诉她，说她如果单独回到那里去，他愿意她去，但她如果去的话，他就要没收她全部的金钱，只能剩她一万镑。她听见这话就气得暴跳如雷，说她无论如何不肯将钱交给他，哪怕一辈子待在乡下也是情愿的。

这样闹了几场，她心知一时不能离开这里，就去把南儿、苏姗娜和华大约翰都接了来。南儿以前打过一次胎，流过一次产，现在身上又有了——这回是华大约翰养的——有了已经五个月，琥珀也告诉她若感觉不便可以不必来，她却不到两个礼拜就赶来了。

也同往常一样，她主仆二人一碰了头，就有无穷无尽的话儿好说，因为她二人情投意合，都能把自己心里的话儿尽情倾吐。南儿没有来的时候，琥珀就只有詹尼弗一个伴儿，而詹尼弗一片天真，又丝毫没有经验，已使琥珀觉得闷杀了，幸而现在南儿来，才得把一肚子的闷气发泄。后来她把自己要去勾引腓力的意思告诉南儿，南儿不觉笑起来，说她想不到一个女人跑到乡下就会这么好色，因为腓力比不上查理，自然更比不上贾爷了。

但是到了五月中旬，腓力就已存心要来找琥珀。

那天早晨，琥珀站在马房门口等一匹金色小马上鞍鞯，忽然听见腓力的声音在她背后响起来："怎么，早安，夫人！你这么早就要出去骑马吗？"他装作突然碰见她在那里的样子，但她从他神色上看起来，立刻知道他是存心到这里来找她的。

"早安，腓力！是的，我想去收集一点五月的露水，他们说这东西对于女人的面孔是再好也没有。"

腓力红了脸，咧开嘴尴尬地拿他自己一顶帽子在膝头上轻轻拍着。"我想夫人是无须这套东西的。"

"你倒会奉承人呢，腓力。"

她从她的帽檐影里看了他一眼，脸上露出一点淡淡的笑容。哪怕他并不存心，她暗暗想道，他也不由对我有意了。

其时他们站在一棵大胡椒树的阴影里，不多会儿，那匹金黄色的小雌马就已装好一个绿丝绒鞍牵了出来。琥珀拍拍那马的颈脖，喂给她一块糖，跟它谈了一会儿话。这时腓力跨上前一步，搀扶她上鞍。她就很漂亮地轻轻一跃而上。

"我们可以一起去跑一会儿，"琥珀向他提议道，"倘使你不出去拜客的话。"

腓力听见这个邀请，故意装作惊异的样子。"哦，不，不，我并不要去拜客，我本来也想独个人出去骑马的。可是谢谢你，夫人。你真太好了。真是感谢不尽。"

于是他们俩并骑而行，经过一片铺满金花菜的陂陀牧野，一会儿就看不见自家的别墅了，一路的草都浸饱露水，远远只见一群牛缓步而行。他们走了半天都想不出一句话来说。但是腓力终于欢呼起来："这是多么美妙的一个早晨啊！既有这样的乡间，我真不懂人们为什么要住在城里？"

"我说既有了城市，人们为什么要住在乡间？"

他显得有些惊异，咧开嘴，露出一口雪白匀称的牙齿。"可是你这句话不是出于真心的罢，我的夫人——否则你就不会到这菩提别墅里来了！"

"到菩提别墅里来并不是我的意思！原是爵爷要来的！"

她这句话本来说得很随便，但是口气之间或者面容之间一定不知不觉流露出自己对伯爵的轻蔑和憎恨，因为腓力马上就回答了她，仿佛是一种挑战似的。"我的父亲很喜爱菩提别墅——他一向如此，我们从来都不曾住过伦敦。先皇查理一世也曾到这里来过一次，说他觉得英国的乡间别墅没有比这个再好的了。"

"哦，这当然是一座极好的房子，没有疑义。"琥珀觉得自己戳伤了他对家庭的忠心，虽然不以为意，却也连忙对他表示同意。他们又骑上前一段路，大家都没有话说。末了她才向他叫道："我们在这里歇一会儿罢！"说着也不等他的回答，自己先把马缰勒住了。其时腓力已经上前几码路，听见她的呼声才掉转马头，慢吞吞地回转来。

"我们不如不歇罢，这儿一个人都看不见。"

"那有什么关系呢？"琥珀又觉好玩又觉不耐烦地质问道。

"唔——你明白的，夫人——爵爷以为我们出去骑马最好不要下马，如果我们被人家看见了，是要引起误会的，乡下人最爱谈论。"

"人是到处都爱谈论的。好罢，随你的便，我可要下马来了。"

说着她就立刻跳下马，随即摘下头上一顶插着两三朵鲜玫瑰花的帽儿，将头发一抖抖散。腓力仍旧坐在马上对她注视了一会儿，然后执拗地咬紧牙关，也跳下马来。于是依着腓力的提议，他们动身去一条流过近旁的美丽小溪，那里正在涨水，只听见一片潺潺之声。溪边长着许多绿色的芦苇，夹岸列着几株拂水的垂柳。从那些树木里面筛过了几缕日光，照在琥珀头顶上，如同教堂里照进来的光线一般。她觉得腓力在注视她，眼角里流露出满腔的淫欲。她急忙回过脸儿来，正与他这眼光相接触。

她慢慢地呈出了笑脸，她的眼睛对他频送秋波，然后老着面皮凝视着他。“你父亲的最后一位夫人是怎么一个样儿的？”末了她向他问道，因为她知道腓力的生母在他出世的时候就已死了，“她长得美丽吗？”

“是的，我想有一点儿美丽，至少她的画像是这样，可是我九岁的时候她就死了——我已记不大清楚了。”他因跟她单独在一起，颇显得有点不安；他的面孔变得严肃，他的眼睛已经不复能够藏匿他真正的感觉。

“她养过孩子吗？”

“两个。他们都死得很早——都是害天花死的。我自己也害过天花。——”他咽了一口唾沫，又深深叹了一口气，“可是我总算活下来了。”

“这可喜得很，腓力。”她很温柔地说道，继续对他微笑着，一半含着嘲讽的意思，可是她的眼睛里面充满着诱惑。她觉得四个多礼拜以来没有像现在这样好玩了。

然而腓力却分明窘得不堪，他的情绪给扯到两条路上去了，一条是自己的情欲，一条是对父亲的孝心。他又说起话来了，说得非常快，而且说的是个不大相干的题目。“宫廷里现在怎么样了？他们说是极华丽的，甚至连外国人见到万岁爷的生活状况都要觉得惊异呢。”

“是的，不错，宫廷里面美丽得很，我想宫廷里的那些男女，是地球上无论什么地方都比不上的。你上一次进宫是什么时候？”

“两年之前了。我刚从外国回来，曾在伦敦住过几个月，那时有些画幅和屏条已经搬回宫里来了，可是我想现在比当时一定还要好看些。万岁爷对于美的东西是极感兴趣的。”他嘴里虽这么说，其实是心不在焉；他的目光火热而炽烈，当他一口口咽下唾沫的时候，他那青筋毕现的颈脖上面，只见一个喉头骨在那里碌碌地滚上滚下。“我想我们现在不如动身回去罢，”他突然说道，“现在——现在快要晚了!”

琥珀耸了耸肩头，当即撩起裙子，从那丰草之上迈步回来了！第二天她没有看见他，因她存心要作弄他一下，便装作害忧郁病，中饭晚饭都送到房间里去吃了。他就差人送上一簇玫瑰花，附以一个正式的条子，祝愿她早复健康。

但是第二天她就出去，自以为一定会在马房门前遇见他，他一定会跟一个小学生等候爱人一样在墙角里等她，谁知他却踪影也不见，于是她有些愤然了——她总以为他已为她神魂颠倒了。其实呢，她自己也心急巴巴期待着这第二次见面。不过她虽看不见腓力，却仍独自骑了马出门，去的就是他们两天之前那一个方向，走不上几步，她就把父子二人都忘到九霄云外，又将她的全副心思怀念起贾爷来了。

这时贾爷去了已近六个月，她对他有点觉得依稀恍惚了，就仿佛早晨明明白白记得的一场美梦，到了午刻已经消散得无影无踪。但有许多地方她是记得清清楚楚的：他那眼睛的奇异灰绿色，他那嘴角胜如说话的扭动神情，他那脾气要发不发时的宁静态度。她又记得他最后跟她缱绻的一次，一想起来就要使她目眩头晕。她又如饥似渴地巴望他的嘴来亲亲她，巴望他的手来摸摸她，但她仍旧觉得他的影像有些模糊，这些记忆并不能够给她多大的安慰。虽有苏姗娜在她身边，也不能如她所期的能使伯鲁比较亲近比较真实了。

琥珀一心在思念伯鲁，她的马突然骇跳起来时，她机械地勒住了马缰，险些从马头上摔下去。她定了定神，四下看看那马惊骇的缘故，就看见了腓力——他红着脸儿贼头贼脑骑着匹马在那牧场中心三棵白杨的附近，立刻就因自己惊吓了她向她道了歉。

“哦，夫人！请原谅！我——我并没有存心吓你，我刚才停下马来在这里欣赏一下早晨的风景，不想看见你来了，因而就在这里等你的。”这一番解释的语气非常殷切，琥珀就知他是谎话了，他的真意只是不要他的父亲看见他们并骑出门。

琥珀重新坐稳了身子，欣然大笑起来。“哦，腓力！原来是你，我正在这里想你呢！”腓力听见这话不觉眼睛发亮，可是琥珀不愿听他那套傻里傻气的阿谀，便对他说道，“来罢！我跟你向溪边去赛跑一回！”

跑到溪边，他只比她上前了一步，她从鞍子上面跳下来，他也就跟着下马，这回并不跟她辩论了。“五月间的英国是多么美丽啊！”她嚷道，“你能想象得出还会有人要到美洲去的缘故吗？”

“怎么，不，”他莫名其妙地对她表示同意，“我想象不出。”

“我想在这地上坐一会儿。你能拿你的大氅替我摊一摊，腓力，免得我的衫子弄脏吗？”说着她四下看看，要找一个最最优美的地点，“就在那棵树下罢，请你——”

腓力就大献殷勤，立刻将他的大氅脱下来，铺在那潮湿的草地上。琥珀当即轻松地坐下了，将背靠在那株优美的赤杨上，两条腿儿笔直伸出去，两个脚踝交叉起来，然后将她的帽子扔在一旁。

“唔，腓力，你预备站在那里站到几时？坐下来啊——”她指了指自己身边的一个地方。

他有些踌躇。“怎么——嗯——”他突然下了决心，便很轻快地说道，“谢谢你！夫人。”说着他就在她对面坐了，曲起两条腿儿，臂膀交搁在上面。

但他的眼睛并不看在她身上，只是凝神一志注视着一个蜜蜂，看它匆匆忙忙从一朵花飞到另一朵花，在花瓣上亲抚了一会儿，时或逗留在那里，将花心的最后一滴蜜吸取出来。琥珀呢，她就将身边草中盛开的白蒲公英一朵一朵慢慢摘取起来，摘来的花都扔进了自己裙胯里，一会儿就积成了一大堆。

“你知道罢，”腓力终于说话了，眼睛也已笔直地看在她脸上，“我总觉得，你不像我的继母，我实在不能使我自己相信这桩事——无论我怎样竭力地尝试。我真不懂为什么！”他像真的觉得惶惑不解的样子，琥珀想，他那种神情竟是近乎滑稽了。

“也许是，”琥珀懒洋洋地暗示道，“你不愿意相信这样罢。”

这时她已着手要将那些花儿结成个花环，她拿她的纤纤指甲挑开那些柔嫩的细干，然后很巧妙地将它们编织起来。

腓力将她那句话默默地想了一会儿，突然问道："你怎么会跟我父亲结婚的？"

琥珀眼睛俯视着手中的花儿，分明将那活儿做得十分认真的样子，及至听见腓力这句话，就微微耸了耸肩头。"他要我的金钱，我要他的爵位。"说着她抬起头来朝腓力看看，见他皱起眉头显得十分着恼的样儿，"你怎么不高兴啊，腓力？所有人的结婚不都是一桩买卖吗？你要这样我要那样，于是我们就结婚了，就是你跟詹尼弗结婚也是这样的，是不是？"

"哦，是的，这个……当然……不过父亲是个极好的人——你也知道的。"这话仿佛他要他自己相信比要她相信的意思还要多些，同时他把眼睛一直盯牢她。

"哦，极好的。"琥珀略带一点讥讽的语气对他表示同意。

"他也非常喜欢你。"

她不由得发出一阵不客气的大笑。"你见什么鬼会这样想？"

"他告诉我的。"

"他又曾告诉你要避开我吗？"

"那没有。不过我是应该这样的——我知道我应该这样。就是今天我也万不应该跑到这里来。"他的最后几个字说得很快，同时就将头扭了开去，然后突然站起来，琥珀连忙走上前去，抓住了他的手腕，将他轻轻地拖到身边。

"你为什么要避开我呢，腓力？"她喃喃地说道。

他瞠着眼睛朝下看着她，一个膝头已经落到了地上，呼吸非常急促了。"因为我——因为我应该！我得回去了，免得我——"

"免得你怎样？"这时阳光从树叶里筛过来，筛得她脸上和颈脖上光影斑驳。她的嘴唇是润湿而分开的，露出一口雪白的牙齿，她那琥珀色的眼睛将他牢牢地擒住。"腓力，你怕什么呢？你是想亲我的——那你为什么不亲呢？"

第四十四章

此后腓力良心发现，大觉不安了。起初他是竭力避免他的继母的，不想那天竟受了她的引诱。到了第二日，他就跑到邻近一个地方去待了差不多一星期，回来之后他又为催租太忙，连吃饭的时候也难得见面，有时实在避她不了，态度之间总装得十分僵硬、过于规矩。琥珀心里恨极了，心想他这种可笑的行为反而要使他们两人的事情败露，而且他是她在乡间唯一可资娱乐的对象，她也舍不得把他丢开。

有一天，她从卧室窗口看下去，见他独个人正从园子里打平台上走过。其时伯爵关在实验室里，已经有好些时候了，她就立刻撩起裙子，冲出房门，奔下楼梯，赶到平台上。他又已走下园子里去了。她在他的后面追，他别转头来看了看，当即窜入一片高篱笆里去。那是七十年前按当时流行的样式栽起的一种迷阵，现在已经长得非常高，跑进里面就几乎要迷路了。琥珀跟他走到迷阵口，却看不见他的人，便索性也进入阵中，在那些夹弄里一条一条地奔跑，碰到一堵绝壁方才退出来，再换一个入口去寻找。

“腓力！”她怒气冲冲地一路嚷道，“腓力，你在哪里呀？”

腓力并没有回答，及至她突然进入另外一条弄里去，才看见他在那儿，原来那是一条死胡同，他已没路可走了。他四面看了一看，见已无路可逃，这才满脸尴尬地和她对面站着。琥珀不由得大笑起来，将颈上一条黑纱围巾往背后一撩。

“哦，腓力！你这傻孩子！这是什么意思啊，为什么要这样逃避我？哦，天，你竟当我是一个怪物了！”

“哦，不是的，”他抗议道，“我并不是逃，我不知道你在那里呀。”

琥珀做了一个鬼脸。“你不用说这种话，你逃避我两个礼拜了，自从那一天——”但是腓力惊惶失色地看了看她，她就竖起眉毛把话收住了。“唔——”她等平了平气，然后说下去，“那么是怎么一回事呢？你觉得喜欢吗？你好像很喜欢——在当时是。”

腓力觉得难受极了。“哦，求求你，夫人，不要再提了罢——我实在受不住了，我快要发疯了，如果你再那么说的话，我就要——我不知道要怎么样了！”

琥珀双手叉腰，一脚不耐烦地顿着地。“我的天，腓力！你是怎么一回事啊？你这副样儿好像犯了什么弥天大罪呢！”

他的眼睛重新抬起来。“我是犯了啊。”

“什么罪呢，你倒说说看！”

“你自己知道。”

“我抗议——我知道通奸并不是犯罪——这是一种娱乐！”她这句话并非说着玩，心里确实以为腓力这样一直住在乡下不能享受时髦生活，便是一种愚蠢行为的好榜样。

“通奸的确是犯罪，这种罪孽同时侵害两个好人——你的丈夫和我的妻子。至于我的罪孽更加深重了，我跟我自己父亲的妻子恋爱——我已犯了乱伦之罪了。”最后这几个字儿已变成一种耳语，他说时眼睛瞠视着她，充满着自我憎恶。

“瞎说，腓力！我们本来没有亲属关系！这种事情原是老人自己造成，为保护那种爱讨年轻女子的愚蠢老人起见，你这样烦恼实在是无谓的。”

“哦，不是无谓的，我可以赌咒不是无谓的！以前我也爱过女人——爱过不少。可是像这样的事情我从来没有干过，这是不好的——错误的，你真不懂呢，我非常爱我的父亲——他是一个极好的人——我一向崇敬他。现在我可干出什么事来了……”

说到这里，他的神情显得凄楚不堪，琥珀不觉对他动起一丝怜悯，但当她伸手去抚慰他的时候，他急忙往后缩退，仿佛她有毒一般。琥珀耸了耸肩膀。“唔，腓力——这种事情以后不会再有了，你忘记了它罢——就当不曾有过这回事。”

“好的！我忘记！”

但是她知道他并没有忘记，而且知道他日子愈久愈加难以忘记。她也并不出力帮助，他们每次见面的时候，她总照例装出最最妩媚的样子，又用一种消极的勾引术笼络他，似乎那效果比之任何香艳的手段都要好些。如是者经过两个礼拜，有一天她出门骑马的时候，他又跟她幽会了一回，从此他就欲罢不能了。他那种犯罪和自恨的感情仍旧固执地存在，但他贪图快乐的欲望却比这更要强烈。

他们已经找到许多幽会的地方了。

原来那菩提别墅，如同所有天主教的旧式大家宅一般，满是秘密的房子，当初曾作为一班祭司藏身的住所。有几处窗台可以将木板揭开，一直通到地板底下的一间小房子；有几处护壁也是活动的，拉开便有一张小小的楼梯，也可通往一个小房间里去。这些地方腓力统统知道，琥珀呢，只觉这些惊心动魄的冒险非常有趣，跟腓力的乱伦幽会倒在其次了。

然而她要回转伦敦之心，并不因此而稍减。她仍屡次向伯爵探问，几时可以回城，伯爵却总是并未有过回城的计划，有时竟说他在乡下，也许要住到死为止。

“可是我在这里已经待得非常厌倦了，我告诉你罢！”她有一天对他嚷道。

“那是无疑的，夫人。”他说，“你们女人原是到处都要感到厌倦，能不感觉厌倦倒是令人不解的奇事了。她们是没有很多方法可以消磨时间的。”

“我们的方法多得很。”说着她侧目看了看他，眼光里面充满毒恨和轻蔑。这回她跟他开始谈话的时候本来下了决心不和他吵闹，但在他那种冷酷的眼光和讥讽的语气之下，这种决心是不能维持良久的。“可是这个地方实在太枯燥了，谁要给关在乡下，真比做鬼还要倒霉呢！”

“当初你要向万岁爷去卖淫的时候，就应该想到这一层了。”

琥珀发出一声得胜的冷笑。“嘿，要向他卖淫！我的天，你真把人笑破肚皮了！我早就跟万岁爷睡过觉了——还在戏院里唱戏的时候。那么我的爵爷，你还有什么办法呢？”

伯爵微笑笑，瘪着两片薄薄的嘴唇，显出一种觉得好玩的神情。他站在一个下临平台的大窗口面前，身子靠在一面金镶的帷幕上，那幅神气就像细瓷上面画的那种颓废人一般。琥珀看着他那瘦骨嶙峋的面颊、鼻子和脑壳，只恨不得一拳挥去，眼看它粉碎下来。

“你自己太粗心了，夫人，”他平心静气地说道，“就当人人都有这样的缺点了。”

“那么你早已知道了，是不是？”

“你的名声不见得洁白无瑕，事实上它已经糟透了。”

“那么你以为我现在的情形是好得多了?!”

“总不见得更不如前罢。我对于别人的名誉一点儿不感兴趣，夫人，可是我对于自己妻子的名誉就不得不大加注意了。你在我们结婚以前所犯的过错，我是无法将它消除的，但我至少可以防止你犯出新的过错来！”

一时间她气愤填膺，几乎铸成无可挽回的大错。她已将她自己和腓力的事说到舌尖，借以证明他无论如何不能将她管束住。但她及时将自己控制住了，只带着一种令人不愉快的语气道：“哦，真的吗？”

伯爵瞪起了眼睛，说出话来仿佛把每个字儿当作一种珍贵的毒物秤量过一样。“总有一天，夫人，你要把我熬炼过火的。我的耐心固然很长，但它也不是没有穷尽的。”

“那么，我的爵爷，你到那个时候打算怎么办呢？”

“回到你房里去罢！”他突然说道，“回到你房里去，夫人——不然我要强迫送你回去了！”

琥珀已觉得怒不可遏，紧紧捏住拳头要打他。但他巍然不动地站在那里，冷冰冰地看着她。她略略踌躇了一会儿，终于喃喃咒骂着，回身走出藏书室去了。

这时她对伯爵的愤恨已经达到非常强烈的程度，以至咬啮进了她的脑筋了。她觉得他日夜困扰她，那种痛楚已经到了不复可耐的程度，所以她设法想摆脱他。她巴望他死了。

后来碰到了一个机会，而且是极偶然的，琥珀方才获得一种重要的发现，知道跟她结婚的这个伯爵是何等样人。以前，她从来没有想过去了解他，也不想去推知他为什么会变成这样一种人，因为他们不但彼此不欢喜，而且互不关心。

八月里的一天晚上，她正考虑第二天该穿哪一件衫子——因为第二天有许多人要来，大部分是詹尼弗的亲属，来见见这位新伯爵夫人，并且要在这里小住几天。琥珀见有这个可出风头的机会，心里倒也高兴，而且知道那些客人都要眼热她，因为他们都是乡下人，大多数女人自从复辟以来都没有到过伦敦。那些顽固守旧的老世家原对现在的新宫廷不会发生任何的关系。

当时她跟南儿在那些高大的衣橱里慢慢搜索，看见每件衣裳都要记起它的历史来，记得它是哪一回穿过的，大家谈论着当作消遣。

“哦，这是贾爷到威府里来的头一天晚上穿的！”说着她从一口大衣橱里拿下一件香槟花色花边的洒金衫子，将它摊在身上，抚平了它的褶印，一面喜孜孜地梦想着前情。但是她又突然决定将它放回橱里。“你瞧这一件，南儿！这是我到宫里引见那天穿的呢！”

末了她取下了她跟伯爵结婚那天晚上穿的那件白缎镶珠的衫子，主仆二人重新将它仔细端详，摸了摸它的质地，看了看它的剪裁，都说这件衣服实在很奇怪，为什么穿起来这样配身——只是腰身稍觉宽了些，胸口稍觉窄了些罢了。

“我想不出这件衣服从前究竟是谁的。”琥珀虽在他们结婚八个月来已将它完全忘记，现在忽又沉入一种冥想了。

“也许是爵爷的第一位夫人的。你为什么不去问问他看呢？我倒也觉得奇怪起来了。”

“我想我总要问的。”

到了十点钟，伯爵从藏书室里上楼来了。这是他平常上床睡觉的时间，每天都很准时——因他具有这种虽对极小的事情都守时的习惯，她跟腓力的幽会就常常可以利用了。其时琥珀正坐在一张椅子上读德莱顿的新剧《猩红的爱》，伯爵就穿过卧室走进他自己的更衣间，彼此都没有话说，竟像是都不觉得一般。原来伯爵从来不让琥珀看见他的裸体，琥珀也从来不愿去看他。及至他出来，就已换上了一件寝衣，是东印度绸的质地，上面织着淡色的各种花样。随后他拿了一把烛剪要去熄蜡烛，琥珀就站了起来，扔开书，伸出两条臂膀打了个呵欠。

“那件白缎的旧衫子，”她懒洋洋地说道，“就是我们结婚的时候你要我穿的那一件——你是哪里拿来的？从前是谁穿过的？”

他站住了对她看着，脸上露出一种沉思的微笑。“你从前没有问起这种事情倒也奇怪呢。可是我们之间似乎用不着什么顾忌，我也不妨老实告诉你。这件衫子本来预备给我从前想要跟她结婚的一个年轻女子做礼服的，不过后来没有结婚。”

琥珀竖起了她的眉毛，显然觉得非常得意的样子。“喂！那么你是被人踢开了。”

“不，我不是被人踢开。她是在一六四三年她家堡岩受围攻的时候，有一天晚上失踪的。后来她的父母再也得不到她的消息，我们就不得不断定她已被杀害了。”这时琥珀看见他眼睛里面有一种特别的感情，是她从来没有见过的，其中含有一种深澈的伤感，但他又显出一种奇异的温情，也是她从来料不到他会有的。“她是一个很美丽、和气而且温柔的女人——当然非大家闺秀不可。现在说起来已似乎有些难以置信了，但我第一次看见你的时候不由得想起她来，我真想不出什么道理，你的模样不像她，纵说是像也只一点点，至于她身上值得赞美的那些品性，你一件也不具备。”说着他微微耸耸肩，眼睛不看琥珀，看到一个遥远的往日——他将他的心留在那里的那个往日。然后他把眼睛回转到琥珀身上，那副假面具又放下了，过去重新融解进现在。他继续去剪灭蜡烛；最后一枝蜡烛灭了，房间里突然漆黑了。

“但是你当初使我想起她来，也许实在并不怎样奇怪。”他继续说。她听见他的声音并没有移动，就晓得他是站在原来的地方，离开自己几英尺远，在那蜡烛台旁边。“我已寻了她二十三年了——曾向每个女人的脸上去寻，每一个去处去寻。我希望她还没有死，以为总有一天会在什么地方找到她。”说到这里停了半天，琥珀静静地站在那里，已经被他这番话说得呆了。然后她听见他的声音渐渐移近，一双拖鞋踢踏踢踏向自己身边拖过来了。“可是现在我已经不再寻找——我知道她死了。”

琥珀扔开了身上的衫子，急忙爬上床，于是那种每天晚上都要体验一回的恐怖感马上将她擒住了。“这么说来，你从前也是恋爱过的了！”她说这话不免有点愤然，想他从前会那么温柔体贴地爱别人，现在对她却这样不当人看待！

她觉得那羽毛垫子陷下一边去，知道他已坐上床来了。“是的。我也曾恋爱过，不过只有一次。我是带着一个年轻人的理想主义怀念她的，所以至今仍旧爱她。但是我现在老了，对于女人的事情知道得多了，因而除了轻视她们之外，什么感情都没有了。”他将他的寝衣披在床脚，就在她身边躺了下来。

琥珀心中惴惴然地等了几分钟，她的肌肉僵硬，她的牙齿紧咬，怎么也闭不上眼睛。她从来不敢真正拒绝他，但是每天晚上的等待期间总要受这一趟罪，她也不懂究竟为什么。今天他却直挺挺地仰在他自己的那侧，并不动手来碰她，过一会儿就听见他的呼吸均匀起来。琥珀这才放了心，肌肉放松下去，睡魔也慢慢地来临了。然而他的一丁点动作就要将她突然惊觉，又再合不上眼了，甚至他让她独个睡的时候，她也一直都睡不安稳。

詹尼弗的亲属来了，在那里待了几日，对于琥珀的衣裳、首饰、风度等等一直叹赏不止。那一班人没有一个不赞美她，但都觉得她新奇惹目；娘儿们谈起她时总都竖起眉毛瓢着嘴，捣捣胳膊眨眨眼睛而已。琥珀明知他们对她抱着怎样的感想，但是她不去管它；如果他们觉得她有些骇人，她却觉得他们未免蠢笨落伍。不过那些客人散去之后，寂寞和单调重新统治起来，她就觉得比客人未来之前更加难堪了。

这时她已使得腓力十分沉迷而怨愤，很不容易劝他慎重行事了。“我们到底怎样办呢？”他屡次逼问她，“这种情形我再也受不了了！我有时候竟要发起疯来了！”

琥珀却不像他那么发急，只将他脸上披着的淡褐色头发慢慢抹开（他从来不戴假发），一味温存地跟他讲道理。“我们一点儿办法没有，腓力，他是你的父亲——”

“我管不得他是谁了！我现在已经恨他了！昨天晚上他到你房里去的时候，我在走廊里碰见他——哦，天，当时我竟起了杀心，恨不得立刻将他卡死呢——哦，我也知道这是大大不该的！”他深深叹了一口气，脸上现出非常难受的神情，因为琥珀虽曾给他片刻的欢欣，实则使他陷入无穷的痛苦；自从她来菩提别墅，他的心境就一直不得宁静。

“哦，这种话说不得，腓力，”她温存地说道，“就连这种念头你也不该存——不然也许就要成为事实的。至于他对我，自然有合法的权利可以使唤我，不论他要我怎样——”

“喂，天！我再也想不到我的生活会弄到这么一团糟——真不晓得怎么会这样的！”

此后不过几天，琥珀和腓力早晨同出去骑马，却分道先后回家。琥珀到家的时候，看见伯爵正坐在他们卧室里的一张写字台上。“夫人，”他别转头来说道，“我有一桩要紧事情，不得不到伦敦去一趟，今天下午吃过中饭就要动身。”

琥珀脸上立刻跃起一个微笑来，虽然不能十分相信他一定会让她同去，却希望哄得他带她走。“哦，那妙极了，爵爷！我去叫南儿马上收拾起来！”

说着她就动身要走出房去，但是伯爵一句话将她拦住了。“你不必费心罢，我是独个人去的。”

“独个人？可是为什么要独个人去呢？你去得我也去得。”

“我不过几天就要回来，为的是有非常重要的事情，我不愿意你同我去找麻烦。”

琥珀听见这话大为光火，深深倒抽一口气，突地奔回写字台旁边面对着他。“你这天杀的。你是地球上面顶顶不讲理的一个人！我不愿意独个待在这里，你听见吗？我不愿意！”说着她将马鞭柄子向桌子上狠狠地打了一下，打出深深的一个印子来。

伯爵慢慢地站了起来，对琥珀鞠了个躬，琥珀虽然看见他已气得嘴边肌肉簌簌地抖，他却掉头走出房去了。琥珀又将马鞭柄子拼命捶着写字台，一面在他背后大声喊着：“我不要再待在这里！我不要！不要！不要呢！”伯爵已经跑出门槛将门关上了，琥珀就将马鞭一撩撩到窗外去，奔到了隔壁房间，只见南儿正跟苏姗娜的保姆在那里说话。“南儿！把我的东西收拾起来！我要坐我自己的马车到伦敦去了！那个野种——”

苏姗娜跑到母亲身边来，顿着她的脚，将一头鬈发一摇，学着她道：“那个野——种！”

后来佣人来报开中饭，琥珀并没有下楼，她正忙着预备要动身，而且心里气愤得非常厉害，也没有胃口吃了。及等伯爵差人来请她，她就索性将门关紧上了锁，并将钥匙丢开在一边。

“我总算是对他百依百顺了，可这回不行！”她愤然地对南儿道，“我若再让这臭老匪徒把我像一头狗似的牵着鼻子跑，那我就该天杀了！”

谁知等她换好衣裳预备要走的时候，她却发现通往走廊的那扇门已经从外面反锁起来，她自己的钥匙也已不知去向了。此外又没有第二扇门可以出去，因为那些房间都是彼此不通的。琥珀熬忍不住，就奔回卧室里去，将所有的东西乒乒乓乓捣毁起来。南儿看看劝阻不住她，只得抱头鼠窜。等到琥珀捶打得乏力，房间里面已经一塌糊涂，没有一件完整东西了。

过了一会儿，有人开门进来，在门厅里偷偷放了一托盘饭菜，又轻轻敲了几声，便掉转头一溜烟地逃走了。分明伯爵告诉过家里的佣人，说他的太太又已疯病发作。一个侍女拿进那托盘，到琥珀躺着的床边一张桌子上放着。琥珀回转身，抓起那只冷鸡一掷掷出几码路，又将托盘连同里面的盆子拼命一推，当即乒乓一声碎得满地板。

等过了三个钟头，南儿方才敢冒险回到房里去。琥珀盘着腿坐在床中间跟她说话，说她已经决计回伦敦，哪怕爬窗出去也要走。可是南儿竭力劝她，说她如果不服从爵爷，爵爷一定要去控诉，不但要跟她分手，并且要将她的钱统统拿去。

“你要记得，”南儿警告她道，“万岁爷也许会喜欢你——不过他见到美貌的女人一律都喜欢的。而且你知道他的脾气——凡是要麻烦到他自己身上的事情，他是不爱多管闲事的。你还不如耐心待在这里的好，夫人，我想是。”

其时琥珀已经脱掉了鞋子，解开了头发，两个胳膊支在膝头上坐在那里生气。同时她觉得肚里已经饿得咕咕叫，因为她从早晨七点喝过一玻璃杯果子汁，到现在下午四点半钟还不曾吃过一点东西。她的眼睛不觉落到那只冷烤鸡上去，因为已经有人将它从地板上捡起来，沾着灰尘重新放在那托盘里了。

“不过叫我怎么办呢？难道叫我就在这乡下霉烂了后半世吗？我告诉你罢，那是我无论如何不肯甘心的！”

说到这里，突然一阵隐隐的捶门声，以及一个女人发狂也似的哭叫。主仆二人面面相觑，都吓得侧着耳朵在那里倾听，后来才听出是詹尼弗，正在外间门上狠命地猛捶。琥珀就一下跳下床，一连跑过几个房间去接应。

“夫人！”詹尼弗正在尖叫，声音里面听出已哭得如痴如狂了，“夫人！夫人！”

“我在这里呢，詹尼弗！你做什么呀？出了什么事情了？”

“是腓力呢！他病了，他病得非常厉害！我怕他是快死了，哦，夫人，你得来一趟才好呢！”

一个寒噤通过琥珀的全身：腓力病了——快死了！早晨没有去骑马之前，他们还在凉亭里幽会，他还是好好的。

“他是怎么回事？我出不来呢，詹尼弗！我给锁在这里了！爵爷到哪里去了?”

“他在三个钟头之前就走了!哦,琥珀,你得出来!他在那里叫你呢!”说着她又呜呜地哭了起来。

琥珀没奈何地四下看了看。“可是我出不来呢!哦,天杀的!你去叫个跟车的来!叫他们把门劈开罢!”

这时南儿已经跑到她身边,随即听见詹尼弗的脚步声从过道里响过去,她们也就回到火炉那边拿了几把铜铲来,动手敲门上的锁。一两分钟之后,詹尼弗已经回来了。

“他们说爵爷有命令留下,无论谁都不许放你出来!”

“跟车的呢?”

“他在这儿——可是他说他不敢开锁呢!哦,琥珀,你吩咐他一声罢,他是不能不开的,现在腓力——”

“快开门,你这奴才!”琥珀大嚷道,“赶快开,不然我要放火了!”她一面吆喝,一面仍拿那柄铜铲将锁拼命捶。那跟车的经过半晌迟疑,也就动手从外面捶进来了,琥珀满头是汗地站在那里等着。南儿已将她的鞋子拿了来,她就两脚替换着站在那里将它们穿上。后来门锁撬开了,她就一冲冲出了门口,一把搂住詹尼弗的腰,向腓力房间所在走廊那一头匆匆跑去。

腓力躺在他床上,仍旧穿着全身衣服,只是身上已盖着一条被头。他的头向枕头上拼命仰回去,他的面孔抽搐得几乎不认识了,他正在那里翻滚转动,不住拿手抓胸膛,牙齿格格磨擦着,颈脖的青筋仿佛都要炸裂了。

琥珀只在门口迟疑一刻儿,便一直向他奔去。“腓力!腓力!怎么一回事?你碰到什么了?”

他看了她一会儿,仿佛不认得她。然后他一把抓住了她的手腕,将她拖到身边。“我——”他的声音是一种粗嗄的耳语,琥珀吓得大张着嘴,正要向后缩回来,但他将她的手腕抓得非常牢,几乎要捏碎她的骨头。“你今天吃过什么没有——”

突然她明白怎么回事了。伯爵已经发觉他们的事情,要把他们两个人一起毒杀,那用托盘送给她的饭菜一定是下过毒的。她不觉打了两个寒噤，为她自己着起慌来了。

也许就在今天早晨那一杯果子汁里——也许我也已经中毒了！

“我曾吃过一点果子汁，”她轻轻说道，她的眼睛睁得同玻璃杯一般，“在今天一早——”

这时被头底下发出一种炸裂的声音，只见腓力的身体一下跳起，随即他不住翻滚起来，仿佛要逃避一种巨大的痛苦似的。一阵痉挛掠过了他的脸，他过了半晌方才说得出话来，但是每个字儿都说得非常吃力而且痛楚。

“不，我是吃中饭的时候中毒的，我想是……我的肚痛半个钟头之前才开始。我们那凉亭……它的石壁上面开着一个洞眼……

此后他再也说不出别的话来，因为詹尼弗已经凑近他们身边，可是琥珀早已懂得他话中的意义了。那天早晨伯爵也许是在那里窥视他们。也许他已窥视他们不止一个早晨了，于是她心里充满了厌恶、憎恨和愤怒。但是同时她也感到一种轻松——因为她自己并没有中毒，她是不会死的。

詹尼弗将腓力搀扶着坐了起来，拿一杯温热的牛奶擎到他口上。他贪婪地喝了几口，就又哼了一声倒回床上。琥珀急忙将头扭开，拿手掩住自己的面孔。

然后她突地撩起裙子，急急跑出房来，奔过走廊，冲下楼梯，跑到屋前的平台上，又跑下台阶冲进园子里，直到腰间裂开了一般痛楚，肺里干得同火烧一般，才不得不停住脚。她一手按住胸口，一手撑着腰，拼命喘着气，在那里站了一会儿。后来她觉得舒适些了，便又慢慢抬起头来朝那东南端的卧室窗口看了看。她似乎仍看见腓力那张万分痛楚的脸儿，听见他那嗄声发急的叫喊。

第四十五章

当天太阳下山以后，腓力就抬去埋葬掉了。当初替他施洗礼的那个家庭牧师，现在给他举行最后的仪式，就在那个小小的天主教教堂里，詹尼弗、琥珀和伯爵的多数仆人都去默默跪着参加葬礼。当时大家看见腓力死得这么快，就都已经疑心是中毒了，因为大家相信毒死的人腐烂得最快，就都不敢按部就班替他举行仪式了。腓力临死时频频叮嘱，务将这桩事保守秘密，千万不要让人知道他的真正死因，只说他是因擦枪偶然自行误杀的。

琥珀这时已经饿得胃里作痛了，可是她什么也不肯吃，什么也不肯喝。她又栗栗危惧，惟恐伯爵既然没有毒死她，不免要吩咐一个仆人将她害死，因为他的原意是要叫他们两个人同死。后来她将那只鸡切了几片喂狗吃，那只狗立刻死了，而且死得非常惨。

那天晚上，琥珀和詹尼弗都不敢单独待在自己房里，詹尼弗身上又一阵阵地痉挛，生怕自己小产，她们就在西北厢一间难得用的客房里同住下来，琥珀是下了决心一辈子也不再回房去的。到了十点钟，詹尼弗的阵痛停止了，就先上床去睡觉。琥珀却仍不敢睡，只要看见一点影子听见一点声音就心惊肉跳。她将家里找得到的蜡烛统统点起来，并且无论如何不肯脱衣服。

后来詹尼弗睡了一觉醒来，看看琥珀还未睡，就爬起来搂抱住她，对她说道："哦，琥珀，亲爱的，你得睡一会儿才好呢！"

琥珀推开她。"我不能睡，我不能睡的。"她说着伸手抓抓自己的头发，身上簌簌发抖，"如果他回来了呢？他是存心要杀我的。如果他回来看见我没有死呢——哦，那是什么声音？"

"没有什么，只是外边的什么动物罢了。他是不会回来的。他是不敢回来的。他永远不会回来了。你在这里可以安全了。"

"我不要再待下去了！明天早晨我就走——一等天亮就要走！"

"走，可是你走到哪里去呢？哦，琥珀，请你不要走罢！不要把我丢在这里罢！"

"你的母亲会来陪你的。我不能再待下去了，詹尼弗，我要发疯了！我不能不走，你不要阻止我罢！"

至于她要去的那个地方，她既不能也不愿意告诉詹尼弗，但她自己心里明白，因为现在机会来了，几个星期以来她一直在冥思梦想的那些计划现在已经成形了。当初她本来想利用腓力，现在他已经死了，她就觉得没有了他，事情反而好办了。现在事情好像非常简单，她竟不懂自己为什么要熬忍忧煎这许多月，殊不知时机不等到成熟，她是鼓不起这股狠劲来的呢。

现在她决心要带华大约翰和其他两三个男仆动身到伦敦去了。也许他们就埋伏在路上等他，但若等不着，她到伦敦之后也可趁黑夜里设法将他结果。她知道这种事情很平常——一个贵族中人若是跟人有仇恨，常有遭人暗算或者暗杀的。现在她跟那伯爵已经是势不两立，所以觉得不如先下手为强了。

她觉得穿着男装旅行较为便利和安全，所以她就准备第二天早晨穿着伯爵的一套衣服（那不会太大），并且戴着他的帽子披着他的骑马大氅走。她已派定华大约翰和四个雄赳赳的跟车与她同行，但她这个计划只有华大约翰一个人知道。詹尼弗痛哭流涕地屡次劝她不要走，无奈琥珀始终不听劝，就也帮她收拾行李，并且千叮万嘱叫她路上要当心。

"有一桩事情我无论如何弄不懂，"詹尼弗一面看着琥珀拉上爵爷的长衫，一面对她说道，“他既然要杀死你和腓力，为什么肯饶恕我呢——为什么肯让我保全性命呢？”

琥珀眯着眼睛瞥了她一眼，脸上不觉涌起热血来，连忙将头低下去。可怜的詹尼弗，实在是太天真了！她到现在还没有知道呢——不过现在即使知道也无济于事了！琥珀自从跟腓力有了事情，现在还是第一次感到惭愧。但这惭愧也维持不久，霎时之间她已骑上马背了，便向南儿摆摆手，又答应詹尼弗说她路上会当心。

那一年的夏天比上年还要热些，已有好几个星期没有下过雨，路上干得铁硬了。过去的四个半月当中，琥珀差不多每天都骑马，所以她骑马的速度赶得上男人。他们到了第一个乡村就歇下来，因为琥珀肚里已在大打饥荒了，但是一吃饱肚子就马上向前进发。到傍晚五点钟，他们已经走出四十五英里了。

因为天气热，人马都已很疲倦，而且都已满身灰尘浃汗，他们一行六人就到一家漂亮的小旅馆里去投宿。琥珀同几个男人摇摇摆摆地走进门，俨然是个男人的样子。这回的冒险她觉得非常愉快，又想起自己若非为了偶然的幸运，现在已经陈尸菩提别墅，再也不能坐在这火炉旁边欣赏烤鸡的香味了，因而那欣幸愉快的感情越发加甚。不过那天她跨鞍而骑，是向来所不惯的，所以的确已经疲乏非凡，浑身肌肉都已发酸了。晚饭时候她狂吞了一大杯金黄色的凉麦酒，觉得那滋味之美是生平从来没有尝过的。

那天晚上她睡得意料之外地酣而且久。第二天六点钟他们就动身了。中午时分他们已经到牛津，就歇下来吃中饭。老板娘先把两个庞大的黑坛放到桌子上，等他们喝起来的时候，又拿了许多盆和刀子、瓢羹进来。然后她从火上取下一条烤腿，替他们仔细地切好，他们也就按照习惯邀她来同吃。

“我想你们这几位先生是上伦敦看火烧的罢？”她用一种很客气的闲谈语气问道。

于是六个人的面孔都转过来看着她，大家都不觉停手不吃了。

“火烧！”

“你们还没有听说吗？哦，伦敦起了从来没有的大火了呢，他们说的。”她说话的神气仿佛以为自己将这样重大的消息报告别人，实在是十分了不起的。“一个钟头之前，这里有位先生刚刚从那边出来，他说那火越发凶了，看光景是整个城里都要烧完了。”说着她瘪起嘴来向他们点了点头。

“你是说伦敦起了大火吗？”琥珀有些不信地问她道，“烧的不止几家人家吗？”

“哦，天，不止！这是大大的火呢！那人说他离开的时候，沿河一带都已经烧起来了——那还是昨天的事情呢。”

“我的天！”琥珀口里轻轻地叫着，心里正在想她的金钱、衣服，乃至其他一切都已付之一炬的情感，“这火是什么时候起的呢？怎样会起火的呢？”

“礼拜天早晨起的，”老板娘说，“那时天还没有亮呢。大家猜是罗以教徒的计策。”

“啊呀！我的天！现在是礼拜一的中午了！那么已经烧了快两天了呢！”她慌忙看着华大约翰。“现在还有多少路？我们得赶到那里！”

“还有七十多英里，先生。我们就是连夜骑马赶去也赶不到的。不如今天赶到天黑为止，明天早晨再赶罢。”

此后不过几分钟，他们已经吃完饭，又重新上了马了。老板娘送出门口来，向天空指了一指。“你看那太阳！它变得多么红了！”大家都抬起头，将手遮着眼睛看，同时街上还有一些人也都在那里看。只见那个太阳如同烈火一团，它的色彩浓烈而险恶。

“走罢！”琥珀喊了一声，他们就向前奔跃而去了。

那天晚上琥珀不想在途中歇宿，因为她怕在混乱之中，不但她的金钱要找不到，就连伯爵也要失踪。但要当夜赶到伦敦实属不可能的事，因为夜间赶路要比日里慢，而且也危险。所以他们仍旧只得住下来，等吃过晚饭，她就立刻走进自己房中，只脱了帽子、长靴和短靠，一倒上床就酣然地睡熟了。还不到黎明，老板娘就来敲门叫醒她，到五点钟他们就又上路了。

每到一处乡村，他们都问大火的消息，听到的话到处都是一样的：火势已经蔓延到全城，桥梁、教堂、房屋一概被烧毁，无一可以幸免了。他们越走近伦敦，路上的人越是多，都是向那边去的。农民和工人都丢弃了他们的铲子，撇开了他们的田园，赶着大车或竟推着手推车奔往京城去；京城工具成了奇货了，一个工人赶着一部大车租给人，不消几个钟头就有五十镑的进账——就抵得上一个农民终年辛苦的收入了。

他们向前再走五十英里，就可以看见烟头了，仿佛一件活动的大尸衣罩在遥远的天空，然后就有烧焦的纸片、布屑、石灰之类洒落到他们身上。他们尽量快地向前飞奔，连饭都不停下来吃。那天刚巧刮大风，他们越近伦敦，风势也越大，把他们的骑马大衣都刮得叭叭响起来。琥珀的帽子也被刮去了。大家都得眯起了眼睛，免得灰沙刮进去。到傍晚时分，火焰就看得比较清楚了，只见一蓬蓬地冲上来，把整个天空照成一片令人生惧的红色。

直等他们到城边，已经差不多是夜里了，因为路上挤满了人，他们前进的速度连步行也抵不上。其时他们已可听见那火的怒吼，如同几千个铁车轮从石子路上碾过去一般。那些倒塌或被轰炸的建筑，不住发出雷鸣一般的轰隆声，城墙内外还有被延烧的教堂，一片钟声打得人惊心动魄，自从起火以来两天半里面没有一刻儿稍停。后来天色渐渐地黑下，就显得满天通红，如同一个烧红的锅底一般了。

在城圈子外边，有那大荒场一般的空旷地面，早已给男男女女老老少少挤满了。但是后来的人仍旧源源不绝，将先来的人逼进场中心，更挤得没有一丝儿空隙。有一些人已经拿被头毛巾之类结起来搭好帐篷了。有些女人在那时喂孩子吃奶，有些女人拿一点抢出来的食物在那里烧饭，有一些人坐在那里瞪着眼睛，仿佛不能也不愿相信有这样的事。又有些人呆呆站在那里看，脸上给火光炙得发热，其实那一片火海当中，除了一些建筑的黑影之外是什么也看不见的。

伦敦每年都要起十几回火，所以当这次的火刚刚起来的时候，没有一个人相信它会造成浩劫。起火的时间是礼拜天早晨两点钟，地点在布丁胡同。那是河边上一条狭窄的小弄，当时河边上堆积着许多柏油、芥麻、煤炭之类，着火之后就足足烧了好几个钟头。当时就曾请市长老爷亲自来看过，他却一点不放在心上，说这点火一个女人也扑得了，又因他怕人家怨恨他，始终不肯下令拆屋截火路。谁知那火愈烧愈广了，其势凶猛不可当，遂至于无法扑救。等到伦敦桥也已延烧，伦敦城里就被判定死刑了，因为桥上是有建筑的，那建筑倒塌了下来，就把城里人唯一可以逃生的路也完全阻塞，又因那烧焦的木材落进了水里，将底下的水轮毁坏了，以致救火用的一件有效工具也不复存在。此后所用的工具就只有用手传递的水桶、拆屋用的挠钩，以及手提的水桶而已。

礼拜那一天，有些不晓得害怕的人照常去教堂，但也有些人吓得满街乱跑，因为当时有一个人骑着马狂奔大喊："武装起来啊！武装起来啊！法国人已经登陆了！"

后来猛烈的东风刮起，火势从河沿展进城中，一步步蔓延开去，有时竟如急骊狂奔一般。于是那种平静的心境顿时消失了。火头所到之处，人们成群结队地狂奔逃命，但是多数人抱以侥幸，不等自己的房子着火是不肯做什么准备的，及至烧到眉毛，这才乱抢几件东西去逃命，往往抢走并不重要的东西，反将极贵重的东西遗落掉。于是街头一片混乱，大家挨挨挤挤慢慢穿过那些狭小的胡同。起先他们只跑到那条跟河沿相并行的大炮街为止，但是火势仍旧不住地进展，到了下午他们只得继续前进了。

皇上到十一点钟才得到报告。他跟约克公立刻亲临火场，下令拆屋截火路。其时这种方法已经无济于事了，但是除此以外确实也无计可施。他们两兄弟不惮辛劳，竟至忘记休息和进餐。他们在那里募集打水的人，亲自传递水桶，一处一处地跑去给人鼓励和同情，因在那样的局面底下，就全靠他们的勇气、精力和计策来遏止那种逐渐扩大的恐慌和扰乱了。

但虽他们亲自在那里镇压，街上走路的外国人仍旧是不安全的——倘使被人看出是荷兰人或是法国人的话。在法国教堂街上，一个铁匠拿他的铁锤打倒一个法国人，将他的颧骨和鼻子都打得粉碎。一个女人被人看出在围裙里包着火球，就被人一顿打得浑身青黑，后来方才发现她的火球只是一些鸡蛋。又有一个法国人腋下夹着几个网球，也被人打得失去了知觉。大家对于那些挨打的人谁都不去管他到底有没有犯罪，因为人人都已歇斯底里，只求这场可怕的奇灾能得到一个解释，而这个解释只能从英国人最最害怕最最憎恨的三件东西里面去觅取——法国人、荷兰人和天主教徒。大家以为这次奇灾，必定该是他们之一，或是他们三种人共同负责的，所以决计不容其中有罪的人可以混在无罪的人里面幸免了。查理为保护那些外国人起见，已经下令把许多人拘禁起来，西班牙大使馆里也收容了许多其他国籍的人士。

其时泰晤士河上拥塞着无数小船、划子和舢板，在那里摆渡往来，载着人和货物到南卫子去避难。一阵阵火星飞到水上来，碰到船中人的衣服或被头又要起火。有时一只小船倾覆，就要使全家人的性命一条不剩。

琥珀和那五个男人终于不得不跳下马来，继续步行前进。

其时他们已差不多骑了十三个钟头的马，她已觉得浑身疼痛而麻木，仿佛两个膝盖永远合不拢似的。她的头也疲倦得在那里打着转儿。她恨不得立刻停下来休息一会儿，但她仍旧强迫自己向前进，不要停！她屡次告诉自己说。再向前一步罢，走罢！你得赶到那里。她怕自己失掉机会——怕他已经走开了，或是房子烧掉了——所以她虽然疲乏不堪，也不得不向前进。

她在路上碰到了人，就要一把抓住他，大声嚷着问他邻居寨可曾烧掉。那些人大都打她身边擦过去，并不理她，或竟听都没有听见，但她终于得到一个回答了。

“今天一清早就烧掉了。”

“统统烧掉了吗?”但是那说话的人早已不知去向，于是她又抓住好几个人的袖口。“邻居寨统统烧掉了吗?”

“是的，孩子。烧成一片白地了。”

这个答案使她感到一阵绝望的震惊，但在当时的情境下，却也并不怎么厉害；因为当时那些人拼命地拥挤，都如歇斯底里一般，她也不知不觉染上那种病症了。火势是那么浩大，毁坏力是那么强劲而吓人，以至显着一种非真实的奇异气象。现在牛散达已经是一把火烧光，她在人世间的所有金钱也已跟他去得干干净净了，但她一时不能充分认识这事的意义。这是要等以后方才能够认识的。

目前她已有其他的要关心，就是一心要去找伯爵。

城门外的凿井街、外堡、长弄等处，人们仍旧犹豫不决地在那里等待——他们也同当初化得林街、稻子山和邻居寨等处的居民一般，希望火势中途会停止，不至延烧到他们这边来。但是火势已经穿过了城墙，又值风势大紧，看样子是什么都不能幸免了。这时有些人在自家的门口跑进跑出，不知究竟怎么样才好。但是其他的人都动手抢东西了，将家具和铺盖从楼窗扔下来，门前车子上面都堆着碟子、银盆和画像。

琥珀一直都倚在华大约翰身上，挨挤着通过戈斯卫街，因为人们都从他们相反的方向蜂拥而来，有时他们虽然拼命地上前，却被对面来的人挤得反而后退。

有些母亲头上顶着沉重的物事，一只手里抱着一个正在吃奶的娃儿，又得照顾另一只手里牵着的一群孩子，免得他们挤坏或走失。雄赳赳的脚夫们态度非常骄傲而鲁莽，一路嚷着咒着，拿胳膊毫不容情地两面推攘，因为街上曾有一时是得完全听他们的命令的。惶惑不知所措的动物到处都是。一头惊慌嚎叫的山羊在那里挤开道路。牛儿被人牵着走，背脊上面骑着大声喊嚷的儿童。又有数不清的狗和猫，大声狂叫的猪，关在笼里的鹦哥。还有一些驮在男女主人肩上的猴子，一路抓取男人头上的假发，或是女人颈上的项圈。有些男人头上顶着一个鸟羽的床垫，上面再放一只沉重的箱笼，摇摇晃晃东倒西歪随时都有跌落地上的危险。还有些人将他们能够抢出的东西都拿一条被单扎着搭在肩膀上面，一步步地挨上前。还有一些怀孕的女人，一路之上拼命保护着自己的肚子，更有一些害病的由他们的儿子、丈夫或是仆人驮着走。有一个女人躺在一部大车里，在那里慢慢翻滚，因为她正在产痛之中，嘴里呻吟，脸上痉挛着；

她身边跪着一个产婆，将手伸进被单里面在工作，那个产妇却拼命地将被单打开。

那些人的脸儿都是焦急、麻木而且惶惑的。有些儿童在那里嘻笑，盘在人群的胯子里玩儿。多数老人都像已经完全没有生命了。然而无论老少都已丢失一切——丢失了一生的积蓄和累代的工程了。凡为大火夺去的一切都已永远没有回来的希望了。

琥珀因得华大约翰的搀扶，慢慢地奋力前进。她因自己个儿小，不能从人群的头上看到远方，只得频频问他赤杨门大街是否着火。大约翰一直回答她，看这火势大概还没有烧到那里，但总也离开不远了。

我要能够赶到那里才好呢！我要能够赶到那里找到他才好呢！

煤灰落进她的眼睛里，她拼命搓揉起来，但是眼睛已经刺痛难忍了。她吸进那刺人的火烟，不禁呛咳着，风将炙人的热气从她鼻孔里冲进她肺里，使得她的呼吸也觉痛苦了。她早已气愤疲乏得要哭出来，费了很大劲方才忍住。倘使没有华大约翰将她扶住，她早已倒下去了。至于其他几个人，不知在什么地方已经走失，大概加入抢劫队里去了，因为当时那班趁火打劫的人等不到主人逃开就要冲进人家房子里去了。

末了，他们到了猎得岩伯爵的府邸。

其时火势已经延及它下首的圣马丁街，并已将近拐角里的雄牛嘴街了。府邸门前排列着许多装得满满的车辆，无数仆人（其中也混着一些窃贼）正在那里搬运花瓶、画釉雕刻和家具。她打人丛中挨挤进去。并没有人阻止她，竟仿佛没有看见她这人一般，因她当时满脸煤灰，头发脏得结成纠，衣服也已撕破污脏了，自然没有人认识她。

门厅里面乱成了一片，中心那张大楼梯上面已给人和家具塞满了——有人掮着一张意大利式的小榻，有人夹着一捆镶金帷帘，一人顶着一幅蒂提斥利的画儿，一人两肩驮着两张西班牙式的线绒椅。又见一个穿制服的当差扛着一口雕花大箱子，琥珀就走上前向他问讯了。

“你家主人在哪里?”那人不理她，管自向前走去，琥珀却狠狠地一把抓住了他的手腕。“回答我，你这奴才！你家主人在哪里?”

那人愕然地朝她看了一眼，却不认识她，也听不出她的声音，因为伯爵大约已经动员了他们好几个钟头。“他已忙得发了昏了，在楼上罢，我想是在他的更衣室里。”

琥珀冲过那些仆人和家具，一口气跑上了楼，华大约翰紧紧跟在她后面。但是这时她的腿儿已经觉得无力而颤抖，她的心在怦怦地跳。她咽了一口唾沫，又觉得她的喉咙干得似火烧一般，可是她一跑到楼梯顶，这种疲乏的感觉就突然而神奇地消失了。

他们急忙穿过走廊，向伯爵房间那边奔去。其时正有两个人从里面出来，各人肩上都掮着一大堆书籍。琥珀等他们走过去，就给华大约翰做做手势叫他开锁。“你不等我叫你不要来。”她轻轻对他说道，然后她匆匆穿过起居室，进入了卧室。

卧室里面差不多已经搬空了，就只剩了一张床，因为笨重，没有搬走。琥珀看看没有人，就一直走到实验室里去。她的心脏似乎涨满了胸腔，而且不住怦怦跳着，仿佛随时都要裂开来一般。伯爵果然在那里，正向一张桌上的抽屉里匆促翻寻，将一叠叠的纸儿塞进他的衣袋里。他的衣装一向都非常整洁，现在才显得有点纷乱的样儿，分明是刚从什么地方骑马赶来的，但虽如此，他的样儿仍旧出奇地雅洁。当时他是面背着她站在那里的。

“爵爷。”琥珀的声音同敲钟一般响了起来。

伯爵微微吓了一跳，掉转头一看，觉得不认识，便又马上回转头去做他的事了。“你干什么?走开罢，孩子，我忙着呢。你去搬几件东西到底下车子里去罢。”

“爵爷!”琥珀再次说道，“你再仔细看一看，就知道我并不是孩子了。”

伯爵停了一下，这才慢慢地、审慎地回转身子。当时他旁边桌子上只点着一支蜡烛，但那烛光照得整个房间都亮了。外边的火正如不住的响雷一般在那里轰吼，爆炸之声震得所有的玻璃格格响起来，近处的建筑连续地倒塌，以致轰隆之声不绝。

“是你吗?”末了他才低声地问她。

“是的，是我。我还是活人——并不是鬼，爵爷。腓力死了——我可没有死。”

他脸上不信的神情终于变成一种恐怖，于是琥珀心中的恐惧突然消失了。她当即觉得自己非常强壮而有力，而且对他的憎恶也骤然加剧，以致她身上一切残酷、凶暴、狂躁的心情都被激起了。

她傲慢地翘着头，慢吞吞地向他走去，一路将手里拿着的一根马鞭在自己的腿上轻轻荡着。伯爵瞪视着她，那眼光是笔直而呆定的，但他嘴角的肌肉在那里微微扭动。“我的儿子死了，”他慢慢地重述道，仿佛直到现在方才充分明白自己干过怎样的事情，“他死了——你并没有死。”他说时神情惨然，仿佛突然衰老了许多，所有的自信完全消失了。他对自己儿子的谋杀便是完成他一生的毁灭。

“那么你终于发觉我们的事了。”琥珀站在他面前，一手叉在腰上，一手仍旧荡着那根马鞭对他挖苦道。

他现出一个冥想的微笑，冷酷、轻蔑，而且带着几分淫荡的意味。然后他慢慢地回出话来。“是的，许多礼拜以前就发觉了。我一直都看着你们，在那凉亭里，一共有十三次了。我看着你的行为，听着你的说话，想起你有一天会万不及料地死去，心里觉得非常快乐。”

“哦，真的吗!”琥珀当即又挖苦他道，她的声音尖酸而刻毒，手里那根马鞭一来一往地荡着，急得如同一条蛇一般，“可是我并没有死——而且往后我也不见得会死——”

说着她眼睛里冒出火来，突地举起了那根马鞭，用出全身的气力向他面孔上狠命抽去。他往后跳了一步，连忙举起一只手来遮挡，可是那条鞭子早在他脸上从左太阳穴直到鼻梁留下一条红印了。琥珀便一不做二不休，索性咬紧牙关拿起鞭子将他劈面乱打。他被打急了，突地抓起那个烛台向琥珀狠命一掷。琥珀急忙向旁边一闪，同时大声尖叫起来。

那枝烛台从她肩膀上滑了过去，她就看见他的脸凑近前来，他的手已经抓住了那根鞭子。于是一场争夺战起来了。谁知琥珀正将膝盖去顶他的小肚子，华大约翰的棒槌已经落到他脑壳上来。于是伯爵摇摇晃晃地倒了下去。琥珀夺回那马鞭，向他脸上连连抽打，原来她已不复意识自己在做什么了。

“打杀他!”她尖声叫道，“打杀他!”她一遍一遍不住地叫着，“打杀他！打杀他！打杀他!”

华大约翰一手抓脱伯爵的假发，一手向他脑门上又是一槌。伯爵直挺挺地躺在那里，光秃的头顶血流如注了。其时琥珀身上涌过一阵强烈的冲动，她并不觉得可怜，也不觉得懊悔，就只有一种泄愤的快意而已。

突地她发觉窗帘上面已经着了火，当即以为这所房子也已被延烧，他们已无路可逃，不免要葬身火窟，不觉大大地恐慌起来。及至仔细一看，才知道当初那只烛台落在窗口下，窗帘遇火着起来，因而延及天花板，现在连屋架都已着火了。

“约翰!”

约翰回头看见了火光，就同琥珀急忙奔出房去，奔到门口又回头看了看，然后将门关上，并且旋上锁。他们最后看见的伯爵是血污狼藉僵挺在地板上，火焰已经快扑到他身上来了。约翰将钥匙放进口袋里，就拉着琥珀从走廊上向屋后狂奔。但是琥珀跑不到十码路，就扑倒在地上失去了知觉。约翰连忙将她抱起来，打后面的小楼梯跑下去。跑到楼梯中间遇见两个人迎面上来，身上并没穿制服，他就知道他们一定是贼了。

“火,”他对他们嚷道，“这所房子已经起火!”

那两个人急忙掉头跑下去，一会儿就去得无影无踪了。约翰跑到后院里，仰起头来看了看，只见楼上的窗口已经吐出火舌来，映得底下那个小池子里也通红的了。

第五部

Part Five

第四十六章

这场大火之后三个半月，琥珀在十二月中旬回到伦敦，看见这个围着城墙的古城已差不多整个都完了。地上仍是一片灰烬，里面夹杂歪了的铁、熔化了的铅，此外就只剩残砖败瓦了。有些地窖里仍旧烟腾腾地蕴积着余火，虽经十月里的大雨倾盆，也竟浇它不熄。大多数的街道都给倒塌的建筑完全阻塞了，其他地方则孤耸着歪斜的烟囱、将倒的危墙，行人都不敢从那里经过。伦敦已经像是死的了，毁灭了。

她上次来的时候，全城正笼罩着一片残酷的火焰，那景象还是有些雄壮的，现在它就显得无限凄惨无限可怜了。看它那一片阴沉的气象，就仿佛已经注定永远不会再繁荣，又碰到这种灰沉沉的十二月下雨天气，它这命运就像更无疑义了。它经过了瘟疫、战争和大火，商业上就一落千丈，公家负债之重是历史上空前未有的，整个社会都充满了不安和贫穷，所有的人都说，英国的光荣日子已经过去了，她的昔日豪华已经消失了，她已注定要从地球上灭掉了。前途似乎从来没有这样绝望；人们也从来没有这样悲观这样怨愤。

但虽如此，人民不可克服的意志和希望已经开始征服一切了。一个由小茅房和小棚子组成的临时城市，已经从那些残基废址上勃兴起来。店铺开始开门了，有些新的房子也在建筑了。

而且城里也到底没有统统烧完啊。

城圈之外，在堡塔以东大荒场以北的地面，仍有一部分城市依然无恙；西城则有林肯馆中的故旧律师学院，以及更西的修道院和圣詹姆士公园一带，也都没有被毁，贵族中人搬到那里去住的越来越多了。凡在河弯一带的房屋都未被延烧。旱河仍旧在那里，那些园子以及一直延及河边的古旧巨厦也都在那里。总之，火神没有光临过伦敦那个时髦的区域。

火烧的那天晚上，琥珀和华大约翰立刻就离城走了。他们自己的马儿已经找不到，只得租用别人的马儿，一直跑到菩提别墅。她当即告诉詹尼弗，说她赶到伦敦的时候，伯爵府已经起了火了，伯爵简直没有地方可以找到。但是她为顾面子起见，也曾差一帮人到城里去找他。过了几天那些人回来报告，说伯爵实在没处可找，看那样子一定是关在自己房子里被烧死了。琥珀当即大大松了一口气，知道这桩案子不会破露了，便替他穿起丧服——但她神气之间并不装得怎样悲哀，因她觉得这种伪装，对于她的幸福并没有多大好处。

至于她从牛散达那里得来的消息却使她称心满意。原来她回到菩提别墅之后的两天，牛散达就差一人来送信，说她存在那里的款子一个先令也没有损失。后来她自己发觉，这次大火烧掉的金钱固然不少，但是一般金匠收取的存款却都差不多原璧保存，她自己的存款虽已只剩二万八千镑，不到原数的一半，但她仍旧算得英国最最富有的一个女人。而况这存款还有利息，还有牛散达替她投资而得的赚头，以后她将菩提别墅租给人，或是将里边的东西卖掉，也可增加一部分进益，只不过她直到现在还不愿去动伯爵的财产罢了。

她瞻望前途，觉得的确希望无穷。但是目前这种情形却令她恐惧和忧虑，因为伯爵虽然已死，她却无论如何不能将他摆脱——他已跟她回到家里来作祟了。她从走廊上转弯过去的时候，往往会突然碰到他；她坐在那里吃饭，他会站到她背后来；夜里他会对她招呼，以致她躺在床上吓得满身大汗，时或听见什么声音就会一下跳起来，又或口里大叫着突然惊醒。她本要立刻离开，但是南儿在他们回家的头一天刚刚养了孩子，她不得不等她复原。她因瘟疫期间南儿对她那么忠心，对她颇有好感，不忍心丢开她自己走，而且除了阿木笔家里也实在没处可以投身，又不便将丈夫的死讯自己先去报告，以致引起他疑心。她的这点生死攸关的秘密，是除了南儿和华大约翰之外对谁都不敢泄漏的。

后来詹尼弗的母亲来了，要等詹尼弗养过孩子复了原，方才带她回自己家里去。但十月一日，琥珀就先动身到巴贝列山去了，临走的时候觉得很不好意思，只得自己想出理由来宽解，以为詹尼弗待在这里本来是用不着害怕的，因为詹尼弗跟伯爵本来没有什么冤仇，腓力的死也跟她丝毫无涉，她就用不着疑神疑鬼，尽管放心待在这里好了。至于她自己，那是再也待不下去的。于是她到底走了。

到了巴贝列山之后，她就觉得舒服得多。至于伯爵、腓力和这一年来的许多事情，她本以为永远忘记不了的，谁知不多几天就已忘得干干净净了。她也硬着心肠决计不再去想它。只有一点她觉得心里不舒服，就是惟恐阿木笔猜到伯爵之死必有一段隐情，或竟以为是她买通流氓将他杀害的，但是阿木笔始终没有向她探过口气，甚至难得提到伯爵的事情。

只有一次他曾向她戏谑道："唔，亲爱的——你想过下次要跟谁结婚吗？他们说柏爷已差不多下了决心要冒险结婚了！"

她愤然地狠狠射了他一眼。"见鬼，阿木笔！你一定是当我发疯了！我现在已经有了钱，又有了爵位，见什么鬼还要跟人结婚自讨苦吃呢！结婚的生活是再苦恼也没有的！我已经试过三次了，而且——"

"三次了？"阿木笔突然问道，仿佛觉得很好玩似的。

琥珀不由得红起脸来，因她跟甘路加结婚的一段秘密是她除了南儿之外对谁都不肯泄漏的。"两次呢，我是说！唔，你开心些什么呀？好罢，我随便你去笑，总之永远不再结婚就是了。我已经有了更好的计划，你放心罢。"说着她就掉转身，一条黑缎长裙窸窣地响着，走出房去了。

阿木笔靠在火炉上，正装着他的烟斗，一面看着她的背影咧开了嘴儿，又耸耸他的肩膀。

“天知道，宝贝儿，哪怕你结婚三百次也不关我的事儿。你再结婚不结婚也丝毫跟我无关。不过我心里正在疑惑，你到三十五岁的时候穿起丧服来是怎么一个样儿。”

琥珀听见这话突然停住步，别转头来瞠视他，脸上不觉惊惶失色了。三十五！我的天，她从来没有想到过三十五岁！她低下头看看自己——看着她那一套纯黑的丧服——这是她必须要穿到死为止的，除非她再和别人结婚。

“你这天杀的，阿木笔！”她喃喃地说着，急忙走出房去。

但是不久之后她就又觉得焦躁起来。她想起了金钱和爵位，美貌和青春，倘使都在乡下地方活活将它埋葬了，那又有什么用处呢？过了两个月，她就抱着强烈的自信，知道伯爵骤然的死所引起的种种猜疑一定已经停息了——她知道宫里的流言比恋爱还要短命——因而她就急急乎想要回到那里去。从此她就甜言蜜语劝诱阿木笔夫妻，要他们回到伦敦去过社交繁密的冬季，因为他去了她不但可以有一个住处，并且可以利用他们两个望族的声誉，这桩东西是她到宫中去活动的期间正用得着的。

她的出现在白宫造成了她希望之外的一种轰动。她又惊悉宫中曾有一种谣言，说她已经死了，是被她丈夫妒忌毒死的，但她只置之一笑。“什么胡说八道啊！”她总对人嚷道，“现在这种年头是无论贵族平民谁都不得好死了——要死就非毒杀不可！”

她这句话倒也有几分真实，因为在一班贵族当中，确实仍拿下毒来做一种报复的手段，所以大家对于这桩事情还是觉得栗栗危惧的。有些以淫荡知名的太太，倘使突然死了，大家总都当她是被丈夫毒死的。泽斯斐儿夫人因与约克公有了奸情，使她的丈夫不高兴，去年她死了，就人人以为是被毒杀了。现在约克公的另一情人又在害病，曾对朋友们说她中了丈夫下的毒，但也有些人说毒是公爵自己下的，因为她对他贪求无厌，他对她已经觉得厌恶了。

人们给予琥珀非常热烈的欢迎。

这时宫中的生活变得非常狭窄、局促、单调而下流，以致一个姿色平平的人新进宫来时，也要令一班爷儿们竞相垂涎，娘儿们个个咬牙切齿。等到那劲儿过去了，那人就得仰仗她已取得的地位而挣扎，对后来的美人竭力抗衡。于是一班爷儿们都对她淡淡然了，娘儿们却开始和她结交为友，她也不得不跟先来的人连成一条阵线，以便共同对付那种希冀后来居上的人。宫中生活最最难受的一种毛病就是无聊，因为大多数人都无事可为，所以常不得不有一种聪明绝顶的脑筋，不断创出新鲜花样来供众人刺激和娱乐。

琥珀进得宫来，将那班人瞥过了一眼之后，就已看出自己处于怎样一种地位了。

她因为有了爵位，能够在宫里直进直出，又能进入王后的朝房，跟随众宫人一同去看戏，并参加那种一般性的舞会和宴会。但她若非跟宫里有势力的贵妇人有交情，就不能去参加私人邀请的舞会和宴会了。这样她就不免孤孤单单被摒在外边，无从体验宫中最最亲切的生活，这种情形是琥珀无论如何都不愿意看见的。有鉴于此，她就着手联络司徒馥兰，在她面前竭力趋奉巴结。馥兰虽在宫中待了四年，究竟还是天真烂漫的，经不得她一番拍，当天晚上就邀她去吃晚饭了。当时皇上也在席，他所特别宠爱的那些时髦男女也都在场。巴铿汉公仍旧模仿着相爷克勒兰登的音容笑貌，模仿得非常滑稽，引得大家都不觉大笑。皇上还是讲他那段惊心动魄的故事，华赛斯脱一役之后怎样战斗，怎样逃到法兰西，其实大多数人都已能把这段故事背出来了。那天的酒菜非常好，音乐非常之柔和，席上的女人又是个个花容月貌。当时琥珀穿着一件黑天鹅绒的衫子，显得特别好看，曹戴克伯爵夫人不禁开口说道：

“我的天，夫人，你穿的这件衫子多么漂亮！你知道罢——我仿佛在什么地方看见过这么一件衫子的。”她将一个粉红的纤纤指甲轻轻叩着自己的牙齿，显出一种冥想的神情，同时将琥珀那衫子上下端详，却装作没有看见她的人似的。“哦，是了！我记起来了！我丈夫的表姐妹死了以后，我曾有过这么一件衫子的——后来哪里去了呢！哦，不错！——我送给皇家戏院那个管行头的女人了。让我想想看罢——那是差不多三年以前的事了，我想是。那时你还在戏班里罢，是不是，夫人？”说着她朝琥珀看了看，那双蓝色眼睛里面露出一种恶意戏弄的光芒，又把一只眉毛耸了耸，然后突地把眼光移开，当即发出一声尖叫。“我的天！那边不是威尔丝维妮弗吗？——卡塞曼还说她到乡下去打胎了呢，真的成了一个谣言世界了！对不起，夫人——我得过去跟她说句话——这可怜东西——”她就对琥珀微微行了个万福，管自走了开去。

琥珀微微耸了耸眉毛，但她一抬头看见查理站在那里，就笑了笑，耸了耸肩。

“倘使做女人的彼此能够稍稍相忍些，”他轻轻说道，“她们就可沾到我们极大的便宜，使我们永远无法收复了。”

“你想这种事情会有吗，陛下？”

“不见得，可是你不要因为她们感到难受，亲爱的。你尽管照你自己的意思干好了，你放心罢。”

琥珀继续对他微微笑着；他的嘴丝毫不动，却已做出一个问题来，琥珀报以一个微微的颔首——她此番回到白宫是再快乐也没有的。

但她想要脱离司徒馥兰的靠山，却还没有把握，因而索性跟她结成拆不开的伴侣了。她常到馥兰房里去看她，跟她在画廊里一同散步——因为当时天气冷日子多，不便到外边去——有时路上不好走，或是时间太晚了，就在馥兰房间里过夜。她从来不谈她自己的事情，却对馥兰所说所想所做的事情似乎件件都有极大的兴趣，馥兰经不得她那样奉承，不久就对她推心置腹了。

荔枝门公爵新近曾向馥兰求婚，一时使得整个宫廷都觉得莫名其妙，因为大家早已都把馥兰认为一项皇家财产了。讲到荔枝门公爵，今年年纪不过二十七，容貌也算不得丑，又是皇上的远亲，但是他十分愚蠢，又一直酗酒，背了一身债。查理听见这消息，照常地不动声色，只叫公爵把他的财产账目交给相爷查一查。

有一天晚上，琥珀和馥兰同睡一床，下面垫着鸟羽的褥垫，上面盖着也是鸟羽的被头，睡得非常之舒适。琥珀问她是否愿意和公爵结婚，谁知馥兰的回答使得她大为惊异。“除此以外我能怎么办呢?”她说,“如果公爷不这么心好,不来向我求婚,我真不晓得自己将来要怎么样呢。”

“你不晓得将来要怎么样,司徒馥兰,这是什么话呀!现在宫里人人都像发疯一般爱着你,你自己也知道的呀!”

“这也许是的,”馥兰承认道,“可是至今不曾有人老老实实向我求过婚。事实是我已经落得声名狼藉了,都因我容皇上对我种种放肆,却终不肯让他沾我那一桩便宜——我若肯了,倒是于我有益的。”

“唔,”琥珀对于这桩事情虽然抱着强烈的好奇心,却懒洋洋慢吞吞地问她道,“那么你为什么不肯呢?你若肯了,就用不着跟人家结什么婚,稳可做到一个伯爵夫人了——同时又可以大富而特富。”

“怎么!”馥兰大嚷道,“叫我做皇上的娼妓吗?哦,不——不,我不干!这种事情我要让别人去干。一个女人得跟她丈夫睡觉,否则我宁可死了。哦,我连想起这种事来都要害膈气病呢!”

琥珀在那黑暗之中不觉微笑了,既觉非常好玩,又有几分惊异。原来馥兰的操守已经到了这样的程度,但她觉得这不是道德,却只是固执,并不是贞节,却只是乖僻。

“不过你连皇上也不喜欢吗?宫里没有比他再好的人了。现在所有女人都爱上了他,也并不单单因为他是皇上的缘故。”

“哦,我当然喜欢他!只是我办不到——我简直办不到——哦,我也不知道怎么的!我总不懂男人为什么定要存这样的念头!我知道我总有一天要结婚——我现在十九岁了,母亲说我是羞辱门风——可是天,想起了要跟男人睡在一张床上,并且让他——简直是要我的命呢!我是无论如何忍受不了的。”

哦,我的天,琥珀暗暗地想。她已完全被馥兰弄呆了,以为她一定是脑子不清楚。

但是她也替馥兰有点伤心,对她感到一种轻视之中的怜悯:这可怜虫到底是把人生看做怎么一回事?

她们的友谊也维持不了多久,因为馥兰以一个正式妻子的身份,对于皇上的爱慕越发不以为然了,又加皇上到阿木笔府里跟猎得岩伯爵夫人幽会的消息一传开，芭芭拉自然马上就去向馥兰报信，但是琥珀以为自己的地位已经稳定，又觉得馥兰实在蠢得有些讨厌，也就乐得跟她撒手了。查理呢，向来都好新鲜，因而从宠幸琥珀以来就对她体贴得无微不至。凡有宴会的地方他定要把琥珀请到，而且到处都对她十分优遇，那是惟有从前的卡塞曼和目前的司徒馥兰才办得到的。因此连一班贵族妇人也不得不向琥珀拍马屁，琥珀就踌躇满志，自以为知遇之隆无以复加了。

有一天清早，她正走过石画廊，碰到相爷克勒兰登从对面走来。当时画廊里面潮湿而阴冷，许多男男女女从那里匆匆走过，身上都穿着羊毛的或丝绒的大衣，肩膀上面都有庞大的皮围巾围裹着。从画廊的这头到那头，只见黑魆魆一片戴着黑风兜的人，因为宫里仍旧还替葡萄牙太后服丧。当时琥珀自己只能穿纯黑，所以喜得别人也如此，免得她相形之下要黯然失色。

那相爷低着头向她走来，眼睛一直看在地板上，因为他的风湿症正困扰着他，又为国家大事正装着满腹愁烦。当时他既然没有看见别人，自然也不曾特别注意到琥珀，本来就要走过去了，但是琥珀却去挡住了他的去路。

"早安，相爷。"

相爷抬起眼睛，匆匆对她点了一点头，谁知琥珀早已深深行了个万福下去，他就只得站住，给她鞠了一个躬。"你好，夫人。"

"真是运气得很呢！刚刚十分钟之前，我听到了一个非常重要的消息，是你该知道的，相爷。"

克勒兰登不觉皱起眉头，因为他虽毫不顾虑自己的地位，却有许许多多事情使他担愁着恼。"我很乐意听取任何报告，夫人，只要有益于我所服侍的主人皇上。"他口里虽这么说，神色之间却对她不以为然，而且分明露出急于要走开之意。

但是琥珀因为进宫以来很顺利，以为自己十分了不起，就要把皇上其他的情人都干失败的一桩事情干成功。她虽也跟别人一样，明知相爷的政治生命已经日子有限了，却仍想将他收伏，来作自己的一种装饰品，来做自己一件宝贝儿，以为这是别人无论怎样富有也买不到的。

“是这样的，相爷，这个礼拜五的晚上我要在阿木笔府里请客。万岁爷当然要到的，其他还有许多客——倘使相爷跟相爷夫人也肯光临的话——”

相爷不等她说完就僵硬地鞠了一个躬，为浪费这点宝贵时间大为恼怒了。他脚上的风湿痛得他如同刀刺一般。“对不起，夫人，可是这些日子我实在没有余闲来从事这种无谓的娱乐。国家正需要几个认真办事的人呢。谢谢你，再见罢。”说完他就走开了，后边跟着他两个秘书，手里都捧着大堆的案卷，撇得琥珀目瞪口呆地看着他。

随即她听见背后传来了一阵女性的笑声，急忙回过头去一看，却原来是芭芭拉。“真是天有眼呢！”卡塞曼笑道，“这也就够瞧的了！你指望他什么呀？想他派你一桩差使吗？”

琥珀见她这番羞辱偏偏给芭芭拉亲眼看见，心中大为恼怒，其实当时看见的人很多，这桩新闻原是等不到晚就要传遍全宫的。“这固执的老不死！”她只是喃喃骂道，“他要能在宫里待到过年就算他的运气了！”

“是的，不错，”芭芭拉表示同意，“你也会跟他一样。你这样的女人来来去去我已经看了七年了，现在我可仍旧在这里。”

琥珀傲慢地瞪视着她。“仍旧在这里，也许是恳求来的罢，据他们说是。”

原来琥珀回想自己当初那么妒嫉芭芭拉，芭芭拉已经一落千丈，自己却一步登天，竟可跟她面对面在这里相抗，所以对她怀恨之心反而减少了。她觉得自己已经可以藐视她，甚而至于让一着了。

芭芭拉竖起了她的眉毛。“恳求来的吗？唔，我也不懂你这话到底什么意思，我只晓得万岁爷待我非常好，几天之前还替我还过二万镑的债呢。”

“你是说他贿赂你了——要你把肚子里的小杂种打掉是不是？”

芭芭拉微笑起来。“唔？就算这样罢——为了打一个胎出这样的代价不是也很高了吗？”

这个当儿，司徒馥兰向她们走了过来。她身上穿着一件飘逸的蓝绸袍子，上面披着一件黑丝绒大衣，脚上一双金漆绳鞋，一头肉褐色的头发打着卷儿披在她的脊背上。她刚刚在画师罗蒂哀那里画了像回来，那画师是皇上委派的，因他要将她的画像铸在新币上去。当时她并不停留，只对琥珀冷冷点了一点头，对芭芭拉却只瞟了一眼。她疑心她们是在谈论她。

“喏，”芭芭拉等司徒馥兰带着三个侍女和一个黑奴走过之后便说道，“刚才走去的那块木头要让我们大家都笑脱下巴了。她可拿她的处女身份换了一个公爵夫人了。在我看来这宗交易做得很公平。我老实告诉你罢，当初我破身的代价没有那么高。”

“我也没有那么高，”琥珀一面说一面仍旧目送着馥兰，见她一路上把别人的眼光都吸引到她自己身上去，“可是我有些怀疑，不知那位公爵得到她之后还会不会把处女身份看得这么贵重。”

“哦，也许会的——因为这种处女身份到底很新奇呀。”

“你想得到她为什么要这样固执吗？”琥珀很想听听芭芭拉对于这事的意见，所以这样问她。

“难道你不知道吗？”芭芭拉的眼睛里面透出嘻笑和奸恶。

“唔，我至少已经得到一种极好的解释——”

这个当儿，皇上已经带着他的一班廷臣和一群狗儿拐过弯来突然走到她们面前了，他那深沉的声音激荡着一种称心的欢笑。“哈哈，怎么回事啊！我的两位最最漂亮的伯爵夫人怎么竟谈起天来了？你们是在这里诽谤谁的名誉啊？”

于是两位夫人顿时失去权当伴侣的情谊，重新成了各不相让的劲敌了。“我们正在这里祝愿呢，陛下，”琥珀先开口说道，“祝愿战争早些停止，以便我们又可去学时式的巴黎衣装。”

查理笑起来，随后伸出臂膀挽住她们两个人的腰，从画廊里走过去。“如果这场战争有不便于你们夫人之处，我可以答应你们，一定去跟他们讲和。”

他们走进皇上的寝宫，皇上向巴铿汉公瞥了一眼，巴铿汉公就走过来，刚给芭芭拉送过一条臂膀，琥珀就跟皇上走到里间去了。其时两位夫人都觉得自己获得空前的胜利似的。

此后不久，琥珀就发觉自己已经怀了孕。

她原不愿意毁损自己的容颜，虽是暂时也不甘心，但她心里非常明白，除非她能给他养一个孩子，否则一等床第之间那一股新鲜劲儿过去了之后，她就无法将他抓住了，因为他对孩子的母亲即使不感兴趣，但他如果相信孩子是自己所养，就无论如何不会漠然置之的。到了二月初，她将这个消息告诉他，他就显得同情而体恤，分明是很高兴了，竟仿佛是头一次听见这种喜讯。于是琥珀觉得自己在宫中的地位，竟如恒星一般稳固了。

谁知才过了两天，琥珀随班站在皇上朝房里，皇上忽然指着远远站在门口的一个年轻人，轻轻问她那人能有做丈夫的希望否。其时琥珀的心境本来很不平静，经这一问竟被惊动了。

“给谁做丈夫啊？”她问道。

“怎么，当然给你，亲爱的。”

“可是我并不想结婚啊！”

“这我也不能怪你，不过一个孩子生下来要是没有姓，那有点儿难为情，你想是不是？”他仿佛觉得很好玩，他那一撮漆黑髭须底下的一张嘴儿给她一种有点歪曲的微笑。

琥珀的脸色顿时变得雪白。“那么你想这个孩子不是你的了！”

“不，亲爱的，我并不这么想。我想这个孩子多半是我的，我对于养孩子一道似乎具有一种异常的灵巧，可怪的是该养的地方偏偏不养罢了。不过这个孩子既然不可能是你前夫的遗腹，那么除非你及早跟别人结婚，否则他是要辱没他的族徽的。将来他长大后很难在社会上做人，无论他的父母是什么身份。现在老实告诉你罢，你若肯跟人结婚，就可省得许多是非——至少不至传扬到白宫之外去。你要晓得，现在国事本来很棘手，已经弄得我一筹莫展了，百姓只要有错可揪，事情虽小也要归怨于我的。你懂吗，亲爱的？我会非常感激你，只要你——”

这时琥珀已经准备凡事都肯谅解了。她想起了芭芭拉那种恶劣的性情，欺人太甚，便一直使他烦恼，以致落得这样的收场。这便是前车之鉴，她不愿重蹈覆辙。

但是她又猜到了另外一个原因，是皇上不会对她说的——就为司徒馥兰的缘故。因为皇上每次结识一个新情人，馥兰总要有一番怨愤嗟叹，说她自己幸亏不曾上过他的当。

“唔，”琥珀回答道，“我的唯一志愿就是要讨陛下的喜欢。陛下若是有意，我是会再跟别人结婚的，只是请看在老天爷分上，千万给我一个我可以置之不理的丈夫！”

查理不觉笑起来。“我现在给你找的这个，就是不难置之不理的。”

于是琥珀又将门口那个年轻人看了看，见他年纪不比她自己大，又长着一脸苍白的皮肤，一副清秀的眉目，愈加显得他的嫩相了。他的身材大约是五英尺七八，一个瘦削身躯穿着一套不很出色的廉价衣服。他站在那里，虽然顾盼之间竭力装着满面春风，神情却局促不安。若不是查理指出他，琥珀永远不会注意到他身上去呢。

“我的天，可是他那样子简直是个傻哥儿呢！”

“不过柔顺得很的。”查理提醒道，一面就笑嘻嘻地低头看着她。

“他是什么爵位？”

“男爵。”

“男爵！”琥珀骇然地嚷道，“不过我是一个伯爵夫人呢！”当时她那种惊骇的神情，竟像要去嫁一个脚夫或是小贩一般了。

查理耸了耸肩膀。“唔，那么，假如我就封他一个伯爵呢？他的家族原是值得受封伯爵的，其实早已就应该加封，只是不知为什么我竟忘了。”

“这个办法倒也好。”那个年轻人已经觉得琥珀注意他，就愈加显得局促。琥珀却已对他目不转睛地欣赏起来。“你已经跟他说过吗？”

“没有。可是我会说的，而且事情很容易办妥，他的家庭在战争期间已经衰落得很了。”

“哦，我的天！”琥珀抱怨道，“那么又有人要来用我的钱了！唔，这回的事情要两样的！这回要由我来抓权了！”

第四十七章

"你对于荔枝门公爵到底觉得中意吗?"

这个问题是从荔枝门公爵向司徒馥兰求婚以来一直就放在查理心上的。在他看来,这个公爵那么麻木不仁,糊涂好酒,而且经济状况又那么不堪,就是跟一侍女结婚也还不配,更不用说馥兰那样娇生惯养的闺秀了。

馥兰见问,不免有些惊异地看着他。"对他中意吗?你为什么要问这句话?"

查理耸了耸肩膀。"我想这是可能的,至于他的爱你,那是确然无疑了。"

馥兰当即又卖起俏来,将她手里的扇子迅速一收一开,用她的右手食指数着扇骨。

"唔,"她开口说话时眼睛仍旧看着扇子不看他,"假如我觉得中意他呢?"

皇上的脸突地变坚硬起来。他的黑色眼睛急切地搜索着她的神色,两嘴角的两条纹路因肌肉紧张而加深。

"你果真喜欢他吗?"

馥兰这才抬起眼睛来看他,脸上仍旧带着那种嫣然的微笑,但她一接触他那愠怒的瞠视,立刻就变成一种惊异的表情了。"怎么,陛下，你的神色多么难看啊！什么事情使你着恼了？”

“你回答我罢，馥兰！我现在没有心绪跟你说笑话！而且你得老老实实回答我。”

馥兰发出一声微微的叹息。“不，陛下，我并不喜欢他。你以为我喜欢他就会使我的结婚更加光荣吗？”馥兰的话有时令查理惊异，因为他无法辨明她的话到底是天真或是狡猾，而狡猾的品性又是大家相信她不会有的。

查理给她一个迟缓而悲哀的微笑。“不，馥兰，并不会更加光荣——可是我应该承认，我听见你说这话确实觉得高兴，我向来不会妒忌——可是这一回——”

他耸了耸他的阔肩膀，一双眼睛若有所思地将她上下打量了一番。“我已经查过他的账，他的经济状况不堪到极点。倘若他没有爵位，早就该被巡捕抓去了。老实告诉你罢，馥兰，他实在不配同你结婚。”

“那么你知道什么更相配的人，陛下？”她尖刻地问道。

“目前还没有——可是稍等些时候也许会——”

馥兰打断他。“稍等些时候！陛下，你真不晓得自己在说什么呢！你知不知道我今年十九岁，而且我的名誉已经因为我自己的愚蠢几乎弄得不可收拾？这是人家第一次诚心诚意来向我求婚，或许这也就是最后一次！我的一生只有一桩东西——就是只求做一个规规矩矩、体体面面的女子！我不愿我的家庭把我当成一种羞辱。”

当时他们是在后宫的前室，等待着王后整妆。馥兰说到这里，鲍英吞夫人正从里间走过去，听见她这样粗起喉咙，不知他们在闹什么了。查理却已看见她停留在那里。

“你跟我到这里来罢，馥兰。”他们走到前室的外端。“我有一桩事情告诉你，”他说得很快，声音却放得很低，“你肯答应我严守秘密吗？连你的母亲也不告诉——”

“当然，陛下。”

事实上馥兰的确能守口如瓶，不像宫廷里和修道院里大多数女人那么多嘴多舌。查理深深叹了一口气。“我已经和根德堡的大僧正商量过离婚问题了。”

“离婚?”馥兰耳语般说道，脸上立即现出惊骇乃至恐怖。

查理先向四周看了看，知道房里没有别的人，这才急急忙忙和她说下去。“我想到这桩事情已经不是第一次了。据那些医生告诉我，他们都相信王后的孩子过不了九个月。约克公现在已经不大得民心了，将来人民知道了他的宗教信仰，那就一定还要对他起更深的反感。倘使我重新结婚，能够得一男性的嗣子，我的家族前途就会全部改变了——根德堡说这桩事情是有办法的。”

馥兰的思想和情绪都浮现到她脸上来。她一想象到这桩事情对她具有怎样的意义，不由一时的惊骇都融化做一种狡猾和虚荣了。到那时候司徒馥兰就是英国王后了!

她跟王族本来有一点远亲，她一直都觉得很骄傲，甚至比她的美还觉骄傲些。可是她一想起现在的王后，又不由得露出一阵怀疑和绝望的神色。“这要使她心碎呢。她这么爱你。”

查理一直都注视着她的脸，自己脸上带着忧郁的渴望和温情，及至听见这话方才叹了一口气，把眼光移到王后院子里一棵棵赤裸的橡树上去。“我也很怕再伤她的心——她本来已经伤心得很了。”一阵阴沉的怒容掠过他的脸，他的牙齿也突然打起颤来。“我真不晓得怎样才好!”他愤然地喃喃自语道。

他们继续在那里站了一刻儿，彼此都默默无言，眼睛也不相接触。这时凯瑟琳王后从里间门口出现了，一边是鲍英吞夫人，一边是威尔斯维妮弗。王后将头微微地侧着，脸上呈着一种急切的微笑，一看见查理就明白地露出不胜欣慕的神情。她在门口略略踌躇了一下，然后并着一双纤手慢慢地上前。

“我很抱歉，陛下，整妆时间花得太多了——”

她踏过门槛来时，查理已经回转身子立刻恢复了平静。现在他就笑嘻嘻地向她迎了上去。“亲爱的，只要你能有现在一半好看，哪怕你整了一个早晨的妆我也不会介意。”

王后微微红起脸来，那种粉红色跟她那淡黄皮肤十分相配；她的睫毛颤动得如同两只轻轻拍翅的黑蝴蝶。她正视着皇上的眼睛。

原来她虽出身璇宫，受过那种谨饬的教养，现在却也学会一点柔媚了，这在她是恰如其分的。

“我现在不幸福吗？”她喃喃说道，“你还这样阿谀我，实在是太好心了。”其时那班命妇都跟在王后后边走进来，大都是谈笑自若，漠不关心，但也有几个人把眼光移到馥兰脸上，去注视她的表情。馥兰将头翘了翘，走到王后面前，冲动地伸出一只手将她碰了碰。

“这并不是阿谀，王后。你今天实在是美得无以复加。”

她的声音和眼睛都诚恳到几乎热烈的程度。其时她们背后的鲍英吞夫人跟威尔斯耳语起来，说馥兰和皇上一定有了什么暧昧了，因为他们都对王后非常好。但是威尔斯反驳，她说皇上和王后一向恩爱，她不应该这么胡说八道。

其时天气非常冷，路上的情形更加不如前了，但是宫里的人正预备要去看戏。皇上将一条臂膀伸给王后，王后接住了，连忙送给他一个羞涩的微笑，心里很感激他的殷勤。他们动身向前走去。馥兰跟皇上的眼睛接触了一下。于是她心觉毫无疑义，只要凯瑟琳王后一天活在世界上，她司徒馥兰是绝然做不到英国王后的。

时间已经将近傍晚六点钟，那种阴沉沉的天气早已该点蜡烛。查理在他的一间比较幽静的密室里，坐在一张写字台上匆匆写着一封回复米妮姐的信。米妮姐新近寄来的原信也展开摊在那儿，查理不时瞥它一眼。他旁边的地板上坐着两头长耳朵的小狗儿，互相咬着身上的跳蚤，稍远一点还有几只狗，在那里叫着。

隔壁一间房里传来一些男人喃喃说话的声音——柏爷、塞德雷、韩密登詹姆士，以及其他五六个人——都在那里等皇上出来，换过衣服同去吃晚饭。他们正在讨论那天下午的戏文，指责那剧本、布景、服装、演员种种的缺点，同时又在比较池子里那些娼妓的短长。有时一个人突然大笑起来，其余的人也都跟着轰然大笑，然后又重新平静下去，但是查理当时专心致志在那封信上，简直就没有听见他们。

突然外边起了一阵大骚动，他听见一个很熟悉的女性声音在那里气急败坏地狂呼。“万岁爷呢？我有要紧消息报告他！”却原来是芭芭拉。

查理皱起了眉头，掷下他的笔，站起身来。我的天！难道这个女人的不知羞耻，竟是没有一个限度的！她明明知道这个时候他房间挤满了人，却偏偏拣这个时候来了！

他听见柏爷正在应付她。“万岁爷正在他的密室里写信呢，夫人。”

“唔，”他听见芭芭拉轻松地说道，“他的信尽管可以耽搁，我这句话却耽搁不了。”说着她就老实不客气地跑到里间门上敲起门来了。

查理开了门，将身子倚在门框上低头看着她，脸上显然呈出不悦和懊恼的颜色。

“唔，夫人。”

“陛下！我有句机密的话要跟你说！”她的眼睛往房间里看了看，暗示要到里面去说，“这是一桩非常重要的事情！”

查理微微耸了耸肩膀，往后退了一步，将她让进了里间，外间那些爷儿们彼此丢了个眼色，觉得非常有趣。哦，天，不知又要出什么事了！她虽在最最得宠的期间也不敢这样大胆的！但正想时，里间的门已经砰地关上了。

“现在——你到底有什么耽搁不了的重要大事啊？”他的声音分明显得怀疑而且不耐烦——因为他总以为她不过是装腔作势，要显得自己非常得宠的意思。

“我知道陛下刚刚去看过司徒夫人。”

“是的，去过的。”

“她却推说头痛得非常厉害，将你挡驾了。”

“你这情报似乎是无可置辩的。”

查理的声音显然带着讥讽，他的表情也显示着怀疑，因他从儿童时期以来就对人不肯轻易置信，现在经验愈丰富，这种脾气也愈加执拗了。当时他在猜想芭芭拉不知又要玩什么把戏，正等待着她自己露出什么破绽。

谁知芭芭拉突然露出一种卖俏的神情，她的声音也沉落做一种温柔的低调。“唔，陛下，我是因为她冷淡你才特地来安慰你的。”

查理听见这话不觉惊异地竖起眉毛，旋即呈出满脸的怒气。“夫人，你真变得叫人忍受不了了。”

芭芭拉当即仰头哈哈大笑起来，那一种肆意尽情的笑法是她所特有的，其中充满了轻蔑和残酷。但她说起话来时，她的声音虽紧张却低沉，不过她的脖颈上暴起了青筋，她的眼睛骨碌碌地闪烁着，她的肌肉一条条地绷紧了，仿佛一只猫要猛扑前去一般。

“你是一个傻瓜，斯图亚特查理！你是一个愚蠢可笑令人难以置信的大傻瓜，现在你的整个宫廷都在笑你了！你知道为什么罢？因为司徒馥兰正在你的眼前跟荔枝门公爵串把戏！你当她是躺在床上叫头痛，她却正跟公爵在开心呢——”说到这里她气喘吁吁地停住了，脸上闪耀着胜利，身上每根线条都显出了胜利——显出了胜利的报复。

查理不假思索地马上回答她，他往常那种镇定的态度不知到哪里去了。“你在说谎！”

“我在说谎！”他有些踌躇起来，仿佛怕她说的是实话，她却一把抓住了他的手腕。“来罢，你自己去看看她到底多么贞节——你那宝贝司徒馥兰！”

查理突然下了决心，猛地甩脱她的手，就动身出房去了。芭芭拉咧开嘴来，在他的脚后尾随着。当时他只穿着一件白麻纱衬衫和一条短裤，他的假发也留在密室里的一张椅背上。门口两个廷臣突然退后了几步，脸上装得非常之庄严，显得他们刚才并没有偷听他们的密谈。查理也不理他们，管自匆匆走出去，穿过那些迷阵一般的房间和过道直向馥兰的卧室，致使背后人人瞠目结舌地看着他。芭芭拉的高跟鞋橐橐响在他身伴。

但是到了馥兰卧室的门口，他就站住了，将手放在门把儿上。“你已跑了不少路了，”他对芭芭拉干脆地说道，“现在你可以回房去了。”芭芭拉大为失望，只瞠着眼睛看他，他自己管自推门进去了。

馥兰那个娇小玲珑的侍女正坐在前房，一见查理不觉吓得大张开嘴，急忙一下跳起迎上来。“哦，陛下！你怎么——不要进去罢，请你！你走之后她痛得非常厉害——可是现在她已睡着了！”

查理连看都不看她，只拿一条臂膀将她挡开。“这且等着再看罢。”说着他就管自走上前，穿过前厅走进起居室，毫不迟疑地推开卧室门。

只见馥兰坐在她床边，身上穿着一件白缎的短褂，头发披散在她肩膀上，她的身边坐着个年轻人，正捏住她的一只手。查理的身影突然出现在门口，巍巍然同个愤怒的复仇神一般，吓得男女两人都回过头来。当即馥兰发出一声惊慌的尖叫，那公爵也大张着嘴，竟至帽子也忘记脱，站都站不起身了。

查理慢慢地向他们走去，两片嘴唇瘪成一条线一般。“我还不相信她呢。”他轻轻说道，“我还当她是说着玩的。”

“你当谁是说着玩呀！”馥兰自卫地喊道。这时她已懂得他所以愤怒的缘故，并已猜到他心里在想什么了，因而也突然觉得怒不可遏。

“卡塞曼夫人。我的事情连我自己还蒙在鼓里，她却仿佛已经知道一些了。”说着他那乌溜溜的眼睛从馥兰身移到了荔枝门公爵身上，其时公爵已经下床来，站在那里拿着一顶帽子不住旋转着，那副神气活像一只吃了鞭子的狗儿。“你到这里来做什么？”查理突然向他质问道，不觉声色俱厉了。

公爵发出一声含着道歉的很不愉快的浅笑。“嗯！我到这里来拜访司徒夫人。”

“这是不用说的了！不过你倒说说看，她正病得别的朋友都不肯见的时候，你有什么权利可以见她呢？”

公爵突然觉得当着自己爱人的面不便做出风头十足的样儿，只得用强硬的口气回答道：“至少我是预备和她结婚的，陛下，我的希望大概比你陛下要多些罢。”

查理眼睛里面突然冒出了怒火，紧紧捏起拳头逼近公爵身边来。公爵明知自己不是查理的对手，不愿吃这眼前亏，便从窗口里跳出去，把个馥兰吓得大声地尖叫起来。

查理早已赶到了窗前，眼见公爵陷入窗下河沿烂泥里，随即重新爬起来，一溜烟地奔入迷雾里去了。查理仍旧满脸轻蔑和憎恨地站在那里对公爵的背影瞠视了半晌，然后掉头朝着馥兰。

“我万想不到你会干出这种事。”

馥兰很倔强地瞪着他。“陛下，你真使我觉得莫测高深呢！倘使这样一个存心完全纯正的人我也不能够见，那我真的做了一个自由国度的奴隶了！”说着她将一只疲倦的手擦了擦她那搏跳不住的额头，不等他开口，便又热烈地继续大嚷，“倘若你不要我结婚，陛下，你是有特权可以不允许我的！可是你至少不能防止我渡海到法国进尼庵去！”

查理带着满肚子的不信瞠视着，他想自己对于司徒馥兰已经钟爱了四年，现在她到底碰到什么了？怎么她一下子就会变得这样冰冷而厚颜，竟至拿她的杨花水性来炫耀，仿佛存心要在他的朋友面前拿他做傻子一般。于是他发现自己活到三十六，却仍旧还有学不尽的乖。

他慢慢地开口了，他的愤怒之中已经夹进了几分悲戚。“我原不愿相信你会有这种事，馥兰，不论是谁来报告。”

馥兰仍旧很倔强地瞪着他，觉得他那根据既往经验来下结论的怀疑主义深深地可恨。“陛下是很容易专从坏处着想的！”

“但是照现在的情形看起来，也似乎并不很容易！我以为自己从出娘胎以来就已知道天下只有傻子才会信任女人——然而我竟违背自己的这种信念而信任你了！”

他略略停了一停，那张黝黑的脸上现出一种嘲讽的神色。“我早就应该发觉的——”

这时馥兰已经将近发狂了，她用颤抖而尖利的声音道：“我想陛下不如早些离开这里罢，否则那个领你到这里来的人又要疑心你在这里不干好事了！”查理仍旧满肚子不信地朝她看了半晌，这才默然无言地掉转脚跟走出房去。到了门口过道里，他碰见相爷克勒兰登的儿子海德劳伦斯，便对他嚷道：“哦，原来你也同他们串通一气了！我可以对天赌咒，这桩事情我是永远忘不了的！”劳伦斯被他说得莫名其妙，只瞪着眼睛看看他的后影，他却已经转过了弯去远了。这位温文尔雅向来不动声色的查理，霎时之间竟变得这样暴跳如雷，真是使人意想不到呢。

第二天，馥兰就将查理平时赐给她的东西差人逐一送还他，其中有一串珍珠，是三年前情人节赐给她的，此外无非镯子、耳环、项圈之类，都是在她生日或是圣诞节所送的礼物，现在一概都送还他了，连条子都不附一个。查理当即都扔进火炉里去烧掉了。

同是这一天的早晨，馥兰突然跑到王后寝宫里。她从头到脚都拿一件黑丝绒的大氅包裹起来，又戴着一个面具。当她走到门口揭去面具的时候，王后和所有的宫人都惊异地看着她。她在门口踌躇了一会儿，然后急急跑到了王后面前，双膝跪在地板上，拿住王后的衣缘碰碰自己的嘴唇。王后吩咐左右的宫人，叫她们回避，她们就散开窃听去了。

王后低下头来亲亲馥兰的头顶，不想馥兰竟哭了起来。她拿双手掩着她的脸，悲悲切切地说道："哦，王后！你一定恨杀我了！你有一天会饶恕我吗？"

"馥兰，亲爱的——你千万不要这么哭——这要使你头痛的——这儿，看在我的面上，可怜的孩子——"她那温暖而柔和的说话仍旧带着一点葡萄牙口音，但是因此反而显得更柔婉。她拿一只手托住馥兰的下巴颏，要将她的头抬起来。馥兰虽不愿意，也只得服从她。两人默默相视了一会儿，她又呜呜咽咽地哭了起来。

"我很伤心，"王后说，"我替你觉得伤心。"

"哦，我并不是为我自己而哭的！"馥兰抗议道，"我仅仅是为了……我有时候看见你眼睛里那种不快乐的神色就会哭，就是当你……"她突然觉得自己说话太大胆，立刻将它收住了，过了一会儿才像连珠炮一般将她要说的一番话一口气说出来，仿佛要将自己几年来对于王后因虚荣心而犯的种种罪孽，在两分钟之内统统招供出来似的。

"哦，你必须相信我，王后！我所以要结婚的唯一理由就是要离开宫廷。我并没有存心伤害你——从来不曾有过一刹那这样的念头！

可是我免不了虚荣，愚蠢，而且欠考虑！我是不免做了傻子了——不过我从来没有损害过你，这我可以赌咒！他从来没有做过我的情人——哦，你说你相信我罢——请你相信我罢！”

其时她将王后的手紧紧揿住自己不住转动的咽喉，仰起了头，抬起眼睛，露出一种热烈的恳求的神色。她一直喜欢王后，可是直到现在方才明白自己多么诚心地爱慕她，也直到现在方才觉得自己以前的行为多么令人惭愧。她觉得自己并没有顾及王后的感情，犹之并没有顾及查理的许许多多情人一样，甚至比之芭芭拉也不见得两样看待的。

“我相信你，馥兰，凡是年轻女子谁都有人捧。你是一向好心，一向宽宏大量的。你从来不曾利用你的权力来做损害别人的武器。”

“哦，王后！我不会的！我真的不会！我从来不会存心要害什么人！不过有一桩事情我要王后知道——我也知道你会相信我：就是荔枝门公爵来看过我。我们不过坐在那里谈了一会儿天。我们不曾有过什么不规矩的事！”

“当然不会有，亲爱的。”

馥兰突地瘫软下去，她的头也颓然垂落。“可是皇上再也不肯相信呢！”她轻轻地说道，“他是没有信仰的——他什么事情都不肯相信。”

这时王后也已衔着眼泪了，并且慢慢摇着她的头。“也许他会相信的，馥兰，也许他会相信的，并不如我们所料。”

至此馥兰已经觉得疲倦而颓唐。她将嘴唇重新在王后的手背上印了一印，慢慢地站了起来。“现在我得走了，王后。”她们站在那里相视了许久，脸上都流露出舍不得的样子。“我也许永远不能和你见面了——”说着她迅速而冲动地亲了亲王后的面颊，然后转过身子急忙奔出来。王后站在那里目送她，依稀露出一点微笑，并且举起手来轻轻擦了擦脸儿，不觉几颗眼泪滴落在她的胸膛上。这事以后三天，馥兰就离开了白宫——她跟荔枝门公爵一同逃亡了。

第四十八章

二月里的一个凄风冷雨的夜晚，巴铿汉公拿一片黑色的假发乔装起来，本来淡金色的眉毛和髭须都染成了黑色。他和艾敦博士面对面坐在一张桌子旁，趁那星相家在一张满是星月和几何形的图上查看的时候注视着他的脸容。房间里点着几支烟沉沉的脂肪蜡烛，气息如同在熬油一般。风从烟囱里面一阵阵倒冲进来，熏得他们的眼睛同发烧一般，又不住一阵阵地呛咳。

“怎么会有这种该死的天气！”公爷一面喃喃咒骂着，一面吭吭地拿他的骑马大衣去扪自己的嘴鼻。及至艾敦博士抬起他那瘦棱棱的脸儿，他就急巴巴地从桌面上俯过身子。“是什么？你查出什么来了？”

“我查出来的东西是我不敢说的，殿下。”

“呸！那我给你年金做什么呢？你尽管说出来罢！”

艾敦博士装出一副受了强迫的神气，终于服从公爷的命令了。“倘使殿下一定要我说，我也只得从命。我查出来的是他两年以后的一月十五日要骤然死去——”说到这里，他做了一个戏剧性的停顿，将身子扑了上前，眼睛盯在公爷的脸上，大声说出他的下文来，“那时候民心所归，殿下就要继承英国的大位，而且要子子孙孙昌隆郅治，因为微氏一族是注定了要做我们民族史上最最伟大的一个王朝了！”

巴铿汉公眼睛盯在他脸上，分明已经听得出了神。“哦，耶稣！这话难以相信呢——可是——另外你还查出了什么？”他因急于要查明底细，所以又突然问他。这时公爷仿佛站在一个奇异国土的边缘，可能看见未来的日子，发现未来的形状一般。查理向来蔑视这种把戏，常说一个人即使可能看见了将来，却也不便预先知道自己的命运，无论那命运是好是坏。当时公爷想起他来，心里暗暗在窃笑，以为其他较聪明的人正可利用这种命运来为自己谋利。

“他将来要怎样——”公爷说了半句急忙收住了，觉得这句话直说出来实在有点忌讳，“将来这场大悲剧是为什么原因而起的呢？”

艾敦博士又向那张图上看了看，仿佛要再敲实一下似的，及至他回出话来，他的声音已经只剩一种耳语了。

“不幸得很，命星排定皇上是因秘密施放的毒药而死。”

“毒药！”

公爷不觉一顿，回到他的座椅上，眼睛盯着炉中的煤火，手指节儿在桌面上擂起鼓来，竖起眉毛沉入了冥想。斯图亚特查理会遭人暗算中毒而身亡，他微佐治却要俯顺舆情继登英王的大位。他越想越觉难信了。

他的这种冥想突然被一阵急遽的敲门声所惊破。“什么！你约了什么人来吗？”

“哦，我倒忘记了，殿下，”艾敦耳语道，“卡塞曼夫人跟我约定这个时候要来的。”

“芭芭拉！她以前到这里来过吗？”

“只来过两次，殿下。最后一次已经是三年之前了。”那敲门声又起来，敲得既响且急，像有点儿光火了。

公爷急忙站起来，走到里间房的门口。“我到里面去等她走罢。你得尽快将她打发开——而且你若要性命的话，千万不要让她知道我在这里。”

艾敦点点头，连忙将桌子上那些批定查理不得善终的命纸儿收拾起来塞进抽屉里。及等公爷藏好，他就跑出去开门。芭芭拉带着一阵冷风踏进屋子，脸上给一个黑丝绒的面具完全遮没，红头发上罩着一片银光闪闪的假发。

“见什么鬼啊！什么事情把你缠得这么久？难道这里关着一个婊子么？”

说着她将那黑獭皮的手套扔在一张椅子上，又解下头上的风兜，同着大氅一起扔开去。然后她走到火炉旁边去烤火，将躺在炉边的一只瘦花狗一脚踢开。

“我的天！”她搓着一双手儿浑身发抖地嚷道，“我可以赌咒。世界上从来没有过这么冷的天气！已经刮起狂风来了呢！”

“我可以请夫人喝一杯麦酒吗？”

“来得！”

艾敦走到食橱旁边，一面倒酒，一面眼睛斜视过来对她道：“抱歉我没有葡萄香槟之类的好酒来宴客，真是抱歉之至，可是我也实在太倒霉；我的顾客大多数是赊了账不肯还的。”他耸了耸肩膀。“他们却说我是自作自受，太会巴结阔人的缘故。”

“还是在唱这个老调吗，嗨？”她从他手里接过杯子，便送到嘴边去狂吞起来，觉得那酸酒儿从喉咙里滚下去，渐渐地暖起肠胃了。“我有一桩极重要的事情要请你来决断。这事的关系非常重大，你一点儿都不能弄错！”

“我上次给你算的命不是很准吗，夫人？”

说着他将上半个身子扑上前，合叠着一双大关节的手，声音态度之间都露出胁肩谄笑的样儿，只巴望她给他一声褒奖。

芭芭拉不耐烦地瞥了他一眼，因为在当时，王后是她的仇敌，现在呢，她已不知不觉之间变成她的一个最亲密的盟友了。现在芭芭拉所最不愿意的，就是眼见另外一个美貌而坚决的女人来跟查理结婚；假如王后不幸而遭遇这样的事，那么她芭芭拉在白宫里的日子也就马上完结了，这她心里很明白。

“请你不必费心去提这种陈年旧事罢！”她很尖利地告诉他说，“你在这一行，这种脾气是要不得的。我知道你对我那堂兄弟倒曾有过一些有用的忠告。”

“你的堂兄弟，夫人?”艾敦的脸上显出不知所云的样子。

“你别傻罢！你是知道我指谁而说的，巴铿汉啊，当然是!”

艾敦摊开两只手表示抗议。“哦，可是，夫人——你一定是错听别人的话了。当初我因顾客积欠命金以致自己负了债，被人捉到新开门里去，他殿下好心放我出来是有的。但是从此以后他就从来没有照顾过我了。”

“瞎说八道!”芭芭拉喝干那杯酒，将杯子放到拥挤的炉台上。“巴铿汉连扔一块骨头给狗也不会无所求。我现在老实告诉你罢，我确实知道他到你这里来过，所以要提醒你一下，免得你把我到这里来的消息报告他去。其实我对他的行动探得很明白，并不亚于他探听我的。”

艾敦明知他们所讨论的那个人就在隔壁房间里听他们说话，所以越发觉得不敢承认了。“我抗议，夫人——一定是有人跟夫人开玩笑。我可以赌咒，自从那一次以来，我的确不曾见过他殿下的面。”

“你这种谎撒得简直同个婊子一般了！好罢——你既然能够替他这样严守秘密，那么对于我的秘密也总该同样守口如瓶。现在我们不谈这个了。我这回来的目的是这样的：我有理由相信自己又已怀孕——我是要你告诉我：这个孩子我到底该归咎于谁?这桩事情是对我极重要的。”

艾敦不觉睁大了眼，不住咽着唾沫，以至他那皮绷骨的颈脖上一块尖棱棱的喉头骨不住地滚上滚下。我的天！这种事情才叫难办呢！虽是一个做父亲的尚且很难认定自己的孩子，你叫一个完全站在局外的人怎么能够知道呢?

不过艾敦之所以远近驰名，并不靠他不肯回答别人的问话。现在他就拿起他那厚玻璃的绿色眼镜（因为他觉得这种眼镜越发可以显出他那学问渊深的神气)，将它架在鼻尖上，跟芭芭拉一同坐下。然后他将桌上那一些图悉心探究，一面用一种假拉丁文写出一些奇怪的语句，又画了几个星儿月儿，拿好几条直线将它们割切着。

他不时清清喉咙，“嗯嗯”地哼几下。

芭芭拉扑过身子注视着他，一面不住旋转着自己左手上的一只庞大的钻戒，要将那上面的结婚印记盖没掉——因为她跟琶默六吉早已有过协议不再发生任何关系了。

后来艾敦清过最后一次喉咙，抬起头来跟她面对着，从那蜡烛烟里看着她那一张雪白的脸儿。“夫人——我得请你将这事的内情全部告诉我，否则我就讲不下去了。”

“很好。你要知道什么？”

“请夫人不要见怪——可是我必须知道跟你这个不幸事件有份的那些爷儿们的名字。”

芭芭拉稍稍皱了皱眉头。“你会很谨慎吗？”

“自然啰，夫人。”

“好罢，那么——第一个就是皇上——我希望你查出来应该负责的就是他，因为我若能使得他相信，就可省得我许多麻烦了。还有末——”她迟疑了一下。

“还有谁？”艾敦催她道。

“你这天杀的！你也让我稍稍想一下啊。还有韩密登詹姆士和郝查理——不过你不要把郝查理算进去，因为他是一个很卑微的人，不过是一个戏子，还有——”

这个当儿突然传出一种尖利的声音，一半像笑一半又像熬住咳嗽一般，芭芭拉吓得一下子跳起来。“啊呀！这是什么呀？”

艾敦也同样跳起来。“不过是我的狗呢，夫人。他在那里做梦罢。”

他们都朝那只花狗看过去，见它躺在火炉旁边抽筋，分明是在梦里跟人家追逐。

芭芭拉满腹狐疑地瞥了博士一眼，重新坐下去，继续说道：“还有自己新雇的一个跟车，可是他并不是有身份的人，你也用不着将他记下；还有曹戴克夫人的一个小厮，可是他年纪还太轻——”

说到这里忽又起来一声轰然大笑，这回分明不是狗叫了。艾敦正要从椅子上站起来，芭芭拉早已一跳而起，奔到了里间门口，因为笑声分明是从里边传来的。她猛然推门进去，给那公爵的胸脯结结实实一拳。

其时巴铿汉公正弯着腰笑得不可开交，吃了一拳方才惊觉，连忙伸出一条臂膀叉住她的喉咙，一面跳来跳去竭力回避她的爪抓和脚踢。在这互相挣扎的当儿，彼此都抓住了对方的假发，将它抓了下来。芭芭拉吓得大张着嘴，连忙倒退回来，手里抓住公爵那蓬黑假发；公爵也把她的假发摆荡在身边，像是一件狰狞可怕的战利品似的。

“巴铿汉！”

“在这里伺候你哪，夫人。”

他向她假装正经地鞠了一个躬，将她那蓬假发扔到桌子上。艾敦仍旧站在桌旁发愣，心想这一场闹一定将他毁得干干净净了。芭芭拉急忙将假发抢在手里，重新将它拍上头，却拍得歪歪斜斜的。

“你这下贱的野种！”她终于能够找出话来说，因而愤然嚷道，“你是什么意思，凭什么要跟踪我？”

“我并不是跟踪你，亲爱的妹妹，”巴铿汉冷冷地答道，“你来的时候我已经在这里了，所以躲到卧室里去等你走，以便跟这位博士继续办事情。”

“什么事情？”

“怎么，我是来问问下次要跟什么女人养孩子的。”公爵回答这话时，嘴角上面显然露出玩笑的神气。“只是怪我自己笑得太早些罢了。你刚才对博士说的这段故事倒有趣得很，只是请你满足一下我的好奇心：你新近跟你的黑奴睡过觉吗，或者是跟相爷？”

“你这卑鄙龌龊的流氓！你知道我是恨杀那老头儿的！”

“那么我们总算有一桩事情意见一致。”

芭芭拉动手捡起她的东西——面具、扇子、大氅、手笼，又将风兜重新结上她的头发。“唔，我要走了，让你在这里了结你的大事罢，爵爷。”

“哦，可是你得让我送你回家，”公爵连忙抗议，因为他疑心芭芭拉要立刻向皇上搬弄是非，故而设法将她拉住，“你在那片残基上走路危险得很呢。昨天我还听说一个贵族太太给人从马车上拖下来，劫了东西还要打，打得半死才把她扔在那里。”

他这话是真的，因为浩劫以后的城里确实是盗贼横行，且也很难雇到代步的马车。

“你是怎样来的？”

“坐小榻车来的。”

“唔，幸而我不但有我的马车在这儿，并且有十几个跟车在底下等着，你这样毫无保护地出门真是危险得很呢，亲爱的——幸而我在这里，可以送你平安回家去。”

公爵一面说一面就将他的假发重新戴起来，又将他的羽帽压在上面，然后别转头去，向那博士使了个眼色，一面就向芭芭拉伸过一条臂膀。随即两人手挽手地动身走下楼梯，其时艾敦惊魂已定，竟拿一支蜡烛来给他们照亮了。

“你要记得，”芭芭拉走到楼梯当中又回过头叫道，“这桩事情对谁都不许泄漏一个字，否则我要剥掉你的皮！”

“知道了，夫人，你尽管放心罢，夫人。”

出得门来，天气非常冷，寒风夹着潮湿的烂纸扫过那些狭窄黑暗的街道，雨点同针尖似的刺在他们的脸上。月亮完全给云遮没了，面前一片漆黑。巴铿汉公把手指头放在嘴上吹了声口哨。随即有五六个人从黑暗中钻出来，如同鬼显形似的，又过了两三分钟，便见一部八匹马拖的马车从一处斜坡上辘辘下来，当即又有六个人从车后跳下。公爵向赶车的吩咐几句话，挽芭芭拉上了车，车轮就辘辘地碾起来了。那些跟车的一部分是在车里，一部分在车后步行；前面两个小厮一边一个手里擎着雪亮的火把。

他们驱下大塔山，转入了塔街，那些火烧的余烬依然堆积在那里，只是辟出一条路来可以通行了，然后进入东卑居和华得林街，那两英里多路程走得非常慢。接着经过一大堆废铁和圆石，原来是圣保罗教堂的残基，就经舰队街和河滩而入白宫了。

芭芭拉一坐上了马车，便又冷得簌簌发抖，缩在她的大氅里面牙齿不住地打战。

巴铿汉公当即献殷勤，拿了一条翻毛的丝绒毯子盖上她的膝头。“你一会儿就会暖和了。”他安慰她道，“等我们经过一处酒家，我去叫两杯羊毛酒来喝喝。”可是他这样的殷勤打断不了芭芭拉的话。“要是万岁爷知道了你去找过星相家，他会有怎样的感想呢？”她仍旧向他问道。

“你要去告诉他吗？”

“也许要，也许不要。”

“假如我是你，我是不会告诉他的。”

“为什么呢？你近来对我的态度实在可怪得很了，微佐治。我是统统知道的，大概连你自己也想不到罢。”

公爷当即皱起了眉头，只恨不得看见她脸上的表情到底怎样。“那是你弄错了，亲爱的，我根本就没有什么事情可让你知道。”

芭芭拉笑起来，是一种由他旁边黑暗中发出的清脆而无礼的笑。“哦，没有吗？那么我来替你提起几件罢。我知道你已叫人排过一个八字了——而且并不是你自己的八字呢。”

“这是谁告诉你的？”公爷突地伸过手来抓住了她的臂膀，那气力非常之猛。她不觉皱起眉头，竭力想要挣脱，可是公爷再也不肯放，并将脸儿凑近她的脸。“回答我！这是谁告诉你的！”

“你松手，你这混蛋！我不会告诉你的！你松手，听见了没有？”她一面嚷着，一面就将那只自由的手给他一个声音清脆的耳光。

公爷啊唷了一声，急忙放开她，随即伸手去摸那火辣辣的脸。这天杀的！他心里愤然地想道。假如她是别人，我就一顿将她揍死了！可是他耐着性子，反而对她嬉皮笑脸地讲起好话来。

“你听我说，芭芭拉，亲爱的。我们是老朋友了，决不会变成仇敌。我们要是闹翻了，双方都很危险的。你到现在自己也该明白，倘若我去跟万岁爷把那些信的事情说出来，他立刻就会叫你滚蛋。”

芭芭拉仰头大笑。“你这可怜的傻子！他连做梦也没有想到这桩事呢！我有时候觉得他真蠢得同木鸡一般，他连寻都不曾寻过一下！”

“那你错了，夫人，他已经把整个宫廷都翻了个底朝天了。可是这桩事情全世界上只有两个人知道：你芭芭拉和我。”

“你真是讨人厌呢，微佐治，竟同我油膏里的苍蝇一般。有时我竟存心想要毒杀你——只要你替我滚开，我就什么都不用担心了。”

“可是请你不要忘记——关于意大利生菜的配料方法我自己也略知一二的。现在我们讲几句正经话罢！你告诉我，刚才你说的这个情报是从哪里来的——你要老实告诉我，我有一个非常敏锐的鼻子，凡有谣言我都能闻得出来。凡是谣言对我都有一种刺鼻的臭味。”

“如果我把我知道的事情告诉你，你可以告诉我一桩事吗？”

“什么事？”

“告诉我那是谁的！”

“谁的什么？”

“八字呀，你这蠢货！”

“那么你到底没有知道什么了。”

“你就试试看罢——我所知道的事情尽可以把你拿去绞杀的。”

“好罢，那么，”公爵平心静气地说道，仿佛这种消息是他每天早晨吃早饭之前都要听到的一般，“你不要忙，我来告诉你就是了。不过，亲爱的，事实上我对于麻绳活结向来都怀着一种不可医治的厌恶。”

“这也是一宗交易啊。你给他排八字的那个人是非常重要的，倘使事情败露了，你这条命就一文不值了。现在不要问我这个消息从哪里来的，”她又急忙拿个指头在他面前摇了摇，补充道，“因为我不会告诉你。”

“好家伙！”公爵喃喃地说道，“真不晓得你从哪里听来这种鬼话的！此外你还知道什么呢？”

“这还嫌不够吗？现在——告诉我罢：到底是谁的八字？”

这时公爵已放了心，就轻松地吁了一口气。“好罢，你已经拿住我的把柄了，我也就不得不告诉你。可是这桩事情要是有一个字儿泄露给别人——那你要当心，我就要把那些信的事告诉皇上。”

“好的，好的。到底是谁的八字？赶快说罢！”

“我也不过遵皇上的命，拿约克的八字去排一排，看他将来会不会做皇帝。现在这件事情已经有三个人知道了——皇上，你和我——”

这一个谎芭芭拉竟相信了，因为公爵说得非常像。当时芭芭拉虽曾答应公爵决不会对谁泄露，但是不久之后就觉舌头痒巴巴有些缄默不住，因为这是一个足以惊天动地的秘密，保留着它一定是有莫大价值的。而且这种价值一定不能单拿金镑来计算，她尽可以借此去敲诈一番，以期后半生世都吃用不尽，就是皇上再去宠幸别人她也可以不管了。

有一天晚上查理正从她床上下来的时候，她竟向他索讨一万二千镑。

“假如我有一万二千镑的话，”查理一面对镜戴假发，一面回答她，“那我就先去买新衬衫来穿了。我的太监因为欠俸银，新近把我的衣橱都抢光了。这班可怜家伙我也怪不得他们。有几个人从我回国以来连一个先令都没有拿过呢。”

芭芭拉一面套上寝衣，一面气呼呼地瞪了他一眼。“天晓得，陛下，我看你近来吝啬得同个犹太朝奉一般了。”

“我只恨不得同个犹太朝奉一般有钱呢。”皇上说着就戴上帽子动身向门口走去。

芭芭拉连忙将身子挡住了他的去路。

“我告诉你罢，我这笔钱是非要不可的!”

“是泽民逼你要钱吗?”查理嘲讽她道，因他新近正听人盛传，说现在芭芭拉对于有些情人肯倒贴了。他整了整他的花边领结，要从她身边擦过去，可是芭芭拉已经抢先到门边，将门把手儿抓在自己手里了。

“我想陛下不如再考虑一下，”她有意停了一停，然后竖起她的眉毛接着说，“否则我有几桩事情也许要去告诉殿下了。”

查理觉得莫名其妙地皱了眉头，可是他的嘴角装出一种觉得好玩的神气。“你到底在说什么呀?”

“啊唷唷，煞有介事！可是你要听见我已知道你正在尝试发现的事情，那你大概总要觉得惊异罢!”好了，话已经说出口了！她实在并不想说，可是她的舌头不由她做主，她那舌头的脾气向来如此。

查理摇摇头，并不感兴趣。“我不知道你在说什么。”说着他转着门把手，将门开了数英寸，但一听见芭芭拉说了下面一句话，便又突然站住了。原来她在说：

“你知道巴铿汉和我又做了朋友了吗？”

查理关上门。“巴铿汉跟这桩事又有什么相干呢？”

“哦，还要假痴假呆做什么！我已经统统都知道了！你把约克公的八字拿去叫人排，看他将来会不会做皇帝，是不是？”你瞧他！她心想到，可怜的傻子，竟装作没有这一回事呢。一万二千镑这一点钱哪里放在我的心上啊！我本应该问他要二万镑或者三万镑的呢——

“这是巴铿汉告诉你的吗？”

“不是他还有谁？”

“他真是见了鬼了！我本叫他严守秘密的。唔——你最好不要让他知道你已经告诉了我，否则他要光火的。”

“哦，他除我之外从来没有告诉过任何人。我也无论如何不会让他晓得我已经告诉过你，现在——我那一万二千镑怎么样？”

“你且再等几天罢，我来看看到底有没有办法。”

第二天早晨，查理跟阿林敦男爵贝纳特哈利在那里谈天，因为这人从前曾是巴铿汉公的朋友，现在却已将他恨入骨髓了。事实上，巴铿汉公在宫廷里早已没有剩下几个朋友，因为他向来都好新鲜，对于日常聚在一起的朋友是无论如何忍耐不了的。当时查理就照卡塞曼夫人的口气一一告诉那位国务卿，可是始终不提及芭芭拉的名字。

“我的看法是，”皇上说道，“那个来向我报告的人自己也受人家的骗了。我却认为巴铿汉拿去排的是我自己的名字。”

其时阿林敦与巴铿汉不睦，只恨不得有人将那公爵的头送来给他才痛快。他的蓝色眼睛闪烁着，他的嘴唇瘪得同一个陷阱一般，他的拳头在桌子上砰砰捶打着。“我可以指着耶稣赌咒，陛下；他这行为真是大逆不道呢！”

“且慢，哈利，”皇上纠正他说，“且等我们得到证据再说罢。”

“证据会有的，陛下，不消一个礼拜的工夫，你交给我去办好了。”

三日之后，阿林敦就将一叠案卷交给了查理。原来他当日奉命之后，立刻就把宫里的暗探动员起来，将艾敦拘案审讯，查出他寄给巴铿汉的几封信来，还有巴铿汉寄给他的一封信。查理想起自己跟巴铿汉实在够得上共乳兄弟，不料他竟干出这种奸逆行为来，觉得心痛之至，当即下令缉捕他。谁知当时公爵正在约克区，早已受了夫人的警告，等到皇上的锦衣卫前来抓取，他已先一刻儿从家里逃出去了。

接下来的四个月里边，公爵都跟锦衣卫玩着猫儿赶耗子的把戏。有时谣传说已经查到了地方，并派多人去搜访，谁知每次都拿错了人，或是临要拿到仍被他逃脱。百姓都在评论皇上的侦缉方法有些不力，比之克伦威尔时代颇觉瞠乎其后了。不过他的屡次脱逃实在也是毫不足怪的。

十五年之前，皇上本人也被人画着图形悬赏通缉，但是他的足迹走遍了半个英国，结果还是被他逃到法兰西。还有许多极有名望的贵族，乔装走进酒馆或是妓院里面去，别人也认不出他们来。而且无论什么老爷、太太啦，只要除去了饰物，紧急之时都无人承认他们的身份了。至于巴铿汉公是做惯了这套把戏的，面容仪度之间都非常善于化装，哪怕最最熟悉的朋友也认他不出。

后来他居然混进宫里去了，身上穿着卫士的制服，手里拿着毛瑟枪，头上装着黑色的短假发，髭须和眉毛也都染黑了，又穿上了一双皮靴，增高他的高度，而他的两肩都拿绵花垫高。向来宫中画廊里面往往要立着卫士，以防决斗或其他意外纷扰之用，所以他站在那里两小时之久，竟不曾有人注意他。他一直注视着芭芭拉的房门口，看看谁人进去，谁人出来，倒觉得非常有趣。

差不多中午时分，芭芭拉带着威尔逊和其他两个侍女漫步出来了；一个小小的黑奴捧住她的裙后幅，另一个黑奴捧住她的手笼，里面一只小狗露出一张怒冲冲的脸。芭芭拉连看都没有看见他，管自走了过去，但是一个侍女看见了，他朝她微笑笑，那侍女也微笑笑。过一会儿她们回转来，那个侍女朝他笑笑，但是这回芭芭拉也看见他了。当她走进门去的时候，回过头来瞥了他一眼，对他那塞得结结实实的胸膛颇为赏识，因而一只眉毛微微耸起来。

第二天早晨，她走出来站住了，眼睛懒洋洋地瞟着他，一面摆弄着手里的扇子。“你就是昨天在这里站过的那个人吗？今天是不是要有什么决斗？”

他恭恭敬敬地对她鞠了一个躬，完全改了一种声音和语气回答她说：“凡是夫人足迹所到的地方，男人都是难免要丢脑袋的。”

芭芭拉将身子耸了耸，觉得高兴了。“哦，天！你这人说话怎敢这么放肆啊！”

“我看见夫人胆子就大起来了。”说着，他的一双眼睛乌溜溜地不住看着她的胸膛，她就拿她的扇子在他的肩膀上拍了一下。

“你这恶作鬼！我要剥你的皮呢！”

说着她将头翘了一翘，走开了。但是第二天早晨，就有一个小厮来把这卫士叫进夫人房里去，那小厮将他带过了趟廊，转到那间房子的后门，进了一条狭弄。他对这些路径本来都很熟悉的，知道狭弄过去就是她那富丽堂皇的卧室了。进了卧室门，那小厮当即退出，芭芭拉正同她的一只小狗乔其在玩耍，身上披着一件寝衣是半松半扣的，头发散在她的脊背上。

她抬起了头，挺直了身子，漫不经心地摆了摆手儿。“早安！”

他对她鞠了一个躬，他的眼睛越发放肆起来了，她也将他浑身上下端详着，仿佛他是陈列在御校场上的一匹马一般。“早晨好，夫人，我说今天早上的确很好，所以我得蒙夫人宠召来服侍你了。”说着又是一个鞠躬。

“唔——我想你是受宠若惊了，像我这样一位夫人竟会召见你这一个不相干的人，是不是？”

“我是很感激你的，夫人，倘若我对夫人能有所效劳的话。”

“嗯，”芭芭拉喃喃说着，擎起一只手儿扪住嘴唇，一条雪白的腿儿已经从寝衣里裸露出来了，“也许你能的。是的，也许你能的。”但是突地她又机警起来。

“你且告诉我，你这人的嘴可靠吗？”

“夫人尽管放心。”

“不过你怎么就猜到我的意思呢？”她见他这人未免太乖巧，心里倒有些懊恼起来。

“请夫人原谅，我是不敢冒犯夫人的。”

“唔，你不要因为我现在宫里就当我是婊子呢，近来白宫里的名声坏透了——可是我要你知道，我是一个规矩人。”

“这我已经相信了，夫人。”

芭芭拉这才又放下了心，便将她的寝衣抖了抖，一直落到她的奶子底下去。“你要知道，你是一个非常英俊的小伙子。只要夫人我肯照顾你，包你可以升级。”

“我别的不敢希望，只要能够服侍夫人就好了。”

“你要是明白，寻常我对于一个卫士是连看都不会看他一眼的——可是不瞒你说，我对于你却觉得特别中意。”

他又鞠了一躬。“那是我的侥幸了，夫人。”

“你侥幸什么啊，你这小狗？”

这时巴铿汉用他自己的本音回答她了。“怎么，侥幸夫人给予褒奖啊。”

“唔——”芭芭拉突然把眼睛睁得大大地瞠视着他。“你再说一遍！”

“再说一遍什么，夫人？”他又装那卫士的声音说。

芭芭拉深深抽了一口气，放心了。“呸！刚才你的声音活像我认识的一个人呢——那人是我目前不愿和他见面的。”

巴铿汉懒洋洋地靠在他的毛瑟枪上，一只手伸上去拔掉了他的假发，这才又用他的本音问道：“连巴铿汉公殿下都不愿见吗，万一他要来的话？”

芭芭拉的眼睛突然迸出来，脸上变得雪白，一只手放在嘴上，还有一只手指着他。“佐治！不见得是你罢！”

“是我哪，夫人。你一点都不要响，我恳求你。这一件家伙！”他说着拍拍他的枪，“是装实了的，目前我可还不大愿意开枪杀你——因为我想你对于我仍旧还有一点用处。”

“可是你偏偏跑到这里来做什么呀！你发疯了！他们要砍你的脑袋，如果逮到你的话！”

“他们逮不到我的。我这样打扮起来连自己的堂姐妹也骗得过，自然任何人都骗得过了，你说是不是！”他那神气似乎觉得非常好玩。

“可是你到这里来做什么？”

“你不记得了吗？你自己叫我来的。”

“哦，你这不要脸的狗！你玩这套把戏就已死有余辜了！我也不过要使你的心肺涨一涨——我是拿你来当个消遣罢了——”

“是啊，不错，这是贵族夫人们的一种好消遣，我非表同意不可的。不过我到这里来站岗实在并非为等卡塞曼夫人的引诱，想来你也总该知道我的用意罢。”

“不，我并不知道，我和你的这场祸祟一点儿关系没有。”

“只不过将我的秘密泄漏给皇上罢了。”

“泄漏吗？你本来对我说的呀！你说你叫人排的是约克公的八字！”

“那么足见虽是一句谎话也靠你不住了。皇上原是只消一句话儿做线索就可以把一本戏的全部布局都猜出来的。”他摇了摇头，仿佛很同情她。“我真不懂你为什么这么傻，芭芭拉，你也明明知道你所以能够继续留在英国，是全靠我的好脾气给你维持的呀！不过现在要赎回我的自由也实在容易得很。皇上只要能够知道他那些信的确已经烧掉，那就比我再大几倍的罪名也赦得了的——”

“哦，佐治，”芭芭拉发狂一般嚷了起来，“我的天，你是不会告诉他的罢！你不能告诉他呀！哦，求求你。亲爱的！你无论要我怎样我都可以！你尽管命令我罢，我情愿做你的奴隶——只要你答应我不把这桩事情告诉他！”

“你把声音放低些，否则就自己告诉他了。很好，那么——既然你肯做这桩交易，那么我如果替你瞒住这件事，你拿什么跟我交换呢？”

“无论什么，佐治，无论什么都行！无论什么我都会给你——你无论要我怎样都可以！”

“目前我只要你做一件事——就是替我洗清罪名。”

芭芭拉突地坐下去，立刻吓得脸孔雪白了。“可是你明知道这件事情是我办不到的呀！你这案子是谁都帮不了忙的——就是米妮姐也没有办法，人人都说你的脑袋保不住了——那些廷臣已经在请求你的财产了呢！唷，佐治，请你——”她已经哭了起来，一面拼命绞着一双手。

“不要哭！我最讨厌痛哭流涕的女人！老势厘也许有这耐心，会在你旁边看你淌眼泪，我可没有这样的闲空，还有许多旁的事情要想呢！你听我说，芭芭拉，你对于他的影响是还没有完全丧失。只要你肯尝试，你仍能够使他相信我无罪。至于你该用什么方法，我让你自己去想——一女人要说谎话是用不着别人帮忙的。”

他将他的假发重新放到头上去，又提起了他的毛瑟枪。“我将来会设法使你可以跟我通消息。”他鞠了一个躬。“但愿你成功，夫人。”说完他就转过他的脚后跟，离开那个房间一直出宫去了，从此卡塞曼夫人门前再看不见那个阔肩膀黑假发的卫士。

第四十九章

琥珀结婚之后仍继续住在阿木笔府里，因为她希望不久就可以得到宫中的任命，那就可以直接搬到宫里去住了。

至于她的丈夫，她暗示他去修道院找一个寓所，好在那个男人是从摇篮里就惧内的，所以只得由她摆布了。只是他心里实在不愿，因为依照当时的风气，虽然夫妻之间尽管可以交恶，可以各自另外找情人，可以在大庭广众之间相互谩骂，乃至互相散播最最丑恶的流言，至于要异室而居，各榻而卧，那是当时的上流社会所不许的。这回琥珀干了这种事，惹得全城的时流人士都在纷纷扬扬非议她，她听见了却只觉得有趣。

她的丈夫姓斯丹霍名热腊，皇上新授给他的爵位是潭福滋伯爵。他的年纪不过二十二，比琥珀还小一岁，在琥珀的心目中简直是个无可救药的蠢材罢了。他又非常之胆怯，有话不敢说出来，身体也很瘦弱，心里一直在担忧，不知“母亲”对于他们两口子的言行觉得高兴不高兴。至于他们这种异室而居的办法，他曾说母亲是要不赞成的，后来他就给琥珀送消息来，说母亲要到伦敦来看他们了。

“你的寓所里有地方给她住吗?”琥珀问道。

其时她正坐在梳妆台前，让一个从巴黎新来的法国人替她梳头——当时伦敦的阔太太们为了抢这个人是彼此几乎抓破脸过的。

琥珀自己手里拿着一面银框的手镜，照看着她的侧影，欣赏着她额头那笔直的线条、微微翘起的鼻子，乃至那弯弯鼓着的嘴唇、丰满浑圆的面颊。

我无论什么时候都比司徒馥兰美些，她心里有些不服气地暗想道。可是她这回羞辱而走，倒是一干二净了，再不回来跟我们找麻烦了。

其时热腊神气之间显得并不快乐，并且苍白着一张脸儿，一副萎靡不振的样子。他虽在大陆上游历过一番，却是一点点文雅相都没有学得；虽曾受过相当良好的教育，心境上仍未能得其平衡；虽然向来恣情于醇酒美人，却始终没有学乖。他似乎还是一个懵懵懂懂全无主张的孩童，这回结婚虽是他生活上的一大转变，却反而使他更觉糊涂了。

他觉得他自己的妻子以及时常进出白宫的那些男女都非常厚颜无耻，非常自私自利，而且冷酷得全然不顾别人的情感。他只渴望着自己家里的那种幽静，那种和平，那种安稳的感觉。这些宫殿、酒楼、剧场、妓院，都已经把他吓得退避三舍了。至于他母亲要来跟他的妻子见面，他起初是几乎觉得害怕的，但这消息同时也使他心里宽了许多。母亲是谁都不怕的呢。

他也拿出他的梳子来，开始梳他那一蓬麻一般的假发。当时他身上的衣服是再讲究再时髦也没有了，只是他的形象那么猥琐，他的腿儿同干柴一般，穿在身上总觉不像样。

“没有呢，夫人。”热腊用法语回答她说。当时时髦人的说话里边夹杂进几句法语，正如时髦女人脸上要搭几片黑绸的面贴一般，所以热腊也学起这种时髦来了。“你是知道的，我那寓所只不过三间屋子。我那里没有地方好安顿她。”

原来他当时住东方马公寓里，那是一班花花公子都喜欢住的一个地方，因为房东奶奶有个美貌而且体贴的女儿在那里。

“唔，那么你打算将她安顿到哪里去呢？哦，杜朗，我不喜欢这种发卷的。请你重新再做一下罢！”琥珀仍旧在那里端详自己，不过已经正面对着镜子了，正在那里审视自己的牙齿、皮肤，以及一片血红的唇。

热腊将他两片薄薄的肩膀照着巴黎的样式耸了耸。“唔——我想她可以住在这里。”

琥珀将手里的镜子砰的一声拍下去，幸而有一堆带子放在那儿，才没有给她拍碎。

“哦，你这么想吗！不过这是办不到的呢！你当是阿木笔爵爷在这里开公寓了吗？你不如早点写封信给她，叫她还是不要来的好。本来嘛，她见什么鬼要跑到伦敦来呀！”说着她将右手的手腕摇了摇，听听那只镯子的声响。

“怎么，我想她是要来看看那些多年不见的老朋友罢，还有嘛，夫人，我也不妨爽直对你说，她有些诧异我们为什么要分居呢。”

他说完了这番话，怕她又要呵斥他，便先走到对面去，从衣袋里掏出一支长管的烟斗，装好烟，拿一根火柴杆儿向火炉里引火来点着。

“我的天，赶快写个信去告诉她说你年纪大了，已经结过婚了，你的事情自己会管了！”她看见他在吸烟，便又嚷起来道，“你把这臭东西带了出去罢！你打算把我的房间统统熏坏吗？你下去吩咐备车——我一会儿就来。不然你就独个人走好了，如果你高兴的话。”

热腊急忙走开了，心里分明宽解了不少，可琥珀仍旧满面怒容对着那镜子，那杜朗先生也像不惯使用他的耳朵似的，继续在她批评过的那只发卷上热心工作着。

“哦，天！”琥珀终于气呼呼地喃喃自语道，“怎么一个做丈夫的人老是这么麻木不仁干燥无味呢！”

杜朗油腔滑调地笑了笑，将她的头发掠了最后的一梳，退后对她的头端详了一会儿，看看觉得满意了，就拿起一个小小的罐儿，将它装满了水，拿一朵金色玫瑰向里面蘸了一蘸，插进她的鬈发中。“现在这种花儿的确已经不大时髦了。我曾看见一个贵族太太再也不肯将这种花插在她的领口上，倒宁可戴一枝枷楠馨呢。”

“我总不懂为什么只有傻子才肯结婚？”她问了一句，等不得他的回答就又往下说了，“唔，谢谢你，杜朗，劳你的驾了。这儿一点点小意思聊以报酬你的辛苦。”她从桌上抓起三个基尼阿扔进他手里。

杜朗的眼睛不住眨巴着，一遍遍对她连鞠了几个躬。“哦，作孽，夫人，作孽，像你这样慷慨而且美丽的夫人是难得服侍到的呢。你有什么事情随时呼唤我——我哪怕得罪了万岁爷也要来的！”

“谢谢你，杜朗，告诉我——你觉得我这件衫子怎样？我的裁缝是个法国女人，你看这件衣裳还配身吗？”她在他面前将身子旋转起来，看到杜朗拍着他的手，吻着他的手指儿。

“真是妙极了，夫人！十分巴黎式的！夫人，妙极了！”

琥珀发了一声浅笑，拿起她的扇子和手套。“你是一个多么会拍马屁的流氓啊！南儿，让他出去罢——”

她走出房门，向苦菊儿招招手叫他跟了她去，他就在她后边捧着她的长裙，免得她到舞会要给沾污。至于杜朗拿那三个基尼阿，数目虽然大了些，却是并不冤枉的，因为他的身份并不在他梳头梳得好，却在能得他来便是莫大的威风。那天她是很费了一点心机才把他从卡塞曼夫人那里挖来的，而且舞会里的女人统统都知道了。

一礼拜之后，琥珀在育儿室里跟小伯鲁捉迷藏，因为她每天早晨都要到那里去消磨一两个钟点。苏姗娜也坐在地板上看着他们，她身上穿着一件白麻纱镶花边的衫子，头上戴着一顶浆得铁硬的小帽儿，轻轻覆在她那一头光泽鲜明的长发上。那个育儿室里已经逐渐要由她来统治了，阿木笔的几个孩子都已不得不受她指挥，但是她自己的哥哥性情非常之倔强，始终不受这个小暴君的羁厄。

琥珀非常喜爱在育儿室里待的几个小时，因为她跟贾爷的一点联系只有在这里才觉得十分亲切。那几个孩子就是贾爷的孩子，他的血在他们的血脉里，他们的一举一动、一言一笑乃至于整个存在都是由他而来的。他们对于她显示的爱从某种意义上说就是他的爱，他们的吻也就是他的吻。他们就是既往一切的纪念，也就是目前仅有的存留，而又给她以未来的一线希望。

“母亲！”苏姗娜一直都要打断他们的游戏，因为她虽年纪还小不能玩，却一直都想轧一份儿。

“怎么，亲爱的?”

“来掉龙灯罢!”

“你且等我完了这场啊，苏姗娜，我刚刚掉过龙灯的。”

苏姗娜鼓着腮帮子，朝她哥哥板起脸儿来，可是琥珀看见她，忙将她一把紧紧搂到怀中了。“喂，你怎么就生气了，你这小巫婆?”

“小巫婆?小巫婆是什么呀?”

“小巫婆吗?”她的哥哥有些觉得厌烦地说道，“就是一种讨人厌的人。”

这时有一个小厮走进房来站在他们旁边，琥珀抬起头来看着他。“怎么?”

“请你去呢，夫人。”

“是谁啊?有什么重要的人吗?”

“是你家爵爷，夫人，跟他的母亲。”

“哦，天!唔，谢谢你。你去对他们说马上就来。”那小厮走开了，琥珀就站了起来，两个孩子却都提出抗议了。“对不起，亲爱的，我要能够抽身，一会儿就回来。”

小伯鲁对她鞠了一个躬。“再见，母亲，谢谢你来看我们。”

琥珀弯下身去亲了一亲他，又抱起了苏姗娜，苏姗娜在她面颊上和嘴唇上乱亲一阵。“喂，苏姗娜!”琥珀抗议道，“你要把我的粉都弄光了呢，你这小狐狸。”

说着她又亲了她一下，将她放落地，自己走开了——但她一关上门，脸上的笑容就立刻消失。

她在过道里瞠着眼睛站了一会儿。这老太婆见什么鬼跑到这里来呀?琥珀不胜着恼地想道，因她肚里怀了孕，遇到不愉快的事情总当人家存心跟她捣蛋。她叹了一口气，耸了耸肩，就向走廊那头自己房间那边走去了。

斯丹霍热腊和他的母亲坐在琥珀起居室里火炉面前的一张长榻上，那位男爵老夫人是背向着门口的，正跟热腊在那里深谈。热腊是满脸的烦恼和焦急。当时他的眉毛画成了黑色，因为他想拿它烘托他那白皙的皮肤和灰黄的假发的缘故。但是琥珀一踏进门，老夫人就立刻住了嘴，然后略略定了一定神，才把一个甜蜜的微笑移到她媳妇脸上。不过她的眼睛藏匿不了那种突然而起的惊奇和不悦。

琥珀懒洋洋地走到他们面前，一件寝衣飘飘然地露出里面花边打褶的衬马甲。热腊带着一种惟恐屋顶随时都要掀去的神情，连忙站起身来给母亲介绍。于是婆媳二人互相拥抱，可是都非常谨慎，惟恐对方的衣服要沾污自己的手一般。各人都将面颊呈给对方去，原来贵族中人都有一种特别的作风，宁把面颊送给人去亲，不愿将嘴唇凑上去的。可是拥抱完了撒开手，便互相从头到脚地端详起来，连一个细节也不肯忽略。热腊站在一旁不住滚着喉头骨，又因一双手闲着无事，便拿出一把梳子来梳梳头。

这位斯丹霍男爵夫人名叫露雪拉，年纪刚刚过四十。一张喜怒无常的胖胖脸儿，使得琥珀联想到皇上养的那一种小狗。她的嘴唇两角往下垂，两边夹着两片颤抖的圆面颊。她的头发从前是很鲜艳的，现在已变成砂糖色了。可是她的皮肤仍旧红喷喷的很鲜嫩，两只奶子也仍翘得隆隆然。她的衣服比大多数乡下女人还要古董些，她的首饰也让人瞧不上眼。

"哦，请你不要注意我的衣服啊！"那老夫人就立刻说道，"这都是老古董了，我是早就预备赏给我的使女的，可是路上糟得很，我不敢穿好衣服呢！这回来的时候就有一部卡车翻了身，将我的三只衣箱都扔进烂泥里了！"

"哦，险得很！"琥珀很同情地附和道，"那么老夫人也一定受惊了！我可以去叫点什么点心替你压压惊吗？"

"哦，好的，夫人。我要喝杯茶。"

其实她从来都不喝茶，因为茶的价钱太贵了，但是她决计要摆摆架子，让人家知道她虽在乡下住了二十年，却跟城里从来没有断绝过接触。

"我叫他们送来罢，阿诺德！这该死的东西！不知又跑到哪里去了！你要叫到他的时候，他老是跟那些侍女在那里胡闹。"琥珀口里这么骂着，一面就走到隔壁房间的门口去。"阿诺德！"

那位男爵夫人一直注视着她，眼睛里流露出妒忌和不赞成。

说来夫人自己年轻貌美的日子一直过得非常不顺利，这是她始终觉得愤愤不平的。

先是内战起来了，她的丈夫大部分时间都不在家里，后来竟战死沙场，以致她的大好年华不得不消磨在乡下，又被日常家用将她盘剥得精穷，不得不跟一般农民的妻子一般亲自操作家事。从此年光忽忽消逝了，直到现在方才惊惧逝去的韶华已经不少。

她始终没有机会再跟人结婚，因为战争留下来的穷寡妇实在太多了，而况她还有热腊和他的两个姐姐需要她抚养。后来他们长大了，两个女的总算幸运而嫁乡绅，至于热腊她却决计要给他一个更好的机会，以期获得皇上的赏识，或许他们斯丹霍一家的牺牲和忠义得邀皇上的注意也未可知。谁知她这计划竟是她意料之外的成功，因为一个月之前，斯丹霍就有信寄给她了，说皇上不但将他家晋级为伯爵，并且叫他跟一个拥有资产的夫人结婚，所以他已同时做了潭福滋伯爵和新郎了。

夫人接到这封信，自然是喜出望外，立刻就把她岗道庄的事务办理结束，以便搬到伦敦去。她想自己从此又可以出入宫闱，重新穿起漂亮的衣服，戴上灿烂的首饰，使得人叹赏而嫉妒，或竟当她是个美人呢。原来这位夫人虽已徐娘半老，却仍顾影自怜，以为大多数女人到四十二岁就要算衰老，她却是风韵犹存，只消换上一套法国式的衣装和首饰，仍旧可以算入佳丽之列的。她甚至可以重新再结婚，只要她能找到一个合乎胃口的男子。

可是后来克俪福夫人来了一封信，却给她一个不愉快的震惊。

“我亲爱的露雪拉，”那信上写道，“请接受我们这班朋友的好意致候罢。我们听见你家晋级为伯爵，都觉得又惊又喜。你家一向效忠于王室，晋级原是再应该也没有的事，但是我们都已在伦敦住了七年，深知现在的酬勋并不一定都公正。我们也无用相瞒，旧日的规模早已不复存在。现在的情形是每况愈下了。

“我们这么突如其来听见热腊结婚的消息都不免大吃一惊，至于我个人，我是听到这个消息之后才晓得他在伦敦呢。现在跟他结婚的就是以前的猎得岩伯爵夫人，你一定也晓得她长得非常之美，且常常出入宫闱，据说还得皇上一点宠爱的。我呢，我近来是难得进白宫了，只愿跟从前的老朋友来往来往。现在宫廷已给一班年少气盛的人占了去，我们这种温文尔雅的人已经没有份儿了，但是也许总有这一天，那种规行矩步的男人和幽闲贞静的女人仍会被人家看重的。

“我希望不久就可以和你聚晤了。我想热腊和他的妻子一旦开始同居之后，你一定就要到伦敦来的。

“你的最卑微恭顺的奴仆。”

这封信里明明有一个破绽，就仿佛是一片平静的池子中心丢下了一块石头一般。“热腊和他的妻子一旦开始同居。”她这句话究竟是什么意思？

难道他们结了婚却不同居吗？他到底住在哪里呢？她又住在哪里呢？她将那封信仔仔细细一遍一遍地重读，却又挑出好几个不祥的暗示来了。于是她为顾全儿子的幸福起见，决计不立刻赶到伦敦。

现在她却已经到了伦敦了，而且跟这淫荡女人面对面，不由满肚子的德性都沸滚起来，同时又觉得满脸羞惭和不安适。原来她在乡下幽居二十年，除了自己的儿女和近亲是难得看见人的，平时又一直孜孜地为儿女谋衣食，为热腊省金钱，供他在牛津读书和出外游学的费用，期望他一朝成材，再看看自己，已经是心力俱衰，容颜憔悴，对于现在这种情景一点儿没有准备。

因为她虽然知道自己背后站着若干世代非常傲慢的祖宗，又知道眼前这个人儿是刚刚从戏院里或是更糟的地方暴发起来的但她看见她那么冷冷然自有主张，又穿着那么漂亮的衣服，长着那样的姿容，相形之下不免惶然了。但是这位夫人比她那个笨拙羞涩的儿子究竟老练得多，所以当她的媳妇和她面对面坐着等茶来的时候，她只对她微笑笑，又歪着头拿她的扇子不住摇着，仿佛房间里很热一般。

“现在你做了我的新媳妇了！你多美啊，我家热腊一定要为你自豪的。至于我自己，我对于你的事情也已听见很多了。”

“有这么快吗？我想夫人是刚刚到伦敦的呢。”

“哦，是从信里知道的呢，亲爱的！克俪福夫人是我一个很知己的朋友，跟我一直通信，仿佛我就住在城里一般。这几年我因丈夫死了心里很苦闷，不能跟朋友往来，就全靠这些信作消遣。哦，我虽住在乡下，却跟在城里一样，消息非常之灵通，我告诉你罢。”

说着她发出一声浅笑，瞟了热腊一眼，然后瞟到琥珀身上，看她懂不懂得自己的言外之意。谁知琥珀丝毫没有反应，不是不懂得她的意思就是虽懂得而置之不理。

“唔，”她说道，“近年来最多的莫如消息。惟有这一桩事情是我们用不着领先法国人的。”

夫人佯咳了一声，回转头去轻轻拍拍热腊，对他露着一张慈母的欢颜。“我的热腊变得多么厉害了！我是从他出发到大陆以后就没有和他见过面，算到今年六月足足要有两年了。现在他这样儿已同一个法兰西伯爵一般时髦了呢。好罢，夫人，我希望你们在一起过得快乐，我想热腊定是跟欧洲的任何一个男人一样能使女人快乐的。无论现在那班邪路人怎样讥笑结婚的生活，一个女人最最重要的到底还是快乐的婚姻。”

琥珀微微笑了笑，却没有回答。这个当儿一个听差进来了，后面跟着两个人，将一副吃茶点用的讲究的银台面摊在他们面前，其中又有中国瓷的小茶碗，以及水晶玻璃杯，预备茶点之后喝白兰地用的。

夫人装着非常高兴的样子。“这茶多好啊！你从哪里弄来的？我家里的茶从来没有这么好的呢。”

“阿木笔夫人家的总管从东印度铺子弄来的罢，我想是。”

“嗯——妙极了，”说着她啜了一口，“我想你跟热腊不久就搬到你们自己家里去了罢？”

琥珀衔着茶杯展出一个微笑，她的眼睛有些乜斜，闪耀得同猫眼似的。“也许我们将来要自己造一所房子——等到工人比较容易找的时候。目前工人都给城里雇去了，正在兴造那些酒铺呢。”

“可是目前你们怎么办呢，亲爱的？”夫人显出一副天真而且惊异的神气。

“怎么，我想我们姑且这样过下去。这种办法似乎很舒服。你不同意吗，爵爷？”

热腊经她这一问，同时又觉妻子和母亲的两双眼睛突地盯住他，不由得微微一跳，竟把一些茶泼到他那白花边的领结上了。“怎么——嗯——是的。我想是的。这种办法似乎好得很，至少在目前。”

“瞎说，热腊！”他的母亲厉声斥他道，“这是骇人听闻的呢！你请别怪我说话无礼，亲爱的，”她朝转来对着琥珀，“大家都在谈论了。”

“你不是说当初大家都在谈论罢，夫人？现在大家时行的谈论却是司徒馥兰的逃亡。”

夫人听见这话便大大光火起来，她这许多年来管教着一个孝顺的儿子和两个柔婉的女儿，从来没有受到过这样的反抗，因而觉得这种说话是既侮辱而又可恼了。难道这个婊子竟不晓得她是她的婆婆，而且身份比她高得多吗？

“你是在说笑话呢，亲爱的，不过夫妻各住的事是从来没有听见过的。你也知道世上人最喜欢苛求责备，而且这种办法对你们两方面的声名都要亏损——对于女的方面尤其不利。我也知道现在已经跟我自己结婚的时候大不相同了，不过现在风气再怎么坏，也决不会容许这种事。”她这番话越说越动气，后来竟像一只恼怒的突肩鸠一般。

琥珀也有些动起气来，可是她看见热腊那一副哭丧着脸的神气，心里有点可怜他，便竭力熬忍住了。她将手里的茶杯放上桌子，倒了一杯白兰地。“唔，倘使你对这种办法觉得不高兴，夫人，那我也觉得遗憾，可是我们双方既然都觉得合适，我想我们就要这么过下去了。”

夫人听见这话，当即又开起口来，可是她的抗议立刻被截断，因为这个当儿阿木笔夫人走进房来了。琥珀替她们介绍了一下，夫人就将阿木笔夫人热诚地拥抱起来，并且亲着她的嘴，显得她对一个朴实善良的女人特别尊敬，比之当初跟自己媳妇见面时，冷热程度显然不同。

“我刚听说你来了呢，夫人，”艾米丽一面说着，一面向炉子旁边一张椅子上坐了下去，又从琥珀手里接过一杯茶，“我是来欢迎你的。你一定觉得伦敦变得很惨了。”

“可不是吗，夫人！”斯丹霍夫人连忙同意道，“我上次来是在一六四三年，情形跟现在大不相同！”

“唔，现在看看是几乎令人绝望了。不过他们已经有了一些很好的计划，城里有些地方的建筑已经动工了。大家都说伦敦总有一天会复兴，总有一天会跟从前一样繁荣。不过我们眼见旧日的伦敦去得这么干干净净，当然要觉得黯然。你这回来的路上还觉快乐吗？”

“哦，不！苦得很呢！我刚刚对我媳妇说，路上不敢穿好衣服，惟恐要把它糟蹋！可是我已两年没有看见热腊了，想他刚刚结婚不见得就会离开伦敦，所以不顾一切赶来看看他。”

“你真太好了。现在，夫人，你有地方可以住吗？自从大火以来，要找个寓所是很困难的。倘使你还没有安顿好，我们夫妻很高兴你住在这儿，随你住到什么时候都可以。”

哦，天！琥珀心里不胜着恼地想道。难道要我跟这唠叨的老太婆同住在一所房子里吗？

斯丹霍夫人却毫不迟疑地答道：“怎么，夫人真太好心了！实不相瞒，我还没有找到地方呢——我来得太匆促了。我很乐意在这里耽搁几日。”

琥珀喝完她的白兰地，站起来。“两位夫人可以原谅我吗？我要在午刻之前进宫，现在我得去换衣服了。”

“哦！”斯丹霍夫人连忙朝着她的儿子嚷道，“那么你也总要去的啰，热腊。好罢，宝贝儿，你走你的罢。你们年轻人总是服侍自己的新娘要紧，母亲没有关系的。”琥珀瞥了热腊一眼，热腊忽然壮起胆子来说道：“事情巧得很，夫人，我今天跟一位朋友约好到陆氏馆吃中饭。”

“怎么，跟朋友约好吃中饭，却不跟你的妻子在一起！啊呀！我的天！这是多么奇怪的念头啊！”

热腊因这一下尝试越发大起胆来，便将那蓝缎镶金的袖子漫不经心地拍了拍。“这是现在的时髦呢，夫人。所谓恩爱夫妻这种东西早已落伍了——谁都不干这一套了。”说完他就转过身子向着琥珀，极尽文雅地鞠了一躬。“再见罢，夫人。”“再见罢，爵爷。”琥珀对他行了个万福，见他竟有胆量顶撞他母亲，不由得又惊又喜了。

他向他的母亲和阿木笔夫人鞠了一个躬，便一溜烟地出去了。斯丹霍夫人一时间颇觉踌躇不决：是随他去好呢，还是把他叫回来训斥他一顿？结果是随他去了。

琥珀走出房去的时候，就听见她在说道："天！他变得多么厉害啊！竟是一丝一毫都像个时髦绅士了！"

琥珀从白宫回来，时间已将近午夜，累得几乎脱力，急于要上床去睡觉了。原来她在宫里已经十二小时，精神耗费得自然厉害，而况她身上怀孕，所以更容易疲劳。又因她在宫里的时候，时时刻刻都得装着兴高采烈的样儿，虽有时确实觉得疲劳，也不好让别人看出。现在她的颈梁神经痛，腿上的肌肉在那里搏跳，肚子里仿佛到处都在颤抖一般。她刚刚跨上一步楼梯，忽见阿木笔从过道里一间点着灯的房里跑出。“琥珀！”琥珀掉转头去看他。“我当你今天不回来了呢！”

“可是回来了。他们在做那种天杀的傀儡戏，竟把《罗密欧和朱丽叶》演了四遍才看满足呢！”

“我有一个惊人的消息告诉你。”他站在楼梯脚，仰着脸儿咧开嘴儿对着她。“你猜谁在这儿？”

琥珀耸了耸肩，不感兴趣。“我怎么会知道呢？”

但她从他的头顶看过去，看见那间房的门口站着一个人——一个黑头发的高个儿，正对她嘻嘻笑着。她不由得吸进一口气。“伯鲁！”随即她看见他跑着步赶上前来，同时阿木笔已将她一把捧住，因她忽感到一阵眩晕，已经身不由己地倒下去了。

第五十章

四月里的稀薄阳光从格子窗里照进来，在那光光的地板上照出一片光泽。有一双男人的长靴放在那里，上面镶着亮晶晶的马刺，旁边是一顶帽子，帽檐上面堆着淡蓝色的鸵鸟毛。又有一柄带鞘的腰刀，柄上嵌着金银的花纹，统统堆在一张深深垂帐的床边，也都受着阳光的照耀。床帐里边深深陷入一条羽毛垫里去的就是琥珀，正在一种半睡半醒的状态中，她的臂膀伸过了半张空床，一种惶惑和焦急的神情掠过她的脸。她睁开了眼，发觉自己独个人在那儿，突发了一声惊呼，一下子坐了起来。

“伯鲁!”

伯鲁连忙拉开了帐门，站到床面前对她咧着嘴。其时他已穿好裤子，上身却未穿衫子，也未戴假发，分明是正在刮脸，因为他还在那里擦脸。

“什么事，亲爱的?”

“哦，谢天谢地！我怕你已经走了呢——或者是我在这里做梦，你根本就不曾来过。不过你是在这里，是不是?你确实是在这里。哦，伯鲁。你果然回来了，真是再好也没有了!”

她擎出两条臂膀来给他，大大嘻开了笑脸，眼睛里充满着光辉。“这儿来，亲爱的，我要碰碰你——”他在她的身边坐下来，她拿手指尖儿摸过他的脸，很觉诧异似的，仿佛她还有点不相信他确实是在这儿。“你真好看得很呢，”她低声说道，“比从前越发好看了——”她的手摸过他那广阔的极富肌肉的肩膀和胸膛，拼命揿进他那温暖而褐色的肉里去。突然，她的眼睛回到他的脸上来，见他正瞪视着自己。

“琥珀——”

“怎么？”

他们的嘴猛地凑合拢来，仿佛要相互吞噬似的。出乎意外地，她哭了起来，并且拿拳头拼命地捶他，仿佛要捶出一个究竟来似的。他急忙将她推倒在床上，但她牢牢挽住他的颈脖，将他一起拖下来。及至这阵狂风暴雨似的情绪过去了之后，他就将头伏在她胸口上，瘫软了。于是彼此脸儿对脸儿，都感到平静而满足。她将手指很温存地梳着他那粗黑的头发。

末了他从她身上爬了下来，到床边去站着，琥珀睁开眼，朦朦胧胧地微笑起来。

“你回来，亲爱的，在我身边躺着罢。”

他弯下身子去吻一吻她的嘴唇。“我不能了——阿木笔在等我。”

“这有什么呢？让他等去好了。”

他摇摇头。“我们要到白宫里去——皇上在那里等我。也许过一会儿我可以在那里和你见面——”说到这里他忽然停住了，低头看着她，脸上带着一种懒洋洋的微笑。“我听说你现在是个伯爵夫人了。而且新近又结过婚。”他补充道。

琥珀突地转过头，几乎有些惊骇地看着他。又结过婚！她心里想到。我的天，是的呀，我的确结过婚了。可是热腊不在面前的时候，她是要把这个人完全忘记的。

伯鲁咧开嘴来。“怎么一回事啊，亲爱的，你忘记了谁是谁了吗？阿木笔说他的名字叫做斯丹霍，我想也差不多罢，还有以前那一个是叫做——”

“哦，伯鲁！你不要跟我开玩笑罢！我要是知道你回来，哪怕再过一千年也不会跟他结婚的！我恨他——他是一个糊里糊涂的呆子！

我所以跟他结婚，只是因为——”她忽然停住了，急忙加以更正。“我也不知道为什么要跟他结婚！就是前几次跟人结婚也不知道什么道理！除了伯鲁你之外我跟谁都不愿意结婚！哦，亲爱的，我们一定能在一起过着非常快乐的生活，只要你肯——”

她不等说完，就看见他脸上的表情改变了，那一种新的表情是同时给她警告而且使她闭口的。她瞠视着他，从前那种恐惧又暗暗地袭来了，末了她才轻轻地说道：“你结了婚了——”她一面说一面就慢慢地摇着头。

他深深地吸了一口气。“是的，我结婚了。”

好罢，她终于听见这句话了——这是她七年来一直都在栗栗危惧的一句话。现在她却觉得这桩事情仿佛一直都横亘在他们中间，和死一般不可避免。于是她觉得痛心和虚弱，无可奈何地看着他。他正坐在一张椅子上系鞋带，系好鞋带也仍坐在那里不动身，将两个胳膊靠在膝盖上，两只手儿垂到膝跨间，过了好久才把脸朝着琥珀。

“我很抱歉，琥珀。”他温存地说道。

“抱歉你的结婚吗？”

“抱歉我使你伤心。”

“你是几时结婚的？我想——”

“已经一年了，是上年的二月间，就在我回到牙买加之后。”

“那么当你离开我的时候，你就知道自己要结婚了！你——”

“不，我并不知道。”他打断她道，“我回到牙买加的那一天才碰到她，一个月之后就结了婚。”

“一个月之后！”她低声说道，仿佛她全身的骨肉都突然瓦解了，“哦，我的天！”

“琥珀，亲爱的——你不要这样——我是从来不对你说谎的。我从开始就对你说实话，总有一天要结婚——”

“哦，可是来得这么快吗？”她着恼地抗议道，她的声音已同哭一般了。她突然扭头瞪视着他，眼睛里面流露出一种恶毒的光焰。“她是谁？什么黑肤的婊子罢——”

伯鲁沉下脸来。“她是英国人，她的父亲是一个伯爵，内战开始以后逃到牙买加去的——他有一个种蔗糖的农场在那里。”说着，他就站起来继续穿他的衣服。

“她有钱罢，我猜。”

“有钱得很。”

“而且也很美?”

“是的——我想。”

她停顿了一会儿，又迸出一个问题来：“你爱她吗?”

伯鲁回转头怪模怪样地朝她看了看，一双眼睛微微地瞪着。他没有立即回答，然后轻轻地说道：“是的，我爱她。”

琥珀一把抓起了她的寝衣，两条臂膀插进袖子里去，一下子跳下床来。随后她说出的话就是任何宫廷教养的女人在这种局面之下所照例要说的那一套。“哦，你这天杀的贾伯鲁!”她喃喃地说道，“怎么整个英国偏偏你这个人会为爱而结婚呢!”但是这一种掩饰太稀薄了，稍稍受到一点真正的压力就马上要破碎的。突地她将头转向他。“我恨她!”她愤然嚷道，“我鄙视她！她现在在哪里?”

伯鲁很温和地回答她。“在牙买加。十一月里她已养了个孩子，所以不愿离开。”

“她一定非常喜欢你啰!”

伯鲁对于这个刻毒的嘲讽没有回答，琥珀就又气冲冲地说下去。“好罢，你是到底讨到一位贵族太太了，你那些贵族院里坐了两千年的祖宗总算有人替他们传宗接代了！我恭喜你呢，贾伯鲁！倘使你真不得不跟平民百姓养孩子，那才叫作孽呢!”

伯鲁带着几分焦急的神气看着她，又显出一点可怜的样子。“我现在不能不走了，琥珀，我已经迟了半个钟头了——”

琥珀狠狠地瞪了他一眼，然后将头扭开，仿佛盼望他来向她道歉似的。可是伯鲁管自走开了，她又不由得不目送他，见他还是那样翩翩的风度，实在有些舍他不得。“伯鲁!”她突然嚷道。伯鲁站住了，慢慢地回过脸来。“我告诉你罢，你结婚不结婚我是不管的!我可决不会放开你的手——我只要一天活着就一天不会放开你，你听见吗？你不能够完全算是她的人，同时也要算我的！她决不能将你整个占了去！”

她一面说着，一面就逼近伯鲁身边，伯鲁却已重新转身开步走了。霎时之间他已经开了门，跨出门槛，将门轻轻掩上了。琥珀只得收住步，一只手远远伸出去想要抓他，一只手扪住自己的咽喉免得哭出来。但她终于哭了出来。“伯鲁！”她疲乏地回转身子重新走到床边，站在那里瞠视了一刻儿，然后双膝跪落在床边的地板上。“他走了——”她喃喃自语道，“他走了——我已经失去他了——”

伯鲁到伦敦之后的两个礼拜当中，琥珀是不常看见他的。他一直非常忙碌，要在码头上卸货，要会见许多商人，要将他带回来的许多烟草处置掉，要跟人家签订新合同，要替他自己和其他农场主购买货物。每次进白宫都是去请求查理赏给垦地，这回请的是二万亩，连原有的三万亩了。至于引见室里和戏院里，他是没有工夫在那里花费的。

阿木笔夫人依从琥珀的意思，让伯鲁住在琥珀隔壁的房里。第二天，伯鲁以为琥珀的丈夫要回来了，并没有和她约会，可是琥珀夜里听见他回来，就又去敲他的门了。从此他们每天晚上都相会。也有几天琥珀晚上回来得很晚，伯鲁明明知道皇上留住她，却绝口不跟她提起，偶尔她也跟热腊敷衍敷衍，伯鲁觉得很好玩，却也从来不说起。

但是热腊的母亲却不觉得好玩了。

在那两个礼拜当中，琥珀只见过她的婆婆一两次，都是在白宫里偶尔看见的，却老远就回避开了。那位斯丹霍夫人却像也很心，南儿说她一直都给一班理发师、珠宝商、男女裁缝，以及各种商贩包围着，又说她房间里堆满了绸缎丝绒、花边褂，都是几十码几十码的。

“她在那里搞什么鬼啊？”琥珀问道，“她一个先令都没有呢！”

但是琥珀自己心里很明白，这只老蟹是在那里花她的钱啊。她若不是专心一意在伯鲁身上，又要注意宫里的事情，那是一天也不容她这样挥霍的，不过喜得她的婆婆并不麻烦她，她也就暂时隐忍着随她去了。我总有一天要去跟这女人算账的，她暗暗下了决心。谁知她的婆婆却先向她挑战了。

琥珀每天不到九点钟不会醒来，因她晚上从宫里回来总是很晚，到了她起床的时候，伯鲁总已经出门去了。她起床之后照例要喝一杯可可茶，然后披着一件寝衣看孩子去。从十点直到中午，都是她的装饰时间。所以要这么长久，一来因她的搽脸、梳头、穿衣服实在是一个非常繁琐的程序，二来也因她要接见许多布匹商人、珠宝商人和香水兜销者的缘故，这一班人向来都在富贵人家的前厅里钻进钻出，至于琥珀的闺门尤其是来者不拒。

她所以欢迎这一班人，为的是她正喜欢那一种喧哗热闹，因而可以显得自己是个了不起的人，同时她也确实喜欢买东西，永远不会够的。倘使看见一匹衣料好看，她就决计添制一件新衫子；如果看见一颗宝石镶得很别致，她就觉得又须新备一条项圈或是一对手镯了；如果一个花瓶、一张桌子，乃至一面镜子之类系从远处来，或据说是一件难得的珍品，她就怎样也舍不得不买了。她的奢侈豪阔已在那班商贩当中出了名，所以每天正午之前她那闺门总是川流不息的，正如皇家交易所一般。她总坐在她的梳妆台面前，身上松松披着件寝衣，两个脚拇指头夹着双木屐，让那杜朗先生替她做头发。至于南儿，早已抬高了身份，不再干这套事了。她已做了伯爵夫人的侍女，不用再当什么差，只消衣服穿得漂漂亮亮的，到处伴随女主人。又同大多数时髦夫人的侍女一样，她有她自己的一帮情人，其中多数也都是贵族，本来包围那班夫人的。因此南儿的生活过得很舒服，无论什么事情都干得兴兴头头了。

那些商贩和女人每天嘤嘤嗡嗡如同苍蝇一般包围着琥珀，争先恐后地拿他们的货物擎到她的鼻子底下来。“请你看看这一双手套，夫人，闻闻看。你一放到鼻子底下就会觉得它的香气特别了。唔，不是妙得很吗？”

琥珀笑笑。“这是花精，是不是？我最喜欢闻的香。我要买一打。”说着她将一个小刷子扫了一下她那一弯黑了的眉毛，将它刷光了。

“这匹料子是我特地给你留下的，夫人。你摸摸它的绒头看，无论什么料子都没有这么厚呢。再看它的颜色，跟你夫人相配得真是天造地设一般。尤其跟你的眼睛的颜色，是再相配也没有了。还有句话我要告诉你，夫人，”他将身子靠近耳语道，“前些天舒鲁贝夫人看见它，竟爱得不忍释手。可是我告诉她货色已经有人定去了。我觉得除了夫人谁都不配穿它的，夫人。”

“照你这么说来我就不得不买了，是不是，你这滑头？”说着她将一对钻石的坠子挂到耳垂上去。“不过东西确实很漂亮，谢谢你替我留着，只是下次船来千万不要忘记我。南儿，你把钱付给他好吗？”

“夫人，我请求你把我这副镯子留着戴戴罢。你就看它的光泽，不是闪亮得跟火焰一般吗？这种宝石再好没有了。讲起价值至少五百镑以上，可是我情愿折本牺牲，但求我的作品能得夫人臂膀赏戴就算光荣了。别人要买是非五百镑不可，夫人只消给我一百五十镑就行了。”

琥珀笑起来，手里拿着那对镯子不住地观赏。“这个价钱我怎能舍得不买呢，留着罢。我买了。”说着她将镯子一扔扔进梳妆台上那堆瓶儿、罐儿、盒子、扇子当中，“可是你送一张发票来罢——我手边从来没有这么多现钱的。”

“对不起，夫人，”这是杜朗有些着恼的声音，“我求求你，不要动得这么厉害罢！一会儿这边，一会儿那边。这叫我做不了活了！真要命呢。夫人！”

“哦，抱歉，杜朗。你拿了什么来了，约翰逊？”

这种日常事务每天早晨都在进行，使得人人都开心获利，而琥珀自己也总算是出尽风头了。她那房间里面又一直雇着一班丝竹乐工，常常在那里弹唱新的谣曲、流行的调儿，五六个侍女一直在那里进进出出。苦菊儿摇摇摆摆走动于其间，时或竟也和她们搭讪搭讪；原来他这时已经衣服光鲜，气焰不可一世，琥珀却仍不惜工本地将他打扮起来，只是一双脚儿却是非破鞋子不肯上脚。皇上又曾赏给她一只小狗儿，名叫麦歇钱，它就东闻闻，西嗅嗅，见有陌生人来都不免要汪汪地吠叫几声。

就在这样一个忙忙碌碌的早晨，忽见一个小厮冲进房来跑到她面前。“夫人，斯丹霍男爵夫人看你来了。”

琥珀不耐烦地转动着眼珠。“真是见鬼了！”她口里这么咕嘟着，别转头去一看，见她的婆婆已经跨进门了。她瞠着眼睛，怔了半天才定了神志站起来欢迎。那露雪拉已经完全变了一个人，简直连认都不认识了。她的头发已经变得同苏姗娜一样的金黄色，并且卷成最最时式的浪纹，又拿飘带、花儿，以及一串珠花装饰着。她的脸儿搽得如同中国的木偶人，口里还分明衔着“胖弹儿”，把两个面颊撑得坚实圆浑些。她的衫子是珍珠灰的缎子做的，里面衬着五件番石榴红的马甲，看去活像出自法国的名工。胸口上也扎着一件带骨的紧身，底下将腰身抽得细细，上面将一双奶子托得跟颈脖子一般高。颈脖子上还挂着一串珍珠，两只耳朵荡着钻石坠子，手腕套着半打的绒头，每只手上三个指头都戴着戒指。所有这些东西都亮晶晶地闪着光，看去分明都是真货而且贵重的。总之她在两个星期的时间里就已变成一位非常漂亮的时髦贵妇了，虽不免带着几分俗气，却也实在是很惹眼的。

我的天！琥珀心里想道，你瞧这个老婊子！

婆媳二人行起拥抱礼，斯丹霍夫人看见琥珀脸上露出惊异的神色，便像得胜一样朝她看了看，仿佛以为现在无须她叹赏别人，却须别人来叹赏她了。可是琥珀脸上最初的一阵惊异过去了之后，便想起她这番改形换相都由她自己的金钱而来，因而又不由得骇然了。她知道斯丹霍家本来还有一点房产好收租，后来被大火烧得干干净净，现在是一点出息都没有了。

“你得原谅我失礼，夫人，”露雪拉先开口说道，“我早就该来看你的，可是我实在忙得厉害！”说到这里她又停住了，有些气急地不住摇着扇子。因为她在媳妇眼里看见的一定是妒忌无疑，但她仍旧不由得意职到，自己虽然打扮到这么娇娇滴滴，又染过了头发，却无论如何回不到二十三岁去，这一段长长年岁的间隔实在是没有办法了。

“哦，该我去看你呢，夫人，”琥珀嘴里跟她谦让，心里却暗暗地计算，婆婆身上这些行头究竟该花多少镑钱；一项项积算的数目越是多，心里越觉得愤怒。可是她脸上仍旧笑嘻嘻的，请她婆婆坐下来，等她完成了妆饰，又见婆婆眼睛注视在一匹蓝色丝绒上，便急忙吩咐那些商人走开了。

“明天早晨到我房间里去罢。”露雪拉摆摆手说道，那人就捧了那匹丝绒同那一班商贩出去了。

琥珀坐下去粘她的面贴儿，露雪拉却在吁吁地喘气，分明那件带骨紧身抽得她很不舒服了。“我的天！”那位夫人一面交着腿侧着头观赏着，一面这么开谈道，“你真不会相信我这两个礼拜里边忙得多么厉害呢！你总知道，我在城里的熟人是多得很的，他们偏偏都要立刻来看我！真是讨厌呢！我快给他们缠杀了！”说着她抬起手理了理头发，“就连热腊我也没有工夫见面呢。我那亲爱的孩子这几天可好？”

“很好罢，夫人，我想是。”琥珀冷冷地答道，因为她见自己辛苦挣来的钱被这老蟹拿去办行头，正在不胜痛惜，并没有心情去注意她的话。

现在她站起来了，走到一面非常华丽的蓝漆中国屏风背后去，招手叫一个侍女将她的衫子送给她。麦歇钱正盘在露雪拉脚跟不住好奇地嗅着，时或仰起头来朝她叫几声，露雪拉睁着眼睛威胁它，它一点儿不觉畏怯。这里琥珀只露出她的脑袋和肩膀，露雪拉趁她不看自己的时候，微微瞅着眼睛仔细端详她，心里感到十分不舒服。可等琥珀将眼睛朝了过来，她就贼头贼脑地连忙装出一张笑脸。

“奇怪的是现在早晨起来老看不见热腊了。我们在家里的时候他每天早上总是什么事情不干先来看我的。像这样孝顺的孩子真是难得见的呢。现在他一定很早就出门罢。”她眼睛看着琥珀很快地说着，仿佛防她要说谎一般。

“怎么，据我的记忆，”琥珀一面缩起肚子让那侍女抽紧腰间的带儿，一面说道，“他自从你来之后一直都没有在这儿待过。”

“什么！”斯丹霍夫人吓得大喊起来，仿佛听见自己的儿子做扒手给人逮住了似的，“难道他不跟你同床吗？”

“要抽得紧些！”琥珀跟侍女低声说道，“现在不能抽紧些了。”原来她的腰围已经渐渐粗起来，但她定要抽得它跟从前一样，因为她觉得做产的苦痛倒还可熬，最难熬的是在那几个月里的改形换相。至于这回却更重要了，因为伯鲁在这里，她是无论如何要把自己最好的相貌去给他看的。当时她先把这桩要事办妥了，然后无精打采地回答她的婆婆道：“哦，当然同过床。”事实上呢，他们从结婚以来一共不过三次同床，而她所以允许这三次，也不过是依顺皇上的意思，要他承认她肚里的这个孩子罢了。

“唔！”斯丹霍夫人红了脸，拿一把扇子拼命地扇着。“我从来没有听过这种事！一个男人不跟自己的妻子同床睡觉！这是——怎么，这是不道德的呢！你等我来训斥他罢，亲爱的！我一定要他从今后不再这样怠慢你！”

琥珀心里觉得很好玩，从那屏风上面给她一个懒洋洋的微笑，然后弯下了身子，套上她的马甲。“请不必操心罢，夫人。爵爷跟我都喜欢这种办法。现在的年轻人事情多着呢，你总知道罢——跑戏院啊，上酒馆啊，喝到半夜还要到街上去瞎跑啊。这么一来就够他们忙的了，告诉你罢。”

“哦，可是我确实知道热腊向来不干这种生活的！他是一个安分守己的孩子，你可以相信我的，夫人。如果他不到这里来，那一定是因为他觉得你不需要他。”

琥珀突地旋转身，正对她婆婆的脸看着，眼光是冷冰冰的，眼角里还带着几分恶毒。“倘使他有这样的想法，那我真的不懂它从哪里来的了，夫人。现在几点钟了，南儿？”

“差不多十二点半了，夫人。”

“哦，天！”琥珀从那屏风背后转出来，已经是衣装齐整，一个侍女送上她的扇子和手笼，又一个侍女将一件大氅披上她的肩膀。她捡起一双手套，慢慢将它套起来。“我跟李立先生约好一点钟到他那里去请他画像的！现在不得不告退了，夫人。这位李先生忙得很，一刻儿都耽误不了的。倘使我去迟了，就要轮不到我了，可是他已经给我画好一半了呢。”

斯丹霍夫人也就站起身。“我也要出门去了。我是跟克俪福夫人约好在一起吃中饭的，吃完中饭还要去看戏。一个人到了城里真是身不由己呢。”说着婆媳二人并排走出房，后面跟着南儿和苦菊儿，还有那个麦歇钱。走了几步露雪拉就向琥珀横了一眼。“我想你总知道贾爷在这里作客罢？”

琥珀狠狠地盯了她一眼：她说这话什么意思啊？难道她已听见有人谈论他们吗？但是他们一直都很谨慎的——进进出出都走各人自己的门口，大庭广众之间从未露出过分亲热的样儿。当时她骤然一惊，不由一颗心怦怦大跳起来，但是回答得非常迅速。

“哦，是的，我知道。他是这里这位伯爷的老朋友。”

“我想他会迷人呢！他们都说宫里的女人个个把他爱得发疯一样了！你也听说过吗？又说他也是卡塞曼夫人的情人之一——不过这句话儿当然是对谁都可以说的。”这一串话说得如同放鞭炮一般，因为这位夫人说话向来都像怕时间不够，可是琥珀听到这里早已把心头的石块放下了。这位夫人对于他们的事分明一点儿都不知道，只不过拿它来随便谈谈罢了。“可是你就想想他过的那种冒险生活罢——先做投机的军人，后来去捕获外国船只，现在又做起垦殖家来了！我听说他是英国头等富人之一，当然他的家庭是最最出色的。你知道罢，从前有个伯鲁玛约丽，就是苏格兰斯图亚特第一王朝的太后，也就是这位贾爷的外家呢。他的太太据说也是一位头等的美人——”

“只要赔得一万镑妆奁，那就谁都是个头等美人了。”琥珀连忙插进来说道。

“唔，”露雪拉道，“总之他是一个极漂亮的人。他没有一处地方不使我五体投地。”

琥珀对她鞠了一个躬。“再见罢，夫人。”

说着她就将她婆婆撇开了，一面走下楼梯一面心中悲愤交煎着。哦，这是忍受不了的！她一路咬牙切齿地暗想道。我怎么能够眼睁睁地看他跟那女人结婚呢？我恨她！我恨她，我恨她！我只望她死！

突地她站住了，屏住一口气。也许她是会死的！然后她继续举步前行，把一双眼睛睁得雪亮。她也许会死的，在那一种疾病丛生的地方——她也许是会死的。这时琥珀是念兹生兹，早将婆婆耗费大把金钱的一桩烦恼忘到九霄云外了。

第二天晚上，她跟伯鲁一起从白宫回来，其时伯鲁已将事务上的重要部分赶办完，开始去白宫赌钱闲话了。他们爬上了楼梯，一路笑说着巴铿汉公的滑稽故事，原来他还是在那里藏藏躲躲，曾因在街上闹事被锁起来，却没有人认识他，随即又释放了。到了琥珀房间的门口，他们分手了。

“你早些来罢，亲爱的！”她耳语道。

她仍满脸笑容地走进她的起居室，谁知热腊和他的母亲同坐在火炉面前，那个笑容就立刻冻结起来了。

“唔！”她将门随手带上。

热腊从椅子上站起来。他的神情显得非常不快乐，琥珀知道他这一来，并非出于他本心。那位男爵夫人从她那个赤裸的肩膀上转过头来懒洋洋地看了琥珀一眼，然后站了起来，勉强对她行了个万福。琥珀并没有回礼，一直走进房，将母子二人瞟了一眼。

“想不到你们在这里呢。”她对热腊说，热腊当即佯咳了一声，将一个指头塞进他那打得高高的蝴蝶结里去。他试着展出笑容，但是满肚子的尴尬将他一张面孔涨得青一块红一块了。

“热腊在这里等你回来，我来陪他谈谈的。”他的母亲急忙替他解围道，“我这就要走，让你们小两口子自己聚聚罢。给你请安哪，夫人。晚安，热腊，亲爱的。”

热腊很服从地亲了亲他母亲的面颊，同时琥珀看见他的母亲在他臂膀上拍了拍，其中含有教诲而兼鼓励的意思。

那位男爵夫人带着一个得胜的微笑，欣欣然地出房去了，她的长裙在她后边摇摇摆摆地拖着，在那寂静之中发出了清晰的窸窣声。一个时钟突然响起来了。琥珀并未目送她出门，只把眼睛一直注视在热腊身上，及等听见房门关上了，才把她的手笼手套扔给苦菊儿，摆摆手叫他走开。麦歇钱不住对热腊看着，因为它难得看见他，还没有确实晓得他是自己一家人。

“唔。”琥珀又说了一遍，便走到火炉旁边烘手去了。

“嗨，好啊，夫人，”热腊说道，“我又到这里来了。不过——”他突然挺起肩膀倔强地对着她——“我干吗不应该到这里来呢？我是你的丈夫啊，夫人。”他这几句话儿分明是母亲教给他的。

“当然啰，”琥珀同意道，“干吗不应该呢？”她突地将一只手扪住胸口，轻轻地哼了一声，向一张长榻上倒了下去。

热腊吓了一跳。“哦，天，夫人！什么事？你有什么不舒服吗？”说着他就要转身跑出去，“我去叫个人来罢——”

可是琥珀将他拦住了。“不，热腊，没有什么的。只是因我有了孩子了，我想是——我是要等确实知道才告诉你的——”

热腊听见这话显得又惊又喜，仿佛这种事情是别的男人从来不曾见过的。“已经有了吗？我的天！我不能相信呢！可是主！我希望这是真的！”原来她给他的这么一吓已经把他那全副法国式的假面具都吓得精光，重新还原做一个惊喜交集的英国孩子了。

琥珀心里觉得很好玩，想他真是一个十足的大傻瓜了。“我也希望这样呢，爵爷。可是你总知道一个女人在这情境之下是怎么样的罢。”

“不——我不知道。我——从来没有想到这种事情。你现在好些了？我能替你拿点什么来吗？拿个枕头来垫垫头罢？”

“不，热腊，谢谢你。我就只要独个人清静清静——哦——唔，老实告诉你罢，我想要独个人睡呢——你若不介意的话——”

“哦，可是，当然，夫人。我不知道呢——我并没有想到这桩事，对不起得很——”说着他就要动身退出去了，“倘使你需要什么东西——倘使我有什么可以效劳的——”

“谢谢你，热腊。我会让你知道。”

“不过，夫人——我有时候可以来看看你吗——只是来看看你身体好不好？”

“当然，爵爷，你要高兴随时都可以来，晚安。”

“晚安，夫人。”他踌躇了一刻儿，分明想要找出一句适当的话来说，然后发出一声无可奈何的浅笑，重复说了遍“好罢，晚安”，就出去了。

琥珀摇头做了个鬼脸，就站起来走进卧室里去了。南儿带着询问的神情耸了耸眉毛，琥珀用默剧里的手势回答了她，引得两个人都狂笑起来。其时房间里面只有她主仆二人，在那里谈着笑着。琥珀已经脱剩下一件里衫和一件花边的马甲。及等伯鲁来敲门，她就扬声叫他进房去。伯鲁已经去了假发、褂子、马甲和腰刀，剩的一件白衬衫也是松开的。“还没有脱好衣服吗？”他笑嘻嘻地问她道，“我已经写好两封信了呢。”说着他走到桌子旁边给他自己倒了一高杯的兑水白兰地。“我总觉得你们女人如果衣服穿得简单些，至少可以增加五年寿命。”

“可是这五年寿命我们拿来做什么用呢？”南儿在旁边问道，于是三个人都大笑起来。

琥珀的头发已经给南儿解散了（因为一做了贵族夫人就再不会将手抬到自己头上去），南儿也赶着苦菊儿和麦歇钱一同出房去。琥珀站在梳妆台前面，正在解她的项圈，却从镜子里面看见伯鲁的脸儿和肩膀出现在自己背后。他那绿色的眼睛将她凝视了一会儿，然后他拨开她颈脖子的头发，低头拿嘴唇印了上去。当即一个寒噤通过她全身，她深深吸进一口气，就把眼睛紧闭起来了。

然后他将酒杯放上了桌子，一手抓住她的臂膀，转过她的身子。“哦，伯鲁——”她嚷道，“伯鲁——我是多么爱你！”

他的臂膀将她围住了，面对面紧贴着站在那里，大腿抵住大腿，身躯紧贴着身躯。及至他的嘴儿突地从她嘴上抬起来，她诧异地抬起头将他一看，见他正向门口那边瞪视着，然后他慢慢地将她放开。她慢慢地转过身子，一看原来是热腊，已经跨进门槛站在那里了，雪白着一张脸儿，垂挂着两边口角。

“哦！”琥珀大喊着，眼睛里面立刻冒出火来了，“你这是什么意思啊——这样鬼鬼祟祟地躲在这里！在这里监视我吗？你这天杀的无耻的狗！”

说着她从梳妆台上抓起一只银针线箱，猛地向他身上掷过去，但是她瞄得不准，只打中了门框。热腊吓得跳起来，伯鲁只是静静地站在那里看着他，眼睛里面先是流露出惊惶，及见热腊吓得那一副不知所措的样子，便又显出一点怜悯了。

琥珀擎着拳头口里急喊着向热腊扑过去。“你怎敢这么鬼鬼祟祟地躲到我房间里来！我今天非扯掉你的耳朵不可！”说着便向他劈面一拳，幸而他躲闪得快，只打着他的肩膀。

这时热腊吃吃地说不出话来，脸色已经变灰，而且满脸无可奈何的样子。“天晓得，夫人——我是一点没有存心的——我完全不知道呢——”

“你用不着跟我说谎，你这猴子！我要给你点颜色看看——”

“琥珀！”这是伯鲁的声音，“你干吗不容他有个说话的机会呢？这显然是错误的。”

热腊很感激地看了他一眼，可是对于面前那个凶狠狠气冲冲的女人分明是有些害怕的。“我的母亲还在过道里。当我出去的时候，她——嗯——她叫我回到这里来呢。”

琥珀开口想要回答他，但是回过脸来先向伯鲁瞟了一眼，看他是怎样一个意思。

其时伯鲁脸上的表情是完全严肃的，但是他的眼睛很觉好玩地闪亮着，显然对于那个不幸的年轻丈夫也深表同情，虽然明知他现在对于自己的态度就惟有挑战一法。若照面子讲起来，除此以外是没有第二条路可走的。然而像热腊这样一个矮小虚弱的孱头，连一个成年孩子的勇气也还够不上，倘教他跟一个比他高出八英寸、刀法娴熟的人来决一雌雄，那就可笑得很了。

伯鲁跨上前一步，向他鞠了一个九十度躬，并且很客气地对他说：“爵士，我对于尊夫人的态度使得你大可怀疑，实在是抱歉之至。现在我向你谨致最最诚恳的辩解，希望你肯相信我心实无他。”

热腊朝他看了看，心里觉得非常宽慰，仿佛一个死囚头上已经套上了绞索，忽见执行飞也一般送来一纸赦免状。他也回了伯鲁一个躬。“我可以奉告爵士，我是个阅世很深的人，深知单从表面上看的事情往往是不足置信的。我接受你的辩解，爵士，并且希望我们能在较适宜的情境之下再见面。现在，夫人，倘使你肯领我一条路，我愿意从你的后楼梯出去——”

琥珀很惊异地瞠视了他一会儿。我的天！难道这个傻瓜竟连决斗都不懂吗？难道服服帖帖将自己的妻子让给她的情人吗？于是愤怒平息了，代之而起的是一种鄙薄。她拉起了里衫的长裙，对他行了个万福。

“这儿来，爵爷。”

她穿过房间，打开一扇门，就是通到一个小楼梯去的。热腊跨出门之后，又很潇洒自然地鞠起躬来，先对琥珀，后对伯鲁，但是琥珀看出他嘴边的肌肉在惊慌地发抖。她等他出门，就将门关上，回转头望望伯鲁；其时她嘴唇上带着一种鄙夷不屑的笑容，以为伯鲁也一定有的。

伯鲁果然也在微笑，但是他的眼睛带着一种奇异的表情。这是什么呢？是不赞成吗？可怜刚走的那个人吗？或是对于他们三个人的一种讥讽呢？这使她吃惊，当即觉得寒冷、迷失而孤寂起来。但她正在注视时，他那种表情已经消失而改变，只见他摆了摆手，耸了耸肩，向她身边走过来。

“唔，”他说，“他也跟欧洲的任何男人一样背着一个亮壳儿。”

第五十一章

伦敦已经成了歇斯底里的代名词，如同一个害了妒忌病的女孩子一般。她的过去几年生活充满着激动和悲剧，情形过分纷扰动荡了，现在她心境不安，神经过敏，常在一种焦急忧惧的状态中。人人都觉得前途非常险黯，一切可能都迫在眉睫——任何事情都可以发生，而且大概是要发生的。

新年开首便是一片颓唐的气象，只见数千无家可归的儿童住在柏油涂顶的棚子中，都是在原有的火烧基上临时搭成的。有的人拥挤在城里少数几条幸免于火烧的街道上，不得不负担异常昂贵的租金。遇到那年冬天又寒冷异常，煤是贵得没有人烧得起的。大多数人相信伦敦永远都不能再造，并不是没有理由的；他们对于目前既没有信仰，所以对于将来也不存希望了。

一颗恶星似乎正照临着英国的国土。

政府虽已濒于破产了，国债却是从来所未有的大。这次战争的开始本来是希望无穷，现在却已人心厌战了，因为开战以来成果并不好，而且一般人的心里都将这两年来的空前浩劫归咎于战争。皇家海军里的人员已不安了，海军部的院子里面躺满将饿死的人了。国会不肯通过本年海军的军费，商人不见现款也不肯供给军需了。因此阁议竟至违反查理乃至阿比马和吕贝亲王的意旨，决定将舰队归坞一年，而积极促成当时已在进行的和议。

可是宫廷里面并不因这些问题而十分操心，因为国家财政虽已到了十分不堪的状态，私人手里的财富却充裕得未之前闻——一个有企业和一点资本的人，可以将他的金钱投资于股票，转眼之间就增加许多倍了。这些富户又都不怕荷兰人，因为其中大多数人都知道英国已经跟法国订了密约，叫她防止荷兰舰队的行动了。法国人对于战争从来都不感兴趣，而路易王的野心也决不会越过英国的海峡。那些操心时局的人如果喜欢忧恼，喜欢牢骚，那就随便他们去好了。至于那些老爷太太，他们有另外的事情要费心。他们所关心的是巴铿汉公的潜逃，司徒馥兰的怀孕——后面的谣言在馥兰私奔之后仅仅一个月就传开来了。

到了四月下旬，却来了一个惊人的消息，说是荷兰人已经出动二十四条军舰沿海岸线而来。

民众如发狂一般。恐怖、怨恨、疑惧的心情如同一蓬火焰似的冲过了全国。和议怎么又变卦了呢？其中一定有人在通敌，将个中的真相出卖给了敌人。于是人人都寝不安席，仿佛随时都要给枪炮声和厮杀声从梦中惊醒一般。然而荷兰人始终都只在海岸游弋，并没有打进一步来。

琥珀对于这些事却都并不怎样关心——战争啊，荷兰人的威胁啊，乃至于巴铿汉公的潜逃啊，司徒馥兰的孩子啊，都不能使她感兴趣。她的兴趣就只有一项，只有唯一的一项——那就是贾爷。

查理已经增赐给他二万英亩地皮。他的地皮所以需要这么大，因为他现在种烟草了。烟草在三年之内就会将地力消耗干净，而且与其将旧土重新用肥，倒不如另开新土便宜些。他又雇起六条船的一个舰队，因为商人和垦殖家都有一种共同的习惯，要把每次的收获估计得低，结果是船舶总感不够。因此他对舰队的需要非常之大，而且他还曾在去年十月间装了一大船到法国去过。这事原是违法的，但美洲的垦殖家若要能够生存，就非用这私运的办法不可，因为弗吉尼亚两年之间出产的烟草，就足够英国三年之用了。

这几日来伯鲁一直都在购买运往美洲的货物，其中一部分是他自己买的，一部分是美洲的邻舍托他买的。假如他此番不来，那些邻舍就得委托普通商人采办了，但是那班商人大都靠不住，不是货色不好就是要从中揩油，因此人人都托伯鲁来带买。

他在弗吉尼亚的住宅还只造了一部分，因为过去一年里面他得垦荒栽种，忙得不得了。又加有技能的工人也不容易找，因为那些跑到美洲去的工人，大多数都改行走捷径，想在五六年之内就发一票财回来，不大容易劝他们做老行业。此番他回到美洲，预备带几十个雇工去，跟他们订好合同，去完成那建筑，并在垦殖场上工作。现在他正购买玻璃、砖头、钉子等，因为这些东西都是美洲方面稀少的，又采集多种英国的植物和花卉，到那边园子里去栽植。

总之，他对于弗吉尼亚和那里的生活怀抱着极大的热忱。

他给她讲述那边的森林，其中有橡树、松树，以及开花的桂树，花卉则有山茱萸、萝兰、玫瑰、牵牛之类。又告诉她那边的鱼类非常之丰富，要吃鱼时只消拿只盘子伸到水里去，马上就可舀起满满一盘来。其中有三黎鱼、鳊鱼、一尺长的蚝子、甲鱼、螃蟹、乌龟，都是取之不尽，用之不竭的。又说每年九月里有候鸟要来，一阵阵的，同乌云一般，往往要遮蔽天日，因为那些河边长着丰富的野芹和雀麦，那些鸟儿都来觅食了。又有天鹅、家鹅、雎鸠，以及重至七十磅的吐绶鸡。总之那么多物产丰富的地面是世界上独一无二的。

森林里面常有野马在游行，因而捕捉野马就成了那个地方的一种主要游戏了。颜色灿烂的鸟儿到处在飞舞，其中有褐黄和猩红的小鹦哥，又有些是黄头绿羽的。各种野兽多得不得了，常出来烦扰人，以致不得不到处设着陷阱。伯鲁因知琥珀喜欢皮货，这回替她带了一些来，足够她做一件大氅、一条毛毯，兼做一个大手笼之用。

他的太太名叫科丽娜，住到牙买加来不过一年，但他预先把他择定住家的那个地方给她讲述过，她就给那地方起了个名字，叫做夏山。他们打算在两年之中到英法各处去游历，顺便就将他们的家具置起来。科丽娜是一六五五年离开英国的，从此没有回来过，现在她怀念祖国，很想回来一趟，哪怕是暂作逗留也好。

琥珀对于这些事情都很高兴听，而且拿无数的问题不住纠缠他，但当他逐一回答出来的时候，她却又一定觉得伤心、愤怒，而且妒忌。“哦，天！我真不能想象你在这种地方的日子怎么过的！难道你一天到晚都工作吗？”她心里觉得工作不是上流人应有的事，所以当她说这话的时候，语气之间仿佛责备他太不自重了。

那是五月下旬一个和暖晴朗的下午，他们在泰晤士河里向撒而西那边荡着船，其地在阿木笔府的上游约摸三英里半路。原来琥珀刚刚买了一条新画航，油漆得金碧辉煌，里面装着许多金绣天鹅绒的垫子，因就哄着伯鲁来陪作处女航了。琥珀挺在那天幔底下，头发上面结着一圈白玫瑰，一件薄绸的衫子从她的腿上流澜下去。她手里拿着一把绿色的大扇，遮住那半边阳光。船夫穿的制服也是金碧辉煌，他们正在船后艄休息谈话。那画廊相当长，他们不会听到伯鲁和琥珀这边的说话。

河上还有其他许多的小船，上面带着情人、家属，或是一群群的青年男女在那里闲游或是野宴。这几日暮春转暖，就把城里有闲空的人个个引出门来了，因为伦敦跟乡下究竟还不很隔绝，所以每个伦敦居民仍旧具有一种乡野情怀。

伯鲁坐在船里和她面对着，一只眼睛被阳光照得眯起来，听见琥珀问他那句话，便咧开了嘴。“我可以承认，”他说，“我住在那里的时候并非每天早晨躺在床上读情书，下午也没有戏看，晚上也不上酒馆。可是我们也有我们的消遣。我们都住在河上，要想旅行并不困难。我们也可以打猎，喝酒，跳舞，赌钱，跟这里并无两样。那些垦殖家大多数都是这里去的上流人，所以都把他们的脾气习惯同他们的家具一起带了去了。你要知道，我们英国人虽是离了家乡到外国，那种故旧习惯仍是无论如何不肯放弃，仿佛这竟是性命攸关一般。”

“可是那里没有城市，没有戏院，也没有宫廷呢！哦，这种生活我可受不了！我想科丽娜喜欢那种枯燥的生活罢！”她很不以为然地补充道。

“我想她会喜欢的。她住在她父亲的农场里面一直都很快乐呢。”

琥珀以为自己对于这个科丽娜的设想一定不会错。她将她形容做一个詹尼弗，或是一个阿木笔夫人，一定非常安分而羞怯，除了自己的丈夫和孩子之外一切世事都不过问。现在英国乡下尚且要产生这样的女人，那么那种海外荒旷地方所产生的自然更要不如了。她身上穿的衣服一定已经过时了五年，也一定不晓得涂脂抹粉粘面贴儿。她又一定从来没有看过戏，没有逛过海德公园，没有赴过幽期密约，没有上酒馆吃过饭。总之，凡是她自己觉得有兴趣的事情，她都猜想她从来没有干过。

“哦，唔——当然她会觉得满足了——此外的任何事情她本来都不知道啊，真是可怜虫！她的相貌怎么样呢——总很鲜艳罢，我想是？”她语气之间仿佛以为一个女人要能够说得上美，就不能不是鲜艳的。

伯鲁摇摇头，觉得很好玩。“不，她的头发是深黑色的——比我自己的还要黑。”

琥珀睁大她的黄玉色眼睛，显得骇然了，竟像他把她形容做一个豁嘴或是曲腿儿一般——一个上等女人长着黑色头发是不时髦的。“哦，”她同情地说道，“她是葡萄牙人吗？”她明明记得伯鲁说过科丽娜是英国人，但在英国是把葡萄牙女人当作最最不美的。琥珀说了这话，竭力装作毫不在意的样儿，扑到船舷上去懒洋洋扑着一个偶尔飞过的蝴蝶。

现在他笑起来了。“不，她是英国人。她的皮肤是白皙的，她的眼睛是蓝色的。”

伯鲁说到科丽娜时的神情总使琥珀觉得不高兴，仿佛他的声音和他的眼睛里面都有一点东西要使人难受似的。现在她觉得热起来了，暴躁起来，胃里面隐隐作痛。

“她今年多大了？”

“十八岁。”

琥珀突地觉得自己在过去几秒里面已经长起了一世纪的年龄。原来女人对于自己的年龄都特别敏感，大约一过了二十岁，就会触目惊心，样样事情都要使她们感觉衰老了。现在琥珀不过二十三岁才过两个月，但她突然觉得自己仿佛是个龙钟老妇了。她跟那个女人竟相差了五岁！这五岁的年纪直同一个世纪一般呢！

“你说她长得好看，”琥珀用一种凄然的低声问他道，“她比我还要好看吗，伯鲁？”

“我的天，琥珀，你怎么会对一个男人问出这种话来呢？你也知道你是长得美丽的，可是我不见得会那么执迷，以至于相信地球上好看的女人只有一个罢。”

“那么你的确是当她比我好看了！”琥珀不胜怨恨地嚷道。

伯鲁拿住她的手，将它亲了一亲。“不，并不是，亲爱的。我可以赌咒决没有这样的心思。你们一点都不像——可是你们同样可爱。”

“那么你也爱我吗？”

“我爱你。”

“那么你为什么——哦，好罢！”说着她不免愤然，但她见他的神色不对，便急忙改换了话题，“伯鲁，我现在有一个主意！等你把事情做完了，我们坐阿木笔的游艇到河上去逛他一个礼拜罢。他说他的游艇我们可以用的——我已经问过他了。哦，你答应我罢——这一定非常有趣呢！”

“我怕我要离开伦敦了。倘使荷兰人存心的话，他们是可以一直开进禁苑码头来的。”

琥珀就将他奚落起来。“哦，笑话了！他们不敢呢！无论如何，和约已经只剩签字一步手续了。我昨天晚上听见万岁爷亲口说的，他们不过到我们海边上来吓吓我们，并且报复去年夏天我们对付他们的那种手段。哦，你答应我罢，伯鲁！”

“也许可以答应，若是荷兰人撤兵的话。”

但是荷兰人并没有撤兵。六个星期以来，他们一直都在海边游弋，用的是一百条船的一个舰队，此外又有法国船二十五条加入了，至于英国却没有一条好船在海上，因而不得不将它的劣舰来动员。法国军队已经到了邓吉克。

为了这个缘故，伯鲁就不管琥珀怎样甜言蜜语，都决不肯离开伦敦了。他说荷兰人如果到来，他决不可能跟一个不负责任的土耳其苏丹一般，躺在一条游艇里面到上游数英里路外去逍遥自在。他的部下都得到优厚的给养，他至少可以信任他们保卫他的船舶。

后来有一天晚上，他们同睡在一床，伯鲁已经酣睡了，琥珀也正朦朦胧胧要入睡，忽听得一种声音惊走了她的睡魔。那声音越来越大，她深为诧异地尖着耳朵在那里听着。突地那声音爆发开来，一阵鼓声如同雷鸣一般震响过街道。她的心似乎停顿了，然后又像急鼓似的砰砰捶起来。她一下坐起来，将伯鲁的肩膀拼命地摇。

“伯鲁！伯鲁，醒来，荷兰人已经登陆了！”

她的声音带着一种歇斯底里的颤抖，她已吓得浑身冰冷了。这几个星期的期待，早已使她不知不觉之间受到很深的刺激。加以那么漆黑的夜晚，那种突如其来、惊心动魄的鼓声，使她觉得荷兰兵仿佛已经进了城，早已站在她的门外了。那鼓声越来越响，打得同发狂一般，其中杂以男人的呼喊，激动而且尖利。

伯鲁一跃而起，随即一言不发地掀开被头跳下床，琥珀跟在他后边，随手抓起一件寝衣来披上。伯鲁已经走到了窗口，一件衬衫还抓在手中，伸出头去向院子里呼喊着。

“喂，什么事啊？荷兰人登陆了吗？”

“他们已经占领希尔纳斯了，侵入我们的国境来了！”

鼓声重新响起来，钟声也从教堂的塔楼里陆续地传出；一部马车隆隆地碾过门前，随后有一单骑急骤地驰过去。伯鲁将窗门关上，动手穿裤子。

“哦，耶稣，他们马上就要到这里了——我们防御方面是一点儿都没有准备的！”

琥珀吓得一点儿没有办法，竟呜呜地哭了起来。外面的鼓声越打越紧，将一种充满灾难和恐怖的节奏弥漫了那黑夜的天空。人们开始从窗口里呼喊起来，或是冲到街上来狂奔乱窜。南儿正在拼命地敲门，要让她进里面去。

“进来罢！”琥珀嚷道，她面朝伯鲁，“你打算怎么办？你打算到哪里去？”那天晚上虽然很暖和，她却不住打起寒噤来，牙齿格格打颤着。南儿进来了，手里拿着支蜡烛，将房里的几支蜡烛都燃点起来，房里顿时放出了光明，琥珀的恐怖也随着消失。

“我要到希尔纳斯去！”

伯鲁站在那里打他的领结，随后叫南儿到他的房间里去把他的长靴拿来。琥珀拿起他的靠子和外褂，给他擎在那儿，让他逐件伸手插进袖子里去。

“哦，伯鲁，你不要去！他们大概有数千人的！你要被他们杀死的呢！伯鲁！你不能去！”她抓住了他的臂膀，仿佛她能将他强留住一般。

伯鲁挣脱了她的臂膀，继续将他的靠子和外褂扣了起来，然后把南儿给他拿来的那双带银马刺的长靴套上脚。他扣上腰刀，南儿又送上了他的帽子和大氅。

“你带着几个孩子离开伦敦罢！”他一面戴上帽子一面对她说，“逃离这里，越快越好！”

这时前厅门上传来了猛烈的敲门声，南儿跑去开了门，阿木笔和艾米丽仓皇地冲进来，那位伯爵已把衣服穿齐，他的夫人却只穿着一件寝衣，围着一件披风。“伯鲁，荷兰人已经登陆了，我已在院子里备了马匹！”

“可是你不能去，伯鲁！哦，阿木笔，他不能去的——我是吓杀了！”

阿木笔给她一副厌恶的怒容。“你看基督分上罢，琥珀！敌人都进来了呢！”他跟伯鲁急急走出了房门，三个女人在后面跟着。

过道里面挤满了仆人，慌慌张张地在那里奔来奔去；有些女人在那里啼哭，所有的人都在喊喊喳喳地交谈。他们刚刚踏出琥珀的门口，便见斯丹霍夫人气急败坏地跑到了。她的头发上面压着顶睡帽，可是许多纸卷从帽子底下漏出来；她手上戴着麂皮的手套，浑身的肉都在簌簌打颤。她将伯鲁的臂膀一把抓住，仿佛是遇到救星似的。

“哦，贾爷，谢谢上帝你还在这里！敌人已经进来了呢！哦，怎么办呢？我怎么办呢？”

伯鲁一下子甩脱她的手，同阿木笔动身跨下楼梯，一面给了一个简捷的回答。“我劝你离开伦敦罢，夫人。你跟我来，琥珀。我有话要跟你说。”

两个男人匆匆走下楼，两只长靴橐橐响过那梯级，琥珀急急忙忙跟在伯鲁的一旁，这时第一阵惊惶已经过去了，但那鼓声钟声呼喊之声继续增强。她有大难临头的感觉。他不能去！她心里想道。他不能去！然而他要去了。

“阿木笔夫人马上就要动身到巴贝列山去了。所有的计划都已决定了几个礼拜——你带着苏姗娜和小伯鲁跟她同走罢。倘使我遇到什么事情，我会差人送信给你的。”她想开口抗议，但他不理她，管自急匆匆地说下去，“万一我被杀了，你肯答应我写一封信给我太太吗？”

这时他们已经走到院子里，只见两匹马儿都已上好了马鞍，气咻咻地不住蹦跳着。奴仆马夫们来往如梭，黑白二色的看车狗围绕在那里汪汪叫着，鼓声响在它们耳朵里，仿佛就是它们自己心脏跳跃和血脉搏动的回声。阿木笔立刻就跨上了马，伯鲁却还停留在那儿，两手揿在马鞍上，低头看着琥珀的面孔。

“你答应我罢，琥珀。”

她点点头，她的喉咙已经哽塞了。她伸出手去抓住了他的衣襟。“我答应你，伯鲁。可是你别出什么事情罢！你当心不要受伤罢！”

“我想我不至于的。”

他弯下头，一只臂膀搂抱着她，他的嘴儿和她的接触了一刹那。然后他一下跳上了马背，同着阿木笔的马儿驰出院子去了。刚出院子门，他又回转头向她摆了一摆手。她突地哭叫起来，伸着臂膀追上去，但是他们已向黑暗里面消失了，只听见踏踏的蹄声越去越远。屋子里面已经乱得一团糟，有些仆人正在那里搬家具，搬到院子里来放着，又回去再搬。好些女人在那里哭泣，没奈何地不住搓着双手。有的已经穿好了衣裳，背上也结好包袱，就都奔到街上逃命去了。琥珀撩起了裙子，奔上了楼梯，挂着眼泪向那些房间乱跑一阵，末了她跑到了育儿室。

育儿室的门大开着，十几个发狂的女人在那里来往奔忙，给那些大大小小的孩子穿衣服。艾米丽站在当中，态度却很冷静而镇定，正在那里指挥帮助那些女仆。小伯鲁已经穿好了衣服，一看见琥珀就立刻迎上前来。琥珀哭着跪在地板上，将他紧紧搂住，却是为要安慰自己，并不为安慰他。事实上他也并不需要什么安慰。

“不要哭，母亲。那些天杀的荷兰人永远不会到这里来的！父亲已经去打他们了！”

可是苏姗娜正用尽她的肺力在急叫，一面拼命踢着那个想要给她穿衣服的奶娘，又将一双胖胖的手儿盖着耳朵，以期挡住那不断的鼓声。现在她看见母亲和哥哥搂在一起，更觉得气愤起来，在她站的那张桌子上大跳大嚷着。

“母——亲！”

琥珀站起来向她那边走过去，小伯鲁随侍在旁，仿佛去保护她似的。“乖乖儿，你让郝妈给你穿衣服呀！没有什么好哭的，你瞧——我都不哭呢。”她睁大眼睛看着苏姗娜，但是她的眼圈是红的，她的眼皮是肿的。苏姗娜一把将她搂住了，越发哭得厉害起来。末了琥珀觉得不耐烦，将她轻轻地摇了一阵。“苏姗娜！”苏姗娜将头一仰，很觉惊异地看着琥珀，不由那血红的小嘴张得更大了。“快不要这么喊了！又没有人打你！把衣服穿好罢。就要坐车逛去了。”

“我不要去逛，天黑了！”

琥珀将头扭开去。“天黑不要紧！反正是要去的。快穿好衣服，再不我就要打了！”

说着她就丢开苏姗娜，走到阿木笔夫人同她自己的四个孩子那边去了。阿木笔夫人正跪在她那六岁的儿子面前，给他打花边的领结。“艾米丽——我不跟你同去了。”

阿木笔夫人不胜惊异地抬起头看了她一眼，随后就站了起来。“你不去了！哦，琥珀，可是你得去呢！倘使荷兰人或是法国人到这里来了怎么办呢？”

“现在他们总还没有来。我也不愿跑到乡下去，因为到了乡下我就听不到伯鲁的消息了，如果有什么事情发生的话。万一他受了伤呢，他是要用得着我的。”

“可是他说要你去的呀。”

“我不管他怎么说。我总是不去的，可是我要小伯鲁和苏姗娜去——你肯带他们走吗？还有南儿！”

“当然肯带，亲爱的，可是我想你在这里很危险呢。他要你去——他们已把这桩事商量过多次，一切计划都已定好了——”

“我在这里会很安全。因为他们如果来，我可以到白宫里去。他们总不见得去攻王宫。你在这里的东西我会替你照管——你把贮藏室的钥匙交给我，我会把贵重的东西都拿下去的。”

这时南儿急急忙忙奔进房。“我的天，我正到处找你呢！来罢，赶快，去穿衣服罢！他们马上要到了——我连炮声都已听见了！”南儿身上的衣服乱七八糟，头发也没有梳，脚上也没有穿袜子。她一把抓住了琥珀的手，就拼命将她往外拉。

主仆二人走过喧哗纷扰的过道，琥珀必须拼命叫喊着才能使南儿听出她的话。“我不去了，南儿。可是你若去还是能去的——我刚才请——”

南儿吓得嘴也合不拢，因为在她看来，这时法国陆军已经上了岸，荷兰海军也已停泊在港口了。“哦，夫人！这是不能的！你不能留在这里！他们见人就要杀的！他们会戳破你的肚皮，挖你的眼珠子，并且——”

“啊呀我的天！这不是天底下顶顶可怕的事情吗？”这是斯丹霍夫人的声音。她已经穿好了衣服，带着两个女佣拿着许多包袱箱笼匆匆走来了。“我立刻就要动身到岗道庄去了，我原晓得乡下是离开不得的！这个可怕的城市啊——老是要出事呢！热腊到哪里去了？”

“我不知道，走罢，南儿——阿木笔夫人几分钟之内就要动身了。”她又转过身来对着她的婆婆。“我近来没有看见过他。”

“你没有看见过他！可是我的天！那么他到哪里去了呢？他告诉我说每天晚上都跟你在一起的！”突地她的眼睛变得闪亮而严厉了，奸猾地瞅着琥珀。“还有——刚才贾爷不是从你房里出去的吗？”

琥珀不耐烦地将脸扭开去，打过道里向她自己的房间那边走去。“有这桩事又怎么样呢？”

斯丹霍夫人被她这话气得发了昏，过了一会儿才回复过来，当即追踪琥珀而去，一路气咻咻地向她耳朵里边唠叨着。“你的意思是说贾爷这样深更半夜独个人在你房间里？你的意思是说你已经叫我家热腊当乌龟了？是不是这个意思？你说你说！”她抓住了琥珀的肩膀，要将她的身子旋转来。

琥珀略略强了一会儿，突地回转身去面对着露雪拉。“快放手，你这老蟹！不错，我是跟贾爷在一起，我还怕人知道吗？你这老蟹只消他把眼角带了你一眼，怕也早就自己送上去了！你去找你的宝贝热腊去罢，不要来管我的事——”

“怎么，你这不要脸的婊子！你等着热腊知道这桩事儿罢！你等着我去告诉他罢——”

可是琥珀早已走得远远了，只将那位男爵夫人独自撇在过道里面空发急。她踌躇了一会儿，不知道上前去痛骂她一顿呢，还是自己早些到乡下去逃命好。“唔——我等将来再跟她算账罢！”她瞠视着琥珀的后影，喃喃骂了她一声“婊子”，便带着两个女佣匆匆跑下楼去了。

琥珀将一件大氅披上了她的寝衣，重新到院子里来送她们出发。艾米丽和南儿又竭力劝了她一番，可是她坚持不肯，仍说她在这里会十分安全。事实上她的确不再害怕了，因为那不断的鼓声钟声，那奔腾的马匹，那惊惶的呼喊，反而都激起她不甘安逸的豪兴来了。

几个孩子同坐着一部马车，由两个奶妈带着，苏姗娜也有些觉得是出去玩耍一般了。琥珀将他们一一吻过。“你要当心你妹妹，伯鲁，不要让她受惊吓或是感到寂寞。”苏姗娜知道她母亲不去，又哭了起来，站在车座上不住双手拍车窗，但那马车已经碾出院子去了。琥珀远远摆手儿向他们告别，便回到屋子里去，她要干的事情多着呢。

那天晚上她就不再睡觉了，只监督一班人将伯鲁的贵重物品搬到贮藏室去，有伯鲁的金盘银盘，还有一套仪器，是当初查理一世赏赐给老伯爵的，还有伯爵和她自己的许多珠宝，统统都拿到地下石库里去藏起来。此事办妥当，她就穿好了衣服，不到六点钟就动身去找牛散达了。其时牛散达已经搬到龙巴德街，因为自从大火以来，许多金铺都搬到那里去了。

从河滩到龙巴德街从前有一段路，并且要经过火灾区域。只见火灾区域里面到处都已搭着脚手架，但也有许多房子已经完成，又有少数几条街道已经再造得结结实实了，但是空无一人。有些地窖里仍旧还在冒烟，露水落在焦炭上的气息充满在空气当中。灰炉上面已经盖了一层泥土，上面长着黄色的伦敦十字花，在那梦一般的扑地浓雾里欣欣开放。

疲乏而忧恼的琥珀满怀阴郁地坐在那部颠颠簸簸的马车中。她的胃在痛，她的头在打旋。将近牛散达家里的时候，她看见一长列坐着男男女女的马车拐过弯进入阿部拆基胡同来了。琥珀的去路给他们塞住，觉得不耐烦起来，拿她的扇子拍拍前面的车板，大声叫喊华大约翰。

“赶到圣尼哥拉斯胡同里去停下来罢！”

到了那里，她就下了车，带着华大约翰和两个跟车的穿过一条小弄，找到牛散达的后门。谁知那里已经树起了栅栏，门口有两个武装卫兵交叉着毛瑟枪在那里守着。

“我们潭福滋夫人要见你家主人。”一个跟车的说道。

“对不起，夫人，我们有过命令，不许一个人从这扇门进去。”

“让我过去罢，”琥珀简捷了当地说道，“否则我要扯碎你们的鼻子！”

那两个武装卫兵不知是怕她的威胁呢，或是怕华大约翰的个儿大，竟让她走过去了。一个仆人去叫牛散达，牛散达当即出来了，神情跟她自己一样疲乏。他对她客客气气鞠了一个躬。

“我很冒昧从你的后门闯进来了。因为我一夜都没有睡觉，不耐烦在那长队里等了。”

“不要紧的，夫人。你可以到我办公室里去谈吗？”

琥珀松了一口气，就在他指给她的一张椅上坐下了。她的眼圈觉得火辣辣，她的腿觉得酸，她叹了一口气，将一只手支着头，仿佛那个头自己已经挺不住了。他倒给她一杯葡萄酒，她很感激地接过去喝了；这至少给她暂时提了一提神。

“哦，夫人，”牛散达喃喃说道，“我们英国真是交到恶运了呢！”

“我是来拿钱的。我要全部都拿去——现在就拿。”

他给了她一个悲惨的微笑，一面将手里的一副眼镜若有所思地翻来覆去，末了他长叹一声。“他们也是呢，夫人。”说着他指指窗口。她向那边一看，可以看见一个长队的一部分。“他们人人都是来拿钱的，有的有二十镑存在我这里，也有的像你夫人一样，存的数目很多。再过几分钟，我就得逐一放他们进来了。我得告诉他们同一套话，就是我现在要对你说的——我不能拿钱给你。”

“什么！”琥珀嚷道。这一下震惊已经将她的浑身疲倦都震跑了。“你的意思是说——”说着她就要从椅子上站起来。

“请你不要慌，夫人。你的钱是一点没有什么的。它平平安安在这里。可是你难道不明白吗，倘使我跟伦敦每个金匠都要把存在我们这里的钱如数还给人家——”他做了一个无可奈何的手势，“怎么，这是不可能的呢，夫人，你总知道的。你的钱原是平安无事，可是并不在我手里，有也是个极小的部分。其余的都放出去生息去了，或是置产业，或是买股票，或是做了其他的投资，你也总知道的。我不能把你的钱放在这里闲着，其他存户的钱也不能放在这里闲着，所以我不能一时统统还给你们。你给我二十天的期限罢，到那时候你若要的话，总替你预备好了。可是我们大家都得有这二十天期限才能把钱收回来。虽是这样也要造成一种财政上的无政府状态，也许竟把国家整个闹翻的。”

“国家已经整个闹翻了。敌人已经侵入国境来，还有比这更糟的事吗？好罢——我是了解你的，牛先生。在瘟疫期间和大火期间你都把我的钱保存得很好，这回你也一定能够替我保存好，跟我自己保存没有两样的——”

琥珀回到家里来，睡了四个钟头的觉，吃过中饭就又动身到宫里去了。河滩一带接连着装满难民的货车和马车，都要逃出城圈到乡下去。白宫的院子里和过道中，更拥挤着满载的车辆，到处都有很多人聚集着，在那里听着炮声，商量怎样提钱以及怎样藏匿东西、写立遗嘱等的急事。好些廷臣已经投入志愿军，或跟阿比马到茶坦，或跟吕贝亲王到伍尔维基去了，而英国的全部希望也就在这几百个人的身上。

琥珀每走几英尺道儿就要给一个慌慌张张的廷臣或是夫人拦住，问她预备怎么办，不等她回答，便又将他们自己的种种苦处诉说起来。其时人人都很悲观，坦然承认各处要塞都不堪用了，既没有装备，又没有人力，敌兵竟可长驱直入。又因在金匠那里提不回存款，大家心里都觉得愤愤然，誓言从此不再跟他们来往。有一些人准备到布里斯多或是其他的海口，以便从那里逃到美洲或是大陆去，因为英国已经是一只将沉的船，他们不愿跟她一同沉落。

其时王后的宫里闷热人多，一片语声嘈杂。凯瑟琳摇着扇子，竭力装作镇定的样儿，但她那双乌溜溜的眼睛倏来倏去，也不免流露出心中的焦急和疑虑来了。琥珀走到她面前去跟她说话。

“有什么消息吗，王后？他们没有深入来吧？”

“他们说法国人已经进山峰湾了。”

“可是他们不会到这里来的，是不是？他们不敢呢！”

凯瑟琳微微地笑了一笑，耸了耸肩。“就是他们现在这种举动，我们也当他们是不敢的呢！现在大多数的命妇都出城去了，你也该走了罢。我怕的是我们不及料的事情竟会发生，因为我们是丝毫没有准备的。”

这时她们听见卡塞曼夫人的声音响亮而清晰地传过来，因为她站在不过几英尺路外跟曹戴克夫人和梅拜伯在那里谈话。“这回有个人要送命呢，你们等着瞧罢！老百姓们光火得什么似的了！他们已经闹到克勒兰登府里去，砍掉了他的树木，捣毁了他的窗子，并且已将他们的情绪明明白白写在他的大门上了，写的是：‘请看三样怪物罢！邓吉克，丹吉尔，和一个没有生育的王后！’”

曹戴克夫人拿胳膊捣了捣芭芭拉，给了她一个警告，芭芭拉向四周瞟了一眼，鼓起腮帮子来，仿佛是吃了一惊，并且抬起一只手扪住自己的嘴。但她一双眼睛亮晶晶的，分明表示她是故意要让别人听见。凯瑟琳不觉瞠起了眼睛，她就懒洋洋地耸了耸肩膀，又向梅拜伯使了个眼色，他们就一同走出去了。

这个没心肝的婊子真该天杀呢！琥珀暗暗地想道，我恨不得剥去她的头皮！

“一个没有生育的王后，”凯瑟琳低声复述这句话，不觉那双拿扇子的手已经簌簌发起抖来了。“可见他们为了这事恨得我多么厉害啊！”突地她将眼睛抬起来，正视着琥珀的脸。“我也多么恨我自己呢！”

琥珀突地感到一阵非常痛心的羞愧，惟恐王后已经猜到她当时身怀的孩子就是皇上的。她冲动地捏住王后的手，并想拿一个同情的微笑去安慰她，可是这个当儿适好那装腔作势的鲍英吞夫人匆匆跑到了，手里摇着扇子似乎马上要晕倒一般。

“哦，王后！我们大家都完了！我刚刚听说法国军队已经靠近多佛的海岸，正在准备登陆了！”

“什么！”一个站在近旁的女人喊起来道，“法国兵登陆了吗？我的天！”说着她冲到门口去了。这一声呼喊哄动了全室，霎时就大乱起来，男男女女相挤相挨都向宫门口一拥而去。

但是这个谣言也同其他许多谣言一样，不久就证明是假的了。

那天晚上鼓声彻夜都不停，在那里征集受训的部队。炮火的声音从伦敦桥那边传过来。恐怖和悲观的巨浪一阵阵地冲过整个城市。谁要觅得一点稍有价值的东西，都在那里埋藏的埋藏，搬运的搬运，连同妻儿奴仆一并送出城去了；又有的在追索金铺的存钱，有的在匆匆立遗嘱。大家都在公然地埋怨，说他们是被宫里出卖了——大多数人都以为自己此番非做荷兰人或是法国人的刀下鬼不可。然后又有坏消息传来，说荷兰人已将梅得威河上的拦江木也冲破了，焚毁了六条战舰，占据了皇家查理了，现在正在近邻一带大肆劫掠。

皇上下了个命令，叫在巴金港里沉落几条船，以便将河道阻塞，免得敌人驶进上流来。不幸在纷乱之中，有人误听这命令，竟将好几条装载贵重海军供应品的小船沉落了。到了希尔纳斯受攻之后的第十个晚上，就看见那些被焚船只的火光照得满天红，破了肚皮的羊尸也往上游漂到伦敦来了。这恐怖的城市仿佛害了痉挛病，不住一阵一阵发起恐慌来。市面是全然死了，因为大家都保家逃命要紧，还有什么生意可做呢！

末了，荷兰舰队退到了河口，这才重新开起议和。这回英国人对于若干条款不很苛求责备了，因而谈判进行得很顺利。

不久贾爷和阿木笔同着一般志愿军人都回到伦敦，都长着满脸的胡子，脸也晒得漆黑，只是为了这番冒险都觉精神百倍。其时琥珀因为担惊着恼，多夜不眠，已经近于神经崩溃的状态，一看伯鲁右臂上面结着一条凝血的绷带，便像疯痴一样哇的一声哭起来。

伯鲁将她一把搂进怀里，仿佛她是一个小女孩一样，摸着她的头发，亲着她的泪淋的面颊。"你听我说，亲爱的，你见什么鬼要这么慌张啊？我比这再重些的伤也受过十多次了呢。"

她靠在他的胸口上，仍旧抽抽咽咽地哭个不停，因为她既不能停也不愿停。"哦，伯鲁！你也许要被杀呢！我多么害怕——害怕呀——"

他将她抱了起来，动身走上楼梯。"你不知道吗，你这脾气执拗的小娼妇，"他喃喃说道，"我是叫你离开伦敦的！荷兰人倘使愿意的话，尽可以把整个国家都拿走——我们阻挡不了呢——"

琥珀坐在床上锉指甲，等着伯鲁写完一封寄给他的监理人的信。他突然说："这回我回去的时候，要把小伯鲁带去了。"

她带着一种惊骇的神情向他瞟了一眼。其时他已经站了起来，脱开身上的袍子，弯身下去吹那最后一支蜡烛了，琥珀就在这个当儿瞥见他的脸，原来他说这话的时候，眼睛也正微微瞅着看她，她往里床让了让，他就爬上床去在她身边坐下了。

琥珀许久都回不出话来，她也不躺下，仍旧坐在那里向黑暗里瞠视着。伯鲁正在那里静等她。

"你不愿意他走吗？"他终于问道。

"当然我不愿意他走啰！他是我的孩子，是不是？你想我愿意把他送到那边去受别个女人的教养，以至于把我忘记吗？这是我不愿意的！我也不让他这样！他是我的，他得跟我待在一块儿，我不愿他去受别人的教养——去受跟你结婚的那个女人的教养。”

“你对于他的将来有什么计划吗？”那时房里是黑的，她看不出他的面容，可是他那声音平平的，听得出他是在跟她讲理。

“不——”她不得不承认道，“不，当然没有！我为什么该有这种计划呢？他还不过六岁呢！”

“可是他不会一直六岁下去的。将来他逐渐长大起来，你打算怎么办呢？你预备对他说他的父亲是谁呢？倘使我走了，他跟我几年不见面，他会压根儿忘记我这个人的。那时你让他姓什么好？这是跟苏姗娜不同的——苏姗娜可以认为是威家的孩子，总算有一个姓了。伯鲁却除我给他之外不能有姓，但他若跟你待在一起，我又不能拿我的姓去给他。我知道你是爱他的，琥珀，他也一样地爱你。你现在富有了，你又已经得到皇上的恩宠，也许你有一天可以请皇上赐给他一个爵位。可是他若跟我去，他就是我的嗣子了，他就可以享受我能给他的任何东西，也不至于含羞忍辱，做一个人人知道的私生子了——”

“他反正是一个私生子啊！”琥珀觉得无可置辩，只得这么嚷道，“你不见得叫他一声贵族就会使他变成贵族的！”

“他是不好住在英国的，到了那边就不要紧了。这里人人都会知道，他到那边去至少总会好得多。”

“那么你的太太那里怎么去说呢？你这个孩子到底是从哪里来的？难道是芫荽菜地里长出来的吗？”

“我已经告诉过她，我是结过一次婚的。这回她本来就盼望我把孩子带回去。”

“哦，是吗？你非常有把握，是不是？那么这个孩子的母亲怎么样呢？”突地她停住了，不由感觉到一阵痛心。“你一定对她说过我死了罢！”他没有回答，她就又带着责备的语气追问道，“是不是？”

“是的，当然。否则叫我对她怎么说呢？难道竟说我是重婚的吗？”他的声音显得有些不耐烦了。“好罢，琥珀，我也不想把他带走了。这桩事情你自己可以决定，可是你也得稍稍替他着想一下。

当你下决心的时候——”

琥珀想起自己的儿子要被带给另外一个女人去教养，要跟她自己永远分离，以至不复知道有她这人的存在，心里自然非常伤痛而愤怒，竟至一连几日都不肯去想这桩事情。伯鲁呢，也说不再将这事提起。

其时荷兰舰队仍旧占据泰晤士河口，英国的船舶竟没有一条进出的。因此伯鲁虽在初次受攻的时候就想走，现在却不得不在这里静候议和了。但他仍旧没有带琥珀同走的意思，因为和约一签定他是立刻就要出发的。在这期间，他花费不少时间跟皇上一同出游，余下来的工夫他就同他那个小儿子出去骑马，或是教他击剑的课程，时或他们父子两个驾着阿木笔的游艇到泰晤士河上游玩，那就琥珀也同去。琥珀每见他们两人在一起，总要觉得非常痛心而嫉妒，心想这个孩子终于要跟他的父亲走，终于要把她忘记了。其实要她将孩子交还自己的父亲，她倒没有什么舍不得，但想起了他要归另外一个女人所有，便觉得痛心之至了。

有一天早晨，伯鲁要带他们母子两人去游船，他们在花园里散步等候着。其时是七月中旬，天气酷热而晴朗，园径上边刚经园丁泼过水，正在热腾腾地冒气儿，菩提树正在开着繁花，蜜蜂儿嘤嘤嗡嗡不住盘旋在那黄绿色的花朵上，麦歇钱在他们前头跑着，东闻闻，西嗅嗅，两只耳朵已经垂倒了，因为它到喷泉里去将头浸湿了，然后拖泥带水地乱跑。

一个园丁送给他们每人一个熟透的黄梨，她将它咬了一口，觉得它的味道同红酒一般。“伯鲁，”她突如其来地问他道，“你的父亲走了之后你会十分惦记他吗?”这话她实在不想问，但是一问出口之后，她就又迫切等着他的回答了。

小伯鲁给她一个渴望的微笑，她就立刻看出他的意思来。“哦，是的，母亲，我会的。”他迟疑了一下，又说，“你不惦记吗?”

琥珀不觉吃了一惊，当即迸出了眼泪，但马上将头扭开，竭力想到壁上半开的麝香蔷薇上去了。她一面伸手去摘花，一面回答他道：“是的，当然我要惦记的，假如，伯鲁——假如——”她突然说不下去。“你高兴跟他同去吗？”

他带着一种全然不相信的神气抬起头瞠视着她，然后一把抓住她的手。“哦，我能吗，母亲？我能去吗？”

她低下头将他看了看，脸上掩饰不了失望的神情，但是他的眼睛闪亮得那么厉害，她就把将来的事情料到八九分了。“是的——你能的。若是你要的话。那么你要去吗？”

“哦，是的，母亲！我要的！请让我去罢！”

“那么你要走了把我丢开吗？”她知道这句话说得不公平，但她实在熬不住了。

正如她所希望的，那孩子脸上的快乐立刻消失，而代之一种受到良心谴责的惶惑忧恼了。他默然了一刻。“可是你不能也去吗，母亲？”突然他重新微笑起来。“你跟我们同去罢！那么我们都好在一块儿了！”

琥珀的眼睛凝视着他，同时伸出几个指头轻轻碰了碰他的头发。“我不能去，亲爱的。我不得不待在这里。”说到这里她已经莹莹满眶了。“你要么跟他，要么跟我——”

他拿住了她的手，做出表示同情的姿势。“你不要哭，母亲，我不要丢开你走了——我要去对父亲说——我不能去。”

突地琥珀恨起她自己来了。“这儿来罢，”她说，“跟我在这凳上坐着罢。你听我说，亲爱的。你的父亲要你跟他去。他在那边需要你——去帮他的忙——那边要干的事情多着呢。我也要你待在我这里——可是他更需要你。”

“哦，你这么想吗，母亲？你真的这么想吗？”他的眼睛急切切搜索着她的脸，可是一种快慰的感情全然露出来了。

“是的，亲爱的，我真的这么想。”

琥珀抬起头来从他头上看过去，看见伯鲁从园径上向他们走来了。那孩子转过头看见他父亲，便一下跳起来跑上前去迎接他。他每次看见父亲的时候，总比看见母亲礼貌周到些，并不是父亲定要他这样，乃是他的先生平时教惯的。现在他先恭恭敬敬鞠了一个躬，这才敢开口说话。

“我已经决定跟你到美洲去了，爵爷。”他很严肃地报告他道，“母亲说你那里需要我。”伯鲁低头看了那孩子一眼，急忙看到那边跟琥珀的眼睛接触着，一时面面相觑都没有出声，然后他将臂膀围着孩子的肩膀，笑嘻嘻地向着他。“我很高兴你已决定要跟我同去，伯鲁。”说着父子二人一同向琥珀这边走来，琥珀从凳子上站起身，眼睛仍旧盯在伯鲁的脸上。伯鲁不开口，只是低头将她亲了亲，亲得温柔而简洁，几同丈夫的亲吻一般了。

琥珀觉得自己做了桩高尚无私的事情，心里希望伯鲁也作如是想。从此她就一点点萌起希望来了，以为孩子到他那边去，就可使他一直不会忘记她，这或许是旁的任何东西都办不到的。或许她竟可以不必见到科丽娜的面就可把她打倒也未可知呢。

布利台条约签订好了，消息是月底这天到达白宫的。第二天，伯鲁趁早潮就要开船，琥珀到码头上去送他们，临走的时候她曾下决心，无论这次别离怎样难受都要熬忍着，以期保持父子二人对她的好感。可是当她抱着儿子亲吻的时候，喉头竟紧得连气都喘不过来。伯鲁挽住她的臂膀，才将她从地上扶起，因为她肚里的东西已经很沉重，她的行动颇不灵便了。

“你不要让他忘记我罢，伯鲁！”她恳求道。

“我不会忘记你的，母亲！而且我们要回来看你的呢！父亲说过的——你不是说过吗，爵爷？”他抬着头看着父亲，要他替他证实。

“是的，伯鲁——我们是要回来的。我现在和你约定就是了。”他心急巴巴恨不得立刻上船开走，免得经受这种惨痛的离别。“琥珀——我们已经是太晚了呢。”

她不觉轻轻发了一声喊，伸起两条臂膀将他一把搂住了，他弯下了他的头，他们的嘴唇相接触。其时码头正人山人海，见这一对青年男女这样难舍难分，旁边又有一个孩子在那里呆呆看着，都把眼睛瞠视着他们，琥珀却旁若无人，发狂地只管搂住伯鲁不肯放。原来她虽然昨天晚上就已知道他要走，但这一刻工夫是她始终不能相信它会实现的。然而现在这一刻竟到来了，所以她绝望得徒唤奈何了。

突然，他抓住她的两条臂膀，将它们拼命捺下来。及至她睁眼看时，伯鲁早已带同他的儿子走过跳板上船去。那船就慢慢开动起来，一片雪白的船帆饱满地挂起，琥珀仿佛觉得自己的性命也已被它摄去了，却见她的儿子脱下帽子在那里摇动。

“我们会回来的，母亲！”

琥珀发了声尖叫，狂奔到水边，可是船身已经离岸了。其时伯鲁已经深入船心去了，在那里指挥船夫，可是突地他又跑回船边来，一手揿住儿子的肩膀，又一手向琥珀摇摆。琥珀伸起一只手来本要向他回摆，却忽地将手放进了口中，把一个食指拼命地咬啮。她就这样愣了一会儿，然后举起另一只臂膀，有气没力地向他们略摆了一摆。

第五十二章

屋子里所有的人都停止进食，目瞪口呆地盯着门口。

针钱街上新建皇家交易所背后的太阳酒铺里，每天正午十二点钟总是非常拥挤的，因为许多大商人都要到这里来吃中饭，谈生意，并且讨论当日的新闻。其中有不少人正在谈论巴镫汉，因为他这番落难颇得一般商人的同情，跟宫里人对他的态度大不相同。谁知他们正谈论的时候，那位公爷就已摇摇摆摆地来了。

一个白头发的老头儿抬起了头，不由一双衰弱的蓝眼睛噗地突出。"我的天！你们在这里谈什么呢！竟把鬼也谈出来了——"

当时这位公爷殿下态度很自若，一点看不出他是个潜逃的要犯，也看不出一点狼狈的样儿。他头上照常带着鲜黄的假发，身上穿着一条黑丝绒的裤儿，上罩一件金绣的褂子，里面露出一件绿缎子的紧身来。他的举止还是那么冷冰冰，随随便便，跟任何贵族中人跑进熟酒馆铺里吃饭的神情没有两样。

可是那些吃客立刻都离开他们的桌子，四面八方向他包围上来了。原来巴镫汉公平日颇费过一点心机，专跟这班大商人结好，以至一般商人都相信他是他们在宫里唯一的朋友了。他跟那班商人步调一致，也恨荷兰人，巴不得他们赶快溃灭。他又跟一般商人一样主张宗教的容忍，这是因他自己对宗教本不热心，那班商人却不知道。因此他的一生虽然已弄得千疮百孔，总算在这方面还保留着一点颜面——国中最有权力的一个阶层对他是怀好感的。

“欢迎啊，你回来了，殿下！我们正在这里讲到你，不晓得几时才得见你殿下的面呢！”

“有人造谣说你到外国去了！”

“我的天！难道真是你吗？你不是鬼吗？”

公爷摇摇摆摆地穿过他们向火炉那边走去，一路笑嘻嘻地握握那些向他擎出的手儿。他们微家子孙那种世传的魔力若肯存心运用时，原是一种非常有效的武器呢。“是我呢，列位。并不是鬼，你们放心罢。”他将头一点，叫了一个侍者来，把他中饭要吃的东西交代下去，又吩咐他赶快拿上来，因他吃这顿饭的时间也许不能长久。其时近旁有个年轻仆孩蹲在那里烤羊腿，一面骨碌着一双眼睛在看他，他就对他说道：“孩子，你能替我送一个信吗？”

那仆孩一下子跳了起来。“好的，殿下！”

“那么你得当心不要弄错了。你赶快跑到堡塔里去，告诉那里的警卫，说巴铿汉现在太阳酒馆里等着，叫皇上的军官赶来逮捕他罢。”说着他扔了一个银币给他。

大家听了他这番话，都不由大惊失色，顿时叽叽喳喳地议论起来，因为他们知道公爷若被逮起来，就非丢掉他的脑袋不可。那个仆孩掉转身，就飞也一般跑出去了。这里巴铿汉公给一群人包围着，慢步走到窗边一张桌子旁，坐下去吃起他的中饭来。其时街上已经集合起一群好奇激动的人，拥到酒铺门口来，从窗口里向他窥探。公爷向他们摆了一摆手，咧了咧嘴儿，当即群众之中起了一阵欢呼。

“列位，”巴铿汉公从匣子里取出银叉，一面扒开盒子里的肉，一面向他周围的人开言道，“列位，我虽明知道我的仇人将要怎样对待我，可我愿意将我自己去交给我的仇人，因为我们近来受过这番莫大的耻辱，我的良心再不容我藏匿起来不管国事了。”说到这里被一阵赞叹之声所截断，但只不过一会儿，他就举起来手来请大家再往下听，“英国现在所需要的人，就是那种不至不顾国家的利害而专心为自己造新房子或是但谋一夜高枕安眠的人。”

这话引起满堂大声的喝彩，连在外边那些并没有听清他说什么的人都齐声响应起来。因为其时克勒兰登正在皮卡迪利建造新巨厦，全国舆论都觉得愤愤然；又当荷兰人侵入的那天，查理原曾下令叫吕贝亲王返都御寇的，谁知阿林敦正在高卧，家人不敢叫醒他，以致那道命令直搁到次日早晨才签发，这桩事情也是一年以来谁都不曾忘记的。当时那班商人自己喜欢批评宫廷的腐败，因而听到别人这样批评就觉非常兴奋了。

“是啊，殿下。”一个年老的金匠表示同意道，“我们的国事早就给一班混账弄得一塌糊涂了。”

另外一个人扑上前来，拿拳头捶着桌子。“等下届国会开会，他是一定要受弹劾的！这个流氓的种种罪孽，我们都要跟他结算一下呢！”

“可是，列位，”巴铿汉公一面啃着一块羊肩，一面温和地抗议道，“相爷也总算是尽他的才能忠实而能干地处理国事了。”

这话引出哄然一阵抗议来。“忠实吗！怎么？这老糊涂榨得我们血色都没有了呢！他那么大兴土木的钱是从哪里来的？”

“他是跟克伦威尔一样的暴虐者呢！”

“他的女儿跟公爵爷结了婚，就自以为是个斯图亚特王族了？”

“他是仇视下院议员的！”

“他一直都跟大僧正朋比为奸！”

“他是英国第一个大流氓！殿下真太豁达大度了！”

巴铿汉公微微笑笑，做了一个不以为然的手势，又耸了耸他的阔肩头。“我是比不得你们的，列位。我似乎已经落伍了。”

他还没有吃完那顿饭，皇家的军官就已到来，因他先已差一个人去报告。这回差那仆孩不过当作一种演剧的技巧，以期博得人家的兴趣和同情罢了。来的军官共是两个人，都已跑得气喘吁吁，及见公爷真的在那里吃喝谈天，分明觉得十分惊异。当即他们走近前来想要逮捕他，但是公爷漫不经心地向他们摆了一摆手。

“让我吃完这顿饭罢，先生们，我马上就跟你们走。”

两个军官面面相觑了一会儿，就很柔顺地退下去站着等了。公爷从容不迫地吃完他的饭，擦了擦嘴，把那银叉也擦了擦，装上匣子放进口袋里，这才将面前的盆推开，从椅子上站起来。“唔，列位，我现在要走了——去投案去了。”

“但愿上帝保佑你，殿下！”

当他向门口走去时，那两个军官一下跳上前，要去抓他的臂膀，可是他将他们挡开了。“我自己会走，用不着劳驾搀扶。”两个军官只得垂头丧气地在他后边尾随着。

他走到了门口，便有一阵欢呼喝彩之声爆发起来，公爷展开了笑脸，举起一只手向他们打着招呼。其时街上的群众愈聚愈多，把那条街塞得实实，并且左右绵延到几百码路，以致交通为之梗塞，所有的马车都停住了，挑脚的、赶车的、抬轿的，都得耐心在那里等着；所有附近的窗口和阳台都塞满了人。这个以大逆不道被告发的人成了民族英雄了；就因他不得志于宫廷，反而成了唯一免受众人归怨谴责的廷臣。

其时门口有一部马车在那里等着，巴铿汉公当即上了车。那里离开堡塔不过半英里多点路，他们马车所过，沿路都有人尖叫狂呼。无数手儿伸过来碰碰那马车，许多男孩子尾追在车后，许多女孩在前面撒花。就是七年之前皇上回都的时候，也没有这番热情景象。

“你们用不着急，好百姓们！”巴铿汉公向他们喊道，“我一会儿工夫就好出来了！”

但是宫里的人都不这么想，黑酒公寓里面甚至下了极大的注儿在打赌，以为公爷非砍头不可。皇上已经革了他一切兼职，且将那些职务派给别人了。他的仇人既多而且有势力，又一直都在活动。但他至少还有一个热心的奥援，就是他的堂妹卡塞曼。

就在这事的三天之前，芭芭拉和她的宫女威尔逊傍晚从海德公园回来，驱车经过埃吉威乐路，突地有个衣衫褴褛的瘸腿老乞丐从一个隐蔽的地方钻出来，冲到车前挡住了去路。那赶车的口里狠狠咒骂着，扑上前去要拿马鞭去抽他，可是那个乞丐已经攀住了车窗，将身子挂在车门上，向那伯爵夫人伸过一只脏兮兮的手掌来。

“求求你，夫人，”他哭一般叫道，“赏几个钱给苦恼人罢。”

“快滚开，你这臭东西！”芭芭拉嚷道，“扔给他一个先令罢，威尔逊！”

那时马车已经重新动了身，那个老乞丐却仍挂在那里不放手。“你这位夫人也太吝啬了，你平时上戏院时连身上的珠子也值三万镑呢！”

芭芭拉立刻瞪视着他，一双眼睛不觉涨得发紫了。“你怎么敢对我说这种话呀？我要揍你一顿呢！”说着就拿她的扇子在他手腕上狠敲了一记。“快滚开，你这流氓！”随即又张开嘴来，向前面大声狂喊，“哈维！哈维！停车啊，听见没有！”

那赶车的勒住了马缰，车轮逐渐慢下去，那个乞丐趁这当儿向芭芭拉咧开嘴来，露出两排漂亮的牙齿。“不要紧的，夫人。这个先令请你收回罢。这儿——我倒有件东西送给你。”说着他将一个纸卷扔进她的膝胯中，“你念一下罢，如果你要性命的话。”这时车子停下了，一个跟车的要来抓他，他却腿也不瘸地一溜烟跑开了。及至跑得远远方才回转身，对着他们擤了擤鼻子。

芭芭拉见他跑远了，回头瞥见膝胯里的纸卷，急忙将它展开读起来。“我这种生活简直不是人过的，”她低声念道，“过两三天我就要去投案了，你当心着做我的通同谋逆罢。”她不由得张开嘴，拼命地喊了起来，急忙扑上前去寻那人时，那人早已去得无影无踪了。

于是芭芭拉大惊失色，因为她早就听见谣言，说皇上的耐心已经到了极限，这回巴镗汉的谋逆是非严办不可的，办得再轻也免不了充军罢。她又明明知道她堂兄存心不良，他若办罪一定要把她拖落下水。近来她每次看见查理，总都发狂一般替公爷求情，说他实在无罪，不过受了仇敌的陷害。可是查理不大注意她，只是当好玩一样向她质问，为什么对这人这么关切，因为他于她没有好处只有害处。

“他是我的堂兄呢，所以我觉得关切！我决不能坐视他吃一班流氓的冤枉！”

“我想这位公爷自己大大有办法，什么流氓他都对付得了呢。你不要替他操心罢。”

“那么你可以听他申诉一番就赦免他吗?”

“我可以听他申诉，不过以后怎样我可难说了。我巴不得他能够替自己辩护得很好——我也相信他一定有一段极巧妙的故事会讲给我们听。”

“他怎么能够替自己辩护呢?他能有什么机会呢?你的会审官员人人巴不得他掉脑袋!”

“我并不疑惑他对他们也有类似这样的希望。”

案子已经定在第二天开审，芭芭拉就决计要先从皇上那里取得一种诺言，因他知道皇上对于诺言也同对于女人一样，轻易不肯放弃的，但她为要达到这目的，所采取的手段偏偏是皇上最不容易依允的一种。

“不过巴铿汉是确实无罪的，陛下，这我知道得清清楚楚!哦，你不要上他们的当罢!不要让他们强迫你办他的罪罢!”

查理很犀利地瞪了她一眼。原来他一生之中为求自己的安静或为达到其他的目的，虽曾迁就过一些无可无不可的事，却从来没有办过一桩违心的事情。又因他碰到一个非常专制的母亲，曾经跟她做过许多年艰苦的奋斗，所以见到别人当他很容易摆布，他就觉得非常愤恨。这一种心理芭芭拉也早已知道。

现在他回答她的时候，他的声音是强硬而愤怒的。“我不晓得你冒了怎样的险来干这桩事，夫人，可是我告诉你罢，你这个险是冒得极大的。你对于别人的任何事情从来都没有这样热心呢，可是你的话我实在听头痛了。这桩事我自有主张，用不着你这多管闲事的泼妇来多嘴!”

其时他们正在禁苑的东南边散步，路旁的一带建筑都是宫里的官员居住的。那天酷热无风，许多窗子都开着，好些太太老爷在近旁的道上散步，或是躺在草地上休息，然而芭芭拉怒不可遏，竟把声音提得非常高。

“多管闲事的泼妇吗，我是?很好，那么——我就要来指出你是什么了?你是一个傻子!是的，你就是这样的人，一个傻子!因为你如果不是傻子，你就不会容着自己去让傻子统治了!”

所有的头都扭转来，许多面孔出现在窗口，马上又缩回去不见了，整个宫廷似乎突然变得很安静。

“你不要乱说罢！”查理斥她道。他旋转脚跟，自己走开去了。

芭芭拉张开她的嘴，她的第一个冲动是要命令他回来——这种事情若在从前她的确会干的——但她忽然听见旁边有人嗤嗤在笑了。她的眼睛急忙回转去找那个人，但她所见的面孔都笑嘻嘻的无可置疑。她就将裙子扭了转来，向相反的方向走去，只觉胸中的愤怒膨胀不已，终至觉得非打碎一件东西，或是伤害一个人不可，否则便立刻要炸破了。刚巧碰到她的一个小厮——一个十岁的孩子——躺在草地上独自唱歌儿。

“站起来，你这懒虫！”她大声嚷道，“你在那里做什么？”

那个小厮惊惶万状地朝她看了看，当即从地上急忙爬起。“怎么！夫人你自己叫我——”

“不许你回嘴，你这小狗！”说着便给他一个巴掌，那孩子哇地哭出来，接着又是一个耳光。这时她觉得舒服些了，但是她的问题仍旧一点儿没有解决。

那会审室是一间狭长的屋子，拿黝黑的木头做护壁，壁上挂着好几幅装着金框的画儿。一端有一个空炉子，炉子两旁夹着两个直棂的高窗。一张橡木桌子放在屋子中心，四面围着好几张高背椅子，雕刻得非常精致，旋车车成的腿儿，深红丝绒的垫子。当那些会审官未到之前，这个地方像是一间国事会议室。

相爷克勒兰登第一个先到，那天他的风湿痛得很厉害，只为这桩案子不得不起床，不过他这人向来负责，哪怕病得再厉害也决不肯耽误这种事的。到了门口他就跨下他的轮椅，艰难地走进屋子。一个秘书将一叠案卷放在他面前，他就立刻皱起眉头专心致志地将它检理。以后进来的人他就一概置之不理了。

过了一会儿，查理同着约克并排漫步而来，他的脚下绕着一群忙忙碌碌的小狗。查理怀里也抱着一只狗儿。他站住跟康文得利维廉爵爷说话的时候，手儿摸着那只狗的缎子一般的耳朵，那狗也回转头舔舔他。原来那些狗儿似乎都认识而且爱它们的主人，只是有些廷臣要去跟它们结好的时候，往往要被它们咬几口。

再过一会儿，那个苏格兰巨人劳德台伯爵也来了。他站住了，告诉查理一个好玩的故事，是他头一天晚上才听来的。这位伯爵讲述故事的辞令不很高明，查理却迸出了一阵深沉的哗笑，并非笑他讲的那故事，却是笑他那副怪样儿。约克却坐下了，当即他们认认真真地低声谈起话来。原来这一天在场的人，谁都没有他们两个人处境危险，因为巴锉汉公已跟他们两个结了多年的深仇，早在复辟以前就已有嫌隙，后来竟是一天深似一天了。

但是英国还有一个人，对于巴锉汉公的愤恨恐惧比之约克相爷还要厉害，就是国务卿阿林敦男爵。阿林敦是六年之前才进宫来的，当时他跟巴锉汉公也曾一度做朋友，但后来因意见冲突，意见愈来愈相左，竟然结成不解冤仇了。

这位阿林敦男爵最后也大摇大摆地摆进会审室——因为他无论走进哪里，都不肯规规矩矩走路。

这位男爵曾在西班牙待过几年，提起西班牙的东西没有一样不好的，并且学来了一套西班牙人的臭架子。他头上戴着鲜艳的假发，一双灰色眼睛暴得几乎跟鱼眼一般，鼻梁上面贴着一片新月形的黑膏药，起初本是为了剑伤而贴的，后来觉得这样贴着可以显出一种阴险的威严，就一直都不去掉了。查理一直都很喜欢他，约克却对他有些厌恶。当时他踏进房来，走了几步就站住了，从口袋里掏出一个小瓶和一个瓢匙，将小瓶里的地藤汁倒了几滴在瓢匙里，放到鼻子底下去嗅了嗅，将它吸干了，又将那瓶儿和瓢匙重新放回口袋里。原来这位爵爷害了习惯性头痛，这就是他治头痛的方法。恰巧那天的头痛比往常来得更凶。

查理坐在那张长桌的一端，面对着门口，背向着火炉。他的坐态懒洋洋的，膝头盘着两只小狗，看他那副神气，宛然是一位好好先生，因为他平时夜里睡得熟，吃饱会消化，所以心平气和，看得世间事无可无不可，一味只求赏心乐事了。他的愤怒只是暂时的，对于处分巴锉汉公这事也早已不感兴趣。他对巴锉汉的为人早看得剔透，并不存什么幻想，知道他性情浮躁，成不得大事，对于自己也不会有真正的危险。这回的会审所以必要，因为众目睽睽都在注视本案了，但是查理心里已经没有报复的意思。如果巴铿汉那天下午能够给他们一番有趣的表演，他就会感到满足的。

皇上下了个信号，那门霍地打开，昂然站在门口的就是巴铿汉第二代公爵微佐治殿下。他身上穿着华丽的衣服，仿佛正要去结婚或去受绞刑一般。他那姣好的面容带着一种特异的表情，是傲慢和谦恭混合成的。他先站在那里一刻儿，这才挺直得同个卫士似的，走到皇上脚跟去跪下。查理点点头，却不伸手去让他亲吻。

其他的人都狠狠地瞪着他，仿佛要看彻他的肺腑。他是在着急呢，或是具有自信的？是等待死呢，或是希望赦免的？可是巴铿汉的面容什么都没有流露出。

阿林敦是主审官，当即站立起来宣读控诉状。所列举的罪状款目繁多而且严重：与下院议员朋比为奸，在下院反对皇家，教唆两院议员剥削皇室的利益，为谋私利而收买人心，最后一款就是大家希望要他流血的——秘密推算皇上的八字，图谋叛国叛皇室。读完，他又将那一本命书远远擎起，给公爵自己看了一下。

那天那些会审官当中，巴铿汉公就只有两个朋友：劳德台和希礼。其余的人原都决定将这案子庄严肃穆地审问一番，但是这个决议立刻就不遵守了。大家心里都非常激动，以至于几个人都起立发言，其后越来越不成样子，竟至大家叫嚣呼喊了。巴铿汉公脾气有名的暴躁，这回却特别忍耐，对每一个问题和每一个指控始终彬彬有礼地答辩，只有一个人是他不放在眼里的，就是他从前的老朋友阿林敦，竟至对他公然显出藐视的样子。

等到他们控他为谋私利收买人心一款时，他就直视着那男爵的眼睛回答道："凡是因冒犯我们相爷和阿林敦爵士以至入狱的，那就无论是谁也由不得要得人心了。"

对于说他叛逆的指控，他竟侃侃而谈地答复出来。"列位，我并不否认那一张纸儿是八字。我也不否认这张八字是艾敦博士排的，你们也是从他那里拿来的。可是我否认这桩事情是我所委托，我也否认这是关于皇上的未来。"

顿时桌子上面起了一阵喃喃声。这个流氓在说什么？他竟敢站在这里撒这样的大谎吗？查理隐隐约约泛上了笑容，但当公爷向他瞟去一眼的时候，那笑容就消失了；他那黝黑的面孔仍旧呈出严肃的线条来。

“那么殿下肯告诉我这张八字是谁委托他去排的吗？”阿林敦带着嘲讽的语气问他道，“或者这是你殿下的秘密吗？”

“并没有什么秘密，如果能使列位更加明了本案的真相，我是乐意对列位说出来的。当初交排这张八字的是我的堂妹。”这一句话似乎除了皇上之外使得人人都觉惊异了，皇上却只竖起一只疑问的眉毛，继续摸着他那小狗的脑袋。

“你的堂妹交排这张八字的吗？”阿林敦的语气分明当他这话是个毫无根据的大谎，又突然问道，“那么这到底是谁的八字呢？”

巴铿汉公轻蔑地鞠了一个躬。“这是我堂妹的秘密，你得去问她自己。她并没有把这秘密告诉我。”

于是巴铿汉公被押回到堡塔里去了，当即如同一个新出山的女戏子或是一个红妓女一般，探监人络绎不绝。这里查理假装将那命书仔细再看看，便说那上面的签名的确是微马利的。这就引出阿林敦和克勒兰登两人一阵愤怒而激烈的抗议来，因为他们谁都不肯将公爷的性命轻轻放过，或至少是要毁掉他的体面和财产的。这回他总算自投罗网了，如果又让他漏网，以后他们就永远不能再有这种机会的。

查理对于他们两个人的说话照常很客气地注意着。“我知道得很清楚，相爷，”有一天他到相府里去看他的时候这么说道，“这个大逆不道的案子未尝不可以严加究办。可是我觉得一个人如果保留着他的脑袋，一定可以比较有用处。”其时他坐在一张椅子上，相爷躺在一张长榻中，因为他的风湿痛越来越厉害，大部分时间都不能起床。

“他对于你还能有什么用处呢，陛下？让他多酝酿一些逆谋，等他慢慢干成功一次，将你陛下的性命也去断送给他吗？”

查理微微笑了笑。“我是不大害怕巴铿汉公的逆谋的。他的嘴老是不稳，除了危害他自己，对于旁的任何人都不能有多大的作为，他的阴谋往往不到一半就要误让别人参与他的秘密了。不要紧的呢，相爷，我知道。他曾经费过不少心机，去跟下院议员结好，下院议员对他也有相当好感了。我想他在这条路上对我还有用处——砍了他的头只足造成他一个殉难者罢了。”

克勒兰登听了这话觉得十分愤怒而焦急，只是将他这种情感竭力掩饰起来罢了。他明知道皇上对于跟自己有切身利害关系的事往往要独断独行，然而他对他这种执拗的脾气始终都不能妥协。

“陛下真太仁慈宽恕了，倘使你不喜欢他，殿下，这桩事情是断断不容这样的。”

“也许，相爷，正如你说的我是太宽恕——”说着他耸了耸肩膀，站起来，又做了个手势，叫相爷躺着不要动，“可是我想并不然。”

查理乌黑的眼睛在相爷的脸上停留了一刻儿，末了他展出一个隐约的微笑，点了一下头，就走出去了。相爷皱起眉头凝视着他的背影，及至那背影消失之后，又收转眼睛看着自己那只重重包裹的风湿脚。他知道自己有不少仇人作对，巴铿汉不过是其中顶顶会闹、顶顶出头的一个，现在他全靠皇上给他保护了，倘使皇上撤回了他的奥援，他知道自己连两个礼拜也支持不了。

也许我是太宽恕——可是我想并不然。

突然之间，那老相爷心中一桩桩地想起自己生平开罪查理的许多事来了。当初查理复辟的时候，国会本来可以通过一笔较大经费的，却被相爷反对，这事相爷自己始终都不肯承认，但是多数人都如此说，而且查理一定也是相信的。后来查理提出宗教妥治的议案，又是相爷阻碍它通过，以致查理愤怒万分。关于卡塞曼夫人的封爵，相爷又跟查理有过激烈的争论，结果他拒绝签字，只得由爱尔兰的贵族将它通过了。诸如此类的事情，经年累月已经积成了不少。

也许我是太宽恕——相爷心里知道查理这句话什么意思了。查理什么事都忘记不了，到了最后也是什么事都饶恕不了。

巴铿汉公押进堡塔不到三星期就获得开释，仍旧大模大样地到那些平时走惯的地方去走动起来。有一次在卡塞曼夫人请吃晚饭的席面上，皇上竟将自己的手伸给他去亲。他又重新跑起酒馆来，并且几天之后就同罗切斯特一班人去看戏。他们坐着前排的包厢，扑在栏杆上面跟底下戴面具的女人谈着话，又大声地埋怨着，因为归耐娌已经离开舞台去做相爷的情人了。

其时季哈利坐在隔壁一个包厢里，正跟他旁边的一个年轻人大声谈论那位公爷的事情。“我从最最权威方面得来的消息，他永远不能复职了。”

巴铿汉颇为不悦地瞥了他一眼，仍把眼睛移到台上去。但是哈利的恶意诋毁反而被他煽厉害起来，他从口袋里掏出把梳子，一面梳他的假发，一面慢吞吞地说道：“真是见鬼呢！那个滥污女人是宫里的一半男人都睡得不要了的，这位公爷竟拿去当宝贝了，真是使我诧异得很。”原来哈利跟那滥污淫荡的舒鲁贝伯爵夫人从前有过交情，现在舒鲁贝夫人做了巴铿汉的情妇，所以他逢人便说了。

巴铿汉皱起眉头怒视着他。“你不要胡说乱道罢，你这小狗子，我不愿意听见舒鲁贝夫人给别人这样污辱，更不愿意听见她的名字由你这张臭嘴叫出来。”

池子里边那些妓女都抬起头来看他们，因为他们的声音跟相骂一般。近旁包厢里面那些老爷太太也都挺起脖子，笑嘻嘻地向他们这边探望，连台上的戏子也不愿演戏，反而瞪着眼睛在看他们的戏了。

哈利看见众目睽睽集中在自己身上，胆子越发大起来。“你这位殿下真是怪得很，你大多数的熟人都拿尾巴去朝你那女人，你却对她这样迷恋！”

巴铿汉已将半个身子站起来，又重新坐下去。“你这无礼的光棍——我要着着实实揍你一顿呢！”

哈利怒不可遏了。“巴铿汉你要明白，我并不是一个奴才可打得的人！我是尽有身份可以和你拔刀相见的！”说着他就走出了包厢，并将他那年轻朋友也叫了出去。“你去对他说，我半小时后跟他在蒙塔鸠馆的背后会面。”

那年轻人不肯去，只不过拉着哈利的袖子，竭力地劝他。“你不要做傻子罢，哈利！公爷并不曾找过谁的事！你是喝醉了——来罢，咱们走罢。”

“你要发瘟病了罢！”哈利骂他道，“你会怕他？我是不怕他的！”

说着他就解下他的刀，将它举得高高的，连刀带鞘向巴铿汉头上猛地劈下来。巴铿汉面孔气得雪白，一下子跳起来，给他个反扑，他就立刻掉转头逃走了。于是两个人前奔后逐，爬过许多座位，踢落许多帽儿，踩上许多人的脚。娘儿们都尖叫起来；台上的戏子也在大声呼喊了；廊子里的艺徒们和妓女们一拥围上前来，顿着脚儿拍着棒槌在呐喊。

“打杀他，殿下！”

“挖出他的心肺来！”

“劈碎这野种的脸！”

有一个人扔过一只橘子来，不偏不倚劈在哈利的脸上。一个激动的女人抓住公爷的假发，将它一把拉脱了。哈利东奔西窜正在找出路，回头看见公爷已经快追到，就越发着慌起来。公爷拔出他的明晃晃的刀，在他后面大吼道：“站住，你这懦夫！”

哈利只顾逃命，一路将那些男男女女的看客纷纷撞倒，公爷只顾追取他，就打他们身上踩过去。最后哈利已快要逃脱，却被一只伸出来的脚绊倒了。公爷追到跟前，就拿他的方头鞋在他肋骨上猛踢一阵。

“哦，求求你，殿下！我是跟你说着玩儿的！”

其时哈利在地下打着滚儿拼命躲开，公爷却怎样也不肯放松，向他肚子上、胸口上、腿儿上连连地下脚，整个戏院都已激动地大吼，怂恿公爷踩出他的肠子来，踩断他的喉咙管。公爷弯下身子去，将哈利手里的刀夺过来，向他脸上吐了口唾沫。

“呸！你这怕死的怯懦鬼，你是不配挂刀的！”说着又将他狠狠地踢一脚，可怜的哈利早已呛得缩成一团了，“快跪下来向我求饶罢，否则我要像杀这黄狗一样一刀砍杀你！”

哈利只得爬了起来跪着。“好，殿下，”他拿哭声哀求道，“饶了我的命罢！”

“那么你放着它罢，”巴铿汉十分轻蔑地喃喃说道，“如果你这把刀还有什么用处的话！”说着又给他最后的一脚。

哈利痛苦地爬起身来，瘸着脚走开去了，一双手揿在他的肋骨上。大家都拿橘子、棒槌、鞋子、梨核等去扔他，又在他的后边吁吁地大声嘲笑着。哈利吃了这场大亏真可算是奇耻大辱了。

巴铿汉公目送他走开，有人送还了他的假发，他接过手掸掉了灰尘，重新将它戴到头上去。这时哈利已走了，大家对他的讥嘲立刻变做对公爷的喝彩。公爷笑嘻嘻地向大家鞠了鞠躬，重新回到自己的座位上去。他在罗切斯特和艾奇利两人之间坐下来，汗流浃背地觉得非常热，但因这场胜利觉得非常愉快了。

“天晓得，这桩事儿我早就想干了！”

罗切斯特很亲热地在他背上拍了拍。“皇上听到这桩事情一定非常感激你，无论什么事情都可以饶恕你了。哈利这人原是该在大庭广众之中这样揍他一顿的。”

第五十三章

贾爷走后不满一个月，琥珀就被任为寝宫贵族了，她就立刻搬进宫里去住。她那一列房子一共十二间，每层六间，分做两层，一排儿地面临着河沿，一面跟皇上的内宫毗连着，可由狭窄的通道和装在壁龛里的暗梯彼此相通。这些秘密通道都是克伦威尔夫人待在这里的时候所建造，以便侦察奴仆们的行为，现在查理也就常常可以派到用场了。

我竟也有今日啊！琥珀一面端详她的新环境，一面心里得意道。我是经过迂回曲折的长途才到这里的呢！

有时她得意之余，心里不免在想，假使姗娜姨妈、马太姨爹和她那七个表姊妹到这里来看见她——见她这样又有爵位又有钱，坐着金碧辉煌的马车，穿着锦缎丝绒的衣服，又加满身的翡翠，足以媲美卡塞曼夫人的珍珠，又加走到走廊上时那班爵士伯爷都要向她鞠躬敬礼——不晓得他们心里要作何感想呢！她知道这些东西的确是很伟大的。但她也认为自己一定猜到几分马太姨爹的感想。他一定要说她是个婊子，一定要说她羞辱门风，然而马太姨爹原是一个老固执，又何必去管他的意见呢！

自从战事发生后，琥珀以为从此可以摆脱了她的丈夫和婆婆，谁知和约签订不久，露雪拉就回到伦敦来了，并把热腊也拖了回来。

琥珀还在阿木笔府的时候，热腊曾来正式拜访过一次，恭恭敬敬问了她的安，坐了几分钟就告辞而去了。原来热腊那次遇到贾伯鲁，早已吓得魂飞天外，至于皇上的意思，他自然更加不敢干涉。因为现在他已明白查理所以将他晋封伯爵以及要他跟一个有钱女人结婚的缘故了。即使他也觉得这事是羞辱，他却除了装出一种漠然的态度之外，再没有一个办法，只能将自己的时光尽量消磨。因此他就安分守己地过他自己的生活，不再过问琥珀的事了。

可是他那母亲却跟他不同，她等琥珀搬进白宫的第二天就去看她了。

当时琥珀摆了摆手，请她在一张椅子上坐着，就又干自己的事了——指挥一些工人在那里张挂图画和镜子。她知道她的婆婆用一副非常尖刻的眼光在那里注视她的身体，因为现在她的身孕已经到了八个月上了。可是她对喋喋不休的婆婆却一点都不加注意，只偶尔点一点头，或是心不在焉地回答她只言片语罢了。

“哦，”露雪拉说道，“我真不懂现在这个世界怎么变得这样吹毛求疵了！现在的人简直可说人人都要受着几分嫌疑的，你看对不对，亲爱的？谣言，谣言，谣言。我们跑到什么地方才不会听到谣言呢！”

“嗯，”琥珀说道，“哦，是的，当然，我想我们最好把这一张排在这儿罢，就在窗口的旁边。它需要那边来的光线——”她已经从菩提别墅搬了些东西来，并且曾从猎得岩伯爵那里学来陈列东西最好的方法。

“当然热腊对于这种谣言是一个字儿都不相信的。”琥珀对于她这句话一点都没有注意，因而她又放大声音重述了一回。“当然热腊对于这种谣言是一个字儿都不相信的！”

“什么？”琥珀别转头来瞥了她一眼。“什么东西的一个字儿啊？不——还得稍稍向左些，现在再下来一点——得，这就好了。你刚刚说什么，夫人？”

“我说，亲爱的，热腊一直都把这套话儿当作一种无根据的谣言，又说那个造谣的流氓一被他查出来，他非向他挑战不可。”

“这个自然。”琥珀表示同意，便又退后几步眯起一只眼睛看那画儿究竟挂得妥当不妥当。“宫里这班爷儿们就是专爱造谣生事——是的，对了。那一幅挂好你就可以走了。”

这时琥珀已经知道露雪拉若不把话说完一定打发不走，便索性捡了一张椅子坐下来，并把麦歇钱也捧到膝胯里去。她已经站了好几个钟头，脚都站酸了，很想独个儿清清静静休息一下。不想她的婆婆红着双眼睛，将身子扑近来些，分明有一番不易启齿的话儿要跟她说了。

“你年纪还轻呢，亲爱的，”她开言道，“也许还不大懂得世故，原比不得有经验的人。可是现在不妨对你说句老实话，你这番到宫里来就职，已经引起一些不愉快的议论了。”

琥珀听到这话觉得很好笑，不由一只嘴角微微翘起来。“我想凡是宫里的任职，没有哪一次是不曾引起一些不愉快的议论的。”

“可是这一次当然不同啊。大家都在说——唔，我也不妨对你直说。大家在说你得皇上的宠爱，竟是超过一个规矩女人的分限了。还说你身上这个孩子也是皇上养的呢！”说着她将眼睛非常严峻地盯住琥珀，仿佛等着她红起脸来，发起抖来，乃至于分辩，哭泣。

“唔，”琥珀却很坦然地说道，“热腊自己既然不相信，干吗要你这么关心呢？”

“要我这么关心？我的天，夫人，你真把我吓坏了！难道这套话你愿意忍受吗？我想没有哪个规矩女人是愿意别人说她这种话儿的！”她渐渐气急起来。“你也总不见得会愿意，如果你是个规矩女人的话！不过我看你不见得规矩罢——我想他们这话是真的！我想这孩子的确是皇上养的，而且你跟我儿子结婚的时候自己明明知道的！你知道你做了怎么一桩事了吗，夫人？你让我老实善良的孩子被众人看做一个傻子了——你把我们斯丹霍家的好名声糟蹋完了——你把——”

“你对我的道德能有这许多话好批评，夫人，”琥珀熬不住打断她道，“不过你似乎是心甘情愿靠我的钱过活的！”

斯丹霍夫人听了这话不觉吓得大大张开嘴。“你的钱！啊呀，我的天！现在是变成什么世界了啊！一个女人已经嫁了人，她的钱就要归她丈夫所有，这是连你也该知道的啊！要靠你的钱过活！我老实告诉你罢，夫人，我连这念头都不曾转过呢！”

于是琥珀咬牙切齿地说道：“既连念头都不转，你就不要再用啊！”

斯丹霍夫人一下跳起来。“怎么，你这婊子！我要去告你的状！且看这钱到底该算谁的罢！”

琥珀也站了起来，让那小狗落在地板上，那狗便伸伸懒腰，打了个呵欠，吐出一条淡红的长舌来。“你若去告我，那你就是一个让人意想不到的大傻瓜了。你要晓得婚约上面明白地写定，我的全部金钱由我自己全权掌管的。现在你好请出了，不要再来麻烦我，否则你要后悔不及的！”说着她愤然摆了摆臂膀，但是斯丹霍夫人还瞪着眼睛在迟疑，琥珀就随手抓起一个花瓶，擎得高高地想要掷过去。这时那位夫人撩起了裙子，惊惶失色地滚跑开去了。但是这场胜利琥珀并不是很欣赏，只将那个花瓶撂开，倒在一张椅子上去抽抽咽咽哭起来。这是因为她怀孕期间有忧郁症，所以无缘无故也要伤心起来的。

后来琥珀养了个儿子，是弗莱塞医生接的生，因为宫廷妇女已时行用医生接生，不用产婆了，不过别处都说这是贵族腐败的又一种证据。那孩子是十月里一个暴风狂雨的暖热早晨三点钟出来的，长长瘦瘦的个儿，皮肤上面长着斑驳的红点，头顶上面盖着一层黑色茸毛。

数小时之后，查理独个儿悄悄来看这个皇族新添的丁口，其时琥珀卧榻旁边放着一张雕刻精致衬垫深厚的摇床，一领白缎帐子一直挂到地板上。查理弯下身去掀开帐门看了看，一个微笑从他嘴边慢慢地展出。

“奇怪了！”他低声说道，“我可以赌咒，这小鬼像我呢！”

其时琥珀苍白而虚弱，仿佛全身气力都已用尽了一般，直挺挺躺在那儿，展给他一个微笑。“你不是盼望他像你吗，查理？”

他咧开嘴来。“我当然盼望，亲爱的。”他将那娃儿紧紧捏住一个手指的小拳头抬了起来，在他嘴上碰了碰。“不过我丑陋得很，不配一个无可奈何的孩子来像我。”然后他朝着琥珀。“我希望你觉得好些了罢。我刚刚看见医生了，他说你这回的产做得很容易。”

“在他觉得容易呢，”琥珀有些不高兴地说，因为她希望别人相信并且同情她吃苦吃得多，“可是我想我的身体很好罢。”

“当然很好，亲爱的，只消过两个星期，你就简直不知道自己养过孩子了。”他又和她亲了一个吻，就走开去让她休息。几个钟头之后，热腊来了才把她叫醒。

热腊显然觉得难为情，但是摇摇摆摆地走进房来了。他身上穿着一套淡黄缎子的衣服，袖子上面和裤脚管上都装饰着无数带绺儿，并且香喷喷地洒着橘花水，从他身上挂着的银刀到他领上戴的花边结，从他那顶装满鸟羽的帽子到他那双密密绣花的手套，没有一处不显出他是一个花花公子的模样。这种花花公子是在英国生长的，法国磨出来的，常跑的地方就是皇家交易所、茶德林酒家、各戏院的化妆室与修道院等处。谁要常到德鲁雷胡同、滚球道上，或是伦敦其他时髦场面走走，十次有九次都会碰到他这种模样的人。

他吻了吻琥珀，只是非常礼貌的，跟任何来客都没有什么两样，然后欣欣然地开口道：“唔，夫人！你清楚得很呢，并不像是一个刚做产的人！好罢，他呢——我们斯丹霍家的那个新苞芽儿呢？”

南儿早已到楼下育儿室里抱他去了，这时正拿一个垫子垫着抱了来。那孩子的一件绣花长袍快要拖到地板上，原来宫里婴孩已经不时行用襁褓，这个孩子再也不会给人捆得那么连气都转不过来了。

“这儿哪，”南儿狠声狠气地说着，仍旧将孩子抱在自己手中，并没有交给热腊看，“他不漂亮吗？”

热腊扑过身子来仔细看看他，两只手儿一直都别在背后，他的神色有些惶惑不安，一时想不出一句适当的话来说。“唔，喂，小先生！”他终于说道，“嗯——我的天！他是红脸儿的呢，是不是！”

“唔！”南儿马上驳他道，“你自己也是红脸儿过的，我敢保证！”

热腊慌得一下跳起来，原来他对南儿跟对自己的妻子和母亲一样害怕。“哦，天！我并不是嫌他，我要嫌他就要死！他是——哦，实在的——他真的漂亮得很呢！”这时那个孩子忽地张嘴哭起来。琥珀摆一摆手，南儿就急忙将他抱出去了。可是房里只剩他们两个人，热腊就觉得好生局促。他取出了他的鼻烟壶，向两个鼻孔里都捺上一点，这是花花公子无话可说时的一种救急法。“唔，夫人，你一定是想要休息了。我不便再在这里打扰你。事实上我也跟朋友约好要去看戏了。”

“很好很好，爵爷，你请便罢，谢谢你来看我。”

“哦，哪里哪里，夫人！谢谢你的招待呢！再见了，夫人。”他又跟她亲一个吻，其实是在她的鼻尖上面慌慌张张点了一点，然后鞠了一个躬，动身向门口走去。但是他突地一个转念便又站住了，别转头来朝她看了看。“哦，还有，夫人，你想给他取个什么名字呢？”

琥珀笑了笑。“取名查理罢，要是爵爷高兴的话。”

“查理？哦！可是对的哦，当然，查理，对的——”说着他匆匆地出去了，当他刚刚踏出门槛的时候，琥珀看见他从口袋里掏出一条手帕来擦着额头。

琥珀的起床成了一个隆重的典礼。

她的几间房里挤满了英国的头等爵士夫人们。她拿红酒蛋糕来待客，同时接受客人的亲吻和恭维。那些客人彼此之间不得不承认那个孩子是斯图亚特的龙种，但是看见他的相貌和查理出世时一样丑陋，那种幸灾乐祸的心理也就稍稍获得一点满足了。琥珀自己心里也不能把这孩子看得怎样美，但她希望他也许会变好起来，无论如何他总已经是像查理了。孩子取名那一天，是查理做神父的，他送给她一副台面，样式简单而漂亮，价值当然非常高，他儿子所得是照传统的一两只使徒银瓢羹。

琥珀复原了之后，就开始考虑怎样永久摆脱她那纠缠不清的婆婆了。

原来她的婆婆已经不想回到乡下去，她的生活又非常奢华，琥珀虽然屡次警告她，她却仍旧叫一班商人去向琥珀要账去。琥珀是一概置之不理，因为她已有了一个计划，可以使她婆婆自己负债了。她希望能够给她找到个丈夫，因为露雪拉口里虽然仍旧称道自己年轻时代那种严谨多礼的生活，并说现在这种新习气已经使她惊骇了，而其实是她自己已经染上一些新习气。没有哪个女戏子比她衣服上的领口开得更低；没有哪个宫娥比她更会卖弄风情；也没有哪个戏院池子里兜客的妓女比她擦着更厚的脂粉，粘着更多的面贴。所以在琥珀的心目中，她那婆婆是风流娇媚得同一只小猫一般。

而且她看不中同她自己年龄相仿的男人，只是喜欢一班二十五六的小白脸，其实那种小伙子最最损德，一天到晚只是夸耀自己怎样破人的童贞，倘有更夫妨碍他们的事情，就非吃他们打破脑袋不可的。但因那位男爵夫人自己年轻时代没有享乐过，所以觉得只有这班年轻人才活泼有趣，又因她并不觉得自己年纪怎样老，便以为自己跟那一班小伙子也未必怎样悬殊。但她虽不觉得悬殊，那些小伙子是觉得的，所以他们只要能够避开她，总要逃得远远的，去找那种十六七岁的美貌女孩子。在他们的心目中，这位男爵夫人原只是一只老蟹，又没有财产足以弥补她这缺憾，所以看见她那么卖弄风情，都只把她当作个怪物罢了。

但是其中却有一个人，这位男爵夫人对他似乎特别具有吸引力。那人就是伏泽吉腓特力爵士，原是一个轻薄浮躁的花花公子，凡是时髦场中到处都要看见他，一切时髦事情都有他的份儿的。他高高瘦瘦的身材，具有几分女性美，可是同时又是一个热心的决斗家，过去两年之中以志愿投军打荷兰人出了名。

琥珀曾经打听过他的情况，知道他的父亲虽曾尽忠于王室，却没因复辟而发财，又知道他现在负债很重，并且有陷溺愈深的情势，因他过着一种奢侈的生活，衣服穿得很讲究，又一直用着马车，赌钱又不交赌运，常得躲开自己的寓所，去借宿朋友家中，借以避免债主的逼索。琥珀猜想他这问题如果能得这样一个简单的解决，他一定会高兴。

有一天早晨，唬珀差人去叫他，他就一直到宫里来见她了，其时她已经把那些兜货的商人打发开去，但是仍旧有好几个人留在那儿：南儿和五六个女仆，一个刚刚捡起她的材料预备要走的裁缝，苦菊儿和那只狗，还有苏姗娜。苏姗娜站在那儿，一双胖胖的胳膊搁在琥珀盘着的膝踝上，两只绿色的大眼睛瞠视着她的母亲，听她解释女孩子们如何不该抓取来客的假发。原来苏姗娜曾经在查理头上尝试抓过一次，一抓就被抓掉了，从此她就不管是谁都要扑上去抓。现在呢，她听了母亲的一番解释，却很柔顺地点点头表示同意了。

“那么你从此不会再去抓了罢，是不是？”琥珀说道。

“不会再抓了。”苏姗娜同意道。

就在这当儿，腓特力爵士到了，到了门口就恭恭敬敬鞠了一个躬，及至站在她面前，又是恭恭敬敬的一个。“给夫人请安。”他很严肃地说道，可是他的眼睛从头到脚扫过她，仿佛非常亲热而且自信。

苏姗娜向他行了个万福，腓特力爵士头弯得很低去亲她的手儿。她的眼睛盯在他的假发上，开始闪出一种存心不良的亮光来，这时她贼头贼脑地向她母亲瞟了一眼，见她母亲鼓着腮帮子顿着脚儿正注视她。突地她将双手别到背后去。琥珀不觉笑起来，跟她的女儿亲了一个吻，叫她同着奶娘一同出房去了。她满心欢喜地目送着她，见她穿着一件平脚踝的松脆白缎衫，结着一条小小的围裙，金色的头发侧在一边，扣着一个绿色的夹子，实在是美丽得很，心里不觉非常骄傲了，以为她是全英国最最可爱的一个女孩子，而全英国也就是全世界呢。及等房门关上了，她才回过头招呼腓特力爵士，请他坐下来。

于是她又回到梳妆台前完成她的装饰。那位爵士在她旁边坐下来，态度很潇洒，心里也觉得很快乐，以为这位夫人特地请他来早朝，又这样对他亲密，竟与他独个人在内室晤谈，实在是荣幸之至。他竟深信这位夫人一定属意于他了。

“今日得蒙夫人宠召，实在不胜荣幸。”他一面说一面眼睛贼溜溜地盯住琥珀的胸膛，“我自从第一次得见夫人，就已对夫人不胜倾慕——那是几个月以前的事，在戏院里皇家包厢的前排，我可以对天赌咒，夫人，当时我的心儿都已无暇放到台上了呢。”

“那是承情得很，爵爷，当时我也正在注意你，看见你跟我家婆婆在谈话——”

“咦！”他立刻皱起眉头，拿手儿刷地一摆。“她对我是一点没有什么的，我老实告诉你罢！”

“她可说得你非常好呢，爵爷。我简直可以说她是爱上你了。”

“什么？笑话了！唔，她就真的爱上了我又怎样呢？这跟我一点关系没有，是不是？”

“你还不曾利用过她对你的这种温情罢，我希望？”

说着她就从梳妆台上站起来，站到一片屏风背后去换衣服。当她闪进屏风后面的时候，她故意将她的寝衣落下一截来，让那爵爷瞥见一眼她那浑圆结实的奶子，因为她仍旧要男人为她倾倒，不管那些男人怎样不在她眼里，不过她只肯跟查理一个人睡觉——否则就宁可独眠。

那位爵爷过了一会儿才回出话来，可是说出来时却是非常强调的。“哦，天，没有呢！我连一句情话都不曾问过她，不过对夫人也不妨实说，倘使我曾经尝试的话，我也许不会失望罢。”

“你是为顾自己的身份起见，不肯这样尝试吗？”

“我恐怕是，夫人，她不十分配我的胃口。”

“哦，是吗，爵爷？可是什么不配呢，你倒说说看？”

这时腓特力爵士有点觉得沮丧了，因当琥珀差人叫他的时候，他曾去对所有朋友宣传，说年轻的潭福滋伯爵夫人十分钟情于他了，竟已派人请他去幽会。现在看这情形才知琥珀并非为她自己要他的，却是大概为要给她婆婆拉皮条。如果她真存心要将他送给那只老蟹去，那么他在她心目中一定像是一个傻子了！

“唔，她比我年纪大了不少呢，夫人。我的天，她一定已有四十了！年老的女人也许会喜欢年轻的男子，可是我想掉过头来恐怕不行罢。”

这时琥珀已经把衣服穿齐，就又重新回到梳妆台旁，开始拣择一箱的首饰。她自从进宫来过这种新生活，从来没有像这一刻儿这样快乐过，因其时她觉得自己身份非常高，又非常有权力，竟至可以支配别人的生活来适合自己了呢。她擎起一只钻石和翡翠镯子来，向光亮里照着，一面感觉爵爷的眼睛在那里注视她，心知他在想什么，就急忙转起念头来，不觉下唇皮往前翘出。

“唔，那么，腓特力爵士，我真觉得遗憾了。”她套上了她的镯子。“我还以为你跟她的这件事我可以效一个劳的呢。你要知道她是有很多财产的。”说着她又好整以暇地去翻拣其余的首饰了。

那爵士听见这话立刻活跃起来，在他的椅子上挺直了身子，并且将头扑上前。“财产，你说是？”

琥珀带着一种温和的惊异朝他看了看。“怎么，是啊，当然啰。你还不知道吗？我的爷，她有百来人向她求婚呢，人人都发狂一般要跟她结婚。她正在考虑挑选哪一个好——我想她对你是特别属意的。”

“财产！我知道她一个先令也没有呢！人人都这么说——唔，夫人，老实对你说罢，你这句话使人听后惊异得紧呢！”他似乎惊呆了，有些不能相信这种天外飞来的好运。“有多少呢——嗯——她那财产——”

琥珀当即使他满足了。“哦，我看大约总有五千镑罢。”

“五千镑！一年！五千镑，一年，事实上是要算一宗极大的财产了。”

“不，”琥珀道，“总共五千镑。哦，当然她还另外有些财产。”这话分明使他感到失望，琥珀从他的神色上看了出来，当即逼紧了一步。“我想她已准备接受那个年轻的谁了——我一时想不起他的名字来了呢——喏，就是那个一直穿着缎子衣服的。可是你若抢先一着，也许还可以说得她回心转意罢。”

这事以后不到两礼拜，腓特力爵士就同那男爵夫人结婚了。

原来那位爵士后来一转念，觉得许多年轻女子虽然也有钱，却有眼睛明亮的父母或监护人管束着，自己无论如何想不到手，因而认定这桩婚姻实是千载难逢的机会。那天他踏出琥珀的门口，当即就向男爵夫人着手这件事，谁知他一开口求婚，她就满口应允了。

琥珀给了她五千镑，和她交换了一张签订的契约，从此这位男爵夫人永远不得再问琥珀要钱了。

当琥珀提出签这张契约的时候，那位男爵夫人还愤怒异常，绝对不肯在上面签字，只说琥珀的钱全部该归她，因为按照法律钱是她儿子所有的。琥珀就竭力劝她，说这案子若是闹出来，皇上一定会帮她这面，露雪拉也明知自己斗不过她，又觉得目前这笔款子已足偿债而有余，故终于签下去了。但她当时的心思也不专在钱上面。她因能够重新做新娘，几年来的野心总算如愿以偿了，而况这回嫁的是个翩翩美少年，竟像并不觉得她是尽可做得他的娘似的。他们的婚礼在夜里举行，把个热腊羞得不敢见人面，琥珀却是同时感到有趣、舒适和满肚子的鄙夷不屑了。

其时她的理论已经得胜，以为一个规矩女人吃了多年苦楚想要保持自己的节操，偏偏遇到一个始终不肯相信她有这东西的吹毛求疵的世界，这不是天下再滑稽不过的事吗？

现在她已处置了她的婆婆，便决计要用同样的手段摆布她的丈夫了。她知道皇家交易所里新近有个女子在那里开了一片卖带子饰物的小店，名叫施葆蒂，年纪不过十五岁，颇有一点姿色，热腊已经跟她发生关系了。到了十一月下旬的一天晚上，热腊漫步走进王后燕谈室里来，琥珀就从牌桌旁站起来走过去和他谈话了。

热腊每次和妻子面对的时候，心中总是惴惴然地怕要碰她的钉子。这回他已有几分猜到她要跟他谈起施小姐的事了，便作脱身之计。“哦，天！”他嚷道，“这里热得要命呢！可怕可怕，我是快要热杀了！”

“怎么，我一点不觉热啊。”琥珀很亲热地和他说道，“哦，天，你今天穿的这套衣服多么漂亮啊，我想你那裁缝一定是个超等的技师。”

“怎么，谢谢你，夫人。”热腊听见这话不觉惊惶失措，先将自己身上看了看，马上报答她一个恭维。“你身上这件衫子好得紧呢，夫人。”

“谢谢你，爵爷。我这件衬衫是从交易所里一个小姑娘新开的店里买来的。那小姑娘叫做施小姐，我记得是——她对于成衣是非常内行的。”

热腊红起脸儿来，拼命地咽着唾沫：果然谈到施小姐身上来了。他深悔今天晚上不该进宫来，但是这时已经无处可遁，就只有装傻一法。“施小姐？”他复述一遍道，“我的天，这个名字耳熟得很呢！”

“你仔细想一想看，我包你可以记起她来的。她记得你很清楚呢。”

“你跟她谈过话吗？”

“哦，是的，不过半个多钟头之前，我们原是很好的朋友啊。”

“唔。”

于是琥珀哗然笑起来，拿她的扇子在他肩膀上拍了一下。“哦，我的爵爷，不要装得这么鬼头鬼脑罢。你若没有一个婊子包养在那里，怎会打扮得这么时髦呢？你放心好了，我是不要丈夫对我守节的——要是如此我倒见不得人面了。”

热腊大为惊异地朝她看了看，这才瞠视在自己的鞋子上，很觉不快地皱起眉头。他还拿不稳琥珀这话到底是正经的呢，还是跟他开玩笑，无论怎样他总觉得自己像个傻子了。一时他竟想不出一句话来回答。

“你心里怎样想啊？”琥珀继续说道，“她在那里怨你吝啬呢。”

“什么？吝啬——我？唔，天，夫人——她想要自备一部马车，又要到德鲁雷胡同去租房子，又非丝袜不穿，还有许许多多要求我连说都说不清，她这婊子奢侈得该天杀呢。我要能够养她，就连伦敦桥也修起来了。”

“不过，”琥珀平心静气地说道，“你若没有一个包的婊子就算不得一个花花公子了，是不是？”

热腊又很惊异地瞥了她一眼。“怎么……我……唔，这是现在的风气，当然，不过么……”

“而且你要包婊子，必须要拣姿色好些的，姿色好的婊子价钱一定高。”说到这里她突然口气严肃起来。“你听我说，爵爷，我们来讲一个条件如何？在施小姐由你独包的期间，我供给她每年二百镑，你自己么，我供给你每年四百镑。你得签一张字据给我，从此以后你的一切开销都由那笔款子里自己支用，不能再来麻烦我。你要欠债我也不能负责的。这个条件你觉得怎么样？”

“怎么……当然你是慷慨得很了，夫人。只是我想……就是说……母亲说过的……”

“你的母亲要害天花呢！我管她说过什么呀！现在只说你对这个条件觉得满意不满意。因为你若觉得不满意，我就要请皇上吩咐大僧正取消我们的婚约了。”

“取消婚约！可是，夫人——你怎么办得到呢？我们结婚是手续完备的呢！”

“手续完备是该由谁判断？老实告诉你，要去贿赂法官我总比你多几个钱罢？现在到底怎么样，热腊？你的那张字据我已起好稿子了，现在放在我的房间里。哦，天，这是你再便宜也没有的了！在我也总已仁至义尽——你要知道，我本来是什么都用不着给你的呢。”

“好罢……很好，那么……只是……”

“只是什么？”

“不要告诉母亲，好不好？”

第五十四章

詹姆士靠在窗台上，看着底下阳光照耀的园子里几个散步的女人，他轻轻吹了一声口哨儿，等那几个女人抬起头，又向她们摆了一摆手。那几个女人起先不觉吃一惊，然后吃吃地笑着，招招手叫他下去跟她们同走。他就演起默剧来，摇摇头，耸耸肩膀，翘起一个大拇指头往背后指了一指。随即他背后的门推开了，他就立刻从窗台上竖起身子来，把面容镇静一下，关上窗，转过身子。

海德安妮刚从她大伯的密室里走出来，一张丑嘴带着情绪扭动着，鼻子不住吁吁地嗅着，拿着一团手帕拼命擦脸儿。自从复辟以来的几年中，她的相貌并没有一点进步。现在她已经三十了，她的肚皮正怀着第六胎，身上的脂肪越来越多了，因为她平生唯一的安慰就是多吃，而且满脸长着绯红的肉刺儿，每个刺儿上面又都盖着一个小小的黑点。她又已经从公爷殿下身上染了梅毒来。可是她仍具有一种凛凛的威风，不由人不对她肃然起敬，那种高强傲慢的气性连真正的皇室中人也有些不如她。她在宫里不大讨人喜欢，可是颇受人家的尊敬，并且有些害怕她。

人人都知道那位公爷一直受她的管束，为了她的奢侈背了一身重债，平时一举一动乃至开阁议时该说的话儿，一概都得听她的吩咐，而他对她总是百依百顺，只有他的风流韵事还保持他的自主，并且不管她怎样责怨也要照常进行。往往他把女人弄进自己卧室的隔壁房间来，下了安妮的床就跟她去幽会。但是大部分的事情他们都是互相谅解互相尊重的。

当时安妮将门慢慢关起来。詹姆士站在那里瞠视着她，脸上显着一种询问的神情。她也正在竭力镇静着自己。许久他才说起话来。

“他怎么样对你说？”

“他怎么样对我说！”安妮悻悻地复述道，一面扭着她那只满戴戒指的手儿，“我也不知道他怎么样对我说呢！他听着我——哦，他极端客气地听着我。可是他什么都不肯答应。哦，殿下——这叫我怎么好呢！”

约克耸了耸肩，他的面容是阴森的。“我也不知道呢。”

她立刻抬起头来，她的眼睛开始闪耀了。“你不知道。这倒真像你说的话儿！你不管发生什么事情都是不知道啊——你哪怕自己做了皇帝也不知道怎么办呀！倘若没有我在这里给你想办法，你就只有等上帝保佑你了！你听我讲罢——”她跨过几英尺，到他身边抓住了他的褂子，一面说话一面捏起拳头捶他的胸膛。“你不能像个呆子一般站在一旁眼看我的父亲给一群使阴谋诡计造谣生事的豺狼逼着走，你听见吗？你得到那边去跟他说去——你得让他明白他们想干怎样的事情！我的父亲服侍斯图亚特王室已经多年了，一直都尽忠报国，他是不能干这种事的！他不能把他赶走！现在你就到那边跟他说去——”说着她将他一推。

“我去试试看。”约克不大有把握地说。他出了那扇门，到另外一扇门上去敲着，听见皇上的声音叫他进去，他就推门而入了。“我希望没有打扰你罢，陛下。”

查理咧着嘴儿回转头来将他看了看。他虽明知他兄弟的来意，却没有表示出来。

“并没有，詹姆士。进来罢。你来得巧，可以附一笔给米妮姐的信里去。你有什么话要跟她说吗？”

约克公正有自己满腹的心事，不觉皱起眉头，迟疑了半晌才回得出话。“怎么——告诉她说我希望她不久就能来看看我们。”

“我的信里也正这么写，她希望明年能来。唔，詹姆士——怎么回事啊？我看你有心事呢。”

詹姆士在一张椅子上坐下来，将头扑上前些，沉思地擦着一双手儿。“是的，陛下，我确有一点心事。”他停住了，让他哥哥静等一会儿。“安妮怕你对她家相爷不肯好好看待呢。”

查理微笑起来。“那她错得很了。我对他是要尽我的力量好好看待的。不过你也总知道，詹姆士，现在我也是无奈何，我还有一个国会要对付，他们现在跟他的意见闹得很深了。”

“可是陛下单单为了满足国会，总不见得就肯把这样一个服侍你既久且好的人牺牲了罢！”原来詹姆士对于这个国家的议事集团并没有怎样的好感，对于他哥哥的容忍和妥协也向来不以为然。他常常对自己说，将来我继承大统之后，情形就会两样了。

“对于相爷的功劳谁都不像我这样能够赏识。不过事情的真相是这样的：他对于我和英国的功用已经耗尽了。我也知道人家责怪他的地方大都不是他的过失，不过他被人家憎恨这一事实是依然存在的。现在大家都要将他永远去掉。你想一个人既然弄到了这步田地，他对于我还能再有什么用处呢？”

“这只能是一种暂时的情形——如果陛下肯助他一臂之力。”

“难处不仅如此呢，詹姆士。我原知道他忠心，也知道他能干，只是无奈他把那一套旧式的观念始终牢牢固执不放！自从这次叛乱以来，英国的一切已改变了，他却始终都不肯承认。现在种种新兴的形势他都并没有察觉，并且不愿去察觉，所以事情弄得更糟了。哦，詹姆士，我怕这位相爷的日子是完结了。”

“完结了？你的意思是，陛下，想要将他罢免吗？”

“我想我没有别的办法，现在他是没有朋友肯帮助他了——他是从来不肯费心扶植党羽的。他一向都超然于这种实事求是的办法。”

“好罢，那么，陛下，我们既然彼此都爽直，你为什么不肯把要罢免他的真正理由告诉我呢？”

“我是有理由的。”

“现在宫中画廊里面却流行着一种不同的意见。大家都正在谣传，说你陛下凡事都可饶恕他，就只他怂恿司徒小姐去下嫁荔枝门一事是难以饶恕的。”

查理的黑色眼睛突地瞪出来。“谣言往往是很荒唐的，詹姆士——而你现在这话也有些荒唐了！你若当我为了一个女人竟至罢免这样有用的一个人才，那你未免把我看做个傻子，以为我是毫无见识的人了！你得承认我对待你这御弟总已经仁至义尽，就是你自己做了皇帝也不过这样过活罢！至于这一桩事，我已经下了决心。你是无论如何不能使我回心转意的。所以请你不必为了这事再来麻烦我。”

詹姆士恭恭敬敬鞠了一个躬，就退出去了。他一直相信做皇帝的人是天生叫人服从的，但在一般廷臣的心目中，却都以为他们两兄弟之间未免有点隔膜。

这事以后不多日，皇上就把克勒兰登召进宫去了。其时那老相爷卧病在皮卡迪利新建的相府中，平日皇上为体恤起见，总都亲带一班阁员到他府里议事，这回却开特例了。相爷勉强到了宫中首相的官衙，查理同约克公到了那里，三个人坐着谈起天来。

查理本来深恨这一刻儿的到来，原想要把它拖延下去的，但他知道事态已经难再拖延了。因为全国都已酝酿着一种不安，并且集中在国会里面，他也知道惟有将这一国的怪人处置了，才可以将这种愤愤不平之气渐渐平息下去。但他到底跟相爷相处多年，彼此都深知有素，又加他的确是忠心耿耿服侍自己，所以虽然那位相爷将他看做一个顽劣的学童，要批评他的朋友，批评他的情人，乃至说他不配居统治的地位，他却心知他是一个最最贤能的宰辅，一旦去职之后就难免要被一班机巧、敌意、自私的人所包围，不得不亲自去跟他们勾心斗角，否则英国就要统治不了的。

然而事已至此也真没有办法了。当时查理直视着那相爷的眼睛。“相爷，你也一定觉得罢，现在的一般要求就是要有新人参加政府。这话我本来不便对你说，但是我已经无法对付他们了。他们也许会要求你辞职，我想你该及早见机，以留他日东山再起。”

克勒兰登呆了半晌才回出话来。“陛下这话不见得是认真说的罢？”

“我是认真的，相爷。我很觉得遗憾，不过我是认真的。你也总该知道罢，我这决心不是骤然而下的，而且也不是我个人的意见。”他言下分明以为英国几千万人都已同此心了。

可是克勒兰登存心要加以误解。“陛下大概是指那位夫人而言罢。”原来相爷提到芭芭拉，总称她“那位夫人”，从来没有用过其他的名字。

“老实对你说罢，相爷，并不是的。”查理很温存地回答道，因为他并不想开罪相爷。

“我怕陛下身边那些险恶之辈给与陛下的恶影响，连陛下自己也还没有完全觉得罢。”

“啊呀，我的天！”查理突地觉得不耐烦起来，不觉眼光闪烁地说道，“我希望我还不至于完全缺乏心思才力罢！”

于是克勒兰登又重新做起小学教师来了。“陛下圣聪天启，老臣比谁都知道得清楚些，惟其如此，所以深惜陛下浪费时间去陪伴那位夫人以及那——”

查理不等他说完就站了起来。“我的相爷，你这一番教训我早已听够了！现在请恕我拒绝再听！我等会儿派冒理司秘书到你那里去取大玺。日安！”说着，他连头也不回地急忙出房去了。

克勒兰登和约克都目送着他。等到门关上，他们的眼睛才慢慢地收转来互相对视着。他们面面相觑了一会儿，都默然没有话说，末了克勒兰登鞠了一个躬，走到屋外阳光里去了。其时有二十多个男人，还有些女人，有的站在门口，有的躺在草地上，有的倚墙壁站着，都在那里等他，因为大家知道他跟皇上见过面了，都要等他出来看看他的神色。他把眼睛瞅起来，看见大家的头都朝他看着，脸上都笑嘻嘻的，他却擦过他们管自走去了。随后他就听见嘤嘤嗡嗡的谈论从他耳后飘过来。

他快要穿过园子的时候，忽然听见一个女性的声音跟他打招呼。“永别了，相爷！”

原来是卡塞曼夫人站在上面游廊上，四周围绕着许多鸟笼，里面关着羽毛鲜艳的鸟儿；她的一边是阿林敦爵士，另一边是梅拜伯。这时已经快要午刻了，她却听见人报告相爷要来，才从床上爬起来，身上只穿着一件寝衣，头发乱蓬蓬地披散着。

“永别了，相爷!”她又重复一遍道，“我相信我们从此不会再见面了!”

那些聚集在底下的年轻人都大笑起来，从相爷身上抬起头看到她身上，又从她身上再看到相爷身上。相爷的眼睛和她的眼睛接触了一会儿——这还是他破天荒第一次正视她呢。他慢慢地挺起肩膀来；他的面容疲倦而且衰老了，上面显出痛楚和幻灭，同时又流露出一种轻蔑和怜悯混合的神情。

“夫人，”他平心静气地说道，但是声音非常之清晰，“你若要活下去的话，总有一天要老的。”他继续走去，随即不见了，但是芭芭拉仍旧在栏杆边上，眼睛瞠视着，呆呆地发起愣儿来。

那些青年男子正在大声祝贺恭维她，阿林敦和梅拜伯也在那里谈话，她却一句都没有听见。突地她回转身子，两手推开那两个男人，奔回自己房间里，砰地将门关上了，然后急急抓起一面手镜，跑到阳光底下去照着，一面瞠视着她自己的影子，一面拿指头碰碰面颊，碰碰嘴唇，然后一直摸了下来，摸到奶子上。

这是不对的！她在心里发急道。这天杀的老野种——当然他这话是不对的！我永远都不会老——我的相貌永远都不会跟现在不同。怎么，我还不过二十七岁呢，这不能算是老啊！这明明还是年轻时代——一个女人二十七岁正是绝妙年华呢！

但她记起了有个时候，仿佛不过是昨日一般，她曾觉得二十七岁就已很老了，甚至连想都不敢去想。哦，这可恶东西！他为什么要提起这事来呢！一时之间她觉得伤心疲倦，而且满肚子怨恨。她跟相爷彼此嫉视了这许多年都不曾有过明白的表示，这回老头子竟把最后一句话说出来了。但是过了一会儿她心里就炽起一种反叛的快意。外边许多男人正在兴奋而得意地等着她——一个愚蠢恶毒的老头儿说一句话能有多大关系呢？现在他已经走了，她永远不会再见他了。想到这里，她就扔开了那面手镜，走到门口拉开门，笑嘻嘻地走到外面去。

自从克勒兰登去了职，整个宫廷都灌满了恐惧和不安。人们互相不信任，那些本来似乎是朋友的现在也难得交谈了，偶尔在画廊里碰了面，竟如同陌路人一般。叽叽喳喳的私语腾于口吻之间，捕风捉影的谣言流于画廊之下，其中有的如同飘逸的轻风，但一触即归消散，有的竟如猛烈的暴飓，所向无不摧残。因此没有一个人觉得安全了。现在相爷已走，但是大家都不能如所期望的满意。接下来要下台的是哪一个呢？

很多人说其次要下台的将是卡塞曼夫人。

芭芭拉自己也曾听见过这样的谈论，但都不以为意地耸了耸肩头，并不把这事放在心上。因为她抱着十分的自信，如果真到了这个关头，她是可以跟往常一样，一顿话将他哄开去的。她在宫里一直过着安逸舒适的生活，并不愿意有谁来将她摒出宫外去。谁知有一天早晨，她跟泽民还在一床睡觉的时候，威尔逊慌慌张张地冲进房来了。

“夫人！哦，夫人——他来了！”

芭芭拉一下子坐了起来，怒气冲冲地将她的头发猛地一甩，同时泽民从被头上透出一双眼睛来探问着。“你说的是什么鬼要来了啊？’我想我——”

“可是皇上来了呢？他已经走到穿堂里了——马上就要到这里了呢！”

“哦，我的天！你挡住他一会儿罢，好吗？泽民，请你看在基督的分上，别像一个呆子似的尽在这里瞪眼睛，快些儿跑开这里罢！”

泽民亨利爬下了床，一手抓着裤子，一手抓着假发，就向门口那边走去。芭芭拉重新躺下，把被头拉到了下巴颏儿。随即她听见一群小狗跑步进来了，又听见隔壁房间里查理跟威尔逊谈笑的声音(其时有一种谣言开始流行，说皇上跟那些美貌的宫女已经有了事情了，不过芭芭拉还不能使她们自己承认)。当时芭芭拉睁开一只眼，看见泽民还留一只鞋子在那儿，不觉吓了一大跳，连忙爬了起来将它塞进床里去。然后她将帐门拉上，重新躺下装作熟睡的样儿。

她听见卧室门推了开来，当即有两只狗儿钻进了帐子，跳到她的枕头上来舔她的面孔。她含含糊糊地诅咒了一声，摆了摆手将两只狗儿推开去。其时查理已经拉开了帐门，笑嘻嘻地俯视着她，她虽然装着一种惺忪惊怪的样儿，他却分明知道她是假装的。随即他将两只狗儿统统推落在地板上。

“早安，夫人。”

“怎么——早安，陛下。”说着她就坐了起来，一手拢住自己的头发，一手含羞答答拉着被头盖在赤裸的奶子上，“现在几点钟了？已经晚了吗？”

“差不多中午了。”

说着他伸下一只手，抓住泽民那只鞋子上的一条蓝色长带儿，慢吞吞地将它拉出来，高高地擎在手里，不胜诧怪地审视着它，仿佛不认识它是什么东西似的。芭芭拉带着一种愠怒而又惶恐的情绪注视着他。他拿住鞋带儿将那鞋子慢慢地打转，前后左右仔细地端详。

“唔，”他最后说道，“那么这是你们贵妇人的一种最新消遣了！——拿只鞋子来权当男人。我曾听见有些人说，这对人的资质是大有裨益的。你的意思怎么样，夫人？”

“我的意思是，一定有什么人在这里打探我，并且把你叫到这里来捉我来的！唔——我现在是独个人在这里，你总亲眼看见了。你请到屏风背后和帷幕后去找找看罢，也好免得你疑心。”

查理微笑笑，将那鞋子扔给那群狗，那群狗就扑上去抢它去了。他在床边坐下来，和芭芭拉面对着。“我来给你一点忠告罢，芭芭拉。我和你是老朋友，决然替你尽心设法的。我想何杰克比泽民要强得多，一定使你在时间上和金钱上都能得到更大的满足。”原来何杰克是个在市场上踏索的艺人，却是年少风流神壮力健的，有时也进宫来献技，故而查理提起他。

芭芭拉听见他这种挖苦，立刻就回他一句。“是啊，我相信何杰克是个美男子，犹之戴穆儿是个美人儿一般。”戴穆儿是皇上最近结识的情人，原是约克公戏院里的一个女戏子。

“这我也相信。”他同意道。于是他们相视了好一会儿。“夫人，”他末了说道，“我相信你我已经到了可以谈一谈的时候了。”

芭芭拉听了这话，仿佛心里有个块儿猛地往下一坠。那么近来人们说的话儿不完全是谣言了。她的态度立刻变恭敬客气起来，并且近乎谄媚了。“怎么，这是不用说的，陛下。我们来谈什么呢？”她那紫色眼睛睁得大大的，露出一副天真模样来。

“我想我们再也用不着假装了。如果男女两人结婚之后彼此不能再相爱，那么除了各人找消遣之外没有别的办法了。幸而我们的关系并不如此。”

这是他对她的感情最大胆的陈述。有时他在愤怒中，说话也会很锋利，但她总自己安慰自己，以为他有口无心，跟她自己气愤时的说话没有两样。就是这一回，她也仍旧不肯相信他说的是真话。

“难道你的意思是，陛下，”她轻轻问他道，“你已经不再爱我了？”

查理给她一个隐约的微笑。“我总不懂一个女人为什么老要问这句话，哪怕那个答案是她明明知道的！”

她将眼睛瞠视着他，胃里面隐隐作痛了。就是他那身体的姿势也已显出了厌倦，他的面容显得他是完全了解自己的情感因而下了最后决心的。这可能吗？他难道真正厌倦她了吗？这四年以来她原也曾受足了警告，有的是他自己给她的，有的是旁人给她的，但她一概都置之不理，无论如何不肯相信他会厌弃她，如同厌弃别的女人一样。

“那么你打算怎么样呢？”她的声音已经轻得只是一种耳语了。

“这就是我要来跟你讨论的。我们既然彼此不相爱——”

“哦，不是，陛下！”她急忙抗议道，“我是爱你的呀！就只你是——”

查理看了她一眼，眼光之中公然露出嫌憎的神情。“芭芭拉，你看上帝的分上，这种话替我省省罢。你总以为我在自己骗自己，一直当你爱我的。唔，可是我并非如此。当我认识你的时候，我就已经过了这种幻觉的年龄了。至于我对你，我想是一度爱过你的，可是现在不再爱你了。所以现在已经到了我们重新调整关系的时候。”

“新的关系——你打算把我撵出去不管吗？”

查理发出一声不愉快的短笑。“那就像把兔儿去交给猎狗了，是不是？他们不到两分钟工夫就要把你扯得粉碎的。”说着他那乌黑的眼睛掠过她的脸，神气之间带着好玩和轻蔑。“不，亲爱的。我要对你作一种公道的处置。我们要来商定一种新条件。”

“哦。”芭芭拉显然松弛下去了。原来又是另外一回事，他还是要按“公道”来“讲条件”的。她想自己完全知道这条件应该怎样一个讲法。“陛下的吩咐我当然应该遵命，可是我希望你给我一两天的时间容我考虑考虑。我还有几个孩子要顾及。不论我自己落得怎样，我想他们总该享有他们应得的东西。”

“他们原该受到好好的看顾，那么你把你要的条件研究一下罢——我到礼拜四这个时候再到这里来和你讨论。”

说着他就站起来，向那一群狗弹了弹手指，头也不回地撇开她去了。芭芭拉坐在那里眼睛瞪视着床脚，满肚子的疑惑、不安和忧愁。这时她听见查理在外间轻轻说话，然后是威尔逊的一阵吃吃的笑声。突地她跳下床来大喊道：“威尔逊！威尔逊！你进来！我找你有事情！”

到了礼拜四，她浓妆艳抹地在自己卧室门口迎接了查理，查理本当她要痛哭流涕满口怨恨的，谁知她却一味地柔媚温和，做出两三年来难得看见的娇态。她把所有的侍女都打发开了，他们面对面地坐了下来互相觑视着。她立刻就看了出来，他在那犹豫期间已经如她所希望的变心了。

她交给他一张纸儿，上面用黑墨水清清楚楚开着一条条的项目。等他拿在手里念起来，她就拿手指甲儿在椅子靠手上擂着鼓，一双眼睛四下瞟着，不时回转来看看他的脸。他先将那张单子匆匆地瞥了一眼，慢慢皱起眉毛，轻轻吹了声口哨，然后他头也不抬，就念起来了：

“二万五千镑还清你的债，一万镑一年的年金，你自己要做公爵夫人，你的几个儿子都要封伯爵——”念到这里他向她脸上瞥了一眼，做出一副带点滑稽的怒容。“我的天，芭芭拉，你一定是把我当作迈达斯王①了！你要记住我是一个穷皇帝斯图亚特查理呢——他的国家刚刚经过历史上空前未有的瘟疫和大火，而且为了战争已经负债负得快要没顶了。你也明明知道我负担不起这样的开销啊！”他将那张纸呼地一摆，就丢开一边去了。

芭芭拉微笑着耸了耸肩。“怎么，陛下，我怎么会知道呢？以前你给我的还不止这一点呢——现在你要抛弃我了，虽然并不是我的过失——我的天，陛下，哪怕再平常些的交情，给我这么一点也不为多呀。从今往后我得去对付一个敌意的世界，这是很费钱的呢。你总也跟任何人一样应该知道的。我已经是个被抛弃的人，倘使连这一点都拿不到手，那倒不如死了的好——怎么，我这种人还要活在世界上做什么呢！”

“我并没有要你活在世上吃苦的意思，可是你也知道像这样的条件是我的力量办不到的。”

“不过从另一方面说，曾经替你养过五个孩子的母亲是不应该因你厌倦了她就不得不乞讨为生的罢，是不是？陛下，你就想想看，倘使全世界的人都知道你以这样吝啬的条件将我丢开手，你自己的面子下得去吗？”

“你有没有想过，法国现在有好几个尼庵，像你这种宗教信仰的女人一年花不了五百镑就可以过得舒适而且快乐？”

芭芭拉盯着他看了一会儿，突地发出一种尖利的哗笑。“你这人的想法真是可笑之极了！你自己想想看罢，你能想象我会去住尼庵吗？”

他也不由得微笑起来。“倒也不见得，”他承认道，“不过这种条件我还是不能应允你。”

“好罢，那么——也许我们可以用别的方法获得妥协。”

“那是什么方法呢？”

“为什么我不能在这里待下去呢？也许你是不再爱我了，但我在

① 希腊神话：迈达斯王得上帝的恩宠，凡有所求无不如愿，能点石成金。

宫里继续待下去，一定不会妨碍你的事。我从今以后不会再麻烦你了——你走你的路，我走我的路。至于我因为失宠于你，你就眼看着我去吃苦，这不是有些欠公道吗？”

查理听了她这话，明知她不完全出于至诚，但他也有些觉得这是最容易走的一条路了。因为这种办法不致将他们骤然拆开，也不致演成流泪吵闹的悲剧，却可以把事情慢慢宕下去。也许有一天她会自愿走的。是的，这也许是最好的办法了。无论如何，在他总是最少麻烦的，而且眼前也可省一笔开销。

想着他就站起来。“很好，那么，夫人，你不要再来麻烦我，我们就可以过得很好。你爱怎样生活尽管随便你，只是过得越安静越好。还有一点：这桩事情你若不去告诉别人，那就谁都不会知道——因为我是不会提起的。”

“哦，谢谢你，陛下！你真是好呢！”

说着她走到他面前，抬起头来看着他，眼睛里面透出一种媚惑和引诱。她仍旧希望一个吻和半个钟头的同榻可以将事情全部改观——可以将他们之间因迷恋过热而产生的嫌隙和不信任一扫干净。他将她瞪视了好一会儿，露出一个非常隐约的微笑，将手轻轻地摆了一摆，擦过她走出房去了。芭芭拉掉转头目送着他，却是怔得呆呆的，仿佛吃了个耳掴一般。

两天之后，她就到乡下打胎去了，因为这一个孩子她知道他是无论如何不肯承认的。但是她又想起来，如果她去了几个礼拜，他就会忘记一切不愉快的事情了，会重新惦记她，还跟从前一样差人下乡去迎接她。于是她安慰自己，他总有一天会重新爱我的，我知道他一定会的。到了下次我们会面的时候，事情就会两样了。

第五十五章

她住在花柱儿弄，那是从德鲁雷胡同岔出去的一条狭窄小街。一所只有两间的房子，里面正如她的人一般，乱七八糟腌腌臜臜，没有一件东西摆得停当。丝袜挂在椅背上，一件脏衬褂揉成一团放在床边地板的中央，桌上满摊着桔皮以及未经洗涤的空瓶子，炉子里面堆着灰，分明是几年没有出过了。灰尘蒙在家具上，又从天花板上成片荡下来，因为那个雇来打扫房子的女孩子已经有好几天没有来过了。一切东西都显得无人料理，可知这房子的主人是向来不爱整理的。

耐娌正在地板的中央跳舞。

她赤着一只脚儿，在那里旋着转着，将柔软的身体不住扭动着，把裙子扬得高高，专心致志地舞得完全陶醉了。一张椅子上面仰着郝查理，瞅着一双眼睛在那里看她。还有一张椅子上面坐着莱切约翰，也是皇家班里演戏的，从前也曾做过耐娌的情人。一个十四五岁的孩子——他们叫进来的一个街头乐师——站在近旁拉着一把廉价的胡琴。

直至她终于停下步来，深深行了个万福，深到脑袋几乎碰到膝头，那两位爷这才称心满意地拍了一阵掌。耐娌抬起头来看了看他们，乐得眼睛骨碌碌地闪耀着，然后气喘吁吁地站了起来。

“你们喜欢吗？你们觉得我比她跳得好些吗？”

老郝摆了一摆手。“好些吗？怎么，你这一跳显得戴穆儿笨得如同一头怀胎的母牛了呢！”

耐娌笑起来，可是她的脸色立刻就又改变了。她伸手拿了一个橘子来剥着，一面装得十分生气地噘起了下唇。“这对我有多大的好处呢！这几天没有人要看我了。我的天，自从皇上送给她那个钻石戒指，我的脑子里面就同荷兰人的脑袋一般空虚了！皇上最新宠幸的婊子是人人都要见识一下的呢！”

这个当儿，门上响起一阵响亮的敲打，耐娌就跑出去开了门。一个穿制服的跟车站在门口。“奈太太给你请安，夫人，她想跟你说句话，现在底下马车里等着你呢。”

耐娌别转头去向那两个男人瞥了一眼，紧紧地皱起眉头。“真是见鬼呢——又有人到底下等着了。红酒跟白兰地你们自己向碗橱里找罢。也许食橱里面还有什么可吃的。我一会儿就回来。”

说完她就不见了，可是一会儿之后她就回来套上一双高跟方头的鞋子，随即撩起裙子奔下楼梯跑上街去了。一辆金漆四轮马车等在她门口，一个跟车的开着车门等候在那儿。奈美丽坐在车里，她那娇好的脸儿擦得几乎雪白了，她伸出一只满是珠宝的手来抓住耐娌的手腕。

“来罢，亲爱的，上车来罢。我要跟你谈谈呢。”她的声音温暖而甜蜜，她那满身的香气熏得她几乎发昏。

耐娌很服帖地爬上来在她身边坐了下去。她并不意识到自己的丑恶，却热忱地欣赏美丽的容颜。“我的天，美丽，我可以赌咒，你是见一回漂亮一回呢！”

“啐，孩子，不过我这几天穿着几件漂亮的衣服，戴着几件首饰罢了。真的，我倒要问你，柏爷送给你的那串珠项圈儿到哪里去了？”

耐娌耸了耸肩膀。“我已经寄还他了。”

“寄还他了？我的好上帝！这是为什么呀？”

“哦——我也不知道呢。不过一串珠圈儿于我有什么好处呀？反正我的母亲要把它当了买白兰地喝，或是拿到新开门去给赎玫瑰的男人。”玫瑰是耐娌的姊妹。

“哦，亲爱的，你听我一句话罢。人家送给你的东西无论如何不要寄回去。一个女人到了三十岁，往往除了年轻时候别人送给她的东西之外就要无以过活的。”

然而耐娌现在不过十七岁，离三十似乎还有多年之久呢。“不要紧，我从来都不曾挨过饿。我总会有法子活下去。现在你是找我做什么呢，美丽？”

“我要带你去拜拜客。你的衣服穿好了吗？你的头梳过了吗？”原来火把的光摇晃不定，她看她不清。

“很好的，你放心罢。我们要去看谁呢？”

“有一位名叫斯图亚特查理的先生。”她停了一会儿，因为耐娌默默地坐在那里，一时还不明白她说的是谁呢。“就是当今皇上二世。”这几个字仿佛吹喇叭一样从她嘴里响出来，耐娌却不由打了一个寒噤，从她的臂膀沿着脊梁一直冷了下来了。

“查理王！”她低声道，“他要见我！”

“是的，他因我是个老朋友，所以要我来邀你的。”

耐娌直僵僵坐在那里，眼睛一直瞪着前面看。“哦，我的天！”她低声说道，突地感到一阵犹豫和恐慌，“可是我一点都没有准备呢！我的头发乱蓬蓬的！我连袜子都还没有穿！哦，美丽，我不能去！”

美丽将一只手盖在她手上。“你当然能去，亲爱的。我把我的大衣借给你。我又带着一把梳子在这儿。”

“哦，可是，美丽——我不能去！我真的不能去！”她在心里急忙找着不去的借口，突然记起老郝和莱切在楼上等她，就动身要跨下车去。“我自己也有客人呢，我刚刚记起来了。我——”

美丽抓住了她的臂膀，狠命将她一把拉回去。“他在等你呢。”说着她将身子扑上前，拍拍前面的车板。“开车罢！”

从那里到白宫不过半英里多点路，在这期间耐娌只拿美丽那把梳子拼命掠着那头粗硬的乱发，她的心在怦怦地乱跳，她的手心冰冷而潮湿。她的喉咙急得说不出话来，只是不时喃喃喊道："哦，基督！"

到了宫门，她踏下了车。美丽就将自己的一件大衣披在她的肩膀上，及等她动身要走，又急忙卸下一对珠耳塞子递给她。"戴上这个吧，亲爱的。我在车上等着送你回家去。"

耐娌戴上耳塞子，走开了一两步路，便又突地转身走回来。"我不能去，美丽！我不能去！他是皇上呢。"

"走吧，孩子，他在那里等你呢。"

耐娌紧紧闭上了眼睛，喃喃地祷告几句，这才走过那院子，进入美丽指给她的一扇门，然后穿过一条弯曲的过道，走下了一部扶梯，又见一扇门关在那里，她就在上面敲起来了。一个内侍开了门。她报上自己的名字，他就放她走进去了。她发现自己是在一间布置精美的屋里，墙上挂着金框的画像，一个雕刻精细的大火炉，一些法国来的绣花椅子。过了好一会儿，她只站在门弄里，心中惴惴然地四下瞪视着，慌慌张张地刮去指甲里面的污垢。

过了一两分钟，计维廉走进来了，满身油光滑泽，眼睛底下垂着两个袋袋儿，一张胖胖嘴儿微微地鼓着，仿佛衔着一口东西还没有咽下一般。他这一来使她略略觉得安适些，因他虽是皇上后庭的内侍，样儿却不比别人显得怎样可怕。

计维廉一见她站在那里，便微微耸了耸眉毛。"夫人吗？"

耐娌行了一个小小的万福。"是的。"

"我想你总也知道，夫人，并不是我叫你来的吧？"

"我也希望不是，先生。"耐娌话才出口怕要伤他的感情，便又急忙补充道，"不过我不是说倘使是你叫我，我就要觉得不高兴。"

"我明白，夫人。只是你现在来朝见皇上，总得看自己衣服穿齐整了吧？"

耐娌低头将自己身上那件蓝羊毛的衫子瞥了一眼，只见上面满是酒渍和油污，又因穿了许多星期，胳肢窝底下也是斑斑点点的，裙子上面还有一条裂缝，露出里面红色麻纱的小裤。原来她穿衣服向来漫不经心，也如她向来不留心打扮一样，以为她是天生丽质无需装饰的。她的收入每年也有六十镑之多，可是她随便乱用，常请朋友吃喝，又要买白兰地给她那肥硕的母亲，又要买礼物去送给玫瑰，就是街上见到叫化子也要随便扔钱。

“这是奈太太来叫我的时候我穿的随身衣服，我并不晓得要到这里来——我可以回去换——我有一件很好的衫子，平常不肯穿——是蓝色缎子的，里面配着银色的衬褂——”

“现在来不及了。可是你试一下这个看。”

他走到房间的里头，捡起一个瓶子交给她。耐娌拔开了瓶塞，闻了闻那浓重的香气，就狂喜得不住翻着眼睛，当即将香水去洒自己的马甲，洒出一个潮湿的圆圈来，又洒了许多在她的奶子上、手腕上和发卷上。

“这就够了！”计维廉警告了她，就将瓶子接了过去。然后他向一口栗木橱上放着的钟瞥了一眼。“到时候了。随我来吧。”

说着他走出房门，耐娌却踌躇起来，先是拼命咽唾沫，随觉一颗心猛烈地捶得她连气都有些难喘，然后她突地下了决心，撩起裙子跟着他走去。他们进入一条阴暗的过道。计维廉从一根预先点在那里的蜡烛头上点起另外一根蜡烛来，插在一个铜盘上，回转头将它交给耐娌。

“这儿，你可以拿这蜡烛照上楼梯去，楼梯顶上有扇门，是不上锁的，你推进去就是皇上的秘密会见室，可是你不要做声，静等皇上来找你好了。他也许还有事情在哪儿，或是和阁员谈天，或是在写信，都未可知的。”

耐娌庄严地瞠视着他，一面听一面点点头，又犹豫不决地抬起头向那黑暗中的门口瞥了一眼。在她那双颤抖的手里，那支蜡烛向墙壁上映出一个摇晃不定的影子来。她临动身的时候，又回转头看看维廉，仿佛要得到他精神上的支持似的，可是他只站在那里瞠视她，心想皇上下次一定不会召见这个邋遢家伙了。她慢慢地跨上楼梯，将那一双空着的手撩着长裙子，可是她的膝头一点没有力，自觉那张楼梯是无论如何爬不到头的。她一步一步往上挨，仿佛是在一场噩梦之中爬上一个无穷无尽的山顶。那计维廉依旧端站在那里看着她，一直等她推进门，露出一个侧面的黑影来吹灭了蜡烛为止，然后他耸了耸肩膀，回去招待他自己的晚饭客人去了。

可是他那一猜猜错了，因为这事以后隔不了几个晚上，耐娌就又进宫了，这回可是身上弄得清爽，穿着那件蓝缎衫子和银丝布的衬褂而来的，不过她的风度是那么一副懒懒散散漫不经心的样儿，仿佛她的精神天生轻薄有兴致，因而无暇顾及这种细节似的。当时维廉见到她，也不免展出了笑容，有些着她的迷了。

耐娌对于自己遭遇的事始终都觉得惊奇，以为查理对她竟像头一个结识的情妇似的。“哦，美丽！”她头一天晚上从宫里出来上车的时候就气喘吁吁地对她这么嚷道，“他真奇怪得很呢！他待我这么好法，竟把我当作一个——一个公主一般了！”说着她不由得又笑又哭地掉下眼泪来。“我是爱上他了！我心里想着我归耐娌，伦敦街上一个平民的女儿，又是一个普通的娼妓，一个公开献技的女戏子，居然爱上了英国的皇帝了！哦，这是多么愚蠢啊！可是我又有什么办法呢?”

查理和她结识了不久，就问她一年要多少年金，她只笑了笑，说她已经准备无报酬地服侍皇上，皇上却一定要她自己说一个数目；第二次她来的时候，她问维廉应该怎样回答。

“你就单单那嫣然一笑也就值得一年五百镑了呢，亲爱的。”

谁知那天她下楼来时，却十分垂头丧气，维廉问她什么事，她先下巴颏抖抖地对他看了一会儿，突然嚷道：“哦，他笑了我了呢！他问我要多少年金，我说五百镑，他——他就笑起来了！”维廉将臂膀围住了她，她竟抽抽咽咽地哭起来，便不住抚摸着她的头发，劝她必须忍耐一点儿，并说不久之后总有一天可以从他那里拿到远不止五百镑的。

她并不在乎钱，可是他竟当她不值一年五百镑，那使她非常伤心，因为他替戴穆儿单单买一只戒指还不止五百镑呢。

耐娌和戴穆儿本来很熟识，因为所有的戏子都是彼此认识的，就是那个小小世界里面发生的事情，虽极细微也无不互相知晓；又因耐娌做人一向很和乐，所以穆儿虽是她同行的劲敌，她也对她一向都很好，现在和她发生争宠的事情，她也不怎么放在心上。谁知穆儿听见皇上不肯答应耐娌要求的年金，却在背后说起她的坏话来了。

“耐娌是个平常的婊子。”穆儿对人说道，“她对他是讨好不长的。”

穆儿的父亲本是个铁匠，她本人未到伦敦之前是个卖牛奶的女郎，但是当时有一种谣言，说她是柏克区伯爵的私生女，她就拿这谣言来大大地利用了。

“一个平常的婊子，我是？”耐娌听见别人传到她这话时就说道，“好罢，也许是的，我并不是要假装做别样的人。可是我们等着再看罢，究竟我能讨皇上的喜欢不!”

于是有一天，她腋下夹着一大匣自制的甜食拜访穆儿去了。她迤迤逦逦走上一条弯曲的小弄，然后又走下一条，一路将钱扔给十来个乞丐，跟好几个扑在窗口的女人摆手打招呼，又站住了跟一个卖臭咸鱼的小女孩说了一回话，并且给她一个基尼阿，让她买双鞋子和一件大衣备过冬之用。那天是个大晴天，天气却很冷，她一路急急忙忙地走着，头上罩着一个风兜，一件羊毛长大氅噼噼啪啪地飘着。

穆儿住的地方离花柱儿弄不远，也是一个两层楼的公寓，跟耐娌住的房子很相像，但她一直在吹牛，说皇上要给她买一所很好的房子并且替她布置家具。耐娌敲了门，嘻开脸来和穆儿打了个招呼，便踏进门槛里去，把个穆儿怔得呆呆地不住瞪视她。耐娌进得门来，便将眼睛四下瞟着，搜寻她的种种讲究的排场，只见窗上挂的是黄色丝绒的窗帘，放着一两把雕刻精细的椅子，而且穆儿手里还拿着一柄银背的手镜呢。

“唔，穆儿!”耐娌将风兜往后一推，一面解开头上的扣子一面说道，“你不欢迎我吗？哦，也许你有朋友在这里!”其实穆儿当时身上只穿着一件马甲和一件绉边的衬衫，脚上也只拖一双木屐，头发披散在背后。耐娌说了那话就又装作惊异的样儿，仿佛她刚刚注意到穆儿这种打扮似的。

穆儿怀疑地盯着她，竭力探索着她这突如其来的用意，那张眉清目秀的胖脸儿上不见一丝笑影。她知道耐娌一定已经听见自己说她的那句坏话了。她翘起了头，鼓起了嘴，装起新近学会的那一副傲慢神情。“不，”她说道，“我一个人在这里。你若一定要知道的话，我也不妨告诉你——我正在这里穿衣服要去见皇上呢——今晚十点钟。”

“哦，天！”耐娌将钟瞥了一眼，嚷道，“那么你得赶紧了！现在已经快要六点钟了呢！”她说了这话心里觉得很好玩：哪怕是去见皇上，谁说穿衣服要穿四个钟头之久的？“好罢，那么你穿你的衣服罢。你一面打扮我们一面谈。这里，穆儿——我带了一点东西送你来了。哦，其实没有什么，玫瑰跟我做的一点儿甜食——里面有核桃片，你一向喜欢吃的。”

穆儿被她这种殷勤态度缴了械，只得伸手去接耐娌擎给她的那个糖果匣儿，终于展开笑脸了。“哦，谢谢你，耐娌，你真太好了，还记得我一直爱吃甜食！”她将那匣子打开捡了大大的一块，扔进嘴里嚼起来，然后舔了舔指头，将匣子擎给耐娌。

耐娌拒绝她。“不，谢谢你，穆儿。现在我不吃，我们做的时候已经吃过一些了。”

“哦，甜得很呢，耐娌！味道又是特别好！你上前来罢，亲爱的——我有些东西要让你看看。哦，天，我可以赌咒，整个欧洲都没有比皇上再慷慨的人了！他竟源源不断地拿好东西送给我！就看这个珠宝匣子罢。它是纯金的，上面镶的珠宝也都是真货——我曾请一位珠宝商人来鉴别过呢，这个面贴匣子上面镶的也是真蓝玉。再看这一柄花边扇子！你曾见过这样的货色吗？你就想想看罢，这是他托他的妹妹特地为我从巴黎寄来的呢。”她又捡了两块糖果塞进口里去，这才把耐娌穿的那件衫子从头到脚瞥了一眼，那是一种红色的绵羊毛布做的，穿在身上非常舒适而暖和，颜色却不大好看，也算不得一种奢侈品。“可是你因在街上跑路，当然不肯把那钻石项圈戴出来啰。”

耐娌听见这话，仿佛在她脸上打了个耳掴一般，但她只是微笑笑，轻轻地说道：“我根本没有什么钻石项圈，他什么东西都不曾给我。”

穆儿假装惊异的样子，竖了竖眉毛，重新坐下去抹她的脸。“哦，唔——这个你不用着恼，亲爱的。他总会送东西给你——如果他喜欢你的话。”说着她又送进口里一块糖，拿起一个粉扑来搽胭脂。耐娌将手叠在膝头上坐在那里看着她。

穆儿跟她自己的头发挣扎了至少一个钟头，并且央求耐娌替她这边插上一根针，那边一根却又要拔去。“哟，天！”她终于嚷道，“一个做太太的简直对付不了她自己的脑袋呢！我赌咒，非用一个女人来不可——今天晚上我就要跟他说去。”

九点过不了多少，宫里的马车就到了，穆儿发出一声激动的尖叫，把最后三块糖果一齐塞进口中，这才匆匆抓起了面具、扇子、手笼和手套，带着一阵香气，一溜烟地奔出房去了。耐娌随她走到马车旁，祝她幸运，摆摆手儿和她告了别。但当马车辘辘碾开的时候，她仍站在那里目送着，不由笑得眼泪都出来，直至两腰发了酸为止。

你听着戴小姐！且看我们下次会面的时候，你对我装着怎样一副神情罢！

第二天，耐娌同着巴铿汉公的远族亲戚微约翰到约克公戏院去看戏，目的要去看看她的劲敌经过昨天晚上那桩事是否还敢露面在舞台。那微家的小子希望戏完之后能得穆儿给他一点好处，所以不惜各人花了四先令，买了两个跟舞台正对面的中心包厢座儿，以便穆儿登台一定会跟他打照面。

当他们坐下去的时候，耐娌意识到隔壁包厢里面有两个男人，当她进来的时候都向她这边注视着。她嘴上挂着一个微笑向他们瞟了一眼，当即吓得嘴都合不拢，急忙伸手将嘴扪住了。原来是皇上的两兄弟，分明是乔装假扮出来的，不但什么徽章都不挂，并且穿着十分古董的衣装，远不如那班花花公子。

查理微笑笑，向她略略点头打招呼，约克却给她一个热切的瞪视。耐娌勉勉强强回了他一个微笑，心里却恨不得马上站起来溜跑了，但又怕这么一来要惹起整个戏院的注意，这才拼命熬牢不走。同时那贝登也已穿着一件传统的黑长袍，走到台前来讲开场白了。

耐娌直等开场白讲完，幕已拉起准备第一场的戏，她仍直僵僵地坐在那儿，连头都不敢动一动，也看不见舞台上有人无人。后来小微摇摇她的胳膊，跟她附耳说起话来了。

“你是怎么回事啊，耐娌？你这样子仿佛是有什么毛病发作了。”

“嗯！我想是罢！”

小微有些慌张起来，还不晓得她这话是真是假。“那么你想走吗？”

“不，当然不，你不要闹罢。”

她说这话的时候，连看都没有看他，可是她面颊上开始燃烧起来了，因为她感到查理正在注视她，而且，他坐得非常之近，她只要将身子微微歪一点过去就可以碰到他的臂膀。她突然将头转过去，带着一种询问的神气瞪视着他的眼睛。查理便咧开嘴来，从那漆黑的髭须底下露出一副闪亮雪白的牙齿。这时耐娌心里放下一个石块儿，报以一个嫣然的浅笑。可见他并不愤怒！他也把这桩事当作一个有趣的玩笑了。

“你为什么到这里来？”查理问她道，他因要避免引起旁人的注意，所以把声音压得非常低。

“怎么——嗯，我到这里来看看戴穆儿的舞跳得究竟比我是不是好些。”

“那么你当她今天还会跳舞吗？”他见耐娌脸上分明现出一种羞惭惶恐的神情，便闪亮着一双眼睛瞠视着她。“我想她是要躺在家里害绞肠痧了呢。”

耐娌虽强作镇定，却不由得红起脸来，垂下眼皮不敢向他正视。“我很抱歉，陛下，我是要报复她呢，因为她——”这时她又热切而认真地突地抬起头来。“哦，请你饶恕我罢，陛下，这种事情以后我再不干了！”

查理听了这话不禁大笑起来，他那低沉的笑声引来了好儿双眼睛的注视。“你向她去道歉罢，不用向我道歉。我好久没有享受过这样一个有趣的晚上了。”说着他扑近了些，将手背挡住嘴儿，跟她说着私己话。“老实对你说罢，夫人，我想戴小姐是跟你大发脾气了。”

耐娌突然胆壮起来，便反驳他道：“唔，这也怪她自己太老实，否则这套陈旧不堪的老把戏她也不至于会上当的！其实她只消咬了一口就该知道是下过药的了！”

正在这个当儿，穆儿一阵旋风似的卷上台来了，只见她那瘦削的身躯穿着一条扣身的男式短裤，上面一件白麻纱的宽衫儿，在台面上纺纱一样一圈一圈地转着，当即一阵自发的欢呼和拍掌从台下哄了起来。查理向耐娌略略瞥了一眼，同时耸起了一只眉毛，仿佛是在说，唔，她到底还是敢上台来的。这时他又注意到舞台上去，穆儿随后也就看见他，对他微笑笑，而且做出一种毫不在意的样儿，仿佛昨天晚上并不曾发生什么特别事故似的。

但她随即又记起了耐娌坐在他身边，正把两个胳膊靠在栏杆上，便又低着头看了看她。穆儿脸上暂时失去了笑容，但立刻就又恢复。耐娌连忙将拇指塞进自己鼻孔里，摇摆着其余几个指头，可是摇得并不怎么快，以致查理没有注意她那无礼的手势。穆儿等到舞跳完了，就向中心的包厢飞过几个吻来；然后她下台去了，从此就不再出现，因为那天下午没有她的角儿了。

当那戏文继续进展的期间，查理和耐娌不时交换了一些意见，或是关于那戏的本身，或是关于一支曲、一个舞台的场面、一套行头或一套布景，乃至关于听众中的其余人。这时小微已经显得有些不耐了，约克不时瞟着他哥哥新识的情妇，显得不胜垂涎的样儿，因她那副善于表情的脸庞，那种出于自然的微笑，以至那双只眯得一丝缝儿的蓝色眼睛，都使他看了觉得非常喜欢。

等到戏文演完了，大家都站起来要走的当儿，查理就于无意中说起来道：“现在我想起来了，我相信我是并没有吃过晚饭的。你吃过了吗，詹姆士？”

“不，不，我不能说我吃过的。”

耐娌急忙拿胳膊在小微的肋骨上捣了一下，小微一时不懂她什么意思，她又在他脚踝上狠命地踢了一脚。小微眨了眨眼睛，当即开口说道：“陛下，倘使你不揣冒昧的话，可否请陛下跟殿下一同赏脸去吃一顿饭?”

查理和约克立刻就应允了，当即一同离开了戏院，叫了一部出租马车出发到玫瑰酒家去。那时虽还不到六点半，天却已经黑了，并且下着倾盆大雨。走进了玫瑰酒家，皇上和公爷都没有人认识，因为他们都把帽子拉到了眉心，又将大氅领头遮了半张脸，耐娌脸上也戴着面具。他们要了一间包房，酒家老板就把他们领到楼上去了，态度非常之随便，正同三个男人带了一个妓女来吃饭一般。

小微心里不大高兴，因为皇上闯了他的好事了，可是其余三个人都高兴非凡。他们叫了那个名厨所能供应的一切贵重鲜美的食品，喝着香槟酒，擘着生蚝子，直吃得满桌都是壳儿、肉骨和空瓶。足足吃了两个钟头，查理才突地弹了下手指，说他非走不可了，那天晚上王后是在引见室里等他的，要见一个新从意大利来的太监，因为他是在克里斯旦登以一副好嗓子闻名的。

小微发起了一股热忱，立刻跳了起来向楼下嚷着叫开账。侍者拿账单上来的时候，查理正给耐娌擎着她的大氅，他见查理最年长，就将账单交给他。查理那时已经有点微醺了，将账单瞥了一眼，低低吹了一声口哨，这才将手指插进好几个口袋里去摸索着，仍旧空手出来。

“一个先令都没有呢。你怎么样，詹姆士?”

詹姆士同样搜索过几个口袋，这才摇摇他的头。耐娌禁不住哗然大笑起来。“我的天!”她嚷道，“我上了一辈子的酒馆从来没有碰到过这种穷朋友呢。”

那皇家的两兄弟都把眼睛瞧着小微，小微忍着一肚子的恼怒，悉数付了那账儿。然后大家下了楼，查理和詹姆士都跟耐娌吻别过，然后上了一部出租马车动身回白宫，又从车窗里面伸出手来向她摆了摆。她也向他们飞去几个热烈的吻儿。

到了第二日，这段故事就已传遍了宫中，乃至戏院的化妆室里、交易所里、咖啡馆里、酒菜馆里，也都传到了，除了戴穆儿一人之外大家听了都觉很有趣。后来耐娌又从德鲁雷胡同的道畔采了些野草结个大草圈送去给穆儿，穆儿见了越发气得火上加油了。

第五十六章

琥珀是爱做宫廷中的一分子的。

虽然她在宫中已经住得非常熟，她却仍旧不感到幻灭，而且在她个人看起来，宫廷仍旧是个伟大的世界，那里面的无论什么事情都比别处地方让人更觉兴奋而且重要。她以为宫中所有的男女都是得天独厚的孩子，这点信念连巴铿汉公也没有像她那样坚执不拔呢。现在她是这些得天独厚人中之一了！于是她没有丝毫的抗议，就被卷入了宫廷生活的旋涡，在那一团黑漆之中如痴如狂随波逐流而去了。

她一天到晚就只有赴宴，看戏和跳舞。无论什么地方请客都要请到她，她请的客也没有一个敢不到，因为得罪皇上的情人是失礼到危险程度的。她的客厅里面总比王后的接见室还要拥挤，往往要同时摆上几张赌台：纸牌，红黑牌，同得路牌，乃至各色各样的骰子戏，没有一样不具备。街上的乞丐都叫起她的名字来了，这就是她身份重要的一种确实的体现。江湖诗人和剧作家们都拥到她前室里来争先恐后地拿着一首歌词或是一个剧本来贡献。

她那样的恣情挥霍竟同整个内帑都在她手里一般，虽然牛散达替她投资，替她记账，她却进进出出漫不经心。萨默尔留给她的一笔遗产，她仍旧觉得它仿佛用之不竭。

至于宫里弄钱的方法，当然也很多很多，只要皇上喜欢你的话。有一次查理许她开了一次彩票。他又把林肯区的六百亩官地租给她，租期是五年，租价很低，她就高价拿去分租给别人了。他又许她向池子里停泊的所有船只收取一年的税银，又许她砍卖新树林里一部分树木，此外还有种种生财的大道，一时也列举不清。就是那些外国公使，也都要给她送礼，她就单靠这一项收入也尽可以过着非常阔绰的生活了。

那年圣诞节的前几天，她着手将她的房间全部重新装饰，重新布置，一时间工人云集，上漆的上漆，装修的装修，足足闹了四个月方才竣工。

她将菩提别墅里的一切装备都搬了来，并且花了几日工夫将猎得岩伯爵的遗物逐件整理。其中有他生前写作的遗稿，也有他重价买来的秘方，至于平日收集的名画和古董，更是多不胜数。但是最奇怪的要算一个骷髅头，上面有根细铜丝吊着一张方子。据那方子上说，这是治阳痿用的，只消头骨里贮些泉水，每天早晨喝点儿，就可收壮阳之效。琥珀觉得这件东西很好玩，便将它搁在一边，预备等查理来给他看。后来查理看见了，就将它搬到他自己的实验室里去，说他将来有一天也许要用得着它。

那些帷帘、图画、什具等经过了一番整理之后，琥珀拣她自己喜爱的留用在自己房中，其余的拿去拍卖了。可怜猎得岩伯爵费了一生心血，积得这一些东西，生前最恨一班市侩，无论如何不肯让他们染指，现在却都落到市侩手中了！这也是琥珀对他的一种报复，纵说活人对死人虽胜不武，但她心里觉得乐不可支了。

自从查理和他的宫廷带了一套法国风回来，宫中的布置无一处不穷奢极欲，这回琥珀装修那几间房子，也弄得尽丽极妍。她拆去几堵墙，另外修了几堵，使得那几间房改变了它们的比例，因为她件件东西都要显得规模宏大。就连那一间前室也改得非常宽大，因为每天有许多人要来侍候她，实在非大不可，只是里面的布置非常简单，不过壁上几条绿绢的垂帷，一对同活人一般大小的意大利大理石雕像，以及一排金漆椅儿罢了。

那间客厅是正面朝河的，竟有七十五英尺长，二十五英尺宽。墙壁上面都挂着黑金两色条纹的绸帷，晚上可以拉开来遮没所有的窗口。地板上面铺着珍珠镶绣的地毯，所有那些细工雕琢的器具都厚厚地蒙着一层金叶，垫子都是翠绿色的丝绒做的。又因查理向来喜欢小饭店里的散食制，所以四处布置着许多小桌儿，平时她就在这间客厅里请人吃饭。炉台上边挂着琥珀自己一幅扮做圣凯瑟琳的画像，因为所有宫廷贵妇都喜欢把自己画作神的。圣凯瑟琳生前曾做过女王，所以琥珀那幅画像，也头上戴着一顶灿烂的王冕，手里拿着一本书，旁边放着一个破轮子，作为她殉道受难的一种象征，她的表情十分沉静肃穆。

此外还有一个较小的房间，是从客厅通到卧室里去的，里面一律挂着白色的墙帷，一面镜子前边放有一张黄金的桌子，桌上放着猎得岩伯爵那个意大利来的黑人。这间屋子的布置花钱特别多，就是整所房子装修的费用合算起来都还不如这里呢。

原来这间屋里从地板到天花板都拿镜子镶嵌着，而且那些镜子都是威尼斯著名的出品，因得皇上默许由海关偷运进来。地板铺的是热那亚的黑色大理石，这在欧洲要算顶名贵的了。天花板上由一著名画师画着罗马主神恋爱的故事，一眼看去尽是竖着奶子翘着屁股的女人，跟一些男人和野兽在那里做着种种不一的姿态。

她那卧榻是一张四柱的大床，柱上都用银子包装，上罩一个庞大的天蓬，四周垂挂猩红丝绒的帐子。卧室里面的其余家具也无不用厚厚的银子包装，从最小的杌子到最大的长榻都有猩红丝绒的坐垫，窗帘也一律是银线镶绣的猩红丝绒。炉台上面平嵌壁中是琥珀一幅本相的画像，名画师李立所画。她一丝不挂地倒卧在一堆黑色垫子上，脸上笑嘻嘻地斜送着秋波，不论是谁仰头看去都仿佛是对自己未免有情的。

这间房子似乎有一种非常强烈而至于野蛮的人格，无论谁走进里面都不免要自惭形秽。然而这已成了宫里人人羡妒的一个处所了，就因为表现奢侈表现得最彻底。琥珀自己呢，并不因它那种宏伟气象而起丝毫的敬畏，却因它那样傲慢，那样咄咄逼人，以及那种飞扬跋扈的美而爱上它了。因她平日所期望于生活且居然如愿以偿的一切，都可拿这气象来代表。这就是她成功的象征了。

但这成功一旦达到了之后，却又仍不足使她快乐。

因为她虽然穷奢极欲，日无暇晷，但终不能忘情于贾爷，无论她酒食征逐得怎样忙碌，那贾爷的影子总要萦回在她的脑际，不肯将她放松一刻儿，平常虽不过怀念情深，只觉得郁郁不乐，但也有时要激成奔腾澎湃的情潮，竟会使她觉得毫无生趣。到了这种时候，她就要怀疑自己没有了他怎么能够再活一刻儿，因而不免心灰意懒感到完全绝望了。

于是到了三月中旬，阿木笔独自到伦敦来，干一点生意事，并且要快活几个星期。琥珀从去年八月以来就没有跟他见过面，她的第一个问题就是问他有没有伯鲁的消息。

“没有呢，”那伯爵道，“你有吗？”

“我有吗？”她反问道，“当然没有！他一辈子也没有跟我通过一封信呢！可是他至少总要让你知道一点消息的！”

阿木笔耸了耸肩膀。“为什么他该让我知道呢？他很忙——如果他没有消息，我倒可以放心他没有什么事情了。因为若他有了事情，一定会让我知道。”

“这点你有把握吗？”

说着她偷偷瞟了他一眼，其时他们是在她的卧室里，琥珀身上只穿着一件寝衣歪在一张小小凉床上，交叉着两个娇模样的脚踝儿。苦菊儿坐在床边地板上，在那里审察鞋头几个被脚趾戳穿的破孔，这人原是可讨人家喜欢的，但是别人不跟他说话他总始终默然，态度非常之沉静，足见他内心安适，几乎具有一种动物的自足。

“你这话是什么意思啊？”阿木笔微微瞅起眼睛看着她。“你若希望科丽娜发生什么事故，那倒劝你不如忘记了的好。只是希望别的女人早些死，永远不会得到你所要的东西，这点道理你自己也该知道罢。他是无论如何不愿同你结婚的。”

有些时候阿木笔感着不耐，也要从对她的态度上表现出来。但这态度她已经看惯了，虽然往往就要觉得不高兴，却从来不曾怀疑到他的动机。

“这你怎么知道呢？他也许愿意和我结婚，现在我是一位伯爵夫人了——倘若不是因为她——”

她一提起科丽娜，眼光就挺硬起来，上唇也绷得紧紧的。但从另一种意义上说，她却又巴不得这科丽娜隔在当中做她一切苦难的借口，因若不然，她就没法解释他不肯和她结婚的缘由了。

“琥珀，亲爱的，”阿木笔说道，他的眼光和语气都软化做一种温情的怜悯了，“你不用这样自欺欺人，是不是？他所以和她结婚，并不是因为她的富有和爵位。倘使她没有这几件东西，他原也许不会和她结婚，因为贵族中人大都是这样，但他若是单单为了这些东西而结婚，那他早就结了婚了。并不是那样呢，亲爱的——你也用不着自己骗自己。他是爱上她了呢。”

“可是他也爱我！”她发急地喊道，“哦，他的确爱我呢，阿木笔！你总也知道罢！”突地她的眼光和声音都显得含有无穷的希望。“你也觉得他是爱我的，是不是？”

阿木笔笑了笑，扑过去拿住她的手。“我可怜的亲爱的，是的，我也觉得他是爱你的——而且我有时候竟要想，即使他和你结婚之后你也仍旧会爱他。”

“哦，当然我会爱他啊！”她嚷道，这时她有些觉得不好意思起来，“你不要挖苦我罢，阿木笔。”说着她觉得自己上了当一般将脸扭开去了。但是突然她又不由得冲口而出：“哦，我的确是爱他的，阿木笔！你简直想不到我是多么爱他呢！我只要能够得到他，世界上的任何事情我都可以干！而且我一直都会爱他，哪怕日日夜夜厮守到一千年也一样会爱他！哦，你该知道我这是真话，阿木笔——我从来没有爱过别人——我简直不能爱别人！”这时她看见他眼睛里显出一种奇异的神情，生怕要伤他的心，便急忙补充道，“哦，当然我也爱你，阿木笔——不过是另外一种爱法——我——”

“不要紧，琥珀。你用不着替自己分说——我比你自己还知道得清楚些。你爱的是我们三个人：皇上、伯鲁和我。同时我想我们三个人也都是爱你的。可是你从我们任何人的爱里都不会得到快乐，因为你所需要的东西多过我们所愿给与的。我们三个人当中，你谁也抓不住，如同你当初抓不住那个可怜的苦鬼——他叫什么名字？——或是那个给你遗产的老头儿一般。你要知道这是为什么吗？我来告诉你罢。皇上是爱你的——可是他不见得比对其他一打女人更加爱你，而且他以后还要再爱一打女人。世界上的女人没有一个能使他伤心，因为他除了肉体上的快乐之外什么都不依赖那些女人。他的妹妹是他唯一真爱的女人，但这跟我们一点都不相干。伯鲁也爱你，可是他还有其他许多更爱的东西。现在他又有了一个比你更爱的女人了，最后呢——亲爱的——我也是爱你的，可是我对于你并没有一点幻觉。我知道你是怎样一种人，却一点都不介意——所以你也不能使我怎样伤心。”

“我的天，阿木笔！我为什么要使你伤心——或者使任何人伤心呢？你这种怪念头是什么鬼装进你脑袋里来的呀？”

“凡是女人不等知道自己可以使爱他的男人觉得伤心的时候，她是不会感觉满足的。你老实说罢，我这是句真话是不是？你一直都想自己可以使我苦恼的，如果你愿意尝试的话，是不是？”说着他将眼睛牢牢盯住她。

琥珀对他微笑笑——那是一个美貌女人知道有人在欣慕自己的那种笑。“也许我有这种想头的，”末了她就承认道，“你一定知道我不能够使你苦恼吧？”

阿木笔木然不动地坐在那里一会儿，突然一下站起身，咧开嘴儿露出一副雪白的牙齿。“不错，宝贝儿，你是不能使我苦恼的。”说着他站在她的面前看看她，脸上重新正经起来。“可是我要告诉你一件事，如果这个世界上有一个男人是你可以跟他结婚而得快乐的，那就非我莫属了。”

琥珀不胜诧异地对他瞠视了一会儿，然后发了声浅笑也站了起来。“阿木笔！你见什么鬼说出这种话来呀？倘使有一个男人我能跟他结婚而得到快乐，那就应该是伯鲁，这你也知道——”

“那你是想错了。”但她正要开口抗辩的时候，他已漫步走到了门边，她也只得跟他去。“今天晚上我们到王后的接见室里会面罢——昨天输给你的那一百镑，我还要捞回本来呢。”

琥珀笑起来。“那你是不能够的，阿木笔，今天早晨我新买了一件衫子已经把它花光了！”及等阿木笔踏出门槛，她又禁不住笑了起来。“你就闭上眼睛想想罢，我们会结婚呢！”

阿木笔头也不回地向她摆摆手，一会儿就走远了，琥珀却不由皱起眉头觉得大惑不解起来。阿木笔和我结婚！这个念头是她从来没有想过的。她除了贾伯鲁之外从来不曾想跟谁结婚，现在说跟阿木笔结婚就会快乐，也仍旧是难以置信，而且阿木笔平时对于结婚一事也跟其他有见识的男子一样并不觉得热心，现在他忽然提起这桩事，这是多么奇怪啊！

哦，唔——她耸了耸肩膀，又回去梳妆了。这种事情现在去想它做什么呢？

而且，她还有许多重要的事情正待操心。杜朗先生马上就要来替她做头发了。卢肥夫人也要来跟她商量皇上诞辰舞会的那件衫子应该怎么做。她又得考虑下次的晚饭该请哪几个客人——到底请法国公使好呢，或是请西班牙公使？两人之中谁比较会见好？还有那卡塞曼夫人，到底请她来让她眼热眼热好呢，或竟是置之不理？如果不请她的话，查理一定不会见怪，也决不会跟前几年一样不待终席就被芭芭拉的命令叫出去。想到这里她觉得得意非凡，以为自己已经可以操纵宫廷中的事，无论大小人物的生杀之权都在她掌握中了。

又因这几天的天气渐渐好起来，她就决计坐着她那新置的敞车到海德公园去消散消散。那种敞车只有两人的座位，坐起来很危险，却有一样长处，就是坐在车上的人可以从头到脚都显露出来。她已做好一套金丝绒的新行头，还有几条水獭尾巴可以围颈子，她就决计要拿去出出风头，并且要亲自执辔——想到这里她觉得兴奋得不得了，因为她这么一来，一定可以引起人人注目。

这时那已做了荔枝门公爵夫人的司徒馥兰刚巧也回到伦敦，当即引起宫廷里边一阵如狂的激动。那种已成定型的生活方式一时又打得粉碎，必须重新将它凑合起来了，因为所有的政治家们，皇上的情妇们，乃至小厮走卒们，人人都栗栗危惧，以为局面就要变动了，自己的地位就要保不牢，于是人人大使其阴谋诡计，无所不用其极。黑酒公寓里边大家在打赌，以为司徒馥兰现在是个结婚的女人，比之处女时期见识一定要高些，不久就可占得当初皇上本来让她占取的那个地位了。所以当她在萨默赛特宫住定下来，大张筵宴的时候，就没有一个人不争先恐后地趋奉她。谁知皇上竟一次都不到，仿佛并不晓得她已回伦敦似的，于是大家大觉诧异了。

馥兰见皇上对她这么冷淡，心里自然也懊恼。但她掩饰得非常好，别人竟一点看不出来。不过那些专靠皇上宠爱与否以定荣辱的女人，心里正在着恼的并不止是她一个。

当芭芭拉年终从乡下回城的时候，她就发现潭福滋夫人已经占去了她原先的地位，且有两个女戏子公然无忌地迷住皇上了。戴穆儿已经离开了舞台，住在皇上替她布置好的一所漂亮房子里；归耐娌常在后宫门进进出出，也已不复对人守秘密。芭芭拉自己对人宣传，说皇上日夜哀求她，要跟她言归于好，但她鄙视他的为人，除了他的金钱之外什么都不要他的。其实呢，她在内心日夜地忧惧，倒贴那些年轻男子的钱竟成一笔大宗支出了。

查理听见这消息，悲伤地笑了笑，耸耸他的阔肩头。“可怜的芭芭拉。她是渐渐老下去了呢。”

但是当时宫里供人谈论的资料并不仅那些女人，就是巴铿汉公的行动也还是要惹起人家注目的。新年开头的几天，舒鲁贝伯爵听了他的亲属们的怂恿，认为非跟巴铿汉公决斗一场不可，后来他果然去向他挑战了，结果是送了性命。此后巴铿汉就索性把舒鲁贝夫人接到自己家里去同居，公爵夫人自然提出了抗议，说这是不可忍耐的，他就叫了一部马车送她回娘家去了。

查理听见这桩事，心里倒觉得很高兴，以为巴铿汉公要失欢于一般众议员，这就是再简捷不过的一条路。然而巴铿汉公对于众议员们本已暂时失去兴趣了，无论他们对他抱怎样的感想他也不管的，因他忠于自己的计划，其不能持久是同对于女人一般的。

除了上述的那些故事，当时宫里还有其他种种的事情，说来虽不能耸人听闻，都是比较重要的。克勒兰登去职以来虽然仍在那里苦苦挣扎，却终被皇上逼迫而出国去了。他女儿的那些仇敌就利用这个机会，给与她百般侮辱。可是安妮对于那些仇人的轻侮始终维持着一种怠慢冷漠的神情，且能使她自己那小小的群体团结得非常紧密。她一直安慰自己，以为那一班傻子的那种促狭行为对于她是无伤毫末的，因为总有一天她的一个孩子会坐上英国的王位，又加王后不能生育的证据已经一年明白似一年，她的这种念头就越显得有把握了。

克勒兰登去职以后，他的政权就由“卡伯尔”接替下去了，这个名字是由五个人名字的开首一个字母拼合起来的。五人当中的克俪福爵士是顶顶老实的一个，因而人家都疑心他戴假面具，阿林敦本是克俪福的朋友，但是心里很妒忌他；还有那三个就是巴铿汉、希礼和劳德台了。他们平日都怀恨克勒兰登，现在也仍防恐他要东山再起，同时对于约克公也差不多是一样怀恨的。但除了这一点同仇敌忾，他们却是同床异梦的，彼此互不信任，互相猜忌着。皇上对于他们谁都不信任，可是因见这个政府终于可以完全做他的工具，也就觉得满足了。他比他们哪一个都聪明些，比他们大家合起来也聪明些。

在这样的情况下，他们就着手来统治这个国家了。

英国跟荷兰订了一份同盟的条约，这是查理对荷兰人妥洽的一种成功，从此他若再预备跟荷兰开仗，他们就得不到法国的援助了。事实上，他希望下次战争时法国帮他这边，所以他跟妹妹的通信都集中在这个目的上。又因了这次的荷兰条约，以及新近跟荷法两国订立的种种密约，英国就在欧洲获得势力平衡了，虽然达成这个目的的政治手段未免太粗俗，但这正是查理王的典型方法呢。因为他具有那种和蔼可亲的风度，好好先生的性情，很方便他做掩饰的工具。除了政治眼光极敏锐的人，谁也看不出他是个冷酷无情、自私自利、只讲实际的机会主义者。

罗切斯特伯爵曾经有这样一句话，说现在这种年头的三件大事就是政治、女人和喝酒——至少前面那两件事是始终都难完全分开的。

查理向来非常厌恶女人来干涉国事，但他也觉得要杜绝女人的关系是不可能的。因此，他就照着往常的办法，明知其不可骤革而姑听其自然了。因当一个女人获得他的注意的时候，或是被人知道做了他的情妇的时候，她就立刻要四面八方地受人围攻——这种情形是王后从来没有见过的——或是来向她请求援助，或是拿金钱来运动她，或是自愿来投效她的党羽。琥珀进宫以来不到两礼拜，就曾被牵涉进一打这样的阴谋，后来过了几个月，她就在这网里被束缚得越来越紧了。

巴铿汉公对于她，是从她到宫中引见的那天晚上起就似乎抱着友善的态度——至少他总一直帮她这一边，跟卡塞曼夫人作对。琥珀始终不信任他并且鄙视他，但她一直当心着不让他知道，因他虽是一个可疑的朋友，却确然是一个危险的仇人。她又知道自己如果也跟从前一样将他抓住了，那是于她不见得有利的。可是几个月以来，他们彼此都无所要求，也并不曾探试过彼此是否真心相待。

到了三月下旬的一个早晨，他竟出乎意外地看她来了。“唔，我的爷，”琥珀有些惊异地说道，“你怎么出门这么早啊？”因为那时还不到九点钟，而这位公爷殿下是难得在中午以前起床的。

“早？在我已经并不早——倒要算是很晚了。我还没有上过床呢。你有一杯葡萄酒吗？我渴得要命了。”

琥珀当即差人去买白葡萄酒和糟鱼，而当他们在那里等待的时候，那位公爷就在炉边一张椅子上坐了下去开始和她谈起话来了。

“我刚刚从大荒场回来。哦，天，那种事情你从来没有见过呢！那些学徒已经拆掉两所房子了，葛家妈妈像个疯婆子似的在那里急喊，那些婊子都拿马桶去扔那班学徒的头。他们还说下次就要来拆天下最大的一个妓院了。”说着他摆了一摆手。“他们说的就是白宫呢。”

琥珀笑起来给他们各人倒了一杯葡萄酒。“我倒相信他们在这里边寻出来的婊子比大荒场上还要多些。”

巴铿汉公伸手到外褂的口袋里，拿出一张百绉的纸儿来，纸儿上面歪歪斜斜印着几行字，新印上去的油墨擦得一塌糊涂了，还有几个大拇指头的印子。他将它交给了她。

“你看见过这个吗？”

琥珀将它匆匆地看了一遍。

那上面有一个标题，印的是：“可怜的妓女们给卡塞曼夫人的请愿”。这当然是一种托词，从那拼法上和内容的语气上看起来，几乎可以断定它是一个接近宫廷的人的作品。那措词非常粗俗，把芭芭拉称做英国娼妓的头儿，这行业全靠她增光，现在大家难以过日子，也只好请她来帮帮忙了。琥珀立刻就看了出来，这又是那位公爷玩的鬼把戏，存心作弄他这堂妹，因她知道他们新近又曾吵过嘴，但她看见芭芭拉受这羞辱，自己并无仇人来寻是非，心里自然很快乐。

她向他笑了笑，将那纸儿还给他。“他自己看见过吗？”

“即使还没有看见，不久总要看见的。而且它要传遍整个伦敦。叫卖的人已在交易所的门口和每条街角喊着兜卖了。我曾看见一个盖瓦匠在屋顶上念着它，笑得几乎滚下了屋顶。不晓得是谁作孽了，印出这种东西来诽谤她呢！”

琥珀大睁着眼睛看了他一眼。“我的天，殿下！真不晓得是谁呢？我实在想不出来——你想得出是谁吗？”说着她啜了一口酒，又尝了尝那糟鱼的咸味儿。

他们互相觑视了一刻，两个人都咧开嘴来。“哦，”那公爷说道，“这没有关系，反正事情已经干过了。我想你也总听说过罢，皇上已经预备要把柏克区馆送给她了！”

琥珀将她那黑色的眉毛扭了扭。“是的，当然听见过。她是非把这桩事情传到人人耳朵里去不可的，我告诉你罢。还有么，她又说他已预备要封她做公爵夫人了呢。”

“你似乎是着恼了。”

“我——着恼？哦，不，我的爷。”琥珀带着一种讥讽的语气抗议道，“我为什么要着恼呢，你倒说说看？”

“那是一点没有理由的，夫人。一点没有理由的。”他说这话显得心里非常之明白，因而觉得十分得意了。同时炉里的火将他烘暖着，胃里的酒将他醺醉着，越发使他觉得乐陶陶。

“不过他若将那柏克区馆送给我，我当然更要不着恼得多！至少公爵夫人的封赠，那是我最最想要的！”

“你不必愁。总有一天会得到的——到了他要摆脱你的那个时候，而他总有一天想要摆脱你。”

琥珀对他默默看了一会儿。“你这话是当真吗，我的爷——”她终于说道。

“当真，夫人。她在这白宫里的事情已经完结了。她从今是一了百了了。那么她还值得我注意什么呢？”

可是琥珀仍旧有点怀疑。芭芭拉已将这个宫廷统治八年了，竟连国家大事她也要干涉，并且有顺我者生，逆我者死的气势。她似乎是永远不可更易，如同这些建筑里的砖头一般。

“唔，”琥珀道，“我也希望你这话不错。不过昨天晚上我在王后接见室里看见她，她还说柏克区馆就是对全世界昭告皇上仍旧爱她的一种证据呢。”

巴镗汉嗤之以鼻。“哼，仍旧爱她！他连睡都不肯跟她睡了呢。不过她当然希望我们大家都相信她这套话，因为如果大家都当皇上仍旧爱她——怎么，那是，跟皇上真正爱她一个样的呀，是不是？不过什么事情都瞒不了我。我所知道的一两件事是你们其余的人都不知道的。”

琥珀对这话并不怀疑，因她知道这位公爷确有无穷无尽的方法使得自己消息灵通。白宫里面发生的事情，无论重要不重要，难得会有几件能够逃过他那间谍和情报的网儿。

“殿下所知道的无论什么事，”琥珀道，“我希望总是真的。”

“真的？当然是真的啰！我来告诉你一桩事罢，夫人——这位夫人所以竟曾一蹶不起，完全是我一手促成功的呢。”说到这里他显出一种沾沾自喜的样儿，仿佛他对国家立过一桩大公无私的功劳似的。

琥珀瞅起眼睛看着他。“我不懂你的意思，爵爷。”

“那么我说得再明白些罢，我知道老势厘是愿意摆脱她的——但是我也知道她一定要向他大大地要挟。我的办法很简单：我只告诉他她一向恐吓着要拿出发表的那些信已在许多年前就烧掉了。”

“他就相信你了吗？”这时琥珀已经有点起疑心，他既毁了芭芭拉，哄了万岁爷，大概就要到她身上来耍手段讨便宜了。

“他岂止是相信我——因为这是真的事情。那些信是我亲眼看见它烧的。事实上还是我劝她烧的呢！”说到这里，他突地拍拍腿儿呵呵笑起来，但是琥珀仍旧一本正经看着他，并不相信他的话。“为了这她是怒气冲天了。她说她此仇必报，总有一天要取我的脑袋。唔，她如果有能耐的话，我这脑袋她原也可以取去，可是目前老势厘对于我高兴得很，我也就决心要把这个脑袋带到坟墓里去了。她有什么阴谋诡计尽管不妨试，可是她的毒牙已经被拔去，她无能为力了。现在，夫人，我看你的神情还有些怀疑，难道你还以为我在说谎吗？”

“你说对万岁爷讲明情书烧毁的事情，我是可以相信的，但我不相信万岁爷不肯重新接纳她；以前他一直都肯接纳。倘使他真的已跟她一刀两断，又为什么要给她那一所房子，并且封她做公爵夫人呢？画廊里的人都在传说，这柏克区馆的房子还是他借了钱买来的呢。”

“我来告诉你什么道理罢，夫人。他所以要这么做，是因为他心肠太软的缘故，凡是曾经使他感到满足的女人，他总硬不起心肠来将她一下子抛弃。哦，不会的。他总要想出一种公道的办法来对待她们，她们养的孩子无论是他的不是他的，他总一概都承认，并肯拿很多的钱抚养他们，免得将来受这万恶世界的轻蔑。唔，夫人——我想我这番话对于你应该是个好消息罢。我从来没有想到过你跟芭芭拉之间能有怎样深厚的好感。”

“我原是恨她的呢！可是她在宫里得宠了这许多年了——这事我总觉有些难信——”

“连她自己也觉得有些难信，不过不久之后她就会习惯了。现在她这样日夜唏嘘，已把我闹得厌倦透了——我也正在设法要和她断绝。她原要继续赖在这白宫里，也许再赖上几年也未可知，可是从今后她算不了什么了。老势厘对于无论任何人一旦完全感到厌倦，那就再也不会去用着他们的。这种脾气就是我们对于相爷一个极好的防卫。现在，夫人，我倒想起来了，宫里正有一个地盘大大开着门，等着一个聪明女人踏进去呢——”

琥珀回答了那个呆定的瞪视。她想，跟巴铿汉联盟是不大值得怎样妒忌的。那位公爷之从事政治，只不过拿它当一种娱乐而已。他平时没有主张，也没有正经的目的。一切事情都凭他那暂时幻想的指使，对于交情、荣誉、道德等一概都不顾惜。他并不拘守着哪一桩事。但他虽具有这种翻翻覆覆的性格，却仍享有一个伟大的名声，他的财产也仍属英国头一等，而且一般富商、众议员，乃至于伦敦的民众，都是觉得拥护的。还有一层要使人顾忌，因为他心术不正，虽不一定要存心害人，偶然一个冲动起来，却可以使得人身败名裂，所以琥珀也早就存心跟他勾结了。

“倘使有人接替她的地位呢?”她轻轻问道。

“当然有人要接替，这是可以包的。老势厘自从跟奶娘吃奶以来，一向都受一个女人的管束。这一回呢，夫人，那个女人大概就是你了。目前英国没有一个人能有这样幸运的机会，那班跟荔枝门公爵夫人勾结的爷们，近来正在替黑人洗澡，可是这位夫人天生没头脑，不能长久博皇上的欢心。这我可以拿我的脑袋来担保。我对这种事情是一只老狗，什么地方都看得清清楚楚——所以现在我来给夫人效劳了。”

“这我太荣幸了。我不值得陛下待我这么好呢。”

那位公爷忽地态度重新变轻薄起来。“我们免了这种客套罢。你总知道，夫人，我只要高兴的话，是可以助你一臂之力的——你呢，对于我也或许有点用处。我的堂妹她是转错念头了，以为一切事情都只消在床笫之间用功夫，此外她就随便怎么干法都可以，这其实是一个严重的错误，现在她也一定已经明白过来了——只要她稍为还有点脑子的话。但这全然都是桥下水，跟我们不会发生什么关系。我坦白告诉你罢，我对皇上的性格已经研究一辈子了，现在不是我自吹，我比天底下任何有脑袋的人都对他了解得更清楚，只要你肯听我的指导，我想我可以照我们自己的意图，把英国改过一个模型。”

琥珀并不想改造英国，也不想发明一个新模型。凡属政治事件，无论是国家的还是国际的，她都毫不关心，除非那些事件能影响她自己的欲望和野心。她虽也会使用阴谋诡计，但她的使用范围至少在志愿上不出她所认识的那些人和她所观察的那些事。她情愿同意查理的意见，以为这位公爷脑袋里装着风车，但是公爷既然高兴自命从事的伟大计划，她就觉得自己没有理由跟他辩驳了。“我要能够跟你殿下做朋友，同休戚，那是我再高兴也没有的事了。你尽管相信我罢——”说着她将自己的杯子擎给他，两个人就同杯共酌起来了。

第五十七章

司徒馥兰对于乡间生活不久就感到了不满足。她是在热闹场中过惯的，天天跳舞，夜夜酒筵，否则就是出猎或看戏，随时都有人谈笑，随时都有赏心乐意的事情。到了乡下呢，照例是很幽静的，每天过的生活都相仿，因而不免经常感到单调，至于她住的那座大厦比之宫里更是显得寂寞荒凉了。乡下地方没有那班花花公子前来讨好趋奉她，也没有人替她捡拾坠扇搀扶下马了。

她的丈夫大部分时间都消磨在田野里，回到家来又往往是醉醺醺的。馥兰从来没有受过管家的训练，家事都交给了仆人，她终日无事可为，就觉无聊得要命，因为从来不曾有人鼓励她去自寻快乐呢。她不喜欢结婚的生活，但在没有结婚之前她原也没期望自己会喜欢。

她之所以要结婚，因为她觉得这是她要做一个正经女人的唯一出路，而她一生的志愿也就无非要做一个正经的女人而已。那位公爵原是真心爱她，而且很感激她跟他结婚，但她在宫廷里见惯了那些深有教养的男人，都能有成千成万的花样儿博取女人欢悦，现在拿自己的丈夫来比较他们，就觉得他有点粗鄙乏味了。

而且她天生是厌恶风情的人，每天一到天黑她就要害怕起来，装出种种的小病来避免和他同榻。她对于怀孕更加害怕，有时怕到真的害起病来，业已不止一次体验到怀孕的一切征候，而且实是并无其事的。

她一直都怀念着都市和宫廷，以及她在宫廷里过的生活，因在当时她虽并不觉得那种生活怎样可贵，现在回想起来仍觉得它最最快乐最可艳羡了。她当初参加的那些舞会，穿着的那些衣服，乃至那些一直跟随在她后边奉承恭维她的男人，她都要花费无穷无尽的时间去梦想，每一个细节她都要在想象里屡次地温习，借以消磨她那寂寞的时间。

但她思念最深的却是查理。现在她已当他是自己生平见过的男子当中最漂亮最迷人的一个，并且见自己已经爱上他，她自己也不免有些惊惶。她非常诧异为什么自己这种心理不早些发现，否则她的生活会多么不同！因为她要做一个正经的女人，现在总算已经如愿而偿了，但她偿了愿之后，这个正经女人的身份就又似乎不像她母亲说的那么重要了。如果她当初能够得到皇上的保护，一个女人还能够有别的什么需要呢？

她因而渴望着回伦敦。但是他如果不预备饶恕她呢？如果已经忘记了自己曾经爱过她呢？

她已经听说了他最近结识的那些情妇了：诺禁柏兰伯爵夫人、潭福兹伯爵夫人、奈美丽、戴穆儿、归耐娌。也许现在他已经对她完全不感兴趣了。她是记得清清楚楚的，不管他怎样喜欢的人，一旦离开他面前，他就立刻会把他们忘记得干干净净。

她曾尝试学绘画，学弹琴，学织锦，想要从中觅得一些趣味。但是这些事情是她独个人干的，似乎并不足以供她消遣。总之她是感到无聊之极了。

后来她用甜言蜜语哄骗了公爷，居然答应同回伦敦去。起初她的希望狂欢地高涨起来，因为她举行宴会和舞会没有一个人不到。而且仍有那么多人在趋奉她，追求她，正如她最初出现在白宫的时候一样。她心里完全明白，现在人人都期待着皇上不久就会垂怜她，仍旧收她为情妇，而且她竟准备不顾一切利害接受这个地位了。但是查理竟像不晓得她是在城里。

这种情形继续了四个月。

起先，馥兰觉得诧异，然后她变愤怒了，最后她就感到伤心而惶恐。如果他永远不肯饶恕她怎么办呢？她一想起这点来，就觉得无限恐怖，因为宫里那些人的脾气她看得非常清楚。他们一旦发觉她已失宠于皇上，就马上会一哄而散，如同乌鸦逃开发瘟疫的城市一般。那时她就不得不回到乡下去重过那种寂寞无聊的生活，那种漫长而可怕的日子仿佛一辈子过不完，因而她想起来就要不寒而栗了。

又谁知祸不单行，她私奔后不到一年，就染上了一场重病。起先，医生还以为她是怀孕，或者是疟疾或是忧郁症，谁知过了几天就渐定它是天花了。傅垒塞医生立刻写了一个条子给皇上，皇上本来对她怀着满肚的怨恨，又一直相信她是跟他戏弄的，现在听见这消息，这种情感就在一阵恐怖和怜惜之中，立刻消失了。

天花吗？她那天姿国色也许要毁掉呢！他没有想到这种毛病竟要威胁到她的生命，却先想到这一层，因为在他看来，像馥兰那样的美几乎是神圣的了，无论天神人类都不可侵犯。这几个月来，他口里虽不明言，心里却仍对她深切地眷恋，因她具有一种新鲜纯洁的品质，是他在许多女人身上没有发现过的，它对他那一副劳倦惨苦的心肠感到了幻灭之余，容易产生强烈的吸引力。

他听见这消息之后，本来立刻就要去看她，但是那班医生怕她把病症传染到别人身上去，都竭力地谏劝他，于是他只写了一封信去。那信的措辞虽然竭力写做自信很深毫无忧虑的样子，但是念起来时仍觉虚伪而不能动人，因为他对这事实在并没有把握。他对于任何事情都已失去信念了，对于上帝肯为男人的眼睛保有女人的美一层当然也不肯置信。他已发现上帝是一个无足轻重的负债人，并不怎样关心清理他的债务。但他叫宫里最好的御医去诊治她，并且一直麻烦着他们，要他们报告她的消息。

她现在觉得怎么样？今天她好些吗？她的心境快乐吗？然后又——她会有瘢吗？那班御医一直都把他要听的话告诉他，但他知道他们是说谎的。

及到他们肯让他去和她见面的时候，已经是五月第一个星期的末了，离开馥兰害病已有一个多月了。当时他的马车碾进萨默赛特宫的院子里，便见那里已经挤着二十多个人了。分明他要来的消息早已传出来，那些人是在那里等着探听他们会见的消息的。查理暗暗诅咒了一声，立刻板起面孔，呈出一脸阴沉愠怒的神情。

这班该死的东西，只晓得幸灾乐祸，心地实在卑鄙之极了！

他下了马车，走进屋里，馥兰的母亲司徒夫人在那里等他。他一眼看出她神色慌张，快要哭出来，就断定那班医生的确对他说谎了。

“哦，陛下！你来了我高兴极了！她一直都巴望着要见你一面呢！你相信我罢，陛下，当初她跟你玩的那一套可怜的把戏，早已经深悔不该，觉得自己无论如何不可饶恕了！”

“她现在怎么样？”

“哦，她好得多了！好很多了！她已经穿好衣服坐起来，只是身子当然远是虚弱的。”

查理站在那里低头看着她，见她那种局促不安的姿势，那种慌慌张张的话儿，背后却另有一种神情，所以眼睛里面流露出痛苦，眼睛底下也长起新的纹路了。

“现在我可以去看她吗？”

“从院子里的情形看起来，今天来拜访的客人总不止我一个罢。”

其时司徒夫人正和他并行着爬上楼梯。“这是她头一天接见客人，你看得出来的。房间里已经挤满——整个城里的人都在这里了。”

“那么我且到这间前室去坐一坐，等他们走了再说罢。”

司徒夫人便去向客人道歉，请他们早些散开，借口说馥兰今天已经过分兴奋了。查理站在那前室的门背后，听着那班客人一路谈着笑着鱼贯出来，分明都是不怀好意的。及等客人走完了，司徒夫人这才重新走进来陪他。他们经过了一条廊子，又穿过好几个房间，方是她的卧室，她正坐在那里等他。

她坐在门口对面的一张椅上，身上穿着一件可爱的绸衫，下幅摊开着铺在地板上。为要使房里黑暗些，所有的窗口都拉着窗帘，因为那时只是下午两点钟，又虽点着许多蜡烛，却都离开她远远放着。查理脱下了他的帽子，鞠了一躬，便不得不抬起眼睛来对她看着了。他所见的景象是伤心怵目的。

因为她变了。哦，虽在这样昏暗的光中，也觉得她已经变了，原来那一场病对她是毫不容情的。她那本来同莲花一样光滑白皙的皮肤上，已经长了丑恶的红斑和很深的痘瘢了。所有她那纯粹而无瑕的美已经消失。但是给他刺激最深的，却是馥兰自己眼睛里面流露出的那一腔苦恼。

其时司徒夫人仍旧在房中——因为查理要她留在那里——两手合叠着站在那儿，满脸焦急和忧恼地看着他们。但是查理和馥兰都已经忘记她在那儿了。

“亲爱的，”查理经过一段长久的沉默才勉强轻声说道，“谢谢上帝，你好起来了。”

馥兰瞠视着他，拼命镇定住自己，却不敢信任自己的声音，末了她才装出一个惨淡的微笑，但是她的嘴唇开始颤抖了。“是的，陛下，我是好起来了，”她那温柔、低下的声音已经沉落做一种耳语了，“如果这也可算得一桩喜事的话。”

说着她的嘴角突然起了一种惨痛的扭动，她的眼睛低垂，并且急忙转开去。她突地将双手掩面，开始哭起来，抽咽得两个肩头乃至全身都不住地耸动。查理知道她当时心里的无限惨痛，不仅因他看见她现在的情况，乃是今天下午所熬忍的种种情形积集而致的——就是说，这些男女客人给与她的那种好奇冷酷之中带着轻蔑却装得非常同情乃至不胜欣喜的样子，暗中却都藏着幸灾乐祸的心情，以为她这一下子容颜销毁，就不啻是替他们报复了。查理立即屈了一膝跪在她身边，他的手轻轻碰着了她的臂膀，他那低沉的声音开始对她道歉了。“我一直都替你非常担忧，馥兰。哦！亲爱的——我的行为简直像个心怀嫉妒的鄙夫，请你饶恕我罢！”

“饶恕你？哦，陛下！”说着她重新看在他脸上了，只是一只手儿仍旧遮盖着整个面孔，单露一只眼睛，仿佛这么一遮就可以把自己藏匿起来似的。“我才要请求你饶恕我呢！我所以弄到这步田地也就是为此——这我自己知道——是我当初对你那样应受的刑罚！”

一阵几乎不可熬忍的怜惜和温情如同一个激浪似的冲过他。他自觉得在这时天底下无论什么东西都愿意给她了，只要她能恢复她原来的美，只要他能重新看见她从前那副千娇百媚的模样儿。然而这已永远消逝了——她那一种如花灿烂的容颜，她那一种倾国倾城的媚笑，都已经是回天无术了。于是他萌起了满腔蛮性的愤怒。在天的上帝！难道世界所要接触的东西非一件件都糟蹋净不可吗？

“你不要这么说，馥兰，千万不要这么说。我真不晓得自己对于这件事为什么会这么蠢——但是我一听了你生病的消息，立即就失了神了。要是你有什么意外怎么办呢？——可是谢谢上帝，你好起来了！我不至于失掉你了。”

她对他呆呆瞠视了许久，仿佛还在怀疑他是否已经看出她的变化来——心里是痛伤着希望他看不出来的——然而这种希望已经无用了。他当然看得出来。其余的人统统都看出来了——为什么他会看不出来呢？

“我是好起来了，不错，”她喃喃地说道，“可是我恨不得没有好起来。我倒不如死了的好。你瞧我罢——”说着她将手放了下来，她的声音已经是一种无限痛心的凄凉的哭，同时在他们背后，他们听见一阵急促的抽咽声，乃是由她母亲口里出来的。

“哦，可是你并没有变丑呢，馥兰！这不会持久的，我包你不会持久的！哦，你没有看见当初我害了这病以后的样子呢，那时我那样子是连鬼见了都要吓跑的。可是现在——你瞧——我连一点痕迹都没有了。”说着他急切地抬头看着她的脸，脸上笑嘻嘻的，拿住她的一只手儿，按在自己急跳的心口上。他怀着满腔热望，想给她一点帮助，想要使她相信她还有将来，然而这连他自己也不相信。当他说这番话的时候，她的眼睛光亮起来，脸上现出一种像是希望的神色。“怎么，不消多少时光，人家就看不出你是出过天花的。那时你去参加舞会，人人都要说你比从前更加美丽，会觉得比我第一天晚上看见你的时候还要美丽得多。你总还记得罢。亲爱的，那天晚上你穿的是一件黑白两色的衫子，头发上面戴着钻石——”馥兰眼睛牢牢看着他，被他这席话说得有些迷糊了，只是凝神倾听着。原来他那话里带着一种当初听惯的和谐，依稀恍惚之中还有些熟识。“是的，我记得——你还曾经要我和你跳舞呢——”

“当时我的眼睛是舍不得离开你的——我从来没有见过这样美丽的一个女人——”

她对他笑了笑，心里非常感激他那一片真心，但是这套把戏实在很悲惨，她跟他一样明明知道彼此都是假装的。她用尽她的抑制力，将眼泪控制住了，一面听他娓娓地深谈，一面竭力要把心思岔到旁的事上去。然而这是不可能的，她的思想始终不能离开她自己的那场悲剧，同时查理也想不到旁的事情上去了。

哦，为什么这桩事情会碰到她身上来呢？他怀着无穷的怨恨暗想道。旁的女人值得遭这命运的很多很多，为什么偏偏要轮到这个娇羞妩媚、和蔼可亲的馥兰身上呢？

不过查理是个性情很执拗的人。

从前有一次，他曾说他希望有一天会看见她变丑了，自愿恳求他。这原是他气恨中的话，现在早已忘记了，但这几年来的等待希求，情欲与占有欲交相煎迫，他并没有忘记。谁知现在突然一来，竟应了他当初的那一句话，反而要她来希求了。

有一天傍晚时分，他们在萨默赛特宫背后沿河的园子里一列修剪平齐的高菩提树之间臂膀挽臂膀散步。馥兰穿着一件蓝缎镶黑花边的衫子，戴着一个黑纱的面幕，从头发上一直挂到了下巴颏儿。她素常爱美，现在只得设法弥补那病给她造成的缺憾了。平常她用扇子遮盖面容，面幕掩饰皮肤，现在她在河边停了步，又有一棵大榆树的阴影替她掩蔽了。

他们默默地站在那儿，眼睛注视在水上。她放在臂弯里的那只手慢慢抽紧起来，他回转了头，见她正瞠视着他。查理暂时没动静，只是站在那里注视她，看出她神情之间正在要求他和她亲吻。他的臂膀将她围住了，这回她已不复用指尖儿将他挡拒，及至他的身体逼近时，也不像从前那么吃吃笑着对他抗议了。

查理对于女人的身体和嘴唇向来有那种不可避免的反应，现在这种反应却为他的怜悯心所压伏了，所以搂了一会儿，就轻轻地将她放开。可是她不愿意放开他，她的两只手儿牢牢抓住了他！

“哦，你一直都是对的！我实在是个傻子——你不应该一直对我那么忍耐！”

查理听她说得这么坦白，不觉惊异起来，对她轻轻说道：“亲爱的，我也深悔当初不该做这样的莽夫，竟至强迫一个女人干她不愿干的事。”

“可是我——”她方才闭口，就又红起脸来停住了。突地她旋转了头，向前一直走去，他就知道她在哭了。

但到第二天晚上，当他往禁苑码头跳上一条游艇要到河上去荡漾一番的时候，他突地下了个决心，掉转头向萨默赛特宫驶去。那游艇滑过水面，到了宫畔傍岸他就一下跳上来。其时宫门已经上了锁，但他一会儿就越墙而过，跑步穿过了园子，悄悄进屋里去了。

我已为这事等了五年半了，他心里想道。我希望上帝保佑，这段时间并没有等得太久罢！

第五十八章

查理和巴铿汉公爵在一张桌子旁对面坐着，在那里审察一条新造军舰具体而微的模型，两个人为了这事已讨论得十分激烈了。查理是一直爱好船舶和海上生活的。事实上，他对于两者都有非常丰富的知识，以至有许多人竟说这样丰富的专门知识损害了皇上的尊严。然而他所引为自豪的就是海军。所以上次荷兰舰队侵入了他的河道，劫掠了他的乡区，烧沉了他最好的船只，他至今还认为是奇耻大辱，觉得十分痛心。他总想将来有一天能报复这种耻辱，所以他现在正在建设一个更强更大的海军。他一生的计划和希望，就在英国将来的船舶可以横行无忌，做了地球上一切海面至高无上、无人敢惹的主人翁，因为他知道惟有这个方法才能造就他这小小王国的伟大。

末了查理从座位上站起来。“唔，这东西虽好，我却没有工夫赏鉴了。我跟吕贝约好两点钟打网球。”说着他就从椅背上拿起他的假发，放在头上，将他的阔檐帽子罩上去。

巴铿汉公也站起来，腋下夹着他自己的帽子。“这样的大热天也要去打网球吗？陛下的勤劳真是令人佩服呢。”

查理微笑笑。“这是我日常的运动。我需要我的健康，以便能维持我的娱乐。”

说着二人同走出房门，查理就将门关上，锁起来，将钥匙放进衣袋里。他们走过了好几个房间，向他们迎面而来的窄楼梯终于进入一条大石廊里去。在那里，旁边带着一个女佣人，并有一个小黑奴捧着裙幅，向他们迎面而来的，正是司徒馥兰。她摇摇手引起他们的注意，他们站住等她，她就加紧步子迎上前来了。

巴铿汉公鞠了一个躬，查理微笑着。及等她走近他们，他又轻轻碰碰嘴唇跟她做了一个亲热的见面礼。但当馥兰抬起头看他时，她眼睛里就现出一种惨痛焦急的神色。她的美已经消失，这桩可怕的事实，是她一刻儿也忘记不了的。她的态度也全然变了，仿佛是因要弥补她所损失的那件东西而起的。现在她是心急了，神经敏锐了，亟亟难恐不及了。

“哦，陛下！我们能够碰巧会见真使我快乐极了！自从我们上次见面又有一个多礼拜了呢——”

“我很抱歉，我的事情忙着呢——开阁议事呀，接见外国公使呀——”

她以前听见他对于旁的女人做过类似这样的辩解已经有多次了。当时她总要跟他戏谑，说他撒谎，并且要呵呵大笑一番，因为在当时，她对于无论什么事情都可以笑得非常开心。

“我想请你吃晚饭。今天晚上你能够来吗？我已经请过多次客了——”她又急忙补充道。

“多谢你，馥兰，可是今天晚上我已经有约了，而且是早早就约定了的，我不好意思不践约。”馥兰听见这话，立刻现出满脸的失望，看去使人觉得很难受。查理见这情景很不舒服，便又补充说道：“可是明天晚上我有空。你若高兴的话我明天可以来。”

“哦，是吗，陛下！”她脸上立刻光彩起来。“我去叫几样你最爱吃的菜来请你——并且去约戴穆儿来给我们演戏文！”她又朝着巴铿汉。“我盼望你也能来，殿下——并且同舒鲁贝夫人一起来，当然是。”

“谢谢你，夫人。如果我能来的话，我一定到。”

馥兰行了个万福，两个男人回了一鞠躬，便打那走廊上继续前进了。查理默不作声。“可怜的馥兰，”末了他才说道，“我看见了她就要觉得伤心。”

“她是糟蹋得厉害了，”巴铿汉承认道，“可是这至少已经阻止了她那种可怕的吃吃笑声。我已有两个月没有听见她那样的笑声了。”他又非常随便地说道，“哦，是的——劳德台刚刚告诉我昨天晚上王后开的玩笑呢。”

查理笑起来。“我想现在总已人人都知道了。我真想不到王后会有这么好的兴致。”

原来昨天晚上王后曾和鲍英吞夫人乔装出宫，去参加城里一家人家的婚礼。其实那家人家并没有请过她们，她们都戴着面具，装着假发，混在其他客人里面直闯进那家人家。谁知客人太拥挤，一阵纷乱之中她跟鲍英吞夫人竟彼此相失，以致她不得不雇一部马车独自回宫。这种闯门作贺的把戏原是宫里命妇常常干的。王后却从来不敢去冒这样的险。这回消息传出来，引得满宫的人都非常诧异，想不到他们这位胆小如鼠的王后也竟会闹出宫墙以外去。

“他们说她刚刚回宫时竟已吓得浑身发抖了。”查理继续说道，“可是过了几分钟之后她就呵呵大笑起来，把这事儿当作一桩好玩的游戏，从头到尾地对人叙述了。她说她去的时候给她抬轿的几个轿夫都是非常粗鲁的下流坯子，回宫的时候那赶车的又喝得酩酊大醉了，险些要把她抛下来。”说到这里他好像觉得非常有趣。“她又说她在那家人家听见所有伦敦的市民都在埋怨我，说我要把国家一直领进地狱里去了！她是做得一个好情报员的，你不同意吗？我打算叫她常常出去私访呢。”

巴铿汉脸上现出一种大不以为然的神情。“这太不成体统了，而且更糟的是也非常危险。”这时他们已经进入酷热的七月阳光中，因而都不得不眯起眼睛，适应那过强的光亮。他们步过了禁苑，一直走向网球场，路上遇见了不少男女，有的在那里散步，有的在那里谈天。查理见有相识，或是微笑笑，或是摆摆手儿打招呼，有时他竟站住了，和他们谈一会儿话。巴铿汉公对于许多的打岔，心里是不高兴的。

“哦，我想象不出她会碰到怎样的大危险，”查理说道，“你看现在她已平安回来了。”

“可是陛下，下次她也许不能平安回来呢。”

查理发出一阵呵呵的大笑。“嗨，佐治——你不见得以为有人会当我发财值得把妻子绑票罢?”

“我并不是说勒索。可是陛下难道从来没有想起过，王后也许会被人绑到一块荒岛上去，从此再听不见消息?”

“老实对你说罢，我对于这种事情并不怎样担忧。”其时查理看见几码路外的草地上坐着的两个女人都笑了起来，互相捣捣胳膊，摇摇扇儿和他打招呼。

“这样的海岛很多很多。”巴铿汉公不管这一个打岔，继续说道，“就说西印度群岛，若说住在那里的人不能得到一切可能的舒服，那是没有理由的。一个女人如果住到这种地方去，就尽可以舒舒适适度过她的余生了。”

查理脸上迅速闪过了一阵怒容，将那公爷狠狠地瞪了一眼。“难道是我误解你的意思吗，佐治，或是你的确是在讽刺我，叫我让人来绑走我的妻子，以便摆脱她呢?”

“这个主意并不是绝对不能实行的，陛下，事实上是我早已对它有过深长的思考了，甚至那一块适当的海岛也已在地图上替她指出，那时王后对于这种戴假面具的荒唐新游戏，连想都还没有想起过呢。”

查理发出一种表示厌恶的声音。“你真是一个流氓，微佐治！我并不否认我急于需要一个太子——可是我绝对不会采用恶劣的手段！现在我要警告你。如果王后真的遭遇意外的变故——如果王后真的失了踪——我是知道应该归罪于谁的，那时你就休想戴着你的脑袋到一小时之久了！再见！”说着他给巴铿汉公一个阴沉的怒视，就匆匆走进那间打网球的屋子里去了。那位公爷也旋转脚跟，打其他的方向走去，一路口里喃喃地念着。

原来其时宫里有一半人献计给查理，要他摆脱现今的王后，以便重新结婚生太子。巴铿汉公的这个计策并不是第一次，也不能算是最后一次，因为那些献计的人献了一计又一计，虽然查理屡次驳斥，却仍源源不绝而来。当时宫里有势力的人当中，只有少数是不愿意废立王后的，一是约克公，一是海德安妮，以及他们的党羽和皇上当时宠幸的几个情人而已。

巴铿汉公跟皇上闹了意见之后，就一连好几日不进白宫，专跟城里一班富商去酬谢，但他不久之后就对这一班人也感厌倦了。他见这班殷殷巨富对自己说的话儿没有一句不相信，便一味地轻视他们了。又因他生性喜欢多是非，所以马上就又着手酝酿一个新计策。

在过去的几年当中，这位公爷曾经租下好几个寓所，散在城里各处地方，平时由他的高兴，今天住这里，明天住那里，并没有一定。他因要方便他的政治活动，并为保守秘密起见，所以要有这许多寓所，又为了便于乔装起见，通常放着一大箱各色各样的衣裳。

由泰晤士街岔去，靠近宝塔地方有一条胡同，胡同里有一个公寓，是那次大火中幸免延及的。现在有三个正在建造中的公寓要来和它做伴，还有一所是去年造的，已经租给一个酒店老板作为招待当地一班工人宴饮的场所了，又有一所在建造中就坍塌了，因为灰泥和砖头的质地太坏（因为当时满城都在大兴土木，这种事情是常有的）。那个地方傍近热闹的泰晤士河，河中船夫的呼喊，街上卖橘子女人的叫卖声都可以听见。巴铿汉公就在这所公寓的四层楼上租了三间房，又化了一个名字叫做伊林房，因他平日是拿化名乔装来为一种消遣的。

那天公爷就在这所公寓房子里，身上穿着件土耳其寝衣，头上裹条头巾，脚上拖着双翘头的拖鞋，直挺挺地躺在一张有靠背的长榻上睡得正熟。那张榻靠近火炉旁边，火炉里的煤火已经烧得绯红了。房间里没有空气，也很少光亮，因为那时已经天黑了，他是直从中午时分睡到如今的。

门上响起一阵敲门声，紧接着又是一阵，那位公爷鼾声却仍轰隆地震动全室。及至第四阵敲门声响起来，他才惊醒了，一下子坐起来，脸上都睡得发红发肿了，然后摇摇头站了起来，但他直等问清敲门的是谁方才拨开了门闩。一个矮胖红脸的祭师站在门洞里，身上穿着条长袍，脚上扎着双绳鞋，光秃秃的头上戴着顶僧帽，手里拿着一本祈祷书。

“祝你晚安，施古鲁神父。”

“晚安，先生。”那位祭师已因爬上楼梯喘得气都转不过来了。“我是拼命赶来的，可是你的送信人到来的时候，我正在王后那里参加晚祷呢。”他的眼睛看过公爷的肩膀，看进里面那个昏暗的房间。“病人在哪里呢？时光不好耽误的——”

巴铿汉公在他背后关上了房门，旋上了门锁，将钥匙塞进他那件寝衣的口袋里。“这里没有人害病，施古鲁神父。”

那祭师回转了头，很惊异地看着他。“没有人害病？可是我听说——你差来的那个人告诉我，说有一个人快要死了呢——”

说着他在一张高背椅上坐下来，公爷倒满两杯黄色葡萄酒，送了一杯给客人，然后挪了一张椅子和他面对面坐着。

“我因要你赶快来，所以叫人送信给你说有病人的。现在你认出我了吗，神父？”

其时施古鲁神父已经喝下那杯酒，将个杯子拿在他那红胖胖的手中，对公爷凝视了一会儿，脸上慢慢现出认识他的神情来。

“怎么——是殿下！”

“并不是旁人。”

“哦，请你饶恕我，殿下！你化了装，我真一点都不认识了——而且房间里面又是这样黑——”他又辩解地补充说道。巴铿汉公微笑笑，伸手去拿了酒瓶，将两个杯子重新都装满。“你说是刚刚参加王后的晚祷来的？”

“是的，殿下。王后如今已经学会许多新习惯，可是不等做过晚祷谢过上帝无论如何不肯休息。”他又满心虔诚地转动着眼睛补充道。

“那么你总也听过王后的忏悔了，如果我的消息并不错的话？”

“是的，有时候听见，殿下。”

巴铿汉公发出一个短促的笑声。“照我的想法，她有许多事情可以忏悔呢。例如贪图一件新衣衫，或是礼拜天和人赌博，那该当何罪呢？或许她是巴望皇上的孩子生在她自己肚里，不生在旁的女人肚里，那又该当何罪呢？”

“哦，唔，我的爵爷——可怜的女人。那不过是一种可恕的罪恶，我恐怕我们大家都跟她一样要犯的。”神父说到这里又已将杯中的酒喝干，公爷又重新将它装满。

“不过单单巴望是无济于事的。事实上她还是不能生育——且将永远不能生育了。”

“我相信她是有过孩子的。但不知什么毛病，她的身孕总保留不到足月。”

“这是永远要如此的呀。总之皇上跟凯瑟琳是永远养不出太子来了。如果王位传到约克公手里，那么国家就要弄得一团糟。”施古鲁神父听见这话不由绷起他的蓝眼睛，因为约克公同情天主教的恶名早已远近闻名，就是巴铿汉公对国家教堂的憎恶也已远近闻名。但是公爷马上又说道：“这并不是因为他的信仰呢，神父。情形比之信仰问题还要严重得多。这位约克公殿下简直是无法可以治国的。倘使叫他继承英国的王位，那不到六个月工夫就要发生内战了。”公爷说到这里，脸上显得非常之严肃。他将身子靠上前，一手紧紧抓住那只杯子按在膝盖上，另一只手的食指一直指着施古鲁神父那显得莫名其妙的圆脸儿。“神父，你是爱英国的，也是爱斯图亚特王族的，你就该有责任给我所要行使的计策助一臂之力，而且我也可以坦白告诉你，我这计策有皇上做后盾，只是他为了明显的理由，情愿装作一个局外人罢了。”

“你看错人了。我决不能干那不利王后的事情——无论是谁做后盾！”原来施古鲁神父听了他这话大吃惊吓了，以至他那胖胖的面颊也发起抖来。他就要从他的坐椅上面站起身，可是巴铿汉公拿着一只温柔劝导的手儿将他重新按回去。

“你不要这么忙罢，神父，我请求你！请先听完我的话。还有一点你得要记牢——你必须先给皇上报效！”巴铿汉公说这话的时候，神情仿佛是个历史上至公无私的大忠臣，那神父完全受他的感动，就不由得重新坐下去了。“我们并不想害王后——这一层你大可放心。但是为了英国，为了我主皇上起见，我已经定好一个计策，可以另立一位皇后了。只要王后肯回复她原来享受的那种生活——就是庵堂的生活，那么皇上这桩事情是很容易办到的，而且不过一年时间，英国就有一个储君了。”

“我想我还不十分了解殿下这话的意思——”

“很好，那么，是这样的：你是她的忏悔人，你可以跟她私下谈话，你若能够劝她自动从这世界退隐，回到葡萄牙去进尼庵，那么皇上就有自由可以重新结婚了。而且这事你若办成功，”公爷看见神父又开口要说话，便急忙继续说道，“皇上就会赏你一份大财产，使你后半世无论怎样过活都可以了。目前呢——”说着他站了起来，重新走到炉台上去拿了个皮袋，交给了施古鲁神父，“这里边有一千镑，你且拿去使着——这不过是个开头罢了。”施古鲁神父接过那皮袋，掂掂那钱的分量很沉，却为顾礼貌起见，不好意思将它解开来。“唔，神父——你的答复怎么样？”

神父踌躇了许久，心里忐忑焦灼着，一时委决不下来。“是，皇上……要这么做的吗？”他狐疑地重述道。

“是的，不错。像这样重大的一桩事情，你不见得当我未得皇上的谕旨就敢擅自进行罢？”

“当然不是，殿下。”神父说着站了起来，将手里的酒杯放在近旁的一张桌子上。“好罢——我总尽我这张嘴的力量去办吧，殿下。”说到这里他皱起眉头瞥了公爷一眼。“但是假如我失败了呢？这种温柔娴静的女人有时脾气是很执拗的。”

巴铿汉公微笑笑。“你是不肯失败的，施古鲁神父，我知道你是一定不肯失败的。因为你若失败了，你就再拿不到钱了——而且连现在这一点也得如数退还。还有一层是不用说的，如果现在我们这番谈话有一点泄漏出去，那你就得当心了。”说时他眼睛透出一种毫不容情的凶光，比他口里说的话儿表示得更加明白。

“哦，我是非常谨慎的，殿下！”施古鲁神父抗议道，“你可以信任我的！”

“好！现在你就去进行罢。你如有情报给我，可以随便找个街上的孩子送来。上面只消写着我那件银丝布的新衣服已经做好了。签名么——等我想想看——”公爷说到这里停一停，将他嘴上的髭须摸着。最后他微笑起来。“你就签上以色列的龟奴罢。”

“以色列！龟奴！殿下的才情真的敏捷呢！”

“得啦，你这老流氓，”公爷陪伴着他向门口边走边说，“你用不着瞒我，你跟你那些女孩子的故事我已听得多了。”

可是施古鲁神父觉得这一句笑话并不好玩。霎时之间他的脸上显得愤怒而且着急了。“我抗议，殿下！这是人家的谎话！都是该死的谎话！如果这种故事竟得一般人相信，那我岂不就毁了！王后就连一个钟头也不能容留我了！”

“很好，那么，”公爷已经感到厌倦了，只是慢声说道，“你就保持你的贞操罢，若是你高兴的话。只是这桩事情你不可乱干。我在一个礼拜之内要你的回音的。”

“稍稍放长一点罢，殿下——”

“十天，那么。”

他在施古鲁神父后面关上门，将门闩砰的一声插上。

琥珀站在那里听着施古鲁神父说话。

原来这位神父刚刚以一千五百镑的代价将巴铿汉公谋逆王后的计策出卖给她，因为这事无论有没有皇上做后盾，她总不愿意把自己在宫里舒舒服服的地位断送了——她清楚地知道王后如果进尼庵，她在这个仇视天主教徒的英国就要流离失所无人保护了。查理原曾屡次尝试对于一切宗教都采取容忍的态度，但是国会不喜欢这种政策，而且国会可以拒绝通过津贴各教的金钱，查理也就不得不屈服了。

“我的天！”琥珀听见这个消息便吓得低声叫道，“这个魔鬼竟要把我们一网打尽呢。你已经跟她谈过吗？”

施古鲁神父很乖巧地闭起他的胖嘴唇，双手叉在胸口上，慢慢摇摇他的头。“没有呢，夫人。一个字都没有提过，而且我今天是独个人跟王后在忏悔棚里的。”

“你最好是一字都不提！你也知道王后走了你要遭遇什么的！

哦，这天杀的流氓！我恨不得有人拉断他的脖子呢！”

“你会去告诉王后吗?”

“告诉她？当然我要去告诉她！也许他已经买通别人去告诉她了！”

“我想不见得，夫人，不过他若发现我已失败了，那我知道他是一定会去另找别人的。”

这个当儿，南儿轻轻走进房里来，向琥珀招手。琥珀就动身要出去了。“来罢，”她对神父说道，“路上已经没有人了，你现在可以走了。”

他们走出了房门，进入一条很狭窄的黑暗走廊里。那两个女人是识路的，但是那神父只得扪壁而行，直到走廊的门口为止。琥珀和神父暂时待在门里，南儿开了门，向外边张望了一下，这才招招手儿，叫他们跟着她走。出了门，他们就听见河水轻轻冲撞岸边芦苇和灯心草的声音。琥珀的住所靠河边，也同其他住在河边的人一样要遭难，因当泰晤士河涨水的时候，她的下层房屋往往要被水浸入的。

当时神父刚刚跨出门槛，便见一阵水迎面泼来，几乎泼到他们的身下，同时听见一阵沉重的喘息声，以及几个人喃喃的诅咒声。那神父敏捷得像个野兔，一跳蹦回门里来，把个琥珀吓得冻结在那里，急忙去抓住南儿的手。

“什么事?”

“约翰一定捉到一个奸细了。”南儿耳语道，然后略略提高声音，几英尺路外都可以听见。“约翰——”

约翰当即回答过来，声音也是低沉而且审慎的。“我在这里呢，在芦苇里捉到一个人了。他独个人在这里——”

“你走罢。”琥珀对施古鲁神父耳语了一声，神父就溜出门口霎时不见了，只听见他的鞋子粘吸烂泥的声音渐渐远去。“把他带进来罢。”她向华大约翰说了一声，便回到她刚刚跟神父说话的那个小房间里去了。

进入了房间，她跟南儿回过头一看，便见华大约翰揪着一个瘦小人儿的脖子向里面来了，那个人怒气冲冲，一路不住地拳打脚踢。但是他动一动，华大约翰就给他一阵狠摇，他两人都已烂泥直没到膝踝，而且浑身是水了。约翰将那人向屋角狠命一扔。那人缩做了一堆，然后慢慢抖了抖衣服，装出一种旁若无人的样子。

“你在那里做什么？”琥珀问他道。

那人既不看她，也不回答她。

琥珀将这问题重述了一遍，这回他也只拉拉袖子，睁开怒目瞪视她。

“你这胆大妄为的小贼！你要知道我是有法子可以使你开口的呢！”

她向华大约翰点了点头。他就走到一张桌子边，拉开了一只抽屉，取出一根短短的马鞭，上面有好几根狭窄的皮条，尖上都装着铅刺。

“现在，你愿意回答我吗？”琥珀吆喝道。

那人还是不开口，约翰就擎起马鞭，向他胸口上和肩膀上抽了下去，一个铅刺蚀进了他的面颊，当即引出一缕鲜血来。琥珀和南儿站在旁边冷冷地看着，约翰残酷无情地将那人屡屡地抽，那人痛得将身子不住地扭，腿儿不住地缩，并将双手竭力保护他的脸和头。末了，他就呜呜地哭起来了。

“停手！请看上帝的分上——停手！等我来招供就是了——”

华大约翰将马鞭垂在身边，往后退了几步，那些铅刺上的血一滴滴落到地板上来。

“你是一个傻子！”琥珀道，“谁叫你早不开口的呢？现在你请罢——你在那里做什么？是谁叫你来的？”

“我不敢讲，请夫人饶恕我罢，”他带着哭声哀求道，“请不要逼我招供。如果我招了出来，我家主人是要打我的。”

“可是你不招，我要打你呀。”琥珀一面反驳他，一面就向那个双手叉腰站在旁边等候命令的华大约翰丢了一个眼色。

那人随着她的视线向约翰瞧了一眼，当即皱起眉头，舔了舔嘴唇。“我是巴铿汉公爷殿下差来的。”

这话正在琥珀的意料之中。她早就知道巴铿汉公在暗中监视她了，以前曾有四个侍女形踪很可疑，她就当她们是公爷贿买来的，当即都开除了，至于实际捉到的间谍，这回还是第一次。

“差你来做什么呢？”

现在那人的话说得很快了，只是声音很单调，显得心里非常不耐烦，眼睛也一直专注在地板上。“我是来监视施古鲁神父的，他到哪里我跟到哪里，得把他的行踪去报告殿下。”

“那么今天晚上你打算报告他在哪里呢？”琥珀说时侧着眼睛瞪视他，那一股冷酷无情的凶相咄咄逼人。

“怎么——嗯——我说他一晚没有离开过寓所，夫人。”

“好，现在你要记得，下次我的人就不能这样轻放你了。你若要你狗命的话，下次不要再到这里来尝试。带他出去罢，约翰。”

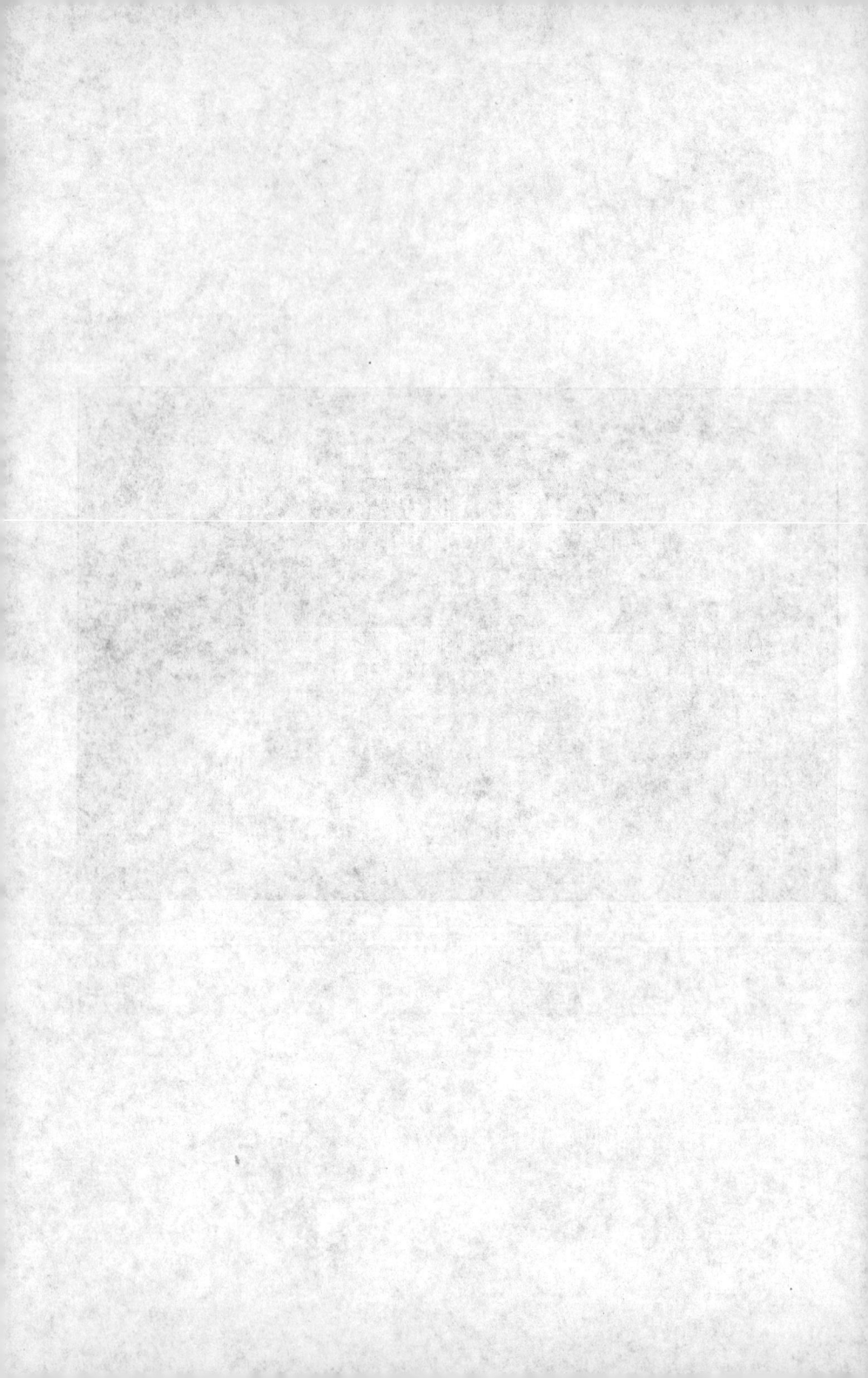

第五十九章

琥珀跟王后的结交一直都抱着亲善和尊敬的态度，一部分因为她自己觉得这是一种政治手腕，一部分也因为她觉得王后有些可怜，不过她的怜悯是偶然而发的，她对她的情感也带点傲慢，跟她对穆琴妮或是阿木笔夫人或是所有她认为无须害怕的女人的那种情感并没有什么不同。因为当时白宫里面尽是一班势利鬼，看着王后无权无势就都没有人理她，王后因此觉得很寂寞，倘有谁求助于她，她是几乎要觉得感激的。琥珀看破了这种情形，认为这是自己结好王后的一个绝好机会，而得结好王后，对于她自己的事情总是有点用处的。

她跟王后谈起巴铿汉公废立的阴谋，业已产生她所需要的效果。王后初听见她的仇人又在阴谋要去掉自己，不免有一番惊惶，但是琥珀力说皇上不与闻其事，又说皇上若是闻知，定要大为震怒，王后就信她了。因为当时王后心里也但愿如此，所以琥珀这话深得她的欢心。琥珀见机会已经到来，当时虽然没有马上请示王后帮忙自己讨封公爵夫人的事，过了几日她就开口了，王后立即应允帮忙，只是她口里虽然答应，心里却觉得有点不好意思，因为她也知道自己力量有限。琥珀因得到这个朋友，大大地自庆一番；她也知道这个朋友不见得有力量，但得一个对于自己能有用处的朋友也就不可轻视了。

当时宫廷里有一句格言，以为一个没有好处的朋友是跟一个无足轻重的仇敌相同的，所以琥珀对于这两种人都不肯去浪费心机。

又因她在宫廷里住得相当熟，已经知道那种坐着等待的人决然不会碰到好机会——忍耐和天真在宫廷里便是两种毫无用处的商品。你着想在宫廷里占一点势力，就必须一刻不停地活动，对于上上下下大大小小的事件都得随时有情报，并须无论何人，无论何事都利用得来。这种生活琥珀很快、很容易地就能适应了，而且心里对它并没有反感。

到了现在，她的周围已经养成一大圈秘密情报员，四面八方分布着，从木球场到警察总站，从园门到禁苑码头，都有他们的足迹。原来当时宫中的男女几乎人人都如此；为要探听同伴们的行踪——无论是恋爱的，宗教的，或是什么的——都不惜支出大量的金钱去收买情报。

只是琥珀收买的那一批人未免有些奇特。其中有两三个是巴铿汉公的跟班，还有一个是巴铿汉公用在宫里奔走秘密事务的，却因要多赚几百镑外快，就乐得把他主人的事情供给别人做情报了；此外一个是公爷的裁缝，一个是公爷夫人的成衣匠，一个是替舒鲁贝夫人做头发的。还有一个贝纳特夫人，将许多爷儿们的风流事件源源供给她，巴铿汉公的也在其内，那些风流故事当中说到巴铿汉公怎样设法鼓起他那已经阑珊的意兴，琥珀听了觉得津津有味。此外她还有种种来源可以得到宫中的情报，就是娼寮的妓女、酒馆的侍者、有家的小厮，乃至于船夫、哨卒等。

这些情报员里面，她有许多连面都没有见过，而且大多数人都不晓得自己到底是受谁雇用。因为这些事情都是南儿替她出去接洽，而且南儿出去的时候，也总都头戴假发，脸戴面具，又加风兜大氅掩饰着，又加行事总在天黑后，所以没有一个人认识她。至于跟她一同行事并在暗中给她护卫的，当然是那华大约翰了。他时而装作挑夫，时而装作贵族太太的跟班，又时而只作平常百姓的打扮。南儿一面收集情报，一面发金钱，做起生意来锱铢必较，能给琥珀省下一镑来就觉得意非常，因她比女主人记忆力较好，虽在富贵之中仍旧不忘穷贱日子。

因此琥珀虽有时见不到皇上，却当即可以知道他是在什么地方跟谁过夜的；卡塞曼夫人每次结交一个新情人，或是置办一件新衫子，她也无不立刻就知道。她又知道王后什么时候似乎会有怀孕的症候，阁议室里会说些什么话儿，哪一个宫娥曾经秘密打过胎，哪一个贵族或命妇是在哪里出天花。她为了这些情报，所花的金钱自然很多，而且有许多情报除了探知他人的秘密一种乐趣之外，对于她没有多大价值，然而她对白宫里的事情到底是差不多全部知悉了。但她这鬼祟行为终瞒不过人，人家知道之后难免要背后骂她，乃至引起全宫纷纷的非议，这也是她不能尽知的。

当然这种情报对她往往也有实用的价值，这回施古鲁神父供给她的这个消息便是一例了。第二天一早，巴铿汉公就打琥珀的后楼梯上去看她，其时他的假发已经弄得乱蓬蓬了，衣服也皱得一塌糊涂了。他的高跟鞋子嗒嗒响过那大理石地板，等他弯下身子给琥珀行礼的时候，嘴里就喷出一股白兰地的酸臭来，还是几个钟头之前喝下去的。其时琥珀还在惺忪之中靠在枕头上，正喝着一杯热可可茶，但是一看见他立刻就醒过来，睁开眼睛提防着。“唔，殿下，看你这个样儿大约是取乐了一个通宵了！”

巴铿汉公显着一种解除武装的意思咧开嘴来。“我想是罢，不过我实在记不清楚了。”

说着他就在琥珀的床沿坐下来，将脸朝着他。“唔，夫人，我给你带了一个消息来了。是你无论如何猜想不到的！”

两个人的眼睛很快扭到一起来，互相瞪视了片刻，然后他笑了，她的眼睛也移到蟠在床脚的麦歇钱身上去了。“我的天，殿下，我是不会想象的呢。”她说着，心里也有点着慌，“又来说我什么坏话了？又说我胸口上面长了一颗痣，或是别的什么吗？”

“不是的，不是的。这话我上礼拜就听过了。你难道还不知道他们最近说你什么吗？那么你听着，夫人。他们在说——”说到这里他忽然停了停，琥珀觉得那一停是含有凶恶意味的。“他们是在说，”

他马上又接下去了，“考柏德刚刚送你一条钻石项圈，估计值两千镑呢。”

琥珀立刻觉得心里一松，因为刚才只怕他提起施古鲁神父的事。于是她喝完她的可可茶，将杯子放到床边的桌子上。“唔——如果他们这么说，那是不错的。真的一点都不错——我的珠宝商说它只值六百镑呢。不过价钱虽便宜，东西还是很好的。”

“也许你比较喜欢西班牙钻石罢。”

于是琥珀呵呵笑起来。“你殿下真是明亮，什么事情都晓得。我恨不得也有这样一个情报网才好呢。我花的钱也不少，得来的消息却都已陈旧不堪。可是我告诉你老实话罢——西班牙公使给我一只翡翠镯头，它比法国项圈还要美。”

“那么夫人是有意要跟西班牙人通谋了？”

“并不是的，殿下，不过如果给我相当的代价，我是连荷兰人或是魔鬼也会跟他通谋的。到底说起来，我们这个宫里的人不都是这么做生意的吗？”

“如果你有这主张，也不应该自己承认啊。消息也许要传出去的——那么你的代价要多少？”

“哦，我们朋友之间总不妨坦白罢。”她的声音稍稍带有讥讽的意思。

“你身份已经爬得很高很高了，若把你当初登台扮演宫娥的时候来比现在的话，据他们说是就连教皇也要来讨好你了呢。”

“教皇！”琥珀不觉骇然地喊道，“我的天，爵爷，我抗议！我跟教皇是从来没有往来的，告诉你罢。”

琥珀自己的信仰对她向来没有多大用处，除非在她受惊、愁恼，或是想要什么的时候，但是当时一般人对天主教的憎恨，却也有她的份儿，不过仍不晓得自己为什么要憎恨。

“跟教皇没有往来吗？可是我据顶顶可靠的消息，夫人有时候在深更半夜里款待施古鲁神父——哦，我得请夫人原谅！”他假装非常关切的样子嚷道，“我说这话使夫人吃惊了吗？”

“不，当然不会！可是你见什么鬼会有这种念头呀？我——款待施古鲁神父？为什么呢，你倒说说看？我对于这种光秃肥胖的老头儿是向来没有胃口的，不是吗？”说着她将头发往脑后一簸，拉拢了她的寝衣就想跨下床。

“慢点儿，夫人！”巴铿汉公抓住她的臂膀，眼睛挑战地瞪着她。“我想你总十分明白我是在说什么了！”

“那么你是在说什么呢，爵爷？”

这时琥珀已经有些愤怒了，因为巴铿汉公那种侮慢的态度一直都要使她脾气暴躁起来。

“我说的是，夫人，你在干涉我的事情这一桩事实。现在对你说个明白罢，夫人，我知道你已经晓得我跟施古鲁神父的约定了，并且正在设法阻挠这计划。”说到这里他傲慢的面孔已经凝成坚硬的线条，并带着一副威胁凶暴的神情瞪视着她。“我记得我们是彼此协议过了采取同一步调呢。”

琥珀将她的臂膀猛地挣脱，一下跳下床。“我是愿意跟你同一步调的，殿下，可是要我干违心的事，那我就该天杀了！你总知道这是于我没有多大好处的，要是把王后弄出宫去，而且——”

正在这当口，皇上那一群狗抓抓扒扒冲进房来了，琥珀和公爷来不及镇定面容，查理就已带着几个廷臣漫步走进房。

巴铿汉公立即收起了怒容，迎上前去亲查理的手——自从那天园里查理叫他流氓的时候起，现在还是第一次和他见面呢。之后他还逗留了一刻儿，装得有说有笑的，仿佛他刚才是跟琥珀在那里亲密地闲谈一般。但等他走了之后，琥珀就觉得心里宽松了许多。他们这场吵闹的消息传播得很快。还不到中午时分，她跟卡塞曼夫人在王后的接见室里会见时，卡塞曼夫人就已听到这消息，并且告诉琥珀说她的堂兄见人就赌咒，哪怕断送了他的余生他也非要毁掉潭福兹夫人不可。琥珀听见这话只是呵呵地笑，说随他怎么干法罢，她是并不怕他的。而且她心里也确实觉得不怕，因为她知道皇上仍旧宠爱她。她在宫里到底还不过一年，所以失宠于皇上这种灾难也同自己的老年一般，还离开得很遥远，不会马上就来。

而且他们这番吵闹的效果确乎像似对她很有利。随后阿林敦男爵就来和她作初次的秘密会见了。

这位男爵对于琥珀一直都维持着一种冷漠的礼貌，但他从来不肯费心去给她过分的注意。因为查理虽也认为女人只配从事政治以外的业务，这位国务卿却变本加厉，竟以为对于一切足以妨事的女人，应该将她们一船装到海外去，以便男人可以太太平平地治国。不过阿林敦到底还是一个政治家，决不肯容许偏见和情感来干涉他的事业。服侍皇上是他一生中的重要事业，但他同时也希望，而且愿意服侍他自己。现在他看见琥珀和巴铿汉公发生了摩擦，就断定她对于自己也许有点用处了。

有一天晚上，琥珀从外边回来的时候已经很晚了，却非常高兴，因为她跟查理同十几个贵族男女刚刚披着大氅戴着面具赶着车子到化子林吃了一顿回来。那是高好尔朋街上一家著名的酒馆，男女化了妆都在那里举行礼拜宴会。阿林敦和皇上原是至好的朋友，但像这种不成体统的小宴会是这位一本正经的男爵难得肯去参加的。那天晚上琥珀一到家，南儿就向她报告，说阿林敦现在楼下，已经等她等了差不多一个钟头了，琥珀听了不由得吃了一惊。

“我的天！你去请他上来啊——快些快些！”

她扔开她的面具、手套和手笼，亦将她的大氅一罩罩到苦菊儿身上，那苦菊儿连头都被罩掉了，只得摸索着走出房去。琥珀见他那副形况不觉笑起来，这时抬头看着炉台上边挂的自己的画像，皱起眉头满肚子不高兴地审察它。他为什么要把她画得这么胖呢？她本来并不钩鼻的，而且那头发的颜色也并不像她。她每次看见这幅画像都要觉得懊恼，因那李立替人画像总不肯照人的真像，都要照他自己定的模型，那是他以为任何女性都可适用的。

然而他是当时最时髦的一个画师呢。

南儿将阿林敦男爵领进房间里，她这才掉转头来。那位男爵一进门就向她鞠了一个躬，琥珀也回了一个万福。

“夫人，我给你请安来了。”

“给你请安呢，爵爷，请进来罢——很对不起，让你等久了。”

“没有没有，夫人。我趁这当儿在这里写了几封信。”

他从头到脚裹着一件庞大的黑色大氅，手里拿着一个假面具。他脸上装出一个笑容，当即显出一种迷人的媚态。这是他的一件法宝，就如一件好衣服似的，平时仔细珍藏，轻易不肯使用，必等有利可图的时候方才拿出来用。原来这位爵爷的为人丝毫没有诚意，只一味狡猾奸刁，而且事事当作一桩生意经来干，确是查理那个凡事随随便便的宫廷里面难得看见的。

“你没有什么家人吗，夫人？”

“一个都没有，爵爷。你请坐下来，让我请你喝一点什么好吗？”

“谢谢你，夫人。承蒙夫人这般时候接见我，真是感激不尽呢。”

“哪儿的话，爵爷！”琥珀抗议道，“承蒙爵爷这么屈尊光降，我才要感激不尽呢。”

其时一个仆人捧了个托盘进来，上面放着酒杯和酒，一一放到一张矮桌子上。琥珀将白兰地斟给客人，自己倒了杯薄荷酒，当即举杯祝男爵健康。当时他们坐的就是那间红银两色装饰的黑大理石房间，四面那些威尼斯镜子照出无数的影子来，只见那宾主二人在那里觥筹交错。

但是过了一会儿，那位爵爷终于言归正传了。“我所以要这样秘密来访，为的是怕引起巴铿汉公殿下的妒忌，可是请你不要误会我，因为公爷和我原是好朋友——”

其实呢，他跟巴铿汉公原是势不两立的死对头。关于这一点，巴铿汉公已经不顾一切地逢人便说了，阿林敦却谨慎小心至今不肯公然承认。不过一刻儿之前，琥珀向巴铿汉公提起阿林敦是个危险的仇敌，巴铿汉公曾对她嗤之以鼻道：“夫人，我犯不着把一个傻子来认做仇敌呢！”

“照我看来，”阿林敦继续说道，“他似乎是除了他自己之外不愿你去跟任何人亲善。今天我亲耳听见非常可靠的消息，说他已经告诉仍德，叫他从今以后无须再送东西给你了，因为你已替西班牙在这里尽力。”

“他真是见鬼了呢！”琥珀不禁愤然地嚷道，因为她已深信巴铿汉公和他那种专一捉弄别人的友谊都已没有用处了，“他像个老鸨一般专管人家闲事！像他这样一味地利用朋友，就怪不得朋友马上都要离心了！”

“哦，夫人，你不要对他这么痛心罢，我请求你！我并没有存心要你怀疑公爷对你的友谊，可是我看起来似乎是要将你独占了，我可一直希望你我也做好朋友。”

“我看我们没有理由不应该做朋友，爵爷，一个女人自然可以容许同时结交两个朋友罢——哪怕是在白宫里。”

阿林敦微笑起来。“夫人似乎很有才情——这桩东西是我再钦佩也没有的了。”琥珀又替他倒了一杯白兰地。他默默若有所思地瞠视着那酒杯坐了一刻，终于开口道：“真的，我该给夫人道喜呢。”

“道什么喜？”

“现在里面都在说，你的小儿子要袭封公爵了。”

琥珀马上将身子挪前一步，眼睛很急切地闪亮着。“是皇上告诉你的——”

“不，夫人——不是皇上告诉我的。可是现在人人都在谈论了。”

她便颓然地仰了回去，立即沉下脸儿来。“谈论！谈论是产生不出我的爵位来的。”

“那么你是想要这个爵位？”

“我的天！我是没有比这再想要的了！我要能够得到这爵位，是什么事情都可以干的！”

“如果你这话当真，夫人，又如果你愿意替我做点事的话，那么，我也许可以帮你达到这个心愿。”

事实上，他在白宫里势力很大，并且享有一种好名声，凡是得他宠幸的人必都能得到好处。

于是他就把他所需的事情告诉她了。

原来当时宫廷里大家都知道，巴铿汉公常常跟一班共和政府的人有往来，那一班人的目的无非是要推翻查理二世的政府，将政权攫取到自己手中。又因这个王国不久之前曾经瓦解过一次，那班不轨的野心家就希望同样的事情可以重新发生了。现在阿林敦所求于琥珀的就是要她刺探这一班人会议的时间和地点，乃至他们干些什么事情，采取什么步骤，将所得的情报送给他。这种情报他原是有法子可以得到的，只是手续非常之繁重，而且花钱也花得很多，现在交给了琥珀，就可让琥珀自己去开销，省得他大宗支出，至于报酬琥珀的，却是惠而不费，不过替她向皇上说句好话而已。他这样的算盘，琥珀心里未尝不清楚，但她看钱看得非常轻，至于阿林敦的帮助却是她认为有钱难买的。

琥珀早已在圣詹姆士方场买好四亩地，那是伦敦城里最最贵族化而幽静的一个地区，而且几个月以来，她跟当时给英国许多新建家庭打图样的闻上尉屡次讨论在那地皮上建造房屋院庭的计划。她自己有个主张，一切东西都要极其宏大而新奇，越讲究越好，所以她那房子也务必要时髦奢侈而且壮观，花钱多少可以满不在乎的。

她心里常常在想，只要他们不能把我送到新开门里去，我还有什么事要担心呢？于是她的行动越来越狂妄了。

她跟阿林敦谈过那次话之后，以为一个公爵夫人已经稳稳到手了，便叫闻上尉立刻动起工来。照闻上尉的估计，她那房子的建筑需时差不多两年，花钱约需六万镑之多，比克勒兰登的相府还要贵些。这个消息传开来，宫里人人都咋舌，也有钦敬的，也有愤怒的，也有嫉妒的，却都说是只有公爵夫人才配居住这样的巨厦。因此大多数人断定皇上终于答应封她做公爵夫人了，查理听到这传言心里觉得很有趣，也不加以证实，也不加以否认，琥珀就乐观地认为他已经默认了。但是一个星期一个星期地过去，她却依然是一个伯爵夫人。

至于当时查理对她，确实还跟对别的女人一样喜欢，但他对她做公爵夫人，却也不过是如此，并不会有什么好处，而皇上的慷慨，至少有一半是自利主义的呢。又加人家向他的请求层出不穷，没有一个时候没有，他就慢慢养成一种拖延的脾气了。琥珀因目的未达，有时也不免有些灰心，但她决计非把这个爵位弄到手不可，因为现在她已经抱着一种信心，凡是她想要的无论什么东西，总有法子可以将它弄到手。

于是她对于凡是可利用的人，无论他的势力怎么小，都要将他利用，而且她对别人滥做好人，无非希望别人的报答。芭芭拉眼见她直上青云，自然不胜愤怒，碰到人就要牢骚，竟说查理倘敢赐给这烂婊子这样的光荣，她就要使他悔不当初。后来她为了这事竟跟查理公然辩论起来，并且恐吓着要在他面前掷出那些孩子的脑子，而且将白宫放起火来。

这事以后不到两星期，查理忽然发起一阵报复的恶意，下了一道恩旨，特封热腊为乐文斯柏公，并注明得恩荫其原配之子查理。那日召见的时候，这位新封公爵夫人进宫来，芭芭拉只得从一张椅子上站起身，让到一张矮杌子上去，那时她脸上的那副神气是琥珀至死也不会忘记的。

从此在白宫里大家都惟琥珀的马首是瞻。她特制了一支小型手枪，带在她的手笼里，于是其他宫廷命妇也都照她这样做了。好几处宫娥的住处都改造做镜装的墙壁，多数胡桃木的家具都送出去装银去了。她有一天戴上一顶骑士帽，并拿一根别针将帽檐钉成一只角儿，第二天皇上举行放鹰会，就差不多有一半贵妇都作这种打扮了。有一次她去参加舞会，竟连头也没有梳，将头发像一蓬黄艳艳的金纱似的披在背脊上，于是一个星期之内大家都抢着作此装饰了。她脸上装有面贴也是人人都要模仿的，或是剪做一个弯弓小爱神，或是剪成两交叉的字母，或是剪成一匹跳跃姿势的长须山羊。

琥珀绞尽脑汁想要创出一些新鲜花样来，因为她见满宫的人如同一群小猴子一般模仿着自己，是足以刺激她的虚荣心的。她所做的一切都要引起人家的谈论。然而她表面上却装做讨厌人家的模仿，以为这么一来她所创造的那些新鲜款式就没有一样可以由她独用了。有一个意外温暖的十月的夜晚，她跟宫里几个头等风流的男女到泰晤士河里一条画舫上去吃饭跳舞，后来就都脱去了衣服，跳进河里去游泳。这事当即激起一班正人君子的愤怒。自从复辟以来没有一桩事情像这样受责备得厉害，因为直到现在为止，还不曾有过男女一同游泳的事情，人家就以为这个万恶的时代惟有这一件事是还顾到一点廉耻的。至于她秘密承欢皇上的事情，大家都相传她非常淫荡。还有她那到处闻名的无数爱人，她的行为没有一样不被认为配她那种卑微的身份。

琥珀对于这种恶毒侮蔑的议论却一点儿都不怨恨，反而花去大量金钱去买出新的谣言来并使它流行不息。所以她这时的生活虽已比较贞洁，声名却狼藉不堪，竟成了一个放荡荒淫的模范了。有一次查理将他听到的一段关于她的猥亵故事述了给她听，她却只大笑一声，说她与其默默无闻，倒不如声名狼藉的好。

至于伦敦的老百姓，却都是喜欢她的。当她坐着自拉缰马车带着六个跟车的在大街上经过的时候，满街的人都要站住瞪目观看她，并且给她大声的喝彩。她上戏院去的日子，人家都会替她牢牢地记着。又因她常常出现在公共场所，或是亲自出来施舍给贫民，所以她的名气越发大起来，而且深得人心了。她那爱为人家注意的脾气还是跟从前一样，就是那种永远不会相识的人，她也仍旧巴不得他们喜欢自己。

她跟热腊很难见面，至于私下见面的事是从来没有过的。那蓓蕾小姐新近给他养了一个孩子了，琥珀趁此机会又送给她六个使徒的瓢匙。露雪拉结婚之后不到三个月，就已怀了身孕了，她那风流的腓特力爵士已经将她送回乡下去。有时腓特力爵士跟琥珀谈起他那位夫人的尴尬情形来，都不免呵呵大笑，因为露雪拉虽然也欢迎怀孕，却将雪片似的书信寄给她丈夫，哀求他去陪伴她。可是这位爵士在伦敦的事情忙得紧，跟他夫人多次约定要去都失约了。琥珀对于无论什么事情都从来不会感到厌倦，因而觉得自己是世界上顶顶幸运的一个女人了。要制办一件新衣服，要宴请一次朋友，或是去看一本新编的戏文，在她都是同样一本正经去干的。她从来不会错过一次密谋或是一次舞会；凡有同谋应付的计议，乃至各种恶作剧，她没有一次不去参加；没有一件事情她肯不过问，也没有一个人敢不理睬她。她的生活仿佛一直关在一面大鼓里，除了听着那两面的声音之外不能想别的事情了。

现在她已经事事如心，似乎只剩一桩事情可想望，而那桩事情终于也如愿以偿了，因在十二月初，阿木笔写信来说，贾爷可望下年秋天回到英国。

第六部

Part Six

第六十章

那一年的春季是有些干燥扬尘的，下的雨水太少了，但一到了五月中，伦敦周围的牧场上就已厚厚铺着紫色的金花菜，蜜蜂也已嗡嗡地往来，稻田里也长起大大的红色罂粟花来了。“卖樱桃啊！红熟蜜甜的樱桃啊！”“迷迭香啊！野蔷薇啊！谁要买我的薰香草啊！”这等呼声又已到处都可听见了。硫磺色的，梅绿色的，玳瑁色的，猩红色的，各种绫罗水绸所做的衫子又出现在新交易所里、各戏院中，乃至圣马丁胡同或滚球道上往来的马车里。那几个温暖、融和、快乐的月份又来到人间了。

在这期间忽然盛传约克公终于正式加入天主教了，当即引起许多年来从未有的激动和愤慨，但是这事始终找不到一个人来说明，公爷自己当然不承认，查理对于确实有无其事一定知道，但他只是耸耸肩头表明自身的清白而已。所有公爷的仇人都运动得更加厉害起来，竭力要阻止他不得继承英国的王位，但是同时看出他跟阿林敦男爵似乎突然做起好朋友来了。这就刺激起一种谣言，说是法英同盟马上要实现，因为阿林敦虽一向偏袒荷兰，大家却都疑心他也加入天主教，或至少是对天主教抱着强烈同情的。

后来这些谣言止不住泄漏到国都以外去了，查理这才掩饰不了心中的懊恼，大骂英国人民太爱管闲事了。他们为什么不将国事交给那些专管国事的人去管呢？但是天晓得，这种年头做皇帝简直不如一个饼师或是一个瓦匠呢，也许他是早该学会一行职业，免得在这里吃这种苦。

“我想你还不如趁早学会一些有用的事情罢。”他对詹姆士说道，“照我的意思，你也许要有一天是得自食其力的。”爵姆士假装当他哥哥跟他开玩笑，并且说他认为这个玩笑并不怎么好玩。

但是到了现在事情已毫无疑义，即除非皇上另外再结婚，那么约克若是活得长寿些，他是会继承查理的王位的。因为到了五月的尽头，王后又见第四次流产了。

原来那天她躺在床上，忽有一个狐狸跳到她的脸上来，使她骤然吃一惊吓，几个小时之后她就又丢了一个孩子。巴铿汉公贿赂了她的两个医生，说她根本就没有什么孩子，查理却开始不肯相信他们的证明。然而他跟王后都大为失望，从此王后就不再相信自己能替他养孩子了。从此她不再怀疑，确然知道自己是个不能生育的王后，也是天底下最最没有用的一个人了。但是查理的态度仍旧很执拗，对于一切废立王后的运动都毅然决然地竭力排除，不过这是因他忠于王后呢，或是因他怕多事，那就不得而知了。

当时大家都在议论皇帝重婚的事情，这引起了好几个女人的恐惧，甚至发狂一般的愁恼来——因为这么一来她们都不免要有莫大的损失。

但是其中至少有个琶默芭芭拉，听到这个消息觉得很有趣，竟至微微笑起来，甚至感到几分恶意的快乐。因为现在她也知道自己已经不是皇上的情人，所以这个地位的丢失已经无可忧恼了。但这并不是说她在宫中已经落入无声无息的地位。她是从来不会不惹人家注目的。只要健康和姿色依然存在，她就仍旧可以出风头。

因她虽然已经将近三十岁，过了一般女子所谓绝妙的韶华，但是她仍美得非常之惹眼，以至十五六岁的美貌女子跟她相形起来也要黯然失色。因为她的体质非常之结实，她的求生欲望非常之强烈，又曾经历过这样光华耀目的一段青春，所以她是不肯安分守己退隐进一种清净寂灭的老年生活里去的。

她跟查理的关系已经逐渐开始变成熟起来，他们已经渐渐结成一种老夫老妻的模样，彼此都觉得淡然，不再相争吵相嫉妒，也不会再起那种过分欢娱或是过分愤恨的热情了。他们都把兴趣寄托到他们的孩子身上去，并且养成一种伴侣的感情，那是他们当初做情人的几年里面从来没有的，因当其时他们虽然算不得相爱，却一直吵吵闹闹。现在她已不再妒忌查理的情人，查理因她不再对他发脾气，也觉松爽了许多，从此他只站得远远地对她冷眼旁观，见她的缺点和毛病一天天流露出来，正好当作温和的消遣了。

琥珀耐心地等了几个月，却接二连三地写信给在巴贝列山的阿木笔，问他有没有接到贾爷的来信，贾爷究竟什么时候能够来。阿木笔的回信每次都是一样的几句话，说接到过那封信以后再没有信了——他们总在八九月里可以回到英国，因为当时的交通那么变化无常，这个归期怎么能说得再明白呢？

可是琥珀除了盼念贾爷之外，已经百事无心了。当初那种热烈惨痛的渴望，后来因她觉得自己连和他再见一面的指望也已经没有，本来逐渐消退了，现在又重新复活起来。于是关于他身上的一切琐事都浮现到她的记忆里来，一件件都清楚得令人心痛：他那眼睛的奇异灰绿色，他那黝黑头发的波纹，他那两个尖尖的头角，他那经过太阳灼晒的皮肤的细腻的组织，还有他那口音的温暖的音色，真正使她能够感到一种愉快。她又记得他衣服上那种浓重的男汗臭，他的摸着她的奶子的感觉，乃至他们亲吻时他嘴上的那种滋味儿。总之，她是一切东西都记得清清楚楚的。

但是她心里仍旧觉得痛楚，因为这些零零碎碎的记忆是合不起一个整体来的。她只觉得他闪闪烁烁，仿佛一直都要躲避她，于是她有点怀疑起来了：他到底是真正存活在英国以外的那一片广漠空间里呢，或者只是她想象中的一个存在，由她的梦想和希望建造起来的？有时她在一种绝望和巴望的热情中，要将苏姗娜一把搂在怀里，但虽这样也仍不能确然证明贾爷的存在。

但她虽然抱着非常强烈的愿望，极想重新见贾爷，同时却又下了一个坚强的决心，这回定要对他摆一点架子，拿出一点身份来。将来等他回来的时候，她必得稍稍装得冷漠些，等他先发动，等他先来拜望她。这种拿腔作势的态度，是每个女人都知道可以激起男人的兴味的。她又责备自己道，我一直都迁就着他，替他做奴隶，这回可要不同了。而且我现在到底是个有身份的人——一个公爵的夫人了，他呢，还不过是个男爵。总之，他为什么就不应该先来看我呢！

她知道这回贾爷的太太也要同来，但她对于这层并不怎样担心。因为贾爷一定不是那种溺爱老婆的人，这样的人只有平民百姓当中有，就因他们的教养不深。至于一般贵族人家的男人，总不至于溺爱自己的妻子，犹之不至不挂腰刀或是戴着蓬乱的假发就跑到公共场合去。

到了七月里，阿木笔伯爵夫人就回到伦敦来了，为的是要整理他们的房子，添雇几个新佣人，并且准备招待一些久违的贵客。那伯爵一到伦敦就去看琥珀，琥珀决计对于贾爷要来的事装作漠不关心的样儿，只是滔滔不绝跟他谈自己的事——她的爵位，她在圣詹姆士广场正在建筑的大厦，乃至上星期日她请吃晚饭的那些客人。不时她也问起他在乡下干些什么事，但不等他回答就又说下去了——因为人人知道住在乡下除了骑马、喝酒、看佃户之外是没有旁的事可干的。阿木笔坐在那里听她谈，注意着她的言谈举止之间活泼表现的媚态，脸上笑嘻嘻，不时点点他的头，只是绝口不提及伯鲁。

于是琥珀的谈话渐渐慢下去了，心里渐渐感到迷惑，精神也不那么活跃了，及后看出阿木笔是在故意调排她，方才激起满脸的愤怒。“唔！”她末了说道，“有什么消息吗？”

“消息？让我想想看。哦，我那匹黑色雌马——就是你常骑的那一匹，记得吗？——上个礼拜生了一匹小马了，而且——”

“见你的鬼罢，阿木笔！你怎么好拿我这样开玩笑呢！我问你听见过什么消息没有？他到底什么时候会来？她也仍旧要来吗？”

“我已经告诉过你了，我所晓得的只是上次写信给你的那一点——时间总在八九月。她呢，是要来的，怎么？你不见得会害怕她罢？"

琥珀凶狠地射了他一眼。"害怕她！"她装起十分轻蔑的语气重述道，"阿木笔，我可以赌咒，你这种想法实在可笑之至了！我为什么要害怕她呢，你说？"她停了一停，然后自命不凡地报告他说，"我已得到她的一个影像——那个科丽娜！"

"真的吗？"他很客气地问道。

"是的，我脑子里已经有了她的影像了！我已的的确确猜到她是怎么一个模样了！她是一个平凡没用的家伙，穿的衣服样式都是陈了五年的，并且自以为不配做旁的事情，只配替他管家养孩子！"她这一番形容便是阿木笔夫人的一副逼真的肖像。"她到伦敦是要活现世呢！"

"你也许是对的。"他承认道。

"也许是对的！"她愤然道，"不然的话，她还能像什么呢——她是在那荒野地方跟一群野蛮的印第安人一同生长起来的——"

在这当儿，忽然听见一种怪样的吵声在那里尖叫。"贼，你这天杀的！贼，天晓得！赶快呀！"

琥珀和伯爵都不由得从坐椅子上一下跳起来，琥珀就将那只躺在她裙上打瞌睡的狗儿踢开去。"这是我的鹦哥呢！"她嚷道，"他在那里捉住了一个贼子！"说着她向客厅那边奔去，阿木笔跟在她身边，麦歇钱在他们的脚跟激动地叫着。他们推开客厅门，冲进里面去，一看却是皇上在那里，原来他未经人通报踱进那里来，刚从一只水果盆里捡起一个橘子，及见那鹦哥在架子上蹦来蹦去，嘴里发狂一般嚷着，便不觉呵呵大笑起来。原来那鹦哥曾受训练，凡有陌生人闯进那里便会叫喊起来吓跑他，可是它认错了人已经不止一次了。

当时阿木笔离开琥珀，过了几天就回到巴贝列山上打猎去了，只留他的夫人在伦敦，等着欢迎伯鲁夫妇。因此琥珀就再没有机会跟他谈论科丽娜的事情了。

这一年以来，琥珀每星期总有三四次要去视察乐文斯柏公府的建筑。

那公府的建筑很新式，四面没有那种堡垒式的高围墙，因而也没有前后院子，只是一座完全对称的四层半的红砖高楼房，窗口是用好几百块玻璃嵌成的。它的正面对着滚球道，有一列橡树拦开，后边的园子接连着圣詹姆士广场，不过当时那片广场已经成为一个藏污纳垢的垃圾窟，所有死猫烂狗乃至人家家里出来的废物都倾倒在那里。

琥珀的意思是要尽一切可能，将这房子造成伦敦最最新式最最奢华的一座，因而那受他委托的闻上尉也用尽了他的气力。不料上面加彩色的油漆已经不算时髦了，那座房子里面有好几间屋子的大护壁上都画着寓言的人物，大都从希腊罗马神话里采取来的。每个重要房间的地板都用嵌木细工，布成种种复杂的图案，样子像庞大钻石耳坠的玻璃烛架，当时是难得看见的，但是乐文斯柏公府里已经装好了好几具了；其他的用具一律用银子打成，连插烛的盆子也是如此。她有一间特别的屋子，拿爪哇的淡橘色芳香桃心木做护壁，她所用的装饰图案到处都用一个C字做基，地面盘绕着王冠和小爱神，原来这个C字在她心目中是既代表查理也代表贾爷的。

凡是她在白宫的卧室里面所忘记布置的东西，在这座公府里边都要逐一地补充。那张庞大的卧榻是全英国无与伦比的，她要全部加以金绣的帷帐，并以金索流苏来做装饰。

四根柱顶上都罩着一个翡翠的鸵鸟黑毛花球，并且四周镶以一匝白鹭的冠羽。其他一切器具都用金叶来装裹，所有椅子上和长榻上的垫子都用翡翠色的缎子和丝绒。那天花板便是结结实实一堆的镜子墙壁，地板上铺的是绒和金丝布的波斯地毯，且用珍珠点缀。所有其他房间的布置也显得同样华丽。

八月下旬的一个热天，琥珀又到那里去跟闻上尉谈话，并且视察她那新房子——她的意思是要早些搬到新房子里去，因而催促闻上尉赶紧加工，闻上尉却提出抗议，说这种赶造工作只有劣等的技师才肯办。那年夏季的暑热和迷雾仍笼罩着伦敦，但是秋气很快就侵入来了，那些柳树已经垂挂着金色的枝条，到处已见干枝树叶，零零落落飘散在地上。

当琥珀谈话的时候，她的注意被苏姗娜分散去了，因为苏姗娜的奶妈正在追赶她，她却嘴里吃吃笑着跟捉迷藏一般，一直奔避着。这时苏姗娜已经五岁，可以穿得大姑娘的衣服了。琥珀将她装扮得非常美丽，从那些袖子、缎衫乃至每双小鞋子和小手套，没有一样不极讲究的，那未来的乐文斯柏公爵斯丹霍查理也已经两岁，处处地方都看得出他有一天至少要跟他的老子一样大的个儿，而且也像似皇上，带着一种一本正经的神气。当时他的奶妈将他抱在怀中，他对那所新房子看得很有兴致，仿佛他已明白自己将来要在这里扮演什么角儿一般。

末了，琥珀光起火来了，蹬着脚儿对苏姗娜大声嚷道："苏姗娜！你不要顽皮，你这个小娼妇，你再顽皮我要打你了！"

苏姗娜这才站住脚，慢慢旋转头看看琥珀，却将下唇执拗地噘了出来。可是她到底旋转了身，假装一种端庄的模样回到她的奶妈那边去，将她的一只小手插进奶妈的掌心。琥珀鼓起她的腮帮子，皱起她的眉头，对她女儿这样顽皮大觉不高兴。但她正要转身走开的时候，忽听见一阵男性的笑声，回头一看，却原来是阿木笔，刚刚跨下马车向她这边走来了。

"你等她大起来罢！"他笑着道，"你就等着罢！再过这么十年她就要领导你去跟她赛跑了，我可以包的！"

"哦，阿木笔！"琥珀自己的嘴唇也噘出来了，跟苏姗娜的表情相像。"谁要想十年后的事情啊！"原来她年纪越大，越是害怕年龄要来侵蚀她。"我希望这个时候永远不会来！"

"但是它要来的啊，"他平心静气地告诉她说，"你要知道一切事情都是要来的，只要你等得相当长久了。"

"什么事情都没有到我身上来啊！"说着她掉转背去，又要跟闻上尉谈起话来了，但她忽然记起阿木笔眼睛里带着一种特异的神情，不觉又回转身朝他看了看。阿木笔正对她咧着嘴，分明觉得有趣的样儿。

“阿木笔，”她慢慢地说道，她的喉咙突然觉得干燥而且紧张了，“阿木笔——你到这里来做什么？”

阿木笔慢吞吞走上几步，靠到她的身边来，眼睛盯在她的眼睛里。“我告诉你，宝贝儿，他们都在这里了。他们是昨天晚上到的。”

她听见这句话，仿佛脸上吃人狠狠一掴，浑身都麻木起来，对他呆呆瞠视着，只觉得他伸过一只手，抓住她的肩膀，仿佛是要将她扶稳了似的。她从他的肩膀上面看过去，看到他那彩饰马车停着等待的地方。

“他在哪里呢？”她的嘴唇形成了这句话儿，可是她自己听不出声音。

“他在家里，在我屋子里。他的太太也来了，你知道的。”

琥珀的目光迅速和他的目光接触，她脸上那种近乎惺忪睡态的神情消失了，顿时现出一种警觉提防的神气。

“她的相貌怎么样？”

阿木笔很温和地回答她，仿佛怕她要伤心似的。“她很美丽。”

“哪里会有这种事！”

琥珀站在那里瞠视着周围地上堆积的刨花、木片和砖瓦，她那一双飞舞的黑眉毛已经聚拢来，脸上的表情已经近乎悲惨的焦急。

“哪里会有这种事！”她又重复一遍道。她突地重新看到他脸上，觉得有点不好意思起来。她向来对天底下的无论什么女人都不害怕。这科丽娜无论具有怎样一种美，她也没有理由要害怕她。“什么时候！——”她说了半句忽然记起闻上尉还在那里，就站在他们旁边，便急忙改过了一句话，“我今天晚上要请客，你为什么不带贾爷同来呢——他的太太也好同来的，如果她肯来的话。”

“我想他们要有几天不会出门罢——这回的海路走得特别长，他的太太已经疲倦了。”

“哦，真是太糟糕了，”她酸溜溜地说道，“不过贾爷自己难道也疲倦到不能出门了吗？”

“我想他不见得单独出门罢。”

“啊呀，我的天！”琥珀嚷道，“我真想不到贾爷会这样溺爱老婆呢!”

阿木笔也不跟他争辩，只是说道：“他们礼拜四晚上要到阿林敦府里去——你总也要去的罢，是不是？”

“那当然，可是礼拜四——”她又记起闻上尉是在面前。“你今天到码头去过吗？”

“去过，可是他在那里忙得很。我劝你不如等到礼拜四——”

琥珀狠狠地瞪了他一眼，将他那后半句话截断了。他假装惊吓的样儿，咽了几口唾沫，恭恭敬敬鞠了一个躬，便旋转身，向他的马车那边走去了。琥珀目送着他，突然想要追上去向他道歉，但经一转念便没有动身。那部马车一霎时去得无影无踪，琥珀对于她那新房子的兴趣也随着全然消失。

“现在我得走了，闻上尉，”她匆匆地说道，“这桩事情我们以后再谈罢！赶快!”

可是贾爷没有在那儿，她的跟车在埠头上一程来一程去地打听消息，只见贾爷的船只统统停泊在那儿，船上人说他一个早晨都在那里的，可是吃中饭的时候走了没有回来过。她在那里差不多等了一个钟头，可是两个孩子吵闹起来了，又都有些疲倦，她终于只得走了。

回到宫里，她立刻写了一封信给他，请他到她这里来，可是直到第二天早晨才接到他的回信，而且字迹是潦潦草草的，说道：“事忙，无暇奉候，周四如至阿林敦府，奉陪一舞如何？伯鲁。”琥珀将那信扯得粉碎，一倒倒上床去大哭起来。

但她虽然没奈何，却不得不从实际上去考虑一下。

因为这贾夫人如果真的是一个美人，那琥珀礼拜四晚上就非装得特别炫耀不可。现在宫里的人已经都看惯她了，回想自己三年半以前那种轰动得人人注目人人嫉妒的情景，在她所参加的大小会场之中久已没有了。这贾夫人是个新来人，哪怕她仅是中姿，照例要引得人人注目议论纷纷。那么除非是——除非是我从装饰上去求出色了——除非是我穿的衣服能使人人都非注意不可了。

她对这件事经过好几个小时的焦灼和狐疑，终于把露菲夫人叫了来商议。她觉得这个问题唯一可能的解决办法就是做一件新衫子，但这衫子必须跟她以前见过的完全不同，必须是没有一个人敢穿的。

“我得要做起一件东西来，使得大家不能不注目到。”她告诉露菲夫人说，“只要能惹人注目，哪怕要我身上一丝不挂乃至头发着火也是可以的。”

露菲夫人笑起来。“这在初进门的时候原是很好的——但是过了一会儿他们就要感到厌倦了，仍要看到那些穿着衣服的女人身上去。你要使得人人注目你，必须具备一种十分淫荡的东西，但仍得有充分的遮盖，方能使人一眼看不尽。那颜色必须是黑色的，大概是黑色蝉翼纱之类，可是仍旧得有一点能够发亮的东西——”那露菲夫人像这样肆无忌惮地滔滔说下去，并将手儿比起那件衣服的布局来，把个琥珀听得出了神，一双眼睛睁得亮晶晶的。

贾夫人啊！你真是苦恼——哪里还能有谁会跟我比赛呢？

此后两天里面，琥珀一步都不出房门，每天从清时直到深夜，她房间里都拥挤着露菲夫人亲自在那里督率的一群女裁缝，大家叽叽呱呱讲着法国话，屋里吃吃的笑声和刀尺之声相杂沓。琥珀耐心地站在那里等着那件新衣服的制成，真可说是凑在她身上做起来的。在这期间，她不许一个人进她房里来，也不让一个人看见她在做什么，而因这样的秘密，就引起种种的谣言来了，这使她觉得非常称心。

一时大家都在纷纷传说，这位公爵夫人装起维纳斯出海的样儿，身上只戴着一个蚌壳。又说她要赶着一部金漆的战车，驾着四匹大马车一直跑上台阶进入客厅去。又说她的衫子要用珍珠来串成，走起路来逐渐地散落，终至落得一丝不挂为止。大家知道琥珀向来胆大妄为，又因这谣言造得很巧妙，所以大家听了竟都相信了。

到了礼拜四那天，她们也还是在那里工作。

琥珀的头发在梳头人没有来梳理之前，就先洗过了，晾过了，并拿绸子来擦亮。她的臂膀上面和腿儿上面稍微有点儿汗毛，都拿浮石来刮得干干净净。她的面孔和颈脖都已拿法国的雪花膏擦过十多回，牙齿也擦得臂膀都发了酸了。她又拿牛奶来洗过澡，将茉莉花露倒在掌心擦过臂膀、腿儿和全身，这才动手搽脂粉，搽了差不多一小时之久。

到了下午六点钟，那件衫子赶制成功了，露菲夫人得意非凡，将它擎得高高的让大家观赏。其时苏姗娜已经在房间里关了一整天，看见新衣做成也大为高兴，拍着手掌跳呀跳的赶上前去摸摸那衣服。谁知露菲夫人突地吆喝了一声，吓得那女孩险些仰翻地板上。

琥珀抛开她的寝衣，身上一丝不挂，只剩一双钻镶袜带扣着的黑丝袜和一双黑色的高跟鞋，将两条臂膀高高地擎着，让她们把那新衣套上去。那上面的胸缀是用花边做成的，上边镶着一条黑珠点缀的阔辫儿，底下缩得非常紧，拖着一条翅鞘模样的长狭裙幅，全部点缀着黑珠，看去像是一片水淋淋亮晶晶的黑瀑布，从她屁股上经由她的腿儿一直泻下来。两只胖袖是用素黑色的蝉翼纱做成的，罩裙也用黑色蝉翼纱，两侧稍起在腰部，底下长长地披散开来，仿佛是一片黑雾。

许多人站在旁边啧啧地称赞，琥珀看着镜里的影子，也自觉得意非凡。她吸起她的肋骨，将脸部的肌肉抽紧了，使得她的奶子像两个带尖顶的圆珠一般完全显出来。

他看见我这样子连命都要没有了呢，她自信得入迷一般告诉自己说。现在科丽娜是吓她不倒了。

她的头饰是一种贴皮的小盔甲，上面插着一个黑色鸵鸟毛做成的大弧形。露菲夫人对她看了一会儿之后，就走过来将这头饰整好。另外一人递给她一双手套，也是黑色的，她就将它套上了，一直套到胳膊为止。其时她全身赤裸，配上这样长筒的手套，就觉得它有些不相称了。她又拿起一柄黑色的扇儿，这时有人将一件狐皮的黑天鹅绒大氅披在她肩膀上，这样纯然一片黑，映着她那一身丰腴滋润的奶蜜色的肉，加以她眼睛里那一种神情，嘴上那一种曲线，就使得她像个邪恶的天使了——同时是纯洁、美丽、腐败而又阴险的。

于是琥珀撇开镜子来朝着露菲夫人，她们的眼睛亮晶晶的，像两个成功的同谋者一般彼此接触着。

露菲夫人将几个手指头撮了起来，擎到口边亲了亲，然后她走到琥珀身边说道："他们无论怎样不会去注目她了——你所说的那一个!"

琥珀急忙给她一个感激的拥抱，并且咧了咧嘴儿。适当苏姗娜怯生生地走近前来，她就弯下身去跟她亲了一个吻。于是她的心急促地跳着，她的胃疯狂地绞着，她匆匆地走出房门，戴上了她的面具，穿过一条狭窄的走廊，去上她的马车。自从她第一夜引见到宫中以来，凡去参加宴会，从来没有像这样激动，像这样惊慌而且惶恐。

第六十一章

阿林敦男爵府是一六六三年由贝纳特买过来的，其先本是戈林府，坐落在白宫西面的故桑园。这位男爵和他的夫人常在本府里面举行最最盛大的宴会，是整个伦敦的贵族社会都极高兴参加的。因为这些宴会的规模非常宏大，排场非常讲究，伦敦所有的府第都和它比拟不来。他们所发的请帖，可以算得伦敦人士社会地位的一种计度表。凡是没有身份的人是永远不会得到他们的邀请的。

大家都知道这位男爵是时流社会当中待客最最慷慨最最周到的一个人，他府里雇用着十几个法国有名的厨师，地窖里藏有无数陈年的名酒，待客的筵席总是精美绝伦。而且每间屋里都备有音乐，赌台上面都高叠黄金，点的蜡烛数以千计。来宾都是王公大人和他们的眷属，看去自然满目繁华了。缎衫的女士们纷纷行着万福，熠熠地展开扇儿，吃起来笑声不绝；金绣辉煌的爵士们一个个鞠躬如也，刷刷地挥着帽子。声音都是温文尔雅的，谈话都是彬彬有礼的。

但在事实上，那些宾客却都兴高采烈地在那里诽谤别人。爷们站在那里看着一个美貌的女客，往往夸口自己跟她睡过觉，进而讨论她肉体上的缺点，或是比较她床笫间的行为。那些女客呢，也会同样不顾羞耻地公然议论别人的短处，并且比爷们的谈话更要直率厚颜。府里不乏隐僻的卧房，可容无数野鸳鸯权作暂时幽会的场所。

一个幽隐的角落里，一个宫娥正掀起她的长裙，让那些花花公子品评她的腿儿是否比别人美些，及至那些花花公子的手儿探索到了她的绝妙处，她就又要吃吃笑着尖叫起来了。有个花花公子从贝纳特夫人那里带了一个女孩子出来，拿面具大氅乔装着混进府里，就在那些密室里面大显其身手来了。

阿林敦对于他的宾客从来都不加干涉，只让他们各自随其嗜好去寻欢。

七点钟的时候，正是华灯初上，盛会方开，大多数的客人都还清醒而且好奇，他们都聚集在那间大客厅里边，对于每个新到的客人至少要瞟一眼。其时还有两个女客没有到，大家都在眼巴巴地等待着：一个是乐文斯柏公爵夫人，一个是贾夫人。贾夫人是没有人看见过的，有人正谣传她是英国绝色的美女，只是意见还纷纷不一罢了，至少有许多女人早已准备着一种态度，等她一见面的时候就要断定她并不如人家盛传的那么美。至于那位乐文斯柏公爵夫人，大家知道一定要怕这新来的客人使她相形失色，因而为保全面子起见，非大大地炫耀一下不可。

“这位夫人也真是可怜，”有个懒洋洋的年轻女人说道，“据画廊里的人说，她近来为怕失去原来的地位竟至大为恐慌了。我的天，可见做大人物也是苦恼的。”

那个女人的同伴抿着嘴儿笑笑。“哦，那么你是为了这个才不肯爬上梯子了？因为怕栽跟斗是不是？”

“这贾夫人跟我丝毫不相干，她美不美我去管它做什么？”有个瘦削的花花公子一面拿着一个女人的扇子在那里玩弄，一面这样议论道，“可是她若能够使这公爵夫人坍了一次台，我情愿替她做奴隶。因为那天杀的女人自从皇上封她这爵位，就把架子摆得令人难堪了。从前她做烂污戏子的时候，我是常常替她扎腰箍儿的，现在我们一起朝见的时候，她竟装得不认识我了。”

“这种下贱坯子原是这样的，杰克，你还能期望她怎么样呢？”

忽的一个如同喇叭一般的声音打断了他们。“乐文斯柏公爵夫人到！”

房间里的每只眼睛都向门口那边射过去，可是只见那迎宾官独个人站在门边。大家不耐烦地等了片刻，这才看见那位公爵夫人昂首天外带着满脸骄矜慢慢跨进了门槛，向他们这边走过来。她的面前扫过了一阵惊骇和惶惑，许多人晕头转向，许多眼珠子突出，连那正跟威尔斯夫人在谈话的查理也不由得旋转脚跟瞪着两眼了。

琥珀虽像五脏六腑都已在震荡，却是旁若无人地走上前。她听见那些年纪较大的女人在那里喘气，看见她们严闭着嘴巴，挺正着肩膀，都将谴责的眼光狠狠注射在她身上。她又听见那些男人当中轻轻吹口哨，看见他们的眉毛根根竖起来互相捣着胳膊。她又看见一些年轻女人带着满脸愤怒地看着她，恨她竟敢这样不顾廉耻地使她们黯然失色。

突地她松弛下来，自信这番成功已经稳稳地获得。她希望伯鲁和科丽娜已在那里眼见她的胜利了。

她忽然觉得阿木笔就站在自己身边。她向他看了一眼，嘴角露出一个隐约的微笑，可是她看出他眼睛里有点东西，使得她这种表情突然冻结。那是什么呢？不赞成吗？怜悯吗？两者兼而有之吗？但这是，可笑的！她有些发呆了，她自己也已知道。

“我的天，琥珀。”他一面喃喃说道，一面将她从头到脚迅速掠过一眼。

“你不喜欢吗？”说着她又对他看了一眼，眼光有点变硬了，而且那种声音连她自己听起来也觉有点威胁的意味。

“哦，当然喜欢。你这样儿艳丽极了——”

“可是你不觉得冷吗？”一个女性的声音插进来说道。琥珀急忙回转头一看，却原来是鲍英吞夫人，站在她的另一边盛气凌人地将她浑身上下看着。

另外一个声音响起来，却是男性的。“我的天，夫人，像你这样大显其色相恐怕从脱离奶娘的怀抱以来还是第一次看见呢。”说这话的原来是皇上，懒洋洋地挂着一张笑脸，分明心里觉得有趣。

琥珀突地起了一种奇异的感觉，仿佛内脏受了伤一般。

惶恐与自憎一时交集，她不由得暗暗仿佛懊恼道：我怎么会干出这种事来呢！哦，我的天，我为什么要这么赤身露体地跑到这里来呢？

她的眼睛扫过整个房间，只见每个人脸上都带着暗笑，分明大家心里都在耻笑她。突地她觉得自己仿佛是个梦游人，当初毅然决然一丝不挂地去招摇过市，及至半途方才觉得自己是错误的，又同一个梦游人一样，她巴不得立刻跑回自己家中，免得再被人看见。然而她这回是落入自设的陷阱中去了，及至她明白过来，才觉得惊惶失措，她已不能从这场噩梦中清醒过来了。

哦，叫我怎么办好呢？她暗暗发急道，我怎样才能逃开这里呢？在她这样觉得无地自容的窘境中，她竟把贾爷夫妇两人完全忘记了。

她突地吓了一跳，听见那迎宾官清晰而响亮地唱起名儿来："贾爵士！贾夫人！"

于是她不自觉地抓住阿木笔的手，眼睛移转到门口那边。当她看着贾爷夫妇走进房来时，她脸上和脖子上的血色都完全消退，连阿木笔在那里看她，她也没有觉得，只觉得他那热烘烘的手在那里捏她而已。

伯鲁还是跟两年前离开伦敦的时候差不多一个样儿。他今年三十八岁了，也许比她跟他分别的时候体重增加些，但仍旧风度翩翩，皮肤还是那样结实，体魄还是那么健旺，并没有显露一点衰老的形迹。当时琥珀不过对他瞥了一眼，便将全部注意移到他的太太身上去了，因为他的太太是挽着他的臂膀跟他并排儿走进来的。

那位太太的个儿相当高，却是苗条而有风韵的：清澈碧蓝的眼睛，黔黑的头发，皮色浅淡得同月光一般。她眉目清秀，神情穆然。望着她时会发起一种悠然隐退的情绪，就如欣赏一件名磁上的图画一般。她的衫子是银丝布的，上面镶着黑色的花边，头上戴着一个也是黑色花边的首帕，脖子上面围着一条钻石镶翡翠的项圈儿，是伯鲁的母亲留下的东西，琥珀从前曾经屡次想要的。

皇上一见他们走进来，便不顾君臣的礼节，竟同阿林敦夫妇迎上前去招呼他们了。同时满屋子里起来一阵嘤嘤嗡嗡的声息。

"我的天！她倒漂亮得很呢！"

“我知道那件衫子是在巴黎做的，一定是在巴黎做的，决不会是——”

“难道牙买加真能出这样的女人吗？”

“风度和教养——我在一个女人身上顶顶注重的就是这两桩东西。”

这时琥珀胃里面真正作痛起来了。她的手心和两腋都已经潮湿，她的全身肌肉似乎都在发酸了。但她正要动身逃走的时候，阿木笔忽将她的手抓紧，并且将它轻轻地一拉，她吃惊地抬起头来朝他看了看，急忙将她自己镇定着。

查理这时已经不顾任何礼节，竟去请贾夫人和他同舞了，及至乐台奏起艳装舞的调子来，他就将她引入舞场里面去，合着那小琴、笛子和小鼓的悠扬音乐开始蠕动起来。阿木笔请琥珀和他同舞，琥珀却没有听见；他又提高声音重复了他的请求。她向他瞥了一眼。“我不要跳舞，”她昏昏沉沉地喃喃说道，“我不要待在这里了。我——我已得了气郁病——我要回家去了。”

这回她竟撩起裙子来，向前迈了一步，可是阿木笔一把抓住了她的手腕，又将她狠命一拉，以致她的奶子都蹦跳起来，她的头髻也高高弹起。“不要装得像个傻子罢，不然我要打你了！你快对我笑一笑呀——大家都在看你呢。”

当时琥珀从她低低垂着的眼睫毛底下迅速移动她的眼球，向房间的四周一瞥。她急乎要旋转身子，尖叫起来或是捡起一件东西向他们扔去，将他们一齐毁灭，以便看清她眼前那些假笑的脸儿，但是她并没有这样做，只不过抬起头来看看阿木笔，微笑笑，将嘴角绷得紧紧，免得那部分肌肉颤抖起来。她将手儿放在那伸着的臂膀上，相将走进舞场里去了。

“我得离开这里了，”她凭那乐声的掩护告诉他说，“我不能再待下去了！”

阿木笔的神情并没有改变。“哪怕我得将你捆绑起来，也不肯让你走的。你既然有这勇气穿着这种衣服来，也总该有勇气拼到底去罢！”

琥珀咬牙切齿地恨着他，一面动着脚儿合那音乐的节奏，一面暗暗盘算怎样逃走的法儿——趁他不注意的当儿找个边门溜出去。这天杀的！她心里想道，他这做法简直像我的老祖母了！我走不走要他来管些什么！我是一定要走的，哪怕我——

这时万不及料地，她看见贾夫人跟她相离不过十英尺之远了。那位夫人见了阿木笔，便对他笑了笑，但是一看清了他的舞伴，竟吓得她嘴都合不拢。琥珀眼里冒出了怒火，贾夫人也急忙将头扭开，分明觉得不好意思的缘故。

哦，这个女人！琥珀愤然地想道。我恨她，我恨她，我恨她！你看她，多么装模作样，多么娇娇滴滴！自己以为了不起的规矩了！我恨不得身上脱得精光让她看！管保她的眼睛珠子都要蹦出来！这一口气我是非出不可的！她竟敢拿眼睛这样瞪我！我一定要叫她后悔不及！你且等着罢！

可是她的精力突然耗尽了。她觉得虚弱而迷失，无可奈何。

我快要死了，她苦恼地自忖道。这种场面我是无论如何拼不下去的。现在我这条命已经值不得两个便士了——哦，天，让我马上就死过去罢，马上就死过去罢——我一步也不能再动了。在这当儿，她似乎全靠阿木笔的臂膀将她扶持着，才免得瘫倒下去。于是音乐停止了，那些宾客开始移动起来，三个五个地攒聚做了许多组。琥珀仍有阿木笔随在身边，茫茫然地穿过了人丛，对于任何人都佯为不见。

现在我要走了，她对自己说道。这天杀的蠢货是阻拦不了我的！

但她正要向一个门口走去时，阿木笔抓住了她的臂膀。“你到这里来跟贾夫人会会罢。”

琥珀猛地将臂膀甩开。“我为什么要去会她呢？”

“琥珀，你看着上帝的分上罢！”他的声音低得同耳语一般，竟在那里向她哀告了。“你且四下看一看。难道你看不出大家的感想来吗？”

琥珀又向四周围迅速地瞥过一眼，适见十多双亮晶晶的眼睛刚从她脸上急忙闪开，可是那些眼睛底下的嘴儿分明都仍带着一种笑和轻蔑。还有些人竟连眼睛也不肯躲避，带着轻蔑的笑容公然注视她，等着看她演出怎样的活剧。

她深深吸了一口气，和阿木笔挽着臂膀走向贾爷夫妇站的地方来。其时他两口子在一个小小的集团里面，其中有查理、巴铿汉、舒鲁贝夫人、傅冒兹夫人、柏爷赛德雷和罗切斯特。她跟阿木笔走近他们的时候，那个集团就静下去了，仿佛是在等待她这一来所要惹起的事故似的。阿木笔将贾夫人引见于乐文斯柏公爵夫人，两位夫人就开始彬彬有礼地展开笑脸来微微行了个万福。那贾夫人态度和蔼可亲，分明全不知道她的丈夫认识这位赤身露体的女子。至于那些爷儿们，连皇上也在其内，都旋转头来朝着她，睁眼饱看她那纤毫毕露的玉体。

可是琥珀除对伯鲁一人外，竟是全无知觉的。

一时之间，贾爷脸上的表情是几乎足以败事的，幸而刚巧没有人注意，旋即又回复常态，对琥珀鞠了一躬，仿佛他们是泛泛的相熟似的。当他们的目光相接触时，琥珀只觉得一阵天摇地动，差点儿晕眩过去。随后大家就重新谈起话来，但是琥珀经过一段时间之后，方才得出他们在谈什么，原来查理和伯鲁正在谈论美洲，谈论烟草的栽种，乃至一般侨民对航海法的怨恨以及那些准备以新世界为家的人们。科丽娜的话说得很少，但是她一开口，查理总要扭过头去倾听她，掩饰不了心中的欣慕。她的声音轻俏温柔，全然是女性的，而当她向伯鲁略略瞟去一眼的时候，便会流露出这里伦敦社会从来不会看到的一种现象——一个女人深深钟爱自己的男人。

琥珀看见这情景，只恨不得伸出手去抓破她那一副平静可爱的容颜。

等到音乐重新奏起来，她向科丽娜行了一个非常冷淡而带着几分轻侮意味的万福，又对伯鲁微微点了一点头，便撇开他们走了。此后她就十分倔强地装起种种自得其乐的神情，对于自己那种赤身露体的打扮丝毫不觉得难为情了。她跟十来个花花公子在一起吃了晚饭，喝下了许多香槟，每一场舞都来参加。可是那天晚上似乎过得非常慢，她觉得疲倦极了，竟当这场盛会是永远不散似的。

过了一个时辰的模样，那些舞客开始散到各房间上赌台去了。琥珀觉得脊背上神经作痛，全身的骨头都倦得发酸，推故不去加入，却到那间为女太太们特设的更衣室里去了。那里没有男客进去，她们就可以匀一匀脸儿，涂唇膏，整一整袜带，或是坐下来舒松这么几分钟。

当她走进更衣室去的时候，里面除了两个侍女之外没有别的人。她觉得无所顾忌，便垂下肩膀，双手捧着头，在那里站了一会儿。这时她突然听见背后有脚步声，随后就是鲍英吞夫人的声音在那里欣然叫喊："怎么，夫人？害起气郁病来了吗？"

琥珀给她一个表示厌憎的瞥视，便弯下身去托平她的袄子，抽紧她的袜带。鲍英吞夫人深深叹了一口气，向一张长榻上坐了下去，张开了两条腿儿，一直挺到琥珀面前去，然后将颈脖子这边那边地旋转一会儿，使它舒松舒松。

过了一会儿，她才耸起眉毛向琥珀斜瞥了一眼，一面脱下她的手套。"唔——你觉得这位贾夫人怎么样？"

琥珀耸了耸肩膀。"很好罢，我想是。"

鲍英吞夫人呵呵大笑起来。"很好，诚然。一班爷儿们都说她是这里最最美貌的一个女人了——只还不是最最赤身露体的。"

"哦，滚你的蛋罢！"琥珀一面喃喃地骂着，一面别转身子去对着镜子，一双掌心按在桌子上。难道她是真正有倦容了吗，或只她的脸上显得有点油腻呢？她叫一个侍女拿点粉给她。

就在这个当儿，贾夫人出现在门弄里了。琥珀从镜子里看见她，她的心突然停顿了一下，这才很急促地重新跳起来，跳得她几乎气厥。她拿起了粉盒儿，开始扑她的鼻子。

"我可以进来吗？"科丽娜问道。

"当然可以，夫人。"鲍英吞一面嚷着，一面幸灾乐祸地向琥珀射了一眼，"我们正在这里说，自从荔枝门公爵夫人出天花之后，你是我们宫里贵宾当中头一个绝色的美人了。"

科丽娜嫣然一笑。"哦，谢谢你呢。承蒙夫人夸奖了。"说着她的眼睁怯生生地瞟到琥珀的脊背上，仿佛她想要跟她说话却又不晓得怎样开口一般。事实上，她觉得自己的打扮跟她相形之下未免太笨拙，所以想跟她辩解一番。因为她已明白伦敦比不得美洲，一个高等女人到私人的宴会场中只要不完全赤身露体就不妨事。

“夫人，”她终于冒险说道，“我对于夫人这件衫子实在非常欣赏，我说这话夫人不至怪我唐突罢？”

琥珀连看都不去看她，继续拿着那粉扑了扑面。“夫人说的若是真心话，那就不算唐突了。”她尖酸地说道。

科丽娜见她这样无礼，觉得又惊异又生气，竟不晓得怎样回答才好了。原来她从抵达伦敦，发现宫廷礼节的光辉表面底下却存在着一个近乎蛮性的暗流，她就觉得惶惑不解。

可是鲍英吞夫人立刻出来替她解围了。“可是贾夫人，你自己身上的衫子要算今天晚上最美丽的一件呢！你在美洲从哪里去办这种衣服的？这样的银丝布，这样的花边，都是精妙无比的呢！”

“谢谢你，夫人。我的裁缝是个法国女人，她的材料都是从巴黎去运来的。怎么，真的，”她又轻轻一笑地补充道，“我们住在美洲的人并不是都是蛮子呢。大家见我没有穿着皮衣皮靴，都像是有点惊异了。”

琥珀捡起她的扇子和手套，重新转过身子，直视着科丽娜的眼睛。“若从这一点上说，夫人，你也许要觉得我们才是蛮子呢！”

说着她就掉头不顾走出房去了，却听见鲍英吞夫人在她背后兴高采烈地说道：“夫人，请你原谅她些罢。今天晚上她受到过非常重大的打击了。”原来大家都以为琥珀是妒忌皇上注目贾夫人，这是琥珀心里知道的。

“哦，”科丽娜带着同情的语气低声说，“真是遗憾得很——”

琥珀去找寻伯鲁，见他已经坐上牌桌——因为一旦赌台上面洗起牌儿掷起骰子来，他就在舞厅里停留不久的——而且专心在玩耍，竟没有注意到她，直等她到他的对面站了好一刻儿才看见她，其时她就竭力装出一副娇媚模样，轻鼓着她的下唇，微耸着她的眉毛，使得眼角儿略略翘起。

当伯鲁一眼看到她身上去的时候，她就立刻知道了，急忙送了一个秋波来，嘴上也呈现出半个微笑。谁知道伯鲁嘴上并没有反应，他那灰绿色的眼睛很严肃地对她脸上看了一会儿，这才懒洋洋地移到她的下体去，然后又慢慢地重新回到她脸上来，将一只眉毛几乎不可觉察地微微耸了耸。在这当儿，她就觉得自己仿佛是个最烂污的妓女，将色相去献给任何男人，本想博得一番赞赏一番称赞的，谁知却竟遭人摈斥了。

她觉得又羞又愤，几乎要哭出来，只得急忙走了开去。

走了几步便跟柏爷撞了个满怀，柏爷说他们找到一间密室了，这时她已别的一切都不管，但求人家不要看见她，因而就跟了他们同去了。她在那里待了两个多钟头，心里感到一种病态的满足，以为伯鲁大概总是知道她在干什么的。原来她不幸而曾以九年的工夫尝试激起伯鲁的嫉妒，却还不相信这是永不可能的。

到了十一点以后，她跟柏爷才回到客厅里来，一看赌台上面都还没有停，并见一群人围在那里，詹姆士在弹吉他，查理用他那种低音在唱曲子，唱的是内战时代流行的一种游荡骑士歌。她还没有走到楼梯，就先看见阿木笔，阿木笔也带着满脸焦急迎上她来。但他没有说什么，只跟柏爷很客气地交换了一个鞠躬。然后柏爷走开去了，将琥珀留给了阿木笔。

“我的天，琥珀，我到处都去找过你了！我还当你走了呢——”

琥珀突地觉得自己要哭出来了。“阿木笔！哦，阿木笔，请你带我回家罢！我不已经待得太久了吗？”

于是他们走出了，当即跨上了马车，琥珀就禁不住呜呜大哭，竟哭得如痴如癫。哭了半天她才能开口说话：“哦，阿木笔！他连对我笑都不笑一下，他只把我看了看，竟像把我看做一个——一个，哦，天！我真不如死了呢！”

阿木笔将她搂抱到身边，他的嘴儿印在她的面颊上。

“哦，宝贝儿，那么叫他还有什么办法呢？他的太太在那里呀！”

“太太在那里又怎么样呢！伦敦的男人谁都不管太太心里怎样的，他为什么偏偏要跟人家不同呢！哦，他是恨我了，我知道他是恨我了，我可也是恨他的！”她擤了下鼻子。“哦，我真懊悔不早就恨他呢！”

第二天，琥珀看见贾爷和他的夫人在跑马场里骑马。这种骑马是很单调的，一圈一圈尽在那个圈子里兜，碰来碰去也同是那几个人，互相点头微笑往往要到几十次之多。琥珀知道伯鲁向来不喜欢这种消遣，一般娘儿们却都喜欢，可见这回伯鲁是专为陪伴太太而来的了。又下一天她到约克公戏院去看戏，看见他两口子就在隔壁包厢。再下一天她又在白宫的教堂里遇到他们了。这是她头一次看见伯鲁走进教堂。每次碰头的时候，他两口子都对她微笑鞠躬，伯鲁的态度也是那么疏疏落落的，似乎并不比他的太太和她相熟。

在这样的情景中，琥珀总是愤怒和伤怀交互缠绕。

他怎么会忘记我呢？她发狂地质问着自己，他这种行为竟像从来没有见过我似的，然而他又不像从来没有见过我！凡是从来没有见过我的人，决然不会像他那样的神气！如果他的太太有点儿脑子的话，她就一定要疑心他跟我太相熟了——然而她当然是不会疑心的，我可以赌咒，这个女人一定是天下头一号大傻瓜！

但他对她虽然这样冷冰冰，她却仍旧不能相信他会忘记他们九年以来同甘共苦的一切。凡是她自己记得清清楚楚的那些事情，他也总无论如何忘记不了。梅绿村里初次碰面的一天，初到伦敦那几个快乐的礼拜，冒雷士决斗死了的那一个早晨，大瘟疫流行的那些日子——还有她替他养过两个孩子那桩事，当然他也忘记不了的。他决不能忘记他们所曾共同享受的种种快乐，决不能忘记他们在热爱之中所曾体验的一切欢乐和狂欢，一切愁烦和吵闹。这一些东西都是永远不能消失的，没有力量能够磨减它们的。总之，没有一个别的女人对于他的意义能跟她对他一样深切呢。

哦，他是不能忘记的！她在孤凄绝望之中对她自己大嚷道。不能的！不能的！他一到能来的时候就要到我这里来，我知道他一定要来，今天晚上他就要来了。然而他并没有来。

及至她在阿林敦府里见过他的五日后，那天下午她正换过衣服要出门吃晚饭去，果然伯鲁同着阿木笔来看她了。当时她也正在盼念他，已经等得她满脸怨恨，但是现在看见他们突地跨进了门口，倒使她吃了一惊。

“怎么——是爵爷！”

两位爷们鞠了躬，掀去了他们的帽子。

“夫人。”

她很快就恢复过来，便将房间的女侍和其他从人都嘘了出去。但她并没有如她刚才所想象的奔上前去迎接他。现在他已站在自己的面前；她却只站在那里对他呆呆地看着，矜持得近乎惨痛，竟不知怎样才好了。她只得静等着他的行动。

“我不晓得可不可以看看苏姗娜？”

“怎么——可以的——可以的，当然可以的。”

她就走到门口去向隔壁房间里叫了一声，然后回转来和他面对着。“苏姗娜长得好快呢。她已经——已经比你走的时候大得不少了。”她嘴里这么说着，心里不知道自己是在说什么。哦，我亲爱的！她发急地自忖道。你跟他阔别了两年，难道现在只对他说这么几句话吗？难道你就这样呆呆地站在这里，将他当作一个陌生人一般吗？

可是一会儿之后，就见房门推进来，苏姗娜站在门口了，身上穿着一件大人穿的绿塔夫绸衫，一条小小的裙子结在一件粉红衬褂上，她那金光滑泽的头发披在背后，用一个粉红扣扣起来。她先向她母亲看了看，这才看到两个男人身上，便有些惶惑起来，不知把她叫去做什么。

“你不记得你爹爹吗？”琥珀问道。

苏姗娜又给了她一个惶惑的瞥视。“可是我已经有个爹爹了。”她很客气地抗议道。

原来她有一次在查理面前，查理曾对她说他可以做她的爹爹。从那一回起，她就一直都把皇上当作自己的父亲了，因为她常看见皇上，皇上也因她长得好看，又因自己向来喜欢小孩子，所以常常跟她玩笑。

伯鲁听见这话不觉笑起来，便走到她的身边，弯下身子将她一把抱进怀里去。“我的小姑娘，你的这种话儿是挡我不开的呢。也许你已有个新的父亲了，不过我到底还是你的第一个父亲——而且只有第一个父亲才算得数。来罢现在——跟我亲个嘴儿——如果跟我的嘴儿亲得好，也许我会找一件礼物来给你。”

“一件礼物？”

苏姗娜的眼睛睁得大大圆圆的，回过头去看看她母亲，她母亲对她眨眨眼睛点点头。这时她毫不迟疑，一把捧住伯鲁的颈脖啜啜有声地亲起他的面颊来。

阿木笔咧开了嘴。“真所谓有其母必有其女。我是越看越像了。”

琥珀对他沉下了脸，但她这时候快乐非凡，对于他的那种讥讽不会觉得生气了。伯鲁将苏姗娜抱到门口，开了门，伸出手去捡起一只箱子来，然后把她放在地板上，在她旁边蹲下身。“这儿，”他说，“你把它打开来罢，就可以看见里面是什么东西了。”

琥珀跟阿木笔也都走上来看是什么，及等苏姗娜神气俨然地掀开那箱子的盖儿，只见里面放着一个很美丽的洋娃娃，约摸有一英尺半高，一头金黄鲜艳的头发梳着顶时髦的样儿，身上穿着一件最时行的法国式衫子。她的旁边还塞着一大捆衣装，也有衫子，也有衬衣，也有胸甲，还有鞋子、手套、扇子、面具，凡是一个上等女人所需的行头莫不应有尽有。苏姗娜乐得几乎发了昏，捧着伯鲁吻了吻。她郑重其事地将她那件宝贝从它的缎褥子上拿起来，抱到自己怀里去。

“哦，母亲！”她嚷道，“我要把他也画进我的画像里去，可以吗？”原来苏姗娜那时正托李立先生替她画像。

“当然可以，亲爱的。”琥珀说着向伯鲁瞟了一眼，见他正在注视她们两个人，又见他虽然脸上微笑着，眼睛里面却有一种阴郁而且近乎焦灼的神情。“你能想到她，真是太好了。”她温柔地说道。

过了半小时光景，琥珀向时钟瞟了一眼。“该是你吃晚饭的时候了，亲爱的。你得马上走，否则要迟了。”

“可是我不要走！我也不要吃什么晚饭！我要陪伴我的新爹爹！”

其时伯鲁仍旧屈一膝跨在那里，苏姗娜跑到他身边，他就一把将她搂住了。“我马上就来看你，亲爱的，我答应你。可是现在你得走。”说着他亲了亲她，她就满肚子不高兴地对琥珀和阿木笔行了个万福。她迟疑地向门口走去，她的奶妈替她开了门，她又回过头来看了看他们。

“我想妈妈现在是该跟我这新爹爹上床去睡觉的时候了！”

那个奶妈急忙拿块手帕闷住苏姗娜的嘴，将她一把抱出去，把门紧紧关起来，那两个男人都不禁呵呵大笑。琥珀摊开她的手，耸耸她的肩膀，做了一个滑稽的鬼脸。从这桩事看起来，可见苏姗娜从前常常以妈妈爹爹要睡觉的理由而被打发出房的。于是伯鲁也站起来了。

琥珀的眼睛立刻移到他身上，对他表示出一种疑问和恳乞的神情。

阿木笔慌忙掏出他的表。“啊呀，该死了！我又误了时刻——请你们原谅我罢——”说着他就动身退出房去了。

伯鲁也急忙旋转身子。“我同你一块儿走罢，约翰——”

“伯鲁！”琥珀发出一声沉痛的低呼，便拔脚追了上去。“你现在不能走！请你稍待一会儿——我有话同你说——”

这时阿木笔早已走出房去将门轻轻掩上。伯鲁听见琥珀的声音，别转头来迟疑了一刻，这才将他的帽子扔到一张椅子上。

第六十二章

琥珀躺在一张铺着垫子的矮榻上，她的眼睛闭着，她的面容宁静而满足，她的头发纷乱了，一绺绺地披在她的肩膀上。伯鲁在她旁边地板上箕踞地坐着，两条肩膀支在膝头上，两个手腕托着他的头。他已经去掉他的假发、外褂和刀子，他那白麻纱的衬衫汗淋淋地搭着他的脊背和肩膀。

过了好一会儿，他们都默默无声。

末了琥珀仍旧不睁眼，伸出一双手放在他的手上，她的手指柔软而温暖。他抬起头来看看她。他的面孔潮湿而带着红晕，慢慢地他微笑起来，重新弯下他的头，将他的嘴唇印在她那青筋暴涨的手背上。

“我亲爱的——”他把最后三个字的声音拖长，使它显得特别亲热。于是她慢慢掀开眼皮，看着他，不觉两个人都微笑起来，原来他们的旧爱新欢统都摄在这一笑里面了。“你到底是回来了。哦，伯鲁，我是多么惦记你！你也曾担心过吗——哪怕只是一点点？”

“当然啰。”他说道。但这是一个很机械的回答，仿佛他以为这个问题是愚蠢而不必要的。

“你在这里预备住多少日子？现在可以打算住在这里了吗？”倘使科丽娜坚持要他们住在英国，她就对她几乎会感激的。

“我想我们在这里总有两个月好住。然后我们要到法国去置办一些家具，并且顺便看看我的妹妹。此后我们又要回到弗吉尼亚去了。”

“我们！”琥珀很不高兴听见这两个字儿，因这就要提醒她，如今他的生活和他的一切计划都要包括一个女人在里面——而这女人却并不是她自己，又听见他说要带科丽娜去见他妹妹，也使她觉得失面子，因她从前曾经问过阿木笔，他这妹妹贾美丽是怎样一种人，阿木笔说她很美丽，但也非常高傲，跟她无论如何脾气不能相投的。

“你从结婚以来觉得怎么样？”她向他挑战道，“你是过惯风流生活的，一定要觉得无聊之极罢！”

他又微笑起来，他现在知道自己说一句话儿就要使他们疏远一步。她有点害怕了，可是不知怎么样才好，她更觉得自己全然没奈何，简直无法和他争辩以期维持自己的立场了。“我可并不觉得无聊。我们在弗吉尼亚的人对于结婚的观念是比你们这里的人好些的。”

她听见这话就圆睁着眼睛坐起来，将她的胸甲拉转身，重新把它扎紧。“恭喜恭喜！你是多么有进境了啊！我可以赌咒，贾爷，你跟两年以前离开这里的时候简直不是一个人了呢！”

伯鲁对她咧开嘴。“不是一个人了吗？”

她狠狠地朝他看了一眼，突地跪在他边上，被他搂进怀抱里去了。“哦，我亲爱的，亲爱的——我是非常爱你的！我看见你跟别的女人结了婚，简直忍受不了呢！我恨她，我轻贱她，我——”

“琥珀——不要这么说罢！”他存心跟她开起玩笑来。“你到底也结过四回婚了，我对于你的那些丈夫是没有一个怀恨的——”

“为什么你要怀恨呢？我原是对于谁都不曾爱过的！”

“就连皇上也不爱罢，我猜是？”

她听见这话不觉垂下了她的眼睛，暂时不免有点羞惭了。然后她重新正视着他。“就算爱，我也不像你这样呀——他到底是皇上呢。可是你自己总也知道罢，伯鲁，只要你肯接受我，我就可以马上撇开皇上和宫廷，乃至世界上的一切一切，无论你到什么地方我都跟你去了！”

“什么？”他讥讽地问她道，“你情愿抛弃这一切吗？”

当他说这话的时候，她突地听出他并不把她所处的地位乃至她生活上的奢侈和繁华看得具有怎样真正的价值。这就是她生平所尝感受的最最尖锐的一种幻灭。因为她想要将这些东西来向他炫耀一番，使他注意到她的爵位、她的权力、她的金钱、她的那些富丽堂皇的居室，谁知他不但并不感动，反而使他觉得这从生活里边奋斗得来的一切——这些使她不惜作任何妥协而谋得的一切——都是并不重要的。不但不重要，竟还都是废物呢。

“是的，”她温和地说道，“当然我是情愿抛弃的。”这时她有一种不可名状的感情，觉得自己非常卑微，乃至近乎惭愧了。

“唔，亲爱的，我连做梦也不会想到你会这样为我牺牲呢。你现在这些东西，都是你费了千辛万苦才挣到手的，自然配你在这里享受。而且这个地方也正配你这种人。”他耸了耸肩，向时钟瞟了一眼，就站起身来。“天色已经快晚了。我不能不走了。”

琥珀猛地跳起来追了上去。“为什么要这么急？你到这里还没有两个钟头呢！”

“我想你是跟人约好要去吃晚饭的。”

“我不去了。我要差人去谢绝，说害起气郁病来了。哦，你不要去罢，亲爱的，等一会儿我们一起吃晚饭！我们可以——”

“我很抱歉，琥珀。这原是我很高兴的，可是我不能。现在我就已经太晚了。”

她的眼睛给妒火烧成了金黄色，凶狠地在那里责备他。“你做什么事情觉得太晚呢？”

“我的太太在等我。”

“你的太太！”一个丑恶的表情从她脸上掠过去。“我看你在外边连半个钟头都不敢待罢，否则就要吃太太的耳光的！事情真奇怪得很，贾爷，想不到就只你一个人会变成了袁汤姆的！”袁汤姆就是怕老婆的男人的典型。

伯鲁一面穿外褂，一面回答她，眼睛不看在她脸上，声音之间却带着几分讥讽。“我怕我在美洲住得太久了，未免有点儿落伍。”说着他结上了他的腰刀，戴上了他的假发，拿起他的帽子，然后对她鞠了一个躬。“晚安，夫人。”

但是当他动身走出房去的时候，她就在他后面追着他。“哦，伯鲁！我这话是说着玩的，我可以赌咒我是说着玩的！请你千万别生气！我几时可以再和你见面呢？我也要看看小伯鲁，他还记得我吗？”

“他当然记得你，琥珀，今天还问过我什么时候可以让他来看你呢！”

突地她的眼睛露出一种恶意的光芒。“科丽娜怎么样——”

“科丽娜并不知道他的母亲还在。”

她眼睛里的光芒顿时消失了。“好一个巧妙的骗局！”她酸溜溜地说道。

“这是你自己同意过的，所以请你要当心，倘使她看见你同小伯鲁在一起的时候，千万不要让她看出破绽来。至于小伯鲁那边，我已跟他说得非常之明白，他决不会提起你来的。”

“我的天！这样可笑的事情我是自生了耳朵没有听过的。我想大多数的太太是用不着这么溺爱这么保护的呢！怎么——我的丈夫养了个婊子，我还每年贴钱给她呀！”

伯鲁低下头对她微笑笑，同时眉梢嘴角都带着一点悲惨的神情微微扭动起来。“可是亲爱的，科丽娜并没有受过你这样的好教育。事实上，她直到结婚的时候一直都过着幽隐的生活。”

“你们这些男人啊！这就怪不得你们当中那个天字第一号的妓院掌班人跟那种懦弱无能的傻女孩子结婚了！”

“我几时可以带小伯鲁到这里来呢？”

“怎么——什么时候都可以。明天罢！”

“两点钟？”

“好的，可是，伯鲁——”

他又对她鞠一个躬，就开步出房去了。琥珀站在那里目送着他，心境在愤怒和悲凄之间，一时委决不下，是摔破一桩东西好呢，还是痛痛快快哭它一场好。结果是连摔带哭面面俱到了。

第二天下午两点钟，他父子二人果然准时到了。那个孩子现在已经八岁半，比他离开母亲的时候个儿高得多，也老成得多，他跟父亲的相像处也比以前显著了，跟他母亲却一点儿都不相像。他是一个十分美貌而且纯乎男性的孩子，资质既好，仪度也翩翩，琥珀竟至有些难信他是自己所亲生，并且是在一个狂欢的时刻里面孕育出来的。

他一重见自己的母亲，脸上就现出急切欢快的神情，但他装作一个绅士的模样，一跨进门就停住步儿，掀去他的帽像模像样鞠了一躬。琥珀轻轻发了一声喊，急忙奔到他面前，一跪跪在地上，将他紧紧地搂着，热烈地拼命亲他的面颊，只觉一阵辛酸紧得她的喉咙也作痛。

这时那孩子也放弃他的礼仪，竭力回答他母亲的吻，却将脸孔频频扭开去，不让父亲看见他眼中涌起的泪儿。

“哦，我的宝贝儿，”琥珀喊道，“你是多么漂亮啊！你已经长得多么高了啊——多么强壮了啊！”

那孩子不禁暗暗地啜泣起来，不住拿手背擦去眼泪。“我一直在惦记你，母亲。你要跑到美洲去就会觉得英国是非常遥远的了。”说到这里，他方才咧开嘴来将一只褐色的手放在她的肩膀上。“你现在美丽得很呢，夫人。”

“你为什么不跟我们一起回美洲去呢？我们现在住在弗吉尼亚的一所大房子里，那地方大得很，我们大家都住得下，再多些人也住得下。你愿意去吗，母亲？我知道你一定会比伦敦更喜欢些的——那个地方好得很呢，我可以打包票。”

琥珀向伯鲁迅速地瞥了一眼，又将那个孩子亲了亲。“你要我去跟你们同住，我当然很乐意，亲爱的，可是我想我不见得能去罢，你看，这里就是我住的地方。”

于是他转过头，向他父亲去申诉，那种神情活像一个办事人有一种实际的提议去向别人陈述似的。“那么我们为什么不都住在这里呢，爵爷？”

伯鲁将身子蹲了下去，使得他的面孔和他儿子的面孔差不多齐平，他伸过一条臂膀去搂住那孩子的腰部。“我们不能住在这里，伯鲁，因为我不能离开垦殖场。美洲就是我的家，不过你可以住在这里，如果你喜欢住在这里的话。”

一阵失望倏地从他脸上现出来。“哦，可是我不愿意离开你呢，爵爷，而且我也喜欢美洲。”他又回转来朝着琥珀。“你有一天会来看我们吗?”

“也许。”琥珀轻轻说道，可是她不敢看在伯鲁的脸上，然后她一下子跳了起来。“你高兴去看看你的妹妹苏姗娜吗?”

三个人一同走下楼，到了育儿室里，苏姗娜跟着一个怒气冲冲的法国女人在那里学跳舞，他们走到那里的时候，那个女人正顿着脚向苏姗娜急喊着，苏姗娜见她哥哥，一时记不起来了，因为她哥哥走的时候她还不过两岁半呢，但是不多一会儿他们就兴高采烈地谈起话来，交换着双方的消息。琥珀将仆人们打发开去，于是两间屋里就只剩下了他们四个人。

小伯鲁虽然很像个大人模样，却仍禁不住要跟他的小妹妹吹一番牛。因为他现在住在一个庞大的新国里，并且曾经两次渡过了海洋，跟他父亲在垦殖场上骑过他自己的马，又正在学习划船，又正在他们动身回来之前打到过一只野火鸡，可是苏姗娜听了他这番牛皮并不肯认输。

“啐！”她轻蔑地说道，“有什么稀罕啊！我还有两个父亲呢！”

小伯鲁听了这话只是愣了一下。“这算不了什么，姑娘，我有两个母亲！”

“你撒谎，你这流氓。”苏姗娜嚷道。她这一下挑战几乎引起一场吵闹来，亏得琥珀和伯鲁急忙提议大家做游戏，方才得平安无事。

从此以后她常常看见贾爷，甚至他有时不带那个小孩子也会来了。每次来的时候总不过待一两个钟头，可是他并不怎样竭力求保密，琥珀因而断定他的结婚并没有像她当初所虑的改变什么。末了她的胆子大起来，有一天竟对他说道：“如果科丽娜知道我们的事情怎样呢?”

“我希望她不会相信它。”

“不会相信它？哦，天，你把她看得多么天真呀？”

“她是没有习惯伦敦的道德。如果她听见这种谣言，大概会把它当作恶意的中伤罢。”

“可是她如果不那么想呢？如果她问起呢？”

“我是不肯跟她说谎的。”说着他给了她一个迅速的怒视，“你听我说，你这小妖精，倘使我查出来你在那里玩什么把戏，那我就要——”

“就要怎么样？”

她的眼睛闪亮着，她的嘴儿咧开来，从床上翻过一个身，两条臂膀将他一把搂住，两个奶子搁在他的肩膀上。他们的嘴很快凑合起来。两个人的脑子里面都没有了科丽娜的影子。

日子过得愈久，琥珀的自信心愈强，因为伯鲁虽说他爱科丽娜，但她知道他也爱她。他们同甘共苦的日子长久了，各人都有不少的回忆，她确知道这些往事前尘都还留在他心上，且将永远留在他心上了。她开始觉得他的太太不过是一种累赘，一种社交的妨碍，虽然长得那么美，她已不像起先那么怕她了。

正不出她的料想，他们的幽会是不能秘密长久的。巴铿汉公当然自始就知道，阿林敦不久也就知道了，查理虽然从来没有提起这事情，自然也早已知道，可是这班大老官们都有他们自己更重要的事，无暇顾及一个女人的风流事儿，至于宫里的那些贵妇，却都要出来管闲事了。

贾爷夫妇回到伦敦还不到一个月，曹戴克伯爵夫人和米琴妮小姐有一天早晨去看琥珀，刚刚碰见伯鲁从里面出来，伯鲁向她们两个鞠了一个躬，米小姐就给他送去一个最最娇媚的秋波，曹戴克夫人也万分殷勤地想要留住他攀谈几句，他却向她们告了个罪，急乎要走开了。

“啊唷，不要紧的呢，爵爷，”曹戴克夫人气愤地说道，“你走你的罢，可是你要记得，无论哪个男人这么大老清早从这位夫人房里走出来，他的名誉总要有点不干不净呢！”

“再见罢，夫人。”伯鲁说着又鞠了一个躬，就掉头不顾而去了。

那米小姐目送他穿过走廊，不觉把个红喷喷的嘴巴紧紧鼓着。“我的天，这个人可长得漂亮呢。我可以赌咒，真把我看得眼热杀了！”

“我告诉你罢，我告诉你罢！”曹戴克夫人大声嚷道，“他就是她的情人呢！来罢，咱们进来罢——”

她们进了门，看见琥珀正在卧室中央地毯上面放着的一个大理石盆里洗澡。那盆澡汤里面掺着驴奶，熏得热气腾腾，澡盆下部摊着一条白狐皮，将她的身体从腰以下掩饰着。房间里面拥挤着许多兜销货物的商人，纷纷嚷嚷大家一齐在说话，那个猴子在那里唠叨，那只鹦哥在那里咭呱，那只狗儿也汪汪叫个不停。澡盆背后还站着她家里的一件新鲜点缀品，就是一个高高胖胖的太监，相貌长得非常好，年纪不会过二十五岁。这种人本来都是被亚尔热里尼海盗每年劫掠而去的海员，经过阉割之后卖回到英国最上等太太家里来做点缀品的。

“不，”琥珀正在说，“我不要这个，这可怕极了！我的天，你就瞧瞧那个颜色罢！我是无论如何穿不上身的——”

“可是，夫人，”那个商人抗议道，“这是顶顶新出的花样呢！我刚刚从巴黎贩了来的。这个名堂叫‘闭结’——我可以赌咒，夫人，这是再要时髦也没有的了。”

“我不管，我要穿起它来就像一只紫貂了。”这时两个女人已经走到她背后，她吃了一惊，不觉发出了一声低喊，“哦，天，怎么你们两个来得这样鬼鬼祟祟的！”

“鬼鬼祟祟吗？我们是吵吵闹闹进来的呢，夫人。大概是你自己想什么出神了罢！”

琥珀给她们一个微笑，一面用她的大拇指和无名指夹碎一些肥皂泡儿。“哦，也许你们是对的。现在你们都可以走了，”她对那些商人说，“今天我再不要什么东西了。赫尔曼——”她别转头来向那个太监说道，“给我一条手巾。”

米小姐的眼光很欣赏地掠过赫尔曼甚是惹眼的体格，便开口说起话来，仿佛并不当他是个人，却是一件没有生命的物事似的："你这家伙长得好看呢，是哪里弄来的呀？我家里的太监简直像个稻草人，吓坏人的，真是要命！"

琥珀接过那条手巾，就站起来开始擦干身子，那两个女人却拿妒忌的眼光牢牢瞪视着她，她是意识到的。但她故意让她们去看个痛快，她知道她们不会找出她身上的一丝毛病来，因为她虽然养过三胎，她的身体却还跟十六岁的大姑娘一样——腰身还是那么尖尖翘翘的。这原是由于她料理得好，但也许有几分运气呢。

"哦，他是我从什么——嗯，东印度公司的商人那里买来的。价钱贵得很，可是看他这个相貌也总算值得了，是不是？"

曹戴克夫人带着一种轻蔑的眼光将他看了看。"嗨，我是不要这种东西的！这种龌龊的家伙！作为男人却不能干男人最最有意义的事。"

琥珀笑起来。"我听说他们当中也有些能替你干事呢。你若不相信，改天把赫尔曼借去试试好吗？"

曹戴克夫人虽然平时名誉不十分干净，听见这话却认为奇耻大辱，不由得愤怒起来，但是米小姐急忙改换了话题。"哦，我想起来了，夫人，刚刚我们在你门口碰到的那个人是谁呀？"

琥珀急忙瞅了她一眼，知道天机已经泄漏了，但她反而觉得有点高兴，因为这段新闻虽然她自己不敢宣传，却巴不得有人替她宣传开去。"贾爷罢，我想是。你们两位请坐。我这里用不着拘礼节的。"

原来宫里有一种礼节，凡是下级命妇去见公爵夫人，公爵夫人不叫她们坐就不敢坐，坐也只是没有靠手的椅子，琥珀自尊自大，因得借此大摆架子。又凡在王后接见的宫中，爵位较低的命妇一见公爵夫人进去就得让座。琥珀平时见有人不理睬她，或是讥笑她，总暗暗衔恨在心，及至她们给她让座儿，方觉得扬眉吐气。

她擦干身子，便将手巾递给赫尔曼，两手插进一个侍女替她擎在那里的一件浴衣里，两脚伸进一双木屐，拔下头上的插针将头发猛力一抖。她每次看见伯鲁，总要燃炽一种温情，这时这种温情仍还逗留着，而且萌起一种幸福之感了。她觉得一生之中从来没有像现在这样爽心快意过。

“她们都说这位贾爷是声名狼藉的呢，”曹戴克夫人又开起口来了，琥珀却只给了她半个微笑，又把眉毛耸起来，“要是人家看见他常常在夫人房间里进出，我怕是要累及夫人的名誉的。”

琥珀不及开口回答，米小姐便先喋喋地插进话来。

“我的天，可是他实在漂亮得紧呢，真是要命！我可以赌咒，我从长眼睛以来还没有看见过这样漂亮的男人呢！可是我每次看见他的时候，他总一心一意注意在自己太太身上！我真不晓得夫人你用什么法儿，能够和他这么热乎！”

“哦，你还不晓得吗？”曹戴克夫人嚷道，“怎么，这位夫人与他相识多年了！”她又回过头来对琥珀嫣然地笑着。“是不是，夫人？”

琥珀笑起来。“我抗议——你们两个对于这事的消息倒比我自己还灵通呢。”

此后她们还谈了一会儿闲话，也无非是关于朋友相熟们的行踪罢了，可是曹戴克夫人和米小姐此番到这里来的目的已经达到，不久就兴辞而去，向白宫和修道院里传播消息去了。但是后来伯鲁从没有对琥珀提起过这桩事儿，琥珀每次看见科丽娜，科丽娜也同往常一样仍旧与她很亲热，分明她是毫不疑心这位乐文斯柏公爵夫人和她丈夫有什么事情的。

于是就在贾爷和贾夫人回到伦敦约摸八星期的时候，有一天琥珀就去拜会科丽娜去了，故意捡了伯鲁和皇上出去打猎的一天去的。去时科丽娜寄居在阿木笔府，听说有客人到就迎出起居室的门口来，及见客人是谁，便真心喜得满脸堆笑。宾主二人都行了万福，可是并没有抱着亲吻，因为科丽娜还没有染上伦敦人的习性，琥珀虽是惯了的，却不能和她亲热到这般。

“承蒙夫人屈尊光降，真是荣幸之至！”

琥珀一面拉去了手套，一面瞟了科丽娜一眼，不由怨怒和嫉妒一时交集。“哪儿的话，”她漫不经心地抗议道，“我早就该来看你了。可是，天！住在伦敦老有事情叫人忙得不可开交。今天到这儿，明天到那儿——一会儿这样，一会儿那样！简直是野蛮呢！”说着她向一张椅子上坐了下去，“你刚刚从美洲来，一定觉得生活大大改变了。”她的言外之意以为美洲是个非常无聊的地方，除了看顾孩子和做针钱之外，没有什么事情可干的。

她一面谈话，一面就将科丽娜浑身上下地打量起来，对于她的头发和衣服，乃至她走路的样儿、抬头的姿势、坐在那里的态相，都逐细加以审察。当时那贾夫人穿的是一件珍珠灰的缎衫儿，胸口插着一朵粉红色的麝玫瑰，颈脖子上围着一串青玉的项圈，此外再没有其他首饰，就只一个金镶青玉的结婚戒指而已。

“确是两样的，”科丽娜同意道，“可是说也奇怪，至少从我个人讲，我觉得伦敦所能做的事情还不如美洲多呢。”

“哦，我们这里的消遣多得很呢，只要我们熟悉就行。你喜欢伦敦吗？一定觉得这是一个伟大的城市罢？”这时琥珀虽然竭力要避免讥讽的语气和瞧不起人的神情，可是言词之间一种高傲的气派仍旧不期要流露出来。

“哦，我是爱伦敦的，可惜的是我没有在它那场大火之前看见它。你总知道，我们是在我还不满五岁的时候就离开这里的，现在我什么都不记得了。不过我一直都想回来，因为我们在美洲的人都仍把英国当成自己的‘家’。”

她说这番话的时候，态度非常闲雅，又带着一种喜悦的神情，琥珀恨不得找出一句话来，将她安然身处其中的那个妥密保护的幽静世界立即击得粉碎。可是这话她始终不敢说出口来，却只支支吾吾地说道：“不过你不觉得无聊之至吗——住在那一片垦殖场上？我想你在那里是除了黑人和野蛮的印第安人之外一辈子也见不到人的。”

科丽娜笑了起来。“我想那个地方对于那种一直住在城市里的人也许要觉得无聊，对于我可不会。那是一个非常美丽的地方。所有的垦殖场都有河道围绕着，我们坐起船来很方便，无论到哪里都可以。我们也很喜欢开宴会，往往一次宴会可以长到几天或几星期。那里的人都有工作，当然都很忙，可是他们仍旧有充分的时间可以打猎，钓鱼，乃至于赌钱，跳舞。哦，夫人，请你原谅我，我又拿这套废话来讨别人恨了——”

“哪儿的话！我一直都在猜想美洲到底是怎样一个地方。也许将来我要到那里看你去。”她忽地说出这句话来，连她自己也想不出是什么用意。

可是科丽娜却把她这话当真了：“哦，夫人，这再好没有了！我们夫妻一定欢迎之至！你真想不到你一去会怎样轰动一时呢！美洲到了一位公爵夫人和绝色美人了！弗吉尼亚的那些大户人家一定家家户户都要为你大张筵宴，不过大部分的时间当然都由我们招待啰。”她说时满脸笑容，乃是真心的笑，没有丝毫的虚伪，琥珀不由得怒火中烧，心想这个女人真过惯隐居的生活，可恨她竟麻木到如此程度！

可是她这一腔愤怒也无法表露出来，只得换个话题问她道：“你什么时候动身到法国去呢？”这句话儿她已问过伯鲁好几次，但总得不到确定的答复，又因他们到这里已经两个月了，惟恐他们不久就要动身。

“怎么——一时还不能走罢，我想是。”科丽娜回答了这句话就有些迟疑起来，仿佛她委决该不该再说什么，然后她带着一点得意的神情，又仿佛跟琥珀说知心话似的，马上接下去说道，“你不要见笑罢，我已发觉身上有了孩子，我丈夫的意思以为既然这样就不便动身，要等孩子养了后走呢。”

琥珀没有说话，但是一时之间吃惊得心中作痛，心思和肌肉似乎都麻木了。“哦，”她终于听见她自己喃喃说道，“这不是很好吗？”

但是一转念之间她又愤然地责怪自己不该做傻子。那个女人怀了身孕又有什么关系呢？这对于她能有什么意义呢？她是总该觉得快乐的。因为这么一来他就要比原计划的日子等得更久了，因为科丽娜直到现在还没有显出一点怀孕的形迹。她站了起来，说她得走了，科丽娜就拉了拉铃叫了一个仆人来。

“承蒙劳驾，感谢得很呢，夫人。”她送琥珀到门口说道，“我希望我们做好朋友。”及至她们走到门弄里，琥珀转头平视着她。“我也希望这样呢，夫人。”这时出乎自己意外地，她忽地说到别的事情上去了。“昨天我在白宫里碰见过你的儿子。”

一阵迷惑的神情迅速闪过科丽娜的脸，可是她马上就笑起来。“你是说小伯鲁呢！他不是我的儿子，夫人，他是我丈夫的前妻养的，只是我爱得他同自己亲生的一般。”

琥珀没有说什么，可是她的眼睛突地变强硬起来，一种猛烈的妒火重新又冒起。你这是什么话呀！她愤愤然地想道。你爱得他同自己亲生的一般！别人有什么权利可以爱他呀！你连认识他的权利都没有呢！他是我的——

可是科丽娜还在说她的话儿。“当然我从来没有见过这头一个贾夫人，连她姓甚名谁我也不知道，不过她能有这样一个儿子，我想她一定是很了不起的。”

琥珀勉强装出了一点微笑，但是丝毫没有乐趣。“你真是宽宏大度，夫人。我还当你要恨她呢——他那头一位夫人。”

科丽娜慢慢地展开笑容。“恨她？为什么我要恨她呢？到底他现在是属于我的了。”她说的这个“他”当然是指老子不是指儿子。“她又把她的孩子留给我了呢。”

琥珀急忙转过身子，以免对方看出自己的面色。“我得赶快走了，夫人，再见罢——”说着她就动身穿过了走廊，但她跨过楼梯才不过几步，便又听见科丽娜在那里叫喊。

“夫人——你掉下你的扇子了——”

她佯装听不见，管自向前走去，因为她不敢再去和她面对了。可是科丽娜在她后面拼命地追赶，只听得她那一双金色高跟鞋子响过一阵清脆的声音。“夫人，夫人，”她又叫道，“你落下你的扇子了。”

琥珀回转身去拾取那扇子。科丽娜站在楼梯上俯视着她，脸上重新展现一种非常亲热殷切的笑容。“请你不要当我愚蠢罢，夫人——可是我一直都觉得你是不喜欢我的——”

“当然我并没有不喜欢你——”

“是的，现在我也知道你没有。从今后我不再那么想了。再见罢，夫人——盼望你以后再来光顾。”

第六十三章

十月上旬一个暖热的夜晚，泰晤士河上举行放花灯。这是皇上最喜爱的一种娱乐，当时许多贵族都聚集在临河的廊子上随同观赏，河中无数画舟都扎着花圈插着旗幡，灯笼火把照耀得如同白昼。对岸在那里大放花炮，一道道的黄光射过天空，一阵阵的烟花丝丝落到水面上。画舟里乐声悠扬，宫中的一只角里也有一班供奉的弦乐班在那里弹奏。

在那音乐声、花炮声，乃至嘈杂的谈话声掩护之下，曹戴克夫人正跟琥珀在那里说话。“你知道卡塞曼夫人最近征服的是谁？”

琥珀并不感多大的兴趣，因为当时伯鲁和科丽娜就站在数英尺外，她正一心一意地注目在他们身上。她只没精打采地耸了耸肩。“我怎么会知道呢？是谁啊——伏克劳吗？伏克劳是个威名大震的巨盗，向来都在夸说不止一个贵族命妇曾经邀他伴寝。”

“不，你再猜猜看，是你的一个好朋友。”

琥珀向来知道曹戴克夫人的为人，便向她狠狠地瞪了一眼。

“谁？”

曹戴克夫人的眼光射到贾爷身上去，示意地耸了耸眉毛，然后笑嘻嘻地重新注视着琥珀的脸。琥珀急忙向贾爷瞥了一眼，然后回到曹戴克夫人脸上来，她的面色变得雪白了。

“这是一个谎!”

曹戴克夫人耸了耸肩，懒洋洋地摇着她的扇子。“信不信由你，事情确实是真的。他昨天晚上还在那里呢——我这是千真万确的消息哦，天，夫人!”她假装惊慌失色的样儿。“你当心些——你连小马甲儿都要胀破了!”

“你这多嘴多舌的婊子!”琥珀怒不可遏地喃喃说道，“你专会制造谣言，正同粪缸里面制造苍蝇一般!”

曹戴克显得大受委屈的样儿，将琥珀看了一眼，翘了翘头走开去了。一刻儿之后，她又扑在另一个人的耳朵上嘁嘁喳喳在那里私语，然后她脸上带着一个暗笑，向琥珀的方向点了一点头。琥珀竭力装起漠不关心的样儿，走过去挽住阿木笔的臂膀。阿木笔和她点头打招呼，她就尝试给他一个欣然的微笑。但是她的眼睛流露出心中的苦恼。

“怎么一回事啊?”阿木笔低声问她。

“为的是伯鲁，我得要见一见他！马上要跟他说一句话!”

“可是，宝贝儿——”

“你知道他干出什么事来了吗？他跟琶默芭芭拉睡过觉了！哦，我恨不得将他一刀杀死呢——”

“嘘!”阿木笔警告着她，一面向四周掠过一眼，因为当时他们四周正有十多双机警的耳朵在那里倾听。

“这有什么关系呢？这是他以前做的。”

“可是曹戴克在那里逢人便说了。他们大家都要笑我呢！哦，这个天杀的!”

“你想过人家也要笑他自己的太太吗?”

“我去管她做什么呢！我巴不得人家笑她！而且她自己是不知道的呀——我可知道!”

及至她下次看见伯鲁，她就试图要他答应不再跟芭芭拉往来，伯鲁虽然并不肯答应，她却知道他后来果然不再跟她往来了。因为从此不再听见人家谈论这桩事，而她肯定芭芭拉自己是决然不肯守秘密的。至于她自己跟他的事情，却传播得愈来愈广，声名也愈来愈难听了，终于伦敦时流社会里面无人不知道，只有科丽娜本人还分明蒙在鼓里，这事说起来也难置信。不过琥珀心想科丽娜是个大傻子，哪怕亲眼看见伯鲁跟她在一床睡觉，也不会相信伯鲁是她的情人。

然而琥珀转错念头了。

因为科丽娜头一天晚上跟琥珀见面，就已被她那种服装弄得惊骇万状了，并且觉得自己当时那么深切地注视她，也是大为失礼的。后来看见琥珀对她那么一副冰冷的敌意，总以为是因为这桩事遗憾在心，及至琥珀亲自到那里去看她，她方才感到真正的快乐，以为琥珀对她自己已经释然无憾了。但在这桩事之先，她就早已看出琥珀跟她的丈夫眉来眼去，总未免有点可疑。

在她跟伯鲁结婚后的四年当中，她曾经见过许许多多不同种类的女子——从垦殖场上的黑色妓女到皇家港里的封爵妇人——尝试要勾引她的丈夫。但她知道伯鲁诚心地爱她，自己的地位十分稳当，所以不但从来不会担忧妒忌，反而觉得这种事情很有趣。及至见得这一位乐文斯柏公爵夫人，方才认识她是一种不可轻视的麻烦。因为她长着那么一双勾魂摄魄的眼睛，那么一头富丽鲜艳的美发，那么一个富于肉感的身材，又加她对男人的吸引力是那么强烈，那么具有燃烧性，竟跟伯鲁对女人的吸引力一模一样了。像这样一个尤物，当然任何女人对于自己所爱的男人都不能不加戒备。

科丽娜自从结婚以来，这是破题儿感到第一遭恐慌。

不久之后，其他的女人又都开始给她种种暗示了。在人家的宴会中，或是特来拜访的时候，她们总都不怀好意地给她种种冷嘲热讽。有时伯鲁在桌上打牌，琥珀靠在他的椅子背后看，几乎跟他面面相贴着，奶子压在他的肩头，于是那些女人就又互相捣起胳膊或是丢起眼色。曹戴克夫人和米小姐曾有一个早晨邀她同去看琥珀，又碰到伯鲁从她屋子里出来。

但是科丽娜对于别人分明要她相信的那桩事却不肯轻易置信，她一直自安自慰，以为那些不逞之徒见到别人比他们幸福，比他们满足，总喜欢造谣生事希图破坏人家。她要竭力维持自己对于伯鲁的信心，乃至伯鲁对她自己的意义。她决计她的生活不能因为有一个女人迷恋她丈夫或因别人希图破坏而致她对丈夫的信心动摇毁灭。她是没有过惯白宫生活的，因为这需要时间，犹之从光天化日之下进入一间黑暗的房中也是一样过不惯。

但她无论怎样达观，也仍旧难免对这位乐文斯柏公爵夫人滋长起一种卑鄙可恨的嫉妒。她每一看见琥珀眼睛看伯鲁，或是跟伯鲁谈天，或跟他对坐牌桌旁，或只是碰面的时候拿扇子拍一下他的肩膀，就不免要突然感到一阵痛心，恐慌得打寒噤。

末了她只得对自己招认，她是憎恨那个女人了。而她因为憎恨她，却又自觉有点惭愧。

然而她不知道怎样防止她那一腔心事迅速进展而成伦敦人所谓的一个事件。伯鲁已不是一个孩子，由不得你指挥摆布了——你不能够禁止他晚上迟回，也不能够警告他不去跟美貌的女人勾搭。而且到现在为止，他的行为也并不曾发现过可以置疑的真正理由。那天早晨她在公爵夫人门口碰到他，他的态度很从容自然，并没有丝毫慌张惶恐的形迹；他又对她照常地关切，照常地殷勤，就是他们离开的时候，她也晓得他是在什么地方。

那么一定是我的错了！她告诉她自己说。我从来没有住过宫廷，也从来没有住过大城市，因而我是不免无故多疑的。然而要是换了另外一个女子，我也就不至于这样疑心了。

为了补偿她对他的这种疑心，她只得对他格外讨好柔媚起来。她怕的是他要发觉她的态度有些异状，因而要猜到它的原因，那么他会对她产生怎样一种感想呢？——如果他知道她多么卑鄙多么量窄而妒忌的话？而且她若真的错了——因她坚持告诉自己一定是错的——那么就要轮到伯鲁对她丧失信心了。他们的结婚在她看来似乎是毫无遗憾的，因而她惟恐由她自己的过失将它破坏。

她当初虽然朝思暮想要回来看看伦敦，现在因为不喜欢这位公爵夫人，也就厌憎到这个城市，巴不得他们立刻就离开它了。她已经开始怀疑伯鲁所以不主张马上就到巴黎，却要等她做了产才走，大概就是因为这位公爵夫人的缘故。也就为了这一点，她竟不敢向他提议到法国去找他妹妹了。因为他假如猜出了她的缘由来呢？他原说过这是为她的安全，而且他们两个都是急于想要这个孩子的。那么她的急于要走还有其他什么理由可以借口呢？（原来他们也曾养过一个儿子，去年弗吉尼亚天花流行的时候不满三个月就死了。）

于是她怀着一些不耐和轻蔑，不由谴责起自己的懦怯来。我是他的妻子——而且他爱我。如果这个女人对他不免有些意思，也只能算是一时的迷恋，这是不会维持长久的。等到他已将她忘记得干干净净的时候，我也还是跟他一同生活呢。

有一天晚上，完全出于她意料之外，他忽然用一种愉快的谈话语气问起她道："皇上不是请求你给他一个约会吗？"那时他们刚从白宫出来，房间里已经没有人了，他正在那里脱衣服。

科丽娜瞥了他一眼，心里不觉骇然了。"怎么——你为什么问起这句话来？"

"什么？他分明是爱慕你得很呢，是不是？"

"他待我原是很好——不过你是他的朋友。你不见得会疑心别人要他的朋友来当乌龟罢？"

伯鲁微笑起来。"亲爱的，寻常男人总是先由朋友要他当乌龟的呢，这理由很简单——就因朋友才有最好的机会。"

科丽娜瞠视着他。"伯鲁，"她轻轻地叫道，其时伯鲁正在脱衬衫，就回转头来看着她，"你有时候说话多么奇怪啊！你也知道你这种话多么残酷多么狠心吗？"

伯鲁将衬衫扔过一边，走过去将她搂在怀里，温存地微笑起来。"对不起，亲爱的，可是我有许多的事情你还不知道——我在和你认识之前已经生活了许多年，因而有许多事情都是你没有份儿了。当你还没有出世的时候，我就已经长大成人，送过我父亲的终，眼见我的国家毁坏了，并且在军队打过仗。你生出来不过六个月，我就跟着吕贝亲王去捕获商船去了。哦，我知道——你总以为这些事情跟我们现在已经没有关系了，然而是有关系的。你所生长的那个世界跟我的世界不同。我们都并不是我们外表上的这种样儿。"

"可是你并不像他们，伯鲁，"她抗议道，"你并不像这宫廷里的这些人！”

“哦，我并没有学会他们那套表面文章，我不会在大庭广众之中画眉毛，梳假发，也不会拿太太们的扇子玩。可是，唔——老实对你说罢，这个时代是有点病了，所以凡是生活在这个时代里面的人也都难免要染这种病。”

“可是我不也生活在里面吗？”

“不，你不是！”说着他放开了她，“你并不是这个破烂世界的一份儿，这该得感谢上帝！”

“感谢上帝？可是为什么呢？你不喜欢这一班人吗？我想他们都是你的朋友呢。我巴不得自己能够更加喜欢他们——我是说那些太太。”她说这话的时候，心里想的是乐文斯柏公爵夫人。

伯鲁听了这话，不觉把嘴巴悲苦地扭了扭。“科丽娜，我亲爱的，你的这种傻念头是从哪里弄来的？从今以后不要再想这种事情罢。哦，科丽娜，你真的不晓得那天我在皇家港里看见你的时候心里多么快乐呢。”

突地她的恐惧和妒忌尽归消失。一种伟大而奇异的舒畅意识扫过她，涤荡去了她的满腔憎恨，涤荡去了正在她胸中酝酿的猜疑的毒。

“现在你还觉得快乐吗，亲爱的？哦，我是记得清清楚楚的！”

“我也记得清清楚楚，当时你们是到教堂里去。你身上穿着一件黑色的衫子，头上披着一件黑色的面纱，上面插着几朵玫瑰花。我还当你们是西班牙人呢。”

“我的父亲却当你是个海盗！”说着她仰头大笑起来，觉得自己已经回到从前那种安全快乐的日子，并没有这种戴着“公爵夫人”衔头的骚狐狸要夺走她的丈夫。“他还预备向你挑战呢！”

“这不能怪他，我当时的样儿一定难看得很。我上岸来还不到半个钟头呢。记得罢——我是跟了你到教堂里去的——”

“而且一场礼拜做完你都瞪着眼儿对我看！哦，把个父亲光火得什么似的！可是我不管——我是已经爱上你了！”

“肮脏的衣服，留了五天的胡子，乃至那一切！”

“可是那天晚上你来看我的时候——哦，伯鲁，你真想不到我对你的观感怎么样呢？简直就像我读到过的那些神话里的那种王子了！”

他抬起头来看着她，她的眼睛光彩得像教堂里的玻璃了。突地他自己的眼睛闭起来，仿佛要避免种种使人烦恼的景象似的，但是同时他的臂膀将她搂得更紧，他的头弯下来亲着她，哦，你是做了一回傻子了，科丽娜对她自己说道。他当然是爱你的——当然他也忠实于你的！要不然的话，我一看就可以看出来，他一碰到我的时候就可以感觉出来呢。

然而下次她看见琥珀，她的怨恨比以前更加强烈了，因为她看出了琥珀对她露出一种轻蔑的神情，心里暗自在那里讥笑，仿佛自己胜过她了。但是那位夫人对于她的态度比从前亲密了许多，跟她说话也一直那么和颜悦色。

这么一来，科丽娜更加捉摸不定，心里愈加猜疑起来。末了她再也熬不住，就决计去跟伯鲁谈一个明白，然而一时仍旧说不出口来。有一天晚上，他们一同从宫里走出，她才逼着自己开始这一番谈话。她已经准备过多次，每一句要说的话曾暗暗背诵过几回，所以说出口来就像背书一般。

“今天晚上乐文斯柏公爵夫人多么可爱啊，我想她比卡塞曼夫人还要美丽呢，你看是不是？”她口里这么说着，一颗心却在里面怦怦地跳，以致她没有听见自己的声音，一双手插在手笼里拼命地捏着，已经潮湿冰冷了。

其时他们的马车两旁有许多骑马的随从，手里都拿着火把，将一种晃晃荡荡的光线照到他们身上来，可是科丽娜只一直看着前面。她觉得伯鲁迟疑了半晌方才回出话来，她在这半晌的时间里，心中难受得如同煎灼一般。我是万不该提起这事来的！她暗暗懊悔道。原来连她名字的声音对于他也是有意义的——而这一点意义我却不愿意知道。那么我又何苦多此一举呢！

她听见他开口说话了，他的声音非常平淡，一点儿没有情绪，仿佛是在评论天气一般。“是的，我想她很可爱罢。”

她听见这话，才觉得心里突然一松，便几乎有些快活起来道：“她在那里竭力勾引你呢。我想我是应该嫉妒她的。”

伯鲁将她看了看，依稀恍惚地笑了笑，却并没有回答。

但科丽娜觉得话儿已经说开头，就不如趁此机会索兴追究它一个彻底。“有人说她从前做过女戏子，是真的吗？或者只是谣言呢！我看许多女人好像都不欢喜她。她们说她许多可怕的事情——当然都因为妒忌她罢。”她又急忙补充道。

“天底下的女人准会彼此喜欢？我想这是不常有的事呢，不过说她当过戏子，那倒是真的——好几年前的事了。”

“那么她并不是世家出身了？”

“不，她家里人是种田地的。”

“可是她的财产和爵位是从哪里来的呢？”

“一个女人如果不是生来就具备这些东西，那么她只有一个方法可以取得，她的这些东西也就是由这方法取得的。起先她嫁给一个富有的老商人，后来那商人死了，三分之一的金钱由她承袭，她就拿这些钱买了一个爵位来——也是一个老头儿的，现在那老头也已经死了。”

“不过她现在是结过婚的，不是吗？可是她的丈夫呢？我从来没有看见过他呢。”

“哦，他有时候也要进宫来的。我想他们并不很相熟罢。”

“并不很相熟！跟她自己的丈夫并不很相熟！”科丽娜听见这话真正骇异了，竟至暂时失去她自己那种神经紧张的感觉：“那么她到底为什么要跟他结婚呢？”

“我想是为给皇上跟她养的那个私生子取得一个姓罢。”

“哦，天！我仿佛是跑进一个奇怪的新世界里来了！怎么这里什么事情都好像是颠颠倒倒的！”

“原是颠颠倒倒的啊——你要觉得不颠倒，除非你将自己颠倒过来站在炉人当中去。你大概是很高兴回家去了罢，是不是？”

“哦，是的！”她觉得自己这种表示未免太迫切，便又急忙补充道，“这不过是因为惦记夏山及夏山跟我们有关的一切，别的没有什么意思。”说着她转过头去看看，刚巧他也将脸凑近，以至两个嘴唇接触着，他就将嘴压到她的嘴上来。

过了几天，科丽娜同她的侍女到新交易所里去买一点小物事。那交易所位置在泰晤士街的尽头，是一座熏黑的石头大建筑，上下层都有两道走廊，走廊两旁的那些小店铺都各有一块招牌，挂得非常低，普通个儿的人都得弯身走过去，否则不免要碰头？那些做买卖的人大部分都是面貌姣好衣衫齐楚的女孩子（不过也有少数青年男子在里边），每天在那里展示色相任人欣赏。这是全城里面最最时髦的一个游荡处和约会处，一班花花公子都在那里等待那些瞒住父亲勾引男人的年轻女子，但是那些冒失的男人初次碰上她们，她们总不免有一番装模作样。

当时科丽娜带着她的侍女走上了楼梯在那廊子里漫步走着。当即有许多人的瞪视和低声的吹哨乃至大声的评论从她背后随了来，因为有许多美貌女人会立刻和那些男人拌嘴或是打情骂俏起来的。科丽娜却还没有染上这种伦敦习惯，所以一直都不理他们。

末了她在一个摊儿前面停下来，那摆摊儿的夏小姐是个娇小玲珑的女子，曾经做过许多阔人的相好，现在却闲着没有人包她。

“你好呀，贾夫人！”她欣然说道，“我还不晓得你也跟贾爷同来的呢。”

“哦，贾爷也在这里吗？”

说着她就回转头四下里瞥了一眼，这才仿佛是预先知道似的，看到对过廊子里去，就见他背着自己站在那里了，分明是跟一个人在那里谈话，不过那人被他的庞大身躯遮没了。她就冲动地拔脚上前，意欲掩到他背后去吓他一吓，谁知这个当儿对面有个人走来，她只得向旁边闪避一下了。这么一来，她就看出自己的丈夫正跟乐文斯柏公爵夫人在那里谈话。

她大吃一惊，立刻收住了脚步。

难道他是偶然在那里碰见她的吗？当然啰！她竭力要她自己相信这一个猜测。但她经过以往几个星期里的种种狐疑，乃至种种暗示和猜忌，现在看出他们并立在那里，对于她是只有一种意义的。她当即掉转了头，竭力掩饰着自己的纷乱和羞辱。那夏小姐也现出了一副尴尬的容颜，仿佛她已经觉得自己冒冒失失泄露了一桩严重的秘密了。

“他现在正跟一个朋友在那里谈天，”科丽娜嘴里这么喃喃说着，其实并不晓得自己在说什么，“我等买好东西跟他到底下马车碰头罢。”

“我上礼拜跟你说过的那种镶花衬衫，现在可以拿出来给你看看吗，夫人？这批货色是两天之前刚从法国货船里装来的呢！”她说话的时候，神情有些慌张，禁不住眼睛频频瞟到对面廊子去。她深悔自己铸成了这个大错，不觉脸孔涨得血红，只得拼命将一大捆一大捆的衬衫堆到柜台上。哦，怎么这样可爱这样温柔和善的一个女人偏偏就是贾夫人呢！

其时科丽娜的头脑在那里打战，眼睛在那里发花了，除了面前一片模糊的彩色之外什么都没有看见。“好罢。”她轻轻地说道，“我想这种要三码——那种要十码。”

这时贾爷同着乐文斯柏公爵夫人向她们这边漫步走来了。廊子里面虽然很拥挤，他们却走得十分悠闲。夏小姐也故意跟科丽娜喋喋地谈着，以期可以混过她，不至听见他们的声音。

谁知科丽娜的耳朵来得出奇地机警，早已听见那公爵夫人走在她背后时正在那里说：“——而且伯鲁，你就想想看罢，我们将要有一切。”

科丽娜将手指攀住柜台，眼睛紧闭着，身子有些晃荡，觉得浑身绵软无力了。她只暗暗拼命祈祷着，千万不要晕过去，免得引人来围观。但是经过几秒钟之后，她又重新能够控制自己了。“我还要这种银色衬衫十二码，夏小姐，其余没有什么了。”她等不得侍女替她付钱，就转过身向相反的方向走去，急于要回到自己马车里去躲起来。

那天夜里，科丽娜连自己也觉得惊异，竟听见自己跟伯鲁谈起话来，那声音是一点不动感情的，同时却又显得十分亲切。“你今天下午做了些什么呢？跟皇上打网球吗？”

当时他们在卧室里，伯鲁正在写信给他的监工，科丽娜坐在那里给他们的三岁女儿梳头发。“只打了一会儿球，”他一面说着，一面将笔拿在手里，回过头来瞥了她一眼，“此后我到贵族院去了一两个钟头。”

说完他又伏案去写他的信，她也仍旧不大相信他会对她说谎。那梅琳特是她母亲的一个黑头发蓝眼睛的缩影儿，当时瞠着眼睛正正经经看着她母亲的脸，母亲给她梳一梳，她就将头稍稍低一低。后来科丽娜弯下头去跟她亲吻时，不觉一颗眼泪滴到小女孩头上。她急忙用手擦去，免得女儿要问起她为什么凭空哭起来。

这时她已起了此生休矣之感了。

现在她只消看见那公爵夫人的眼睛落在伯鲁身上的那种神气，就可看出伯鲁是她的情人了。她深深责怪自己为什么会这么简单，不早就看出来。现在她已经毫无疑义，这个事件是他们初到伦敦的时候就开始的——又或许是更早的时候就开始的。也许他一六六七年回来的那一趟，就已经遇见她了，因为他知道那个时候公爵夫人已经跟宫廷发生关系，而且有些女人曾经蜿蜒曲折地让她知道公爵夫人是住在阿木笔府里的。

那些女人本来可以告诉她更多儿——她所要听而又怕听的一切——但她不肯让她们告诉她，那些女人呢，也为某种理由——大概就为她跟她们不同的缘故罢——都对她比较好心，并不强迫她听她所不愿听的话。

但这种局面不能永远这么下去。料想将来一定要发生事故——那么将是怎样一种事故呢？他会将她送回牙买加的父亲那里去，自己独个人留在伦敦吗？或者他要把这公爵夫人带到夏山去也未可知，她因想起这个夏山是她自己最最心爱的处所，连它的名字也是她给它起的，又是他们拿他们的梦想和恩爱乃至对于将来的无穷计划无穷希望建造起来的，如今这一切都烟消云散了。这是不可避免的一个结局，因为他已爱上另外一个女人了。

经过好几天，科丽娜都不知道自己怎么办才好，所以竟丝毫没有动静。她若要去责备他，又明明知道是不会有什么好处的。因为他的否认或不否认又有什么关系呢——因为事实摆在这里是不能否认的了！现在他已经三十八岁，而且向来做事都是一意孤行的，现在他未必就会变，而且她凭心而论，也并不希望他变，因为她仍旧跟往常一样爱他。于是她觉得自己迷失在这块奇异的国土里了，四周给奇异的风俗习惯包围着，一点都无可奈何了。她明白了这里的上流女人都曾遭遇同样的境地，因而都只得一笑置之，或是说句俏皮话儿解解嘲，到别处去寻她们自己的开心去。伯鲁以前屡次告诉她，说她并不是这个世界里的一分子，她直到现在方才十分深刻地悟到这句话的意味，她内心的一切都带着惊惶和厌恶要从这个世界退避三舍了。

当他把她搂到怀中，跟她亲着吻，乃至和她一同躺在床上的时候，她也仍不能将那女人排遣开。她虽然心里不愿意，却终难免要作种种猜想，想他和那公爵夫人怎样亲吻，怎么跟对自己一样说着这套肉麻的话儿。可是他为什么不告诉我呢？她发急地对自己问道。他为什么要这样欺骗我，跟我说这样的谎呢？这是不公平的！但她恨的是公爵夫人——并不是伯鲁。

于是有一天，卡塞曼夫人来看她了。

原来查理新近赐给乐文斯柏公爵夫人一大笔款子，数目至二万镑之多，把个芭芭拉气得暴跳如雷，决计要找出一桩事来跟她捣乱。她看见贾爷的太太容貌长得非常美，就深信她虽以一个正式太太的身份也一定可以对于男人发生相当的影响，故而希望从她身上用功夫，把琥珀贾爷的一重关系先行破坏。又值当时罗切斯特刚刚写出一首关于琥珀和贾爷的讽刺诗，芭芭拉就利用它来达成自己这个目的了。

原来罗切斯特有一种脾气，要将他的一个小厮装扮做哨兵，夜里把他放进宫里去，以便侦察深更半夜之后究竟有谁在来往。他由这个法子获得了情报，就将它带到乡间别墅里去，编成了猥亵不堪的讽刺诗，叫人誊写出若干份儿，匿名拿到宫里传播。那种讽刺诗是除了讽刺者本人之外，凡是有点身份的男女迟早总要不免遭到他那笔尖的毒刺。

当时芭芭拉去看科丽娜，起先几分钟只是谈些毫不相干的趣话儿——英国新近到了怎样一种新服装，昨天公爷戏院里面演的什么戏，乃至下星期大亨殿里要举行的盛大舞会等。她突地说到许多桃色事件上去了——谁跟谁曾睡过觉，哪一位太太正在担心要养私生子，乃至近来谁害了淋病等。科丽娜早已猜到这一套话将要引到什么事上去，不由得心里怦怦跳起来，呼吸也变短促了。

“哦，”芭芭拉继续说道，“我们这个地方干的种种事，我可以赌咒，一个外边人是再也猜想不到的。夫人，你还年轻，一味天真烂漫，是不是？”

“怎么，”科丽娜不免惊异地说道，“大概是罢。”

“我怕你还不懂人情世故呢——我是看得透彻得很了，所以要对你尽一点朋友之谊，今天特地到这里来对你——”

这几个星期以来，科丽娜都觉得似假似真，疑团莫释，及听到芭芭拉这一句话，才觉得心里一松，如今好了，这桩事情终于要水落石出了，她已无须佯为不知了。

“可是我相信，夫人，”她平心静气地说道，“我也懂得一点事情，并非如你夫人所想的那么茫无知觉。”

芭芭拉不觉吃惊地看了她一眼，从她手笼里取出一张折叠的纸儿，将它递给科丽娜。“这是现在宫里流行的一件东西，我不愿意你到末了才看见。”

科丽娜慢慢伸过手来将那纸儿接过去。当她将它展开的时候，那张沉重的纸儿在她手里忽忽响起来，她万分无奈地将她的眼光从芭芭拉那张冷冰冰的脸上收回，落到手中的纸上去，只见上面锋芒毕露写着八行诗。当时她的心境仿佛有那几个星期以来所熬忍的忧愁和疑虑做底子，所以不易受到新震惊，因她虽将那粗俗刻毒的小诗念了一遍，它却对她并不发生怎样重大的影响，仿佛只有若干意义不相连贯的字儿写在那里一般。

这时仿佛芭芭拉刚刚送给她一盒糖果或是一双手套之类似的，她对她表示感激道：“谢谢你，夫人，承你这样关心，我感激之至。”

芭芭拉听到了她这种温和的反应，似乎觉到惊异而且失望了，她当即站起来告辞，科丽娜也就送她出门。到了前室，她又站住了。宾主二人一时面面相觑着默默无言，这时芭芭拉说道："我还记得自己在你这种年纪的时候——你大概是二十岁罢，是不是？——就只觉得整个世界都在我面前，以为自己想要什么总都可以得到。"说着她微笑起来，乃是含有回忆的傲世的意味。"哦，我也确实得到了。"她又突然补充道，"请你听我的忠告，带你的丈夫赶快离开这里罢，别等将来懊悔不及。"说着她就匆匆走上前，穿过走廊霎时不见了。

科丽娜目送着她，不觉眉毛稍稍地蹙起。可怜的女人，她心里想到，她是多么不快乐啊。这么想着她就将门轻轻关起来。

那天晚上伯鲁过了一点钟才回家。原来科丽娜曾经差人到白宫里去给伯鲁传话，说她身体有点不舒服，那天不进宫里去了，但是请他不要变更自己的计划。她这本是一句客气话，心里十分希望他会变更计划，谁知他果然没有变更。她独个人在床上怎样也睡不着觉，及等听见他回来，她还拿几个枕头支着坐在床上，假装在看德来登新近写的一个剧本。

伯鲁并不走进卧室来，照常先到育儿室去看看几个小孩子。科丽娜坐在那里听着他的脚步声轻轻踩过那地板，轻轻将门关起来，这时忽然想起小伯鲁一定就是这位公爵夫人养的儿子了。她自己觉得奇怪，为什么不早就想起来呢？这就怪不得他从来不大提起那头一位贾夫人，仿佛竟没有这个人似的。又怪不得小伯鲁那个孩子常常想回家，并且扭着他的父亲带他回英国来了。至于他们两个之间如此亲密，也决不像新相识的人儿，一定是有过多年交情方能如此的。

当他走进房来的时候，她正坐在那里怔得差不多发呆。他耸了耸眉毛，仿佛见她醒在那里觉得有些惊异，但微笑着走过来亲她。科丽娜等他弯下了身子，就拿起罗切斯特那首讽刺诗递给他。他就停止了动作，急忙瞅一瞅眼睛。他从她手里接过那张纸，也不和她亲吻，就抬起身来，只将它迅速瞥了一眼，分明他早已看过了，便将它扔在床边一张桌子上。

一时两个人都默默无言，只是面面相觑着。末了他说道："很对不起，你得由这方法发现这桩事，科丽娜，我应该早就告诉你的。"

他说这话的时候，并不像她所料想的那么轻薄而高兴，却正正经经而且显得心里有点烦恼。不过他并没有惭愧的神情，甚至也并不像是懊悔，只是对她心中的痛苦像是有点儿歉意罢了。她仍坐在那里对他注视了一会儿，那本摊开的书仍旧放在她的膝胯里，她的半边脸儿被近旁一张桌上的蜡烛照亮着。

"她就是小伯鲁的母亲，不是吗？"她终于开口说道。

"是的。那一个蠢笨的谎我原不该对你说——不过我晓得你爱他，你若知道实情就不会爱他了。现在你既然晓得，你对他的情感怎么样了呢？"

科丽娜现出一个依稀的微笑。"我会跟从前一样爱他。我对于你们两个都会跟从前一样爱的。"她的声音柔和而温婉，是纯然女性的，如同一柄扇的轻拂或是莲花暗送的香气一般。

他坐在床边和她面对着。"你知道了这桩事情已经多少日子了？"

"这我说不准，现在回想起来似乎很久了。起先我还以为你们不过是逢场作戏的调情，怪我自己无端的妒忌，可是那些女人曾经给我种种的讽刺，并且有一次我还在交易所里看见你们呢——哦，这种旧账我还去翻它做什么呢？事实上我已经知道几个星期了。"

他一时默默无言，只是皱着眉头瞠视着自己的脚，两个肩膀缩起来，两个胳膊支在张开的两腿上。"我希望你相信我的话，科丽娜——我并不是因为这桩事情带你到伦敦来的。我可以赌咒我想不到会有这种事。"

"你以为她不在这里？"

"我知道她在这里，可是我已经两年没有见她了，我已经忘记了——哦，有许多事情我都已经忘记了。"

"那么你上次来的时候是见过她的——就是在我们结婚以后。"

"是的，那时她就在这里，阿木笔的府里。"

"你跟她相识有多少时候了？"

"差不多有十年了。怎么，那么我对于你简直是个陌生人了呢！"

他笑起来，向她略略瞥了一眼，她这时重新将头扭开。

“你爱她吗？伯鲁——”末了她问他道，“爱得很吗？”她屏住呼吸等待着他的回话。

“爱她吗？”他皱起眉头，仿佛使他有些难回答似的。“如果你问的是我愿意和她结婚吗，那我是不愿意的，不过从另外一种意义说起来——哦，也可以说我是爱她的。这是一种我所不能解释的东西，自从我头一天看见她的时候起，我们之间就存在着这么一种东西，她是——哦，跟你老实说罢，她是一个人人都愿意取做情人的女人——可是不愿取做妻子的。”

“可是你现在觉得怎么样呢——现在你又和她见面了，却又舍不得和她断绝？也许你是懊悔和我结婚了。”

伯鲁急忙回过头看着她，突地一把将她搂进怀里去，拿嘴去印上她的额头。“哦，我的上帝，科丽娜！你是这么想的吗？我当然并不懊悔！我只有你一个人方才愿意结婚，你相信我罢，亲爱的，我无论如何也不肯使你伤心。我是爱你的，科丽娜——比地球上任何东西都爱得厉害。”

科丽娜将她的头紧贴着他，重新感觉到快乐安慰了。过去几个礼拜里的一切疑虑和恐惧都顿时消失。他是爱我的，他并不要抛弃我，我是不会失去他的了。那么还有什么心事可担忧呢？她已将自己的生命完全献给他，凡是他愿意给与她的东西，她什么都愿意接受，即使他从一个乃至十个桃色事件剩余下来的东西也是好的。至少她是他的正式妻子呀，这一点就是乐文斯柏公爵夫人无论如何也办不到的——连她自己替他养的一个儿子，她也无论如何不能承认呀！

末了她将她的头抵在他的下巴颏儿上，轻轻地对他说道：“伯鲁，你以前说我不属于这个世界那句话是很对的。我也觉得这个世界里面没有我的份儿。就如现在这班宫廷女子，倘若她们的丈夫爱上了别人，我想她们没有一个敢于公然承认自己是关心的罢。我可是要关心的，而且并不以此为羞耻。”说到这里她将头仰起来看着他。“哦，亲爱的——我是要关心的呢！”

他的绿色眼睛很温存地注视着她，末了展出一个依稀恍惚的伤心的微笑，他的嘴儿碰着她的头顶，就在她那光泽头发分开的地方。“倘若我对你说我因使你伤心而抱歉，那是没有什么好处的，事实上我确是抱歉。不过你若多看一些这种讽刺诗或是多听一些人家的闲话——那你相信我罢，科丽娜，那就是你一味听人说谎了。”

第六十四章

海德公园里面有一口小小的池沼，池沼旁边有一座很幽雅的小木棚，时流人物都爱到那里去歇下脚来喝杯糖乳酒，或若碰到天气冷，就喝一杯羊毛烧或是热甜葡萄。现在已经将近圣诞节，骑马出游已经不是时令了，但有好几部羽饰金漆的马车等在那木棚门前烟红色的寒冷日光里。那些赶车的和跟车的都抽着他们的烟袋，时或顿顿脚儿取暖，聚集在一起笑乐闲谈，交换着关于那些正在里面喝酒的老爷太太的故事。

那木棚里是一间橡木护壁的大房，火炉里面生着一炉熊熊的煤火，一群头戴假发身穿衬衫的花花公子聚集在一张长长的柜台上，在那里喝麦酒或白兰地酒，一面要着骰子或是掷铜钱，有些太太陪着她们的相好坐在桌旁。侍者们擎着托盘在那里往来穿梭。三四个琴师在那里弹奏。

琥珀穿着一件银鼠翻毛猩红丝绒连着风兜的大氅，一只手里拿着一杯糖乳酒，一只手里拿着个银鼠皮手笼，坐在火炉旁边跟韩密登上尉、阿伦伯爵和艾支离佐治三个人谈话。她的话滔滔不绝，脸上带着一种时时变动非常活跃的表情。她似乎是全副精神都注在他们三个人身上，再没有余暇顾及旁人了。但是她的眼睛一直注视在门口，那门一启一闭她都知道是谁进谁出。这时她终于看见那懒洋洋的米小姐身边带着阿木笔潇潇洒洒地踏进门来了。琥珀毫不迟疑，对他们三个人告了个罪，穿过人堆向那两个新来的人走去，其时米琴妮还停留在门弄中，正等待着大家发现自己呢。

她走到了他们跟前，只对米小姐略略点了一点头，便对阿木笔说道："阿木笔，我有话要跟你说！我什么地方都找过你了！"

那伯爵向米小姐鞠了一个躬。"我去一刻儿就来，可以告退吗，夫人？"

小姐现出一点厌倦的神色。"哦，爵爷，我倒也要告退呢！那边韩密登上尉正在招呼我——我记起来了，他今天早晨本来约我到这里来会他的，可是我似乎忘记了，真是要命。"说着她将一只戴着手套的小手摆了一摆，便管自走开了，对于琥珀连眼角都不带一带，琥珀也仿佛没有觉得她是在那儿。

"到这儿来罢——我不要这许多大耳朵听着我们说话。"他们穿过了房间，到了靠窗一只角落里。"我已经有十四天没有跟他单独见面了！我写信给他也不答复！那天我跟他在王后的接见室里说了几句话，他竟把我当作一个陌生人一般！我请他来看看我，他也竟不来！请你告诉我是怎么回事罢，阿木笔！我简直要发狂了！"

阿木笔发出一声叹息。"卡塞曼夫人将罗切斯特写的关于你的一首讽刺诗拿给他太太去看过了——"

"哦，这我已经知道了！"琥珀愤然嚷着截断他的话，"可是他为什么要这样对待我呢？"

"就是为了这个呀！"

她瞠视着他。"我不相信你的话。"于是两个人都默默无言，只是面面相觑着，过了好一会儿琥珀才又开口道，"可是不能单单为了他的太太发觉这桩事。其中必定还有其他的原因。"

"没有其他原因了。"

"你的意思难道说，他这样对待我是他太太叫他这样的吗？"

"他太太并没有叫他这样，这是他自己的主意。而且不妨老实告诉你，他从今以后永远再不愿意和你见面了。"

"他曾对你说过这话吗？"她的声音已经低得同耳语一般。

“是的，而且他说的是真心话。”

于是琥珀显得无可奈何了。她将酒杯放到那宽阔的窗台上，眼睛瞠视着窗外赤裸的树枝，然后又抬起头来看着他。“你知道他现在在什么地方吗？”

“不知道。”

她的眼睛瞪起来。“你说谎，你是知道的！你得告诉我！哦，阿木笔——请你告诉我罢！你是知道我多么爱他的！我只要能够再见他一面，跟他谈一谈，我就能够使他明白这种事情多么愚蠢了。哦，求求你，阿木笔——求求你，他马上要走了，以后我也许永远不能再和他见面！我要趁他未走之前见见他！”

阿木笔迟疑了一会儿，只瞪着眼睛看着她，终于将头翘了翘，“那么跟我来罢。”

他们走过米琴妮身边，他站住了要跟她说话，她却只将头发抖了抖，傲然地侧转身子去了。阿木笔只得耸了一耸肩。

那天下午天气非常冷，路上的烂泥都盖上了一层薄冰，变得坚硬而且滑溜了。他们一同走到琥珀那部羽饰金装的庞大马车上去，那是用八匹棕色马儿拖的，那些马儿的鬃毛和尾巴都用金碧辉煌的丝条打着辫子，那马车夫和八个跑腿的跟车都穿着翠绿丝绒的制服，还有一个跟车的浑身穿着白衣裳，手里拿着白色的棍子，棍端插着一个橘子预备当点心，站在马车里面替她喝道，其余的跟车有的贴在车窗上，有的前前后后气喘吁吁奔走着，挡开行人。车厢里面统统都用翠绿丝绒绑裹着，座儿、两侧和头顶上都厚厚地衬垫起来，并有金色的丝条和流苏做着装饰。

阿木笔给马车夫嘱咐过路，自己就爬上车在琥珀身边坐下。“我想他现在是在埃夫马利亚胡同一家文具店里买书罢。”说着他向四周围一看，轻轻吹了声口哨，“我的基督！这是你什么时候弄来的？”

“去年，你以前也看见过的。”

她直截了当地回答了他，并没有另加注意，因为她已沉进自己的思想里去，正在计划要去对伯鲁说的话儿，怎样使他相信自己的错误。几分钟之后，阿木笔才重新开了口。

他说道："你是从来都不懊悔的，是不是？"

"懊悔什么？"

"懊悔你不该离开乡下来到伦敦。"

"为什么要懊悔呢？你就看看我现在的地位罢。"

"可是也得看看你是怎样达到这个地位的。'凡是爬到高位的人，都是由一张弯曲的楼梯上去的。'你听过这句话吗？"

"没有。"

"你是由一张弯曲的楼梯爬上来的，不是吗？"

"是又怎么样呢？我原曾做过一些可恨的事情，但现在过去了，已经到了我所要到的地方了。我现在是算得一个人了呢，阿木笔！假如我一辈子待在梅绿村，嫁给一个农夫的儿子，专门替他生男育女烧饭织布，那我会是怎样一个人呢？不过是个农夫的老婆，没有人会知道世界上有我这个人的。现在呢，你就看看罢——我是一个富有而且高贵的公爵夫人了，我的儿子将来还要做公爵呢——对不起，"她带着一种非常自负的神情结束了她的话儿，"我的天，阿木笔！"

阿木笔咧开嘴来。"琥珀，亲爱的，我是爱你的——不过你已经做了一个毫无主义毫无算计的女冒险家了。"

"哦，"琥珀反驳道，"我是白手起家不花一个本钱的呀——"

"可是你有你的美和可爱做本钱。"

"这两件东西是许许多多女人都有的——可是我可以保证她们现在并没有人人做到公爵夫人呀。"

"当然没有，宝贝儿，你跟她们不同的地方就在你自愿利用这两件东西去达到你的需要，并不怎样去管路途上会碰到什么。"

"我的天！"她不耐烦地嚷道，"你今天的说话怎么这么使人讨厌啊！"她扑了上前，敲着前面的车厢板，向她的车夫吆喝道，"你得赶快些呀！"

埃夫马利亚胡同是条小弄堂，就是从前圣保罗教堂火烧基上那些迷阵一般的小胡同之一。他们到了那地方，阿木笔将琥珀带进了一片新造院场的门口，指一指其中的一块招牌。"他该是在那里边——那一家小铺子里。”这时琥珀心里非常激动，连谢都忘记了，便撩起裙子跑进那院场去了。阿木笔站在那里看着她，直等她消失进那所房子里才回转头自己走开。

这时外边已经天黑了，那铺子里灯光暗淡，进了门去就闻到一股由墨水、纸张、皮革、烛油混合而成的浓烈气味。墙壁上面都排列着书架，且都装得过满，还有一堆堆褐色、绿色、红色皮面的书搁在地板上。一只角里有个矮胖的年轻人靠着壁龛里一点摇曳的灯光在读书，那人鼻梁上面架着一副绿色厚玻璃的眼镜，头上戴着帽子，而且那店堂里虽然狭窄而暖和，他身上还是穿着大氅。除了这人之外就没有旁人了。

琥珀四下看了看，正要从店堂里壁的门走进去，却见一个老头正打里面出来，笑嘻嘻地问她要什么。她就走到那老头儿面前，惟恐伯鲁真在里边要被他听见，轻声向他问道："贾爷在这里吗？"

"在这里呢，夫人。"

她将一个指头放在嘴唇上，示意叫他别做声。"他是在这里等我的。"说着她就伸手到手笼里去，拿出一个基尼阿来，塞进那老头的手掌里，"我们不愿有人来打扰。"

那老头儿鞠了一个躬，鬼头鬼脑地看了一看手里的钱，脸上仍旧笑嘻嘻的。"那当然，夫人，那当然。"说着他大大咧开嘴，喜得这位爵爷和这位美人的这番幽会有他在里面牵线。

琥珀走到那门口，推开了，踏进去，仍旧将它轻轻掩起来，伯鲁身上穿着大衣，头上戴着插羽的帽子，背朝着她站在几英尺外审视一册稿本。她站住了，将身子靠在门背上，因为她的心在那里猛跳，她觉得浑身绵软，连气都转不过来了。她不晓得他看见她的时候要怎样对她。

过了一会儿，伯鲁并没有回转头来就道："这册稿本你是怎样得来的？"他等等没有人回答，这才回转头来看见她。

琥珀怯生生地展开一个笑来，对他略略行了个万福。"晚安，爵爷。"

"唔——"伯鲁将那稿本往他背后一张桌子上一扔。"我万想不到会把你当作旧书店的老板呢。”他的眼睛瞠起来。“你见什么鬼会到这里来的呀？”

琥珀就向他面前奔去。“我得要看看你呢，伯鲁！请你不要光火！你且告诉我怎么一回事罢！你为什么要回避我呢？”

他微微皱起了眉头，可是并没有将脸扭开去。“我为要避免一场吵闹，不知道除此还有什么办法。”

“要避免吵闹！这话我已听你说过一百次了！你本来是以战斗为生的！”

他微笑起来。“可是不跟女人战斗啊。”

“哦，你放心，伯鲁，我现在并不是来和你吵闹的！可是你得告诉我到底怎么一回事！那一天你来看我，我们还是有说有笑的，谁知下一次你看见我，竟连话都没有一句了！这是什么缘故啊？”她摊开了两个手掌，做出了一种恳求的姿势。

“这你自己一定知道，琥珀。为什么要装作不知呢？”

“阿木笔已经跟我讲过了，可是我不相信他。直到现在我也仍旧不能够相信，为什么偏是你一个会让自己的太太牵着鼻子走呢！”

伯鲁在他们身边一张桌子旁坐了下来，并在一张椅子上面搁起一只脚，“科丽娜并不是那种牵男人鼻子走的女人，这是由我自己决定的。为什么呢？我想对你讲不明白罢。”

“为什么讲不明白呢？”她觉得有点受侮辱地质问他道，“告诉你罢，我的理解不见得会不如人，伯鲁，我非要知道不可！我有权利应该知道！”

伯鲁深深吸了一口气。“唔——我想你总听说过卡塞曼将那讽刺诗拿给科丽娜去看的事罢——可是她说她知道我们早已做了情人了。过去几个星期里面她都为了这事在那里暗暗伤心，我们却一点都不知道，因为这种事情在我们也许都满不在乎，在她却看得非常严重，你要知道她是非常天真的，而况她又真心爱我——我要能有办法总不愿伤她的心。”

“可是那我怎么办呢？”她嚷道，“我也跟她一样爱你呀！至于说伤心的话，我想我也略略懂得一点的！或者你以为我的伤心对你丝毫不相干罢?"

"当然也是相干的，琥珀，只是其中有一个分别。"

"什么分别呢?"

"科丽娜是我的妻子，我们是要一起白头到老的。再过几个月，我们就要离开英国了，从此我不回来——我要结束我的旅行了。你的生活在这里，我们的生活在美洲——我这回走了之后我们就要永远不再见面了。"

"永远——不再见面了吗?"她那斑褐色的眼睛瞠视着他，她的嘴唇半天合不拢。"永远——"这两个字她自己不过一个钟头之前刚刚听阿木笔说过，现在从他口里说出来，她就觉得那声音有点两样了。突地她似乎完全明白了这两个字的意义。"永远不再见面了，伯鲁！哦，亲爱的，你不能对我说这种话！我需要你，也同她一般——我也同她一样爱你！如果你的后半世都属于她，现在你总可以分一点时光给我罢！——她决然不会知道，即使知道也不会伤心！你在伦敦还要再等六个月，总不见得一次都不见我罢——要是这样我倒不如死了！哦，伯鲁，你不能这样！决不能这样!"

说着她将身子扑上前，拿拳头轻轻捶他的胸口，幽幽咽咽地低泣起来。他呆呆地坐在那里，两条臂膀垂挂着，一点也不去碰她，许久方才将她搂抱住夹进他两腿之间，如饥似渴地拿嘴去印她的嘴。"哦，你这小淫妇。"他喃喃说道，"我总有一天会忘记你的——总有这么一天的——"

伯鲁在马革披广场一所公寓里租了几间房子，那地方离开白宫约摸一英里路，在大火未曾延烧的旧住宅区范围以内，租的是两间大房，布设很美观，却是七十年前那种富丽繁重的款式：粗圆腿儿的桌子，大如箱子一般的椅子，硕大无比的衣柜，一张高背长榻放在火炉边，墙上挂着陈旧的帘幕。那张橡木床其大无比，四根柱子和床顶板都是雕花的，挂着烟红丝绒的帐儿，虽已经用了多年，那些褶印里边却显得特别富丽而鲜艳。用玻璃装饰的窗口一直可以俯瞰到三层底下去，一边是一片砖砌的院场，一边是一条喧闹拥挤的街道。

他跟琥珀每星期在那里幽会两三回，寻常总是在下午，但也有时在夜间。琥珀答应他，决然不让科丽娜知道他们仍旧有来往，就如一个孩子已经学乖一般，处处地方都保守着极端的秘密，如果他们是在下午相会，她总穿着自己的衣服，坐着自己的马车，离开白宫先到一家旅馆里面去，将自己刚才穿的衣服脱下来让南儿穿了，叫她戴了面具打前门出去，然后自己乔装起来从另外一个出口偷偷地出门；晚上呢，她总雇了一条划船或是一部马车到那里去，但总带着华大约翰替她暗中保镖。

为了这种鬼鬼祟祟的行动，她往往自找许多无谓的麻烦，因为她是以此为乐的。

有一次她回家时，头上戴着黑假发，下身穿着半截裙，卷起了一只袖子，外罩一件羊毛大衣，扮作个卖花郎模样。又有一次她扮作一个平常百姓的老婆，穿着一件纯黑的衫子，一条白麻纱的高领儿，头上一顶压发的扁帽，可是她自己看看觉得不高兴，便将这套行头重新装进一口箱子里，换了一套比较漂亮的衣服回家了，还有一次她装做了一个男孩儿，穿着一套紧身丝绒服，戴着一头粗麻一般的假发，腰上挂着一把刀，帽檐盖到眉心上，并将一件丝绒短大氅蒙了半张脸儿，摇摇摆摆地步行过通衢大道。

她的这种装扮，他们都觉得非常好玩。伯鲁往往等她扮好，笑着将她前前后后仔细端详，叫她模仿她所装扮的人的声音容貌给他看。

她自己对于这些扮装觉得很有把握，因为她有时候在街上碰到熟人，也没有人认出她。有一次两个花花公子半路上拦住她和她说话，并且给她一个基尼阿想要邀请她同到近旁一家酒馆里面去。又有一次皇上和巴铿汉及阿林敦在河沿散步，她险些被他觑破了，因她当时戴着面具撩着裙子正走上划船，那三位爷们都扭转头来注视着她，且有一人吹起口哨来。那人想必不是公爷就是皇上了，因为阿林敦向来一本正经，哪怕看见一个女人赤身露体下船，也决不会向她吹口哨。

有时伯鲁带着他儿子同来，偶尔琥珀也带了苏姗娜同去，他们同在一起吃过多次快乐的晚饭，并从街上叫了一两个琴师来，一面吃一面弹奏，因而那两个孩子都觉得非常高兴。伯鲁叮嘱那个小孩子，叫他千万不要去告诉科丽娜，并且竭力给他解释所以不能告诉的缘故。至于苏姗娜，那是他们不怕的，因为她没有机会见人，不致泄漏他们的秘密，即使她见到皇上或许要说出来，皇上却是向来不管这种闲事的。

有一次琥珀带着苏姗娜到那里去，伯鲁替苏姗娜带了一本图书来，以便他们在房里取乐时，她可以独个人看看消遣。后来琥珀在穿衣服，就让苏姗娜进房去了，她手里还是捧着那本图书，靠在他父亲的椅子旁边一页一页地翻着，嘴里不住向她的父亲问七问八，因她现在还不满五岁，好奇心强烈得很。后来她指着一张图画书问道："这个魔鬼为什么身上带壳，爹爹？"

"因为这个魔鬼是只乌龟呢，亲爱的。"

其时琥珀正在穿衬衣，便向伯鲁瞟了一眼，可是苏姗娜还要追问下去。

"乌龟是什么东西呢，爹爹？"

"乌龟吗？怎么，乌龟就是——你问母亲罢，苏姗娜，她对这套东西比我熟悉些。"

苏姗娜立刻朝着她的母亲。"母亲，乌龟是——"

琥珀正弯下身子结她的袜带。"啐，住嘴罢，你这顽皮话匣子！你的洋娃娃到哪里去了？"

到了三月初，琥珀就搬到乐文斯柏公爵府里去住了，其时它还没有彻底完工，一切都还是一种半生不熟的状态。墙砖的颜色都还很鲜艳，因为伦敦的烟尘还没有功夫将它熏黑。草坪上面只有稀稀疏疏几根草，移植来的各种树木也都零落未成荫。篱笆上的扁柏和蔷薇还幼稚不堪剪郁。然而这到底是一座富丽堂皇的大厦，琥珀知道是自己所有，就得意得心中如炽如焚了。

她有一天将伯鲁带到那里去巡视一番，指给他看那一间浴室，那是伦敦城里难得看见的，墙壁和地板都用黑色大理石，绿缎子做了窗帘，金漆的杌子和椅子，深深的澡盆儿，大到可以在里面游水。

她将手一挥，指给他看那房子里的一切用具，从马桶以至烛夹，都是银子做的。她又告诉他说其中不下数百面银框的镜子都由威尼斯偷运进来。餐室里放着几口庞大的碗橱，其中陈列着无数金银器皿，她也逐一指给他看过了。

“你看这套东西怎么样？”说时她的声音几乎同鸡啼一般，她的眼睛得意得闪闪发亮，“我可以担保美洲是没有这种排场的。”

“不错，”他同意道，“的确没有。”

“而且以后也永远不会有！”

他耸了耸肩，可是没有和她分辩。过了一会儿，他忽然出乎意外地对她说道：“你是很富有了，是不是？”

“哦，富有得厉害了！我无论想要什么都可以如愿！”她却并没有补充说她无论想要什么都可赊得来。

“你也知道你的投资现在是怎样一种状况吗？牛散达告诉我说，你已经有好一段时间没有留钱在他那里生息了。你留下至少二三千镑在那里不要动用不是很好吗？”

她听了这话不觉吃了一惊，并且露出一种满不在乎的神情。“我为什么要这样呢？我不能在这种事情上面去费心。无论如何，我的钱源源而来，用不着从这上面打算，你放心吧。”

“可是，亲爱的，你不能一直都年轻呢。”

她瞠视着他，脸上不期流露出一种惊骇怨恨的神情。因为那逝水年华原曾使她充满了恐怖，且到她的二十六岁生日已只不过两个星期了，但她从来不容自己发觉自己的将老。在她自己心目中，她对伯鲁永远不会过十六岁。现在经他这一提醒，就不觉发起怔来，呆呆地坐了许久，及至回到宫中，她就独个人跑去照镜子了。

她对自己的影子端详了许久，给她的皮肤、头发、牙齿等逐一加以最最仔细的检查。末了她觉得有把握起来，知道自己并没有开始衰老。她的皮肤还是滑泽白皙的，她的头发还是富丽鲜明的，她的丰姿也还跟他初次在梅绿村见她的时候一样。然而有一种变化，她只是模模糊糊意识到的。

当初在梅绿村的时候，她的面孔并没有经过鲜明经验的接触，现在它却分明显出一种丰富繁剧生活的形迹了。她的眼睛露出同是那种迫切和热情，所不同的只是那一种神情更加深重。

她虽然经历那多年的磨难，却并未因此而减少她的自信，冲淡她的热忱；她具有一种不可破灭的精神。

南儿走进屋子，发现她的女主人只带着一脸病态的热忱在那里瞠视自己。“南儿！”她一听见房门推进来就对她嚷道，”我已经开始衰老了吗？”

南儿不胜惊骇地将她看了看。“开始衰老？你？”她跑到琥珀面前去，将她从头到脚地端详起来。“我的天，夫人，你从来没有像现在这样美丽呢！你凭空说起这种话，一定是有些发疯了！”

琥珀狐疑不决地抬起头将她看了看，重新拿起一面镜子来。慢慢地，她的手指抬上去碰碰自己的脸。我当然没有开始老！她心里想道，他也并不是说我现在已经开始衰老，他并没有说过这句话，他是说将来有一天——将来有一天——这正是她所栗栗危惧的。她将镜子放下去站起来，急忙走进里边去换她晚餐的衣服。但是她想起自己将来有一天会老去，想起她这种纯洁无瑕的美有一天会凋残——这种念头仍旧不住地向她侵袭。她虽竭力地自宽自解，但是这种念头终于排遣不开，成了她的快乐的一种阴险固执的仇敌了。

她在新公爵府里举行第一次宴会，花去金银约有五千镑之多。她请了几百个客人，没有一个不到的，此外还有几十个不速之客，哪怕府门口警卫森严，也竟然冲进来了。

那一顿筵席备得非常鲜美丰盛，并有一大队穿制服的侍者在那里侍奉客人，尽是年轻力壮面目姣好的人物，香槟酒和白兰地酒都是大银缸装的，虽然皇上也在席，好些客人却都喝得酩酊大醉了。音乐之声和喧嚷欢笑之声充满了每一个角落。有些客人在那里跳舞，有些客人却去了赌台，或是围成一圈在那里滚铜钱。

皇上和王后都御驾亲临，又招来了城内所有当红的妓女。何杰客和戴穆儿都在那里演堂会，还有贝纳特夫人的一班裸体舞女在较隐僻的地方献技娱宾。但是那天晚上最最精彩惊人的一个节目由一个妓女演出来，原来那个妓女刚刚红了几个月，以善于模仿卡塞曼夫人博得宫里人的喜欢。早几天的功夫琥珀就贿赂了卡塞曼夫人的一个侍女，叫她推测出她那天晚上赴会预备穿什么衣服，并将露菲夫人雇了来，要她照样复制一件，叫那妓女穿起来，等客人到齐之后来赴席。卡塞曼夫人看见之后，认为奇耻大辱，立刻请求皇上惩办那妓女，或者至少将她逐出门，但是皇上自己也觉有趣，因为这种把戏从前归耐娌对戴穆儿也玩过一回。芭默芭芭拉、贾爷夫妇，以及其他少数客人很早就告辞了，可是其余的人都留着不散。

到了早晨三点钟，早饭上来了，也跟晚饭同样丰盛，及至六点钟，那些最后散的客人就从事于枕头战，有两个性情暴躁的花花公子吵起嘴来，就都拔出刀来要相杀，其时皇上已经走了，险些闹成流血，幸亏琥珀将他们拦住，所有他们的朋友就都随他们到决斗场去解决了。琥珀这时虽然快乐，却已经疲倦非凡，便也回到她那金碧辉煌的卧室里睡觉去。

人人承认许多月来没有比这一次再成功的宴会。

第六十五章

起先琥珀对于伯鲁这种秘密的幽会觉得完全满意，因为她已快要失去他，所以觉得每一滴幽会的时间都是非常宝贵的，决计要趁此尽情享受。她已明白他此番去了决不会再回来，只恨日子过得非常快，一天天地积成了星期，一个星期一个星期地积成几个月，仿佛她自己的生命也随着时光一点点消逝去了。

但是过了些日子之后，她就渐渐萌起一种怨恨来了。伯鲁曾经对她说：这桩事情如果被科丽娜发觉，他就从此不和她见面。她当初听见这话的时候，还当真相信伯鲁要如此。但是后来想想觉得有点不信了——他对他的太太既然破过一次约，那又何尝不可再破第二次第三次呢？而且她跟他相识十年以来，也似乎从来没有像现在这样真心爱她。她并没有想起这是由她自己的态度所促成的，因为她近来对他绝口不提什么要求，又一直快快活活，从来没有争辩，也没有怨言。她因没有想到这一层，便以为他是少不了她了，无论她怎样举动他也不会将她丢弃。这么一想，她就对于目前这个局面渐渐觉得不满意起来了。

我对他到底算是一个什么人啊？她常要伤心地问着自己。一种介乎妓女和妻子之间的身份罢——一种长着羽毛的鱼儿罢。我要能够继续容他这样对待我，那我简直该死了！我要让他知道，现在我已不是一个农夫的女儿了！我已经是乐文斯柏公爵夫人，一个堂而皇之的命妇，一个有了身份的女人——我不愿意再让别人当我一个妓女来看待。这样偷偷摸摸，不敢向人前露面，到底成个什么体统呢？

谁知她刚一开口向他暗示自己心中的愤怒，他就斩钉截铁地回出一番话来："这种办法是你自己出的主意呀，琥珀，并不是我要这样的。如果你已觉得不适宜，你就不妨老实说我们从此不再会面就是了。"他说这话时，眼睛里露出一种神气，吓得她半晌说不出话来。

但她仍旧相信自己一定会有办法可以遂成心愿，因而她的态度越发变得跋扈而倔强起来。及到五月的中旬，她那一点愈磨愈薄的忍耐力终于毅然决裂了。后来有一天她去找他，坐在马车里就已蹦蹦跳跳不能安静，等到见了他的面，那一脸的暴躁脾气已涨到最高峰，其时科丽娜离做产已经只剩一个月，因而他们在英国至多只有六七个星期好等了。她也明明知道自己再去戳动这个黄蜂窝，也实在有点犯不着。

可是谁曾听过一个人对待情人这样鬼鬼祟祟呢？她问她自己道。我为什么要像一个扒手似的这么偷偷摸摸去和他相会呢？哦，这个天杀的人儿，这种见鬼的秘密。

那回她扮做了一个乡下大姑娘，仿佛到城里卖蔬菜，而且她有点感情用事，拣的一套衣服很像那天茅石镇的五月市上穿过的。一条绿色羊毛裙子结在一件红白条纹的棉布衬衫上，一件黑色胸甲紧紧扎着胸膛，外面罩着一件白色的长袖衫子。她的腿儿是赤裸的，脚上一双整洁的黑鞋，一顶草帽翘着戴在后脑勺。她的头发披散着，脸上没有搽脂粉，看去活像她那十年前的模样。

那天天很暖，因为下了一个早晨的初夏雨，突地出了太阳了，她就将车窗放了下来。马车辘辘碾过了王街，到了河滩跟滚球道交叉的焦十字架停住了，她便将头探到窗外去找他。当时那个广场上面挤满了人儿，放眼遍是牲口、叫化子、小贩子，乃至熙来攘往的市民——那一种喧哗热闹的景象，是她向来觉得喜欢的。

她立刻就找到了他，他正背朝她站在数英尺外向一个老太婆买初上市的红樱桃，同时一个浑身肮脏的小化子拉着他的外褂向他讨一个便士。伯鲁并不像她这样乔装假扮，一直都穿着他自己那种剪裁入时却不炫目的衣服。这回穿的是一条绿色的裤子，在膝踝上结袜带儿，外披一件长长及膝的黑大氅，袖口上面镶着金线织的阔丝绦。他的帽儿是三角形的，跟他那件衫子都属顶顶时髦的样式。

她一看见了他，脸上就呈出一种愠怒的神色，当即将身子扑上前，摆着臂膀叫喊道："喂，这儿哪！"

五六个男人一齐转过头来，咧开了笑脸，问她是不是招呼他们。琥珀向他们做了一个顽皮的丑脸。伯鲁也就转过身，付了那个卖樱桃老太婆的钱，又扔一个小钱给那小化子，然后向马车夫吩咐几句话，便跨上马车去了。他将一篮樱桃递给了琥珀，正值那马车突地动身，他被一震就坐落在琥珀身边了。他欣赏地端详她起来，从她的头一直看到她那粉嫩的脚踝。"你这乡下姑娘的打扮活像我第一天看见你的那个样儿呢。"

"是吗？"琥珀沐着他那微笑的光耀，开始吃起樱桃来，又抓了一把去给他吃。"从梅绿村那一天匆匆至今已经十年了，伯鲁。我真不能相信呢，你能相信吗？"

"我以为你总该觉得不止十年了罢。"

"为什么呢？"突然她把眼睛睁得大大的，转过身去朝着他。"难道我的样儿像是不止老十年了吗？"

"当然不是，亲爱的，你今年多大了，二十六吗？"

"是的，我看上去像二十六岁吗？"她问得非常急切，几乎有点凄惨了。

他笑起来。"二十六！我的天，这是多么好的年龄啊！你知道我几岁了？三十九了呢。照你这么想起来，我不是该拄拐杖了吗？"

琥珀做了一个鬼脸，低下头去捡那樱桃。"可是你们男人不同的。"

"这也只是你们女人的想法。"

但她情愿讨论一些比较适意的事情。"我希望我们去吃点东西。

我今天还没有吃中饭呢——露菲夫人给我试了半天的衣服，我在皇上万寿那天要穿的。”原来万寿那天照例整个宫廷都要穿上新衣服。“哦，你且等着瞧罢！”她转动着一只眼睛，预料他看见他穿上那套衣服，一定会失魂落魄。

他微笑起来。“你用不着告诉我——我知道了。一定是自腰以下统统透明的。”

“哦，你这流氓！并不是呢！我那套衣服做得很规矩——跟科丽娜穿的一般，我告诉你罢！”

可是这话刚说出口，她立刻觉得自己又错了，深悔不该提起了他的太太。他的面孔顿时沉下来，笑容也立刻消失，当即两个人都默默无言。

当时她坐在他的身边，在那没有弹簧的车座上一路颠簸着，所有对于他的种种怨恨都重新潮涌上来。但她禁不住从眼角里偷偷瞟了他一眼，看见他那美好的侧影，看见他嘴角一层细腻的褐色皮肤底下的神经微微在那里颤抖，就急于想要伸过手去碰碰他，告诉他说她是多么深切多么永久地爱他。但在这个当儿马车已经进入那个公寓的院子了，一等停下来，他也就急忙跳下去，伸进一只手来搀扶她。

那院子里本来有许多鸡儿，等到马儿进门就都咯咯叫着四散开去藏躲起来了，还有一只猫儿也一溜烟地急忙逃开车轮子。太阳热烘烘地照着砖铺的院场，但是新停的雨还留下一片泥土气，靠墙放着的一些花钵都正吐出绿叶和新苞，每个新苞顶上已染上了微微一点颜色。头顶阳台上面纵横交错着一些绳索，绳索上晾晒着许多物事——被单、汗衫、毛巾，还有一些女人的小衣，被风灌得胖胖的。一个小男孩坐在太阳里，手里摸着他的狗儿，嘴里轻轻哼着一种无穷无尽的歌曲，及至马车离他不过几英尺外停下来，他才抬起头看了一看，却一点儿没有动。

琥珀将手伸给了伯鲁，一下子跳下了马车，一把抓去头上的帽子，让她的头发和皮肤受些太阳光，又向那孩子笑笑，问他要不要吃点樱桃。那孩子立刻站起来，琥珀抓了一把樱桃在手里，就连篮子都交给他了。这时伯鲁已经付了马车钱，他们就漫步向公寓门口走去。琥珀一边走一边吃樱桃，将核子一路吐着。

伯鲁预先定了一桌饭菜来，当他们到那里的时候，那些送菜的侍者刚刚从里边走出。火炉旁边放着一张小桌儿，桌上铺着一条织花白台布，上面已经摆好全套的银家具和几条食巾了，那些蔬菜里面一盆是浇满奶油的山莓子，一盆是炸得非常松脆的鲜鲤鱼，那天早晨刚从河里捉来的，一盆是热气腾腾的糖糕，上面铺着红樱子，还有一盆是糖浆饺，就是里面拿熟苹果做馅儿，外面又涂着一层苹果浆的。此外还有一大罐热气腾腾的黑咖啡。

“哦!”琥珀看见这么一桌食品，不觉喜得喊起来，竟忘记了不久之前还是对他怀着满腔敌意的。“这是我样样都爱的呢!”她欣然地回转身，和他亲了一个嘴。“你一直记得我最喜爱什么，亲爱的!”

她这话一点不错。他时时都要出乎意料地买些东西来送她，其中有些是极贵重的，有些虽不贵重却也是她所心爱。他每次看见一桩美丽的东西，或是一桩有趣的小玩意，知道是她平日心爱的，就一定要将它买来，等有机会送给她，因而十年以来他的赠品已经是数也数不尽了，上至珍珠宝石，下至一只顽皮的小猴儿，总之无一不投其所好。

她扔开了她的帽子，松开了她的胸衣，使得自己可以舒服些，然后他们就坐着吃起来了。她对他的满腔怨恨一时都烟消云散，他们谈着，享受着面前的美味佳肴，彼此相看相爱着，都觉得称心满意了。

他们到这里的时候，才不过是两点过几分，似乎这个长杳杳的下午是一下子过不完的。谁知那太阳光本来照在他们的餐桌上，一会儿就移进卧房，一会儿又移到玻璃窗侧的座儿底下，终于移出房间外去了。于是房里虽然还无须燃烛，却已开始凝起凉飕飕的暮色来。琥珀本来跟伯鲁并排躺在床上吃核桃，吃得两人之间积起一堆核桃壳，至此便从床上一下子爬起来，走到窗口去看天色。

其时她还只穿着一部分衣服，光着一只脚，上身是一件贴身小衣。伯鲁也只穿着一条短裤，一件阔袖的白衬衫，直挺挺地躺在床上，一手支着头，一手拿着个核桃在嗑着，眼睛一直看在琥珀的身上。

她将头伸出了一点，远远看到那条船舶如梭的泰晤士河，见那太阳已经落到河面上，将河水照成一片红铜色了。底下院子的阴影里，有两个人站在那里说话，一个女孩子一手提着一桶水打他们背后走过，他们就都扭转头来看她了。那女孩子走进了最后一抹阳光，映得头发红似一蓬火焰。暮色开始凝结了，空气里面就显出了一种懈怠和清寂，一切众生的行动都显得迟缓疲劳了。琥珀觉得咽喉有点胀起来，隐隐在那里作痛，及至回头看看房中的伯鲁，便不觉热泪盈眶了。"哦，伯鲁，今天晚上月色一定大好，假如我们坐一只小船，向泰晤士河上游去找一家小旅馆住一夜，明天早晨骑马回来，不是绝妙的事吗？"

"确是绝妙。"他同意道。

"那么我们就这么办罢！"

"你知道我们不能。"

"为什么不能呢！"她的声音和眼睛都向他挑战了，可是他只朝她看着，仿佛认为她这个问题是多余的，两个人都沉默了一会儿。"只是你不敢罢了！"她终于直率地说道。

于是她这几个月来所蕴蓄的愤怒和怨恨，所忍受的委屈和羞惭霎时间都纷然交集。她回到那张乱七八糟的床上来，在他身边坐下了，决计要和他讲一个明白。

"哦，伯鲁，为什么不能去呢？你可以编出些话来哄她的。你无论怎样说她都相信你？哦，请你陪我去一趟罢！你马上就要走了！"

"我不能做这种事，琥珀，这你自己心里也明白。而且现在我就得走了。"说着他就从床上坐了起来。

"当然，当然！"她怒不可遏地说道，"我一说起一句你不爱听的话儿，就是你要走的时候！"她的嘴儿有点歪起来，她的声音带着挖苦的语气。"好罢，这一回你可要等我说个明白了！你当我在过去五个月里面是多么快乐的——偷偷摸摸跑去看你，在人面前不敢说句客气的话儿——为来为去就是怕她看破要伤心！哦，天！可怜的科丽娜！可是我怎样呢？”她的声音变得粗厉而暴怒，末了在她自己胸口上捶了一拳。“难道我竟算不得什么吗！”

伯鲁皱起眉头看了她一眼，立刻就站起来。“我很抱歉，琥珀，不过这是你自己的主意啊，你要记得。”

琥珀一下跳起来和他面对着。“得了罢，谁要这种天杀的秘密！伦敦城里从来没有人像你这样怕老婆的！这简直是笑话了！”

他伸手取了他的马甲，套在身上开始扣起来。“你不如穿起衣服来罢。”他的声音很短促，铁板着一张脸儿，那种表情越发激起了她的愤怒。

“你听我说罢，贾伯鲁，你总以为我承你的情陪我睡了一回觉就会称心满意！唔，当初我也许会觉得如此——现在我可不是一个乡下姑娘了，你听见吗？我现在是乐文斯柏公爵夫人——是个有身份的人了，再不愿意坐着马车跟人偷偷摸摸去开房间了！我说得到就做得到！你懂我的意思吗？”

他拿起了他的领结，走到镜子面前去打它。“很好罢，我想，你要跟我去吗？”

“不，我不去！为什么我要跟你去呢？”她放着个八字步儿站在那里，双手撑着腰，眼里冒着怒火看他打领结。

领结打好了，他就戴上了他的假发，拿起了他的帽儿，向卧室的门口走去，琥珀对他的背影瞪着双眼睛，心中越发长起恐惧和疑惑。现在他要怎么样呢？突地她拔脚追上去，等到追及了，他已经走到门边，捏着门把手，回过头来看着她。于是两人默默相视了一刻。

“再见罢，亲爱的。”

她的眼睛巴望地掠过他的脸儿。“我们什么时候再见呢？”她轻轻问着这问题，她的声音怯生生的。

“在白宫里罢，你说是。”

“不，我说是在这里。”

“那么就不再见了。你是不喜欢秘密会见的，可是除此以外我没有旁的办法。这桩事情大概就只能这样了。”

她怀着满腔骇异站在那里瞪视他，突地怒不可遏了。“你这天杀的!”她大嚷道，“你要知道我也是可以独立的呢！那么你就替我滚出去——希望从今以后不再看见你的面！滚罢!”她的声音发痴一般高起来，提起拳头要追上去打他。他急忙打开门，走出去，随手将门关起来。琥珀将身子靠在护壁上，不由迸出两眶无可奈何的热泪。她能听见他的脚声响下了楼梯，渐渐远去，但等她停住抽咽侧耳细听，就再听不见什么了，只有屋子里面不知什么地方隐隐有胡琴声响。她就转了一个身，走到窗口，探头出去张望着。天色已经快要墨黑了，但是刚刚有一个人走进院子来，手里拿着根蜡烛，因而她看出伯鲁还是在那里，急匆匆地走向外面的大门。

“伯鲁!”

现在她已经发起狂来，心里恐慌得什么似的。

但她当时跟他相隔三层楼，他也许并没有听见她的叫喊，霎时之间，他就消失进了外边街道去了。

第六十六章

以后的六天里边，她都没有跟他见过一次面。起先，她还以为自己能够把他叫回来，但是事实上并不如此。她写信给他，让他知道她已经预备接受他的道歉了，他回信说，他并没有要向她道歉的意思，不如就让事情这么下去罢。这一来使她吃惊不小，但她心里还是不相信，以为他们经过了这许多狂风暴雨一般的年头，彼此之间经历过了这么许多强烈的情感，难道就为了一场本来很容易避免的小小口角，竟这么不声不响、无缘无故、毫没收梢地算数了吗？

她无论到什么地方都要寻找他。

凡是热闹场中，她一踏进里边就要眼睛骨碌碌地四下将他搜索。每次过禁苑或画廊，总都希望跟他偶然在那里碰面。乃至坐在戏院里，驱车街道中，她也无时无刻不睁开眼睛留心着他。他占去了她的全部思想和感情，以致她对其余一切事情都没知没觉，有许多次她以为找到他了，及至仔细一看才知道并不是他，却是一个素昧平生的人，其实并不像他的。他们那场吵闹以后不到一星期，她到葡萄牙街克莱门胡同的印度馆里去参加公开拍卖的盛会，那地方正在河滩的尽头，两边开着许多小店铺，专做时流男女的生意。那一天有此盛会，四周围的每条街道都被一班贵族男女的金漆大马车和他们的随从跟车们拥塞着了。那拍卖的场子是个并不很大的房间，里面拥挤着许多太太小姐，以及她们带来的小狗、黑奴和侍女，也有几个花花公子混杂在其间，女性的声音和尖利的笑语洋溢着全屋，像似一道春泉直冲进河里一般。中国的茶盘丁当地敲着。塔无绸的裙子刷刷地响着。

这位乐文斯柏公爵夫人到场的时候，公开拍卖已经进行了一个多钟头了。她的进场立刻引起大众的注目，因为她那种气派自是不同，还是跟从前做戏子的时候掀帘出场那个样儿似的。她像一阵风似的横扫过众人，这边点点头，那边微笑笑，觉得自己一来全场都顿归肃然，而且背后立刻跟来嘁嘁喳喳的私语。她的装扮当然非常艳丽。那件衫子是金丝布做的。外罩一件翡翠绿丝绒紫貂翻毛连风兜的大氅，一个貂皮大手笼上点缀着许多翡翠。那个给她捧裙裾的黑奴穿着一套翠绿丝绒的制服，头上扎着一条金色的头巾。

琥珀看见大家这样注意她，心里觉得很高兴，却是一种带着恶意的高兴，因她以为自己的同性对她这样注意，那就惟有出于妒意了。她是除了男人对自己的倾慕之外，最看重女人对自己的嫉妒的。当时有一个人替她端了一张椅子来，就放在米小姐座席的旁边，米小姐一见是她，脸上立刻呈出一副怨恨的神色，因她知道自己跟琥珀相形之下，就不免要黯然失色了。

琥珀将米小姐瞥了一眼，见她身上也穿得总算讲究了，已不是她的丈夫那点微薄的资产所能够供给，及至仔细一看，才晓得她的珠子是某一个情人送她的，耳塞也是一个情人送她的，那件衫子虽然是她自己做的，却已见她穿过了多回，一点也不算时髦，自己的侍女几个星期之前就穿过了。

“哦，亲爱的！”琥珀嚷道，“你今天穿得多漂亮啊！这件衫子多好！你是从哪里弄来的？”

“你太夸奖了，夫人，当然你比我漂亮得多，我站在你的旁边早已黯然失色了！”

“哪儿的话！”琥珀抗议道，“你太谦虚了，现在宫里人人都巴结你不上呢！”

她们这套相互恭维因一年轻黑人给琥珀送了一杯茶来而结束。

琥珀接过茶慢慢啜着，一面眼光四下流盼着寻找伯鲁，伯鲁确实并不在那儿，只是琥珀心里赌咒门口停的那部马车是阿木笔的。其时场里已经准备拍卖一匹印度棉布了，这是一种贵重的材料，质地很轻松，一般太太都喜欢拿它做晨装穿。那拍卖人截下一段寸把来长的蜡烛，拿根针插了进去，点起来就宣告开拍了。米小姐拿胳膊将琥珀捣了一捣，又对她咧了咧嘴儿，然后把眼睛瞟到不远处去。

“唔！你想我看见谁了？”

琥珀的心突地完全停顿，然后就跳起来。“谁？”

但她一面在问时，眼睛就已跟着米小姐的视线射到数英尺外去，看见科丽娜坐在那里，不过科丽娜的身子是侧转那边去的，只能看见她那面颊的曲线和一弯漆黑的睫毛罢了。她的大氅斜挂在那里，因而掩饰掉了她那膨大的肚皮，后来她转过头来和一个人说话，方才显出她的整个侧影，那一种幽闲贞静的姿态是可爱煞人的。琥珀不见她犹可，现在一见恨不得将她一刀杀死了。

“人家都在说，”米小姐慢吞吞地说道，“贾爷爱她爱得发狂一般。可是这也难怪他，是不是？——她是这样美。”

琥珀将她的眼光从科丽娜身上收回来——因科丽娜并不知道她在那儿或者佯为不知道——将米小姐狠狠地瞪了一眼。其时出价竞买的人并不很起劲，一般顾客都不大去注意，正如戏院里边，看客之意不在戏，却在他们自己人。那拍卖人说了许多话儿，想要鼓起顾客的兴致来竞买，却没有多少成功。那匹棉布其实很美丽，是玫瑰红、兰、紫三种颜色印成的，但是直叫到那时，最高的出价也不过五镑。

琥珀打她左首一个女人面前弯过身子去，跟两个年轻男子在谈天，谈的是当时刚在流传的一段新闻趣事。

据说昨天晚上查理同罗切斯特去逛大荒场一家叫做俄罗斯馆的妓院，谁知皇上正在开心，罗切斯特偷了他的钱溜跑了。后来皇上要付账，一摸身上已不名一钱，不是刚巧有人认识他，险些遭龟奴一顿殴打。又说罗切斯特已经回到乡下去呼吸新鲜空气了，同时正在修改几首新讽刺诗，预备拿到宫中去传播。

“你想这桩事是真的吗？”泽民亨利问道，“我今天早晨看见皇上，他那样儿再精神也没有了。”

“他是一直这样的，”另一个提醒他道，“这是皇上的大幸运，无论怎样荒淫也不会显到脸上来，到底年纪还轻啊。”

“这事到底真不真，我们无从知道，”琥珀道，“因他头一天晚上干的事，第二天早晨总不耐烦别人提醒他。”

“这种脾气当然夫人应该知道。”

“他们都说他近来宠归耐娌宠得厉害呢，”泽民一面说一面留心着琥珀脸上的神色，“计维廉告诉我说，他每星期总要去看她两三次，现在她的肚皮已经大得上下马车都不方便了。”这事琥珀本已知道，事实上查理已经有好几个礼拜没有去跟她幽会了。往常，她对这种情形也许要觉得懊恼，但她现在一心在伯鲁身上，无暇顾及这点了。查理从前也曾冷淡过她，她就知道他不妨再对她冷淡，因为皇上对于风情事情向来喜欢换胃口，没有一个人能够使他满足长久。这一种脾气他老早就养成，也从来不想尝试去改变，但她已经失宠的事现在有人知道了，而且当面来给她提醒，这就使她愤怒起来了。

当时她本来也可以想出一句轻薄话来给泽民一个反驳，但是这个当儿她忽然触到那拍卖人的最后一句话：“——如果再没有人愿意出价，我就要把这匹布六镑拍给贾夫人去了——”说着他将眼睛向场子里溜过一匝，“还有什么人要出价吗？没有了？那么——”

“七镑！”

琥珀的声音震动了整个场子，响亮，清晰，而且倔强，连她自己听见也不免有点惊异了。因为那匹棉布虽然很美，她却实在用不着它，那种印花的颜色她从来都没有穿过，也无论怎样不会想穿，可是科丽娜出过价了，而且是她想要的——然而决然不能让她拿到手。

科丽娜并不回过头来看琥珀，只是静静地坐在那里，仿佛是吃了惊吓了，或是觉得不好意思了。大家看见两个女人这么起劲地竞买起来，都在嘁嘁喳喳地议论。琥珀总以为这么一来科丽娜就会乖乖地作罢，让她拍得那匹布，谁知她的声音又响起来了，虽然温柔却是坚决的。

“八镑!”

这天杀的女人，琥珀心里想道。我非拍到这匹布不可，哪怕叫我破家荡产也是甘心的。

其时那段蜡烛已经快要点完了，再过一歇功夫那针就要倒下，谁要趁倒下的时候叫出价来就可以得标。琥珀等那拍卖人重新宣告那匹布应该拍给贾夫人，便打断他的话道：“二十镑。”

场子里面一时肃静起来，大家都注意到拍卖上去了，因为琥珀对于贾夫人的这番举动，大家都明白它的意思。当时在场的人心里都帮着科丽娜这边，巴不得琥珀被打败而受羞辱，因为大家对于科丽娜虽然没有怎样深切的同情，对于琥珀却都怀着莫大的怨恨。她平时太顺利了，太得意了，甚至那些向来奉承她的人，以及面子上跟她做朋友的，也都暗暗希望她受些挫折。她的失败哪怕怎样小，也能使大家称心快意一下。

科丽娜有些踌躇，以为琥珀本来就没有教养，也不懂礼貌，才会在大庭广众之中这样泼辣，自己却跟这种人去斤斤计较，岂不是有点荒唐吗？琥珀呢，她一点儿没有这种懊悔念头。她将身子硬僵地扑上前，激动得眼睛睁得大大地发着光，两手插在手笼里捏得紧紧的。

我非打倒她不可！她在那里忖道。我非如此不可！仿佛她一生之中再没有一桩事情有这样重要了。

就在科丽娜踌躇不决的当儿，那段蜡烛已经点到脚，里面插的那根针就开始慢慢倒下来。其时琥珀的呼吸渐渐加速，鼻孔稍稍有点掀起来，全身的肌肉都抽得紧紧。好了！它要倒下去了！我已得标了！我已胜利了！

“五十镑!”这是一个男性的声音，正当那蜡烛里的针倒在桌子上去的时候喊出来了。

那拍卖人将那匹布捧在手里，咧开嘴来。“现在拍定了，五十镑拍给贾夫人了。”

那个最后出价的人原来就是伯鲁。这时他从人丛中走过来了，场子里的每个人头都好奇地转向他的身上，只有琥珀呆坐在那儿，一丝儿不能动弹。她的颈梗如同一个新装的门绞链一般，僵硬地将她的头移转到那边，恰巧跟伯鲁打了个照面。他那绿色的眼睛跟她的眼睛接触了一下，嘴角显出一个隐约的微笑，向她点了一点头，便又向前走去了。同时她又看见周围许多其他的微笑，许多讥讽的脸儿，似乎都向她逼拢来，到她头边来游泳跳舞。

哦，我的天！她窘得心里发急道。他为什么要这样捉弄我呢？到底为什么缘故呢？

这时伯鲁已经站在他太太身边了，科丽娜也从椅子上站起来了，她的侍女已经去取了那匹布来，她已经得意洋洋地将它抱在怀里。然后他两口子一同动身出去了，许多椅子吱吱移着，许多男人让开路来给他们。满场子里嘤嘤嗡嗡同一个蜂房一般，所有的太太都在那里窃笑，却并不是人人都拿扇子遮面的。

"我的天！"近旁一个男爵夫人在说道，"如果他们做男人的风行爱老婆不爱婊子，那叫我们的日子怎么过呢？"

琥珀呆坐在那里，觉得仿佛被拘禁在一个不能睁眼也不能呼吸的地方，且若不赶快设法逃开，她是马上就要爆炸的。其时贾爷夫妇已经出门了，那拍卖人又已截下了一寸蜡烛，可是并没有人注意他。

"你哪里想得到呢？"米小姐收起扇子，露出牙齿来佯笑着嚷道，"这班男人不是顶顶讨厌的东西吗？"

琥珀突地在她脚趾上狠狠踩了一脚，痛得她急喊起来，急忙伸下手去摩挲着。她回转头对琥珀威胁地瞧了一眼，琥珀却不去理她，其时琥珀手里拿着一杯茶啜着，眼睛一直盯在茶杯里，心里明知四周围的人都在注视她，所以始终不敢抬头了。

后来回到家里，她就觉得非常难过，甚至于呕吐起来，不得不躺上床去，巴不能够马上死了。她曾经想要自杀，或者至少假装自杀的样儿，以便激起他的同情来对自己回心转意。但她又怕虽是这种举动也未必能够成功。她记得他在拍卖场最后看她时的那种表情，就知道他是决心和她一刀两断了。这是她觉得毫无疑义的，然而她还是不肯死心塌地就此罢休。

无论如何，我总有法子可以把他拉回来。我知道我一定能够办得到。而且我也不能不办到啊！我只要能够跟他再见一面谈一谈，一定能使他明白自己这种举动多么愚蠢——可是现在他连她的去信也不答复了。她曾几次差人送信去，都空着双手回来。她又曾屡次尝试亲自去和他碰面，有一次她穿着一个仆孩的衣服，去到阿木笔府的门口，在雨底下等了一个多钟头，可是终于没有见他从那里进出。她又到处安插了探报员，见他一进宫门就赶来报信，可是他分明始终没有踏进过白宫。最后她竟用她丈夫的名义写信去向他约时决斗，以为用这方法他是无论如何会来跟她见面的。

“几个月以来，爵士，”那信上写道，“我当乌龟而蒙受无穷的羞辱。我自己的名誉毁坏了不算，连我家庭的名誉也被毁坏了，现为光复我门楣起见，我谨向你本人挑战，武器随便你自择，订于明日五月二十八日早晨五点钟在小山町河边三株大橡树的地方候教。可是爵士，我们这次会见请你千万守秘密，且勿带随从同来，仆乐文斯柏公爵热腊上。”

琥珀觉得这种措辞很像真的了，便叫南儿拿给一个代书人去照热腊的笔迹誊写起来，因她虽知道伯鲁未必看见过热腊的笔迹，但为防备万一起见，还以不露破绽为妙。如果这事失败了呢——但这是不能失败的！他决不能不来——没有哪个上流人敢拒绝人家的战书。

但是南儿提出了抗议。“如果你的丈夫有心要跟他决斗的话，早已等不到今天了。”

琥珀不愿听见别人的反对。“为什么不会呢？舒鲁贝伯爵隔了那么长久才向巴铿汉去挑战！”

第二天早晨，整个宫廷都还在睡觉，她就骑了马动身走了，只华大约翰一个人跟去。她穿着一套灰绿丝绒镶金鞭的骑马装，一顶骑士帽檐上面装着一簇石榴红的鸵鸟羽。她虽然一夜都不曾合眼，这时却因满腔的激动支持着，一点儿没有倦意，也没有倦容。他们骑出了王街，穿过西寺那个狭窄污秽的小村落，进入一片碧绿的田畴，经过马儿渡，就到了那三棵大橡树了。琥珀爬下马来，华大约翰将她的马儿骑开去，说好要他藏伏起来不露面，等她发了信号再回来。

这时天色刚刚要破晓，她独个人站了一会儿，四周都是那种在乡间听惯了的种种幽微的声息：溪水冲击堤岸的劈啪声，一只老鸹的喋喋声，眼睛看不见的许多小动物的潜行声。她的周围都有浓雾在轻轻飘荡，如同寒冷早晨喷出的口气一般。她又看见一只水鸟在啄食一条虫，那虫的头被啄去了之后，便又缩进泥土里去了。她不由得大笑起来，突地惊惶四顾，随即急忙跑到一株树背后去躲起来，因为她已看见他骑着马从那片大草场上过来了。她不敢探头张望，怕他要看见，转身便又拼命往后缩。但她听见马蹄声从那烂泥上一步步地移近来，她的心又惊又喜地怦怦跳着。现在他果然在这里了——他要对她怎么样呢？她向来相信自己有能力将他迷住，现在却觉得毫无把握了。

她听得见那匹马在吁吁喘气，又听得见他从马上跳下来，站在它旁边跟它说话。她试图鼓起勇气来预备露面，可是仍旧迟疑着不敢出来。末了伯鲁觉得不耐烦，发出一声短促的呼喊。

“嗨，你预备好了吗?”

她的喉咙干燥而紧张，以致回答不出一句话，但她从树背后跨出来，当即和他遭遇了。她的头微微低着，像是一个孩子害怕要挨打一般，可是她的眼睛很快就射到他脸上去了。他并没有现出多大的惊异，只将一个依稀恍惚的半边微笑抛给她。

“原来是你啊，”他慢慢地说道，“我想你的丈夫并不是一个热心的决斗家啊。唔——”他本来将他的大氅拿在手中，现在重新穿上去了，掉转了头走回他的马儿吃草的所在。

“伯鲁！”她向他那边跑去。“你不要走，时候还早呢！我有话要和你说！”说着她伸手抓住他的臂膀，他就站住了，低头看着她。

“还有什么要说呢？我们之间凡是应该说的话儿都已说过一千遍了。”

这时他脸上已经没有笑容，却是一本正经的，那种不耐和愠怒的神情她已经有点认识，因而栗栗危惧起来。

“还没有说完呢！我得对你讲明我心里多么抱歉！我不晓得那天到底怎么一回事——我一定是发了狂了罢！哦，伯鲁——你不能这样对待我，你这样子真是要我的命了，我可以赌咒，哦，求求你，亲爱的，求求你——我什么事都可以做，什么事情都可以做，只要我能够和你再来往！”她的声音紧张而热烈，发狂地在那里哀求。她觉得自己必须趁此机会和他讲个明白，否则就不如死了。

但他显出一种怀疑的神情，这是凡她对他满口应承或是满口恐吓的时候他所一直要有的态度。“我哪里会知道你心里想要什么呢！但有一桩事情是我知道的，就是我们的来往已经从此断绝了。我的太太已经快做产，我不愿意无缘无故惹她不开心。”

“可是她决不会知道！”琥珀抗议道，她看见他满脸的不妥协，心里愈加急了。

“不到一个礼拜前，她曾经接到这样一封信，报告她说我们仍旧有往来。”

琥珀惊异地看着他，因为她并没有发过这种信，而且不知道有这桩事情，这时她嘴边展出一个称心的暗笑。

“那么她怎么说呢？”

一种厌恶的神情闪过了他的面孔。“她并不相信这桩事。”

“并不相信？那么她一定是个大傻瓜了！”

这话方才说出口，她马上就懊悔起来，立即将手扪住她自己的嘴，眼睛瞪视着他，恨不得咬断自己的舌头。同时她的眼皮垂下来，一点威风也显不出了。

“哦，”她喃喃地说道，“请你原谅我这句话罢。”

过了好一会儿，她才重新抬起头，见他正注视着自己，他眼睛里流露出一种温存和愤怒交混的表情。他们这样面面相视着站了好久好久。末了她悲悲切切地哭将起来，一冲上前将他一把搂住，身子和他紧紧地贴着。他一丝不动地站了一会儿，然后双手抓住了她的肩膀，他的指甲掐进她的肉里了。她见他脸上的表情突然改变，不觉萌起一种获得胜利的狂欢意识来。

她的眼睛紧紧地闭起，她的头竭力地仰回，她心中的欲火如焚，几乎进入一种昏迷的状态。她觉得一切东西都被扫除净尽了，就只剩下一种急欲和他结合的渴望。她的嘴唇是潮湿而分开的，不觉形成他的名字来。

“伯鲁。”

他突地给她一阵粗暴猛烈的摇撼。“琥珀!”

她的头猛地挺起，她的眼睛睁开来，昏昏沉沉地看着他。慢慢地，他低下头来吻了她，但他的手将她两条臂膀牢牢地抓着，使她一丝儿动弹不得。然后他突地将她放开，不等她回复意识，他已经急匆匆地走到他的马儿那边去，跨上了，一溜烟地向城里奔驰而去。琥珀独自站在那一株树下，既不能动弹也不能出声，没奈何地眼看着他去。其时鱼肚色的晨光开始从树条里筛下来，落到她那没有遮蔽的头顶。

第六十七章

米妮姐又要到英国来了。自从复辟不久她才十六岁的那一年跟她母亲来过一次之后，这回还是第一次来见她两位哥哥。上次的会见是他们一家一种新生活的开始，希望可以弥补那多年飘泊穷愁的生活。屈指算来离开现在不觉已经十年了。现在他们一班兄弟姊妹当中就只剩了三个人——查理、詹姆士和安妮汉娌妲，太后已在八个月之前薨逝了。

这回省亲计划了两年多，但每次归程都被延搁，大都因她丈夫恶意阻挠。可是最后查理找出一个非常重要的借口，以至那位御弟也无法提出反对了。原来英国要同法国签立秘密的盟约，查理却要他妹妹回国一趟才签字，因而路易不得不力劝他的弟弟，叫他以国家的利益为重。然而那位御弟仍旧不肯允许她的归程越过多佛。

多佛是个一直浓雾迷蒙的龌龊小市镇，其中只有一条崎岖不平的狭窄小街道，约摸一英里长，两边只有一些摇晃的矮房和旅店。那里有个巨大的堡垒，封建时代的海滨一直靠它保护，但从大炮发明以来，它就失去效用了，现在只成了一个牢狱。当时英国的宫廷都到这个市镇上来迎公主，男人先来，因为查理仍旧希望法国皇帝肯许她回伦敦，那就可用金漆的马车和辉煌的马匹大举迎归了。到了第二天早晨，他们就看见海峡里面远远有法国的舰队。

查理大半夜都没有睡觉，一直焦躁不安，一等天亮就带同约克、吕贝和孟冒司公跳上了一条小船，出发去迎接她了。他站在船上，心急非凡，一直催船夫摇得快些，以致他们的膀子都差不多脱臼了。法国舰队乘风破浪地迎面驶至，金漆的船头闪耀在初出的阳光中，五彩的船帆被风鼓得如同肥胖的肚子，空中的白云堆砌在地平线上，仿佛是肥皂水一般，海水和天空都呈着刺眼的深蓝色。

詹姆士走到他哥哥身边来站着，一条臂膀挽住他的肩膀，查理也将一条臂膀围住詹姆士的腰，向他咧着嘴，眼睛闪耀着，流露出满腔的快乐和激动。其时对面的船已经驶得很近了，差不多已经可以看出甲板上的人，只还分辨不清他们的面目。

“你就想想看罢，詹姆士！”查理嚷道，“我们跟她经过十年的阔别，现在又可以和她见面了。”

突然他们已经可以看出站在前甲板上的米妮姐了，她身上一件白缎衫子被风劈劈啪啪地刮着，手里拿着一柄扇子遮着耀眼的水光。及至她举起臂膀来挥舞着，那两个哥哥就激动地狂叫起来。

“米妮姐！”

“詹姆士，这是米妮姐呢！”

他们坐的小艇和法国的帆船很快驶拢来。查理一等两船相碰，就一下跳上绳梯急急攀援而上。米妮姐也急忙跑来迎接，等他一登甲板就投入了他的怀中。

他将她紧紧搂住，嘴儿碰着她那梳得油光滴滑的头顶心，不觉迸出几颗喜极的眼泪。米妮姐竟呜呜地哭起来了。这时他模模糊糊地用法语说起话来——因为米妮姐一向都用法语——给她一种无限温存的抚慰。

“米妮姐。”他喃喃地说道，“我亲爱的小妹妹——”

突地她仰起头，嘻开笑脸来看着他，急忙拿手擦去脸上的泪珠。“哦，亲爱的！我快乐得哭起来了！我怕和你永远不能再见面了呢！”

查理一声不响地看着她，眼睛里面流露着崇敬，但是仍旧带着一种隐隐的焦忧——因为他一眼就看出来，她这十年以来已经变得多么悲惨了。十年以前，她还一半儿是个孩子——轻佻、热心、无所畏惧而且满心高兴；现在呢，她是完完全全一个少妇了，娴静、老成、世故，却又带着一种足以销魂落魄的丰姿；但她非常之消瘦，虽然脸上呈着一种快乐的笑容，却隐隐衬托着一派严肃，使他心里不由得为之黯然，因他知道这种神情是由何而来的，无论怎样假装也瞒他不过，他知道她心里不快乐，而且是有病在身。

其他的人陆续上船来，查理就放开了她。她先跟詹姆士后跟孟冒司逐一拥抱过。最后她站在查理和詹姆士两人之间，两面挽住了臂膀，左顾右盼地现出满面的光彩。“我们终于又聚在一块儿了——我们这兄妹三个。”其时她的两个哥哥都为他们的母亲穿着深紫的丧服，米妮姐也照皇家丧礼身穿着孝衣——一件素净白缎衫，头发上面披着一层薄薄的黑纱罩。

没有一个人敢把心里正在想的一句话儿说出来：现在只剩我们三个人——我们到底还能相聚多久呢？

当时甲板上面站在他们三个背后的，还有一群漂亮的男女，因为米妮姐的随从虽只不过二百五十来人，却都是经过挑选的；女的都有姿色和风仪，男的都是温文尔雅的知名之士。

其中有一个美貌年轻的女子，一张脸儿像个顽皮女孩子一般，姓葛名叫露易丝，本是个故旧世家出身，现在家道式微了，当时站在那里正对英国国王目不转睛地看着。这回的旅行是她最最激荡心神的一桩大事，因为她觉得自己原是大场面里的人物，现在正是她可以脱颖而出的一个机会了。她一心注视着查理，眼睛里面透露出无限的希望，欣赏着他那黑黝黝的脸相、高阔的肩头和健硕的体格。及至米妮姐和两个男人一齐回过脸来，她才吓得倒抽一口气，查理也不觉向她的脸上瞥了一眼。

于是她擎起扇儿，对她旁边的一个女人低声私语。

“妮依——你认为人家说他的种种故事都是真的吗？”

妮依也许有一点妒忌，她带着一种轻蔑的神情向露易丝看了看。“你也太天真了！”这个当儿，查理又瞥了她一眼，恍恍惚惚露出一点微笑来。

他平日看见一个美貌女人总是全副精神加以注意，现在却除了他的妹妹之外对于任何东西都没有真正的兴趣了。“你能在这里待多少日子呢?”这是他们一番寒暄之后，他对她提出的第一个问题。

米妮妲给他一个悲哀的浅笑。“只有三天呢。”她轻轻地说道。

查理的黑眼珠立刻蹦出来，两条眉毛紧紧地锁起。“这是皇帝说的吗?”

“是的，”她的声音有些不自然，仿佛为她的丈夫觉得不好意思，“可是他——”

“你不必说了——我不愿意听见你替他辩解，可是我想，”他又继续道，“也许他会重新考虑的。”

皇帝果然重新考虑了。

第二天早晨，一个使者渡过海峡回来，带了皇帝的话，说公主可以在英国多待十天，只要她不离多佛。米妮妲和查理听见这话都快乐非凡。有十天的宽限呢！这差不多是一个世纪了。但他心里不免暗暗地恼怒，认为这个法国小子太大胆，竟敢限定他妹子的行踪，亏了路易写了一封信给他，请他对于这事必须尊重腓力的意见，因为皇帝曾经研究过这回要订的条约，倘使过分将他激怒，也许他要从中破坏的。

随后凯瑟琳王后以及所有宫廷命妇也都从伦敦来了，查理在那短短的几日中，将那幽暗的海滨小市镇竭力布置，以便招待他在人世上最最心爱的一个人。那多佛堡垒本是阴冷、黑暗而且潮湿的，其中的一点设备又都具有封建时代的严肃性，及经墙壁上面挂了金丝布，窗口上铺了猩红、宝蓝，乃至鲜绿的垂帘，这才顿呈一种活跃的气象。但这个堡垒也装不下这么许多人，因而两个宫廷的妇女随从只得安顿到当地的村舍里和客店里去了。

这样招待不周，却谁都没有介意，主客的随从们都整日欢笑声腾，享受他们的假日。金碧辉煌的马车在那些狭窄崎岖的小街上辘辘不绝，装饰华丽的女人和假发绣褂的男子在那些狭窄的院场中和酒馆客店的大厅里面随时都可看见。一般人的日常生活无非是看戏，宴会，跳舞，吃点心，而当他们聚在一起跳舞耍钱的时候，法国女人和英国男子以及法国男子和英国女人之间，总不住地眉来眼去，风情无限。大家所谈论的大都是关于公主此番回来的事儿，以为此行并无怎样重要的目的，只不过要讽示英国人脱去他们自己的款式而回复从前的法国风，因为那是在内战时代暂废了的。

但是同时也有种种阴谋诡计在那里进行，这是没有一刻时光会停顿的，正如地心吸力没有一刻时光会不发生作用一般——因为一个宫廷就全靠这种活动在那里拉拢。

只费了几天功夫，那一张条约就签订好了，原来这准备了两年多了，就只欠签字。

阿林敦和其他一位大臣做英国的签约人代表，克劳西代表法国。

在查理个人，这事划出他十年来惨淡经营的一个成功的顶峰了。法国的金钱会使他至少部分摆脱国会的束缚，法国的人力和舰队会帮他击败本国最危险的仇敌——荷兰人。他给法国的报酬呢，除了一句话之外什么都没有——就是允诺自己一有机会就要宣告改归天主教。当时法国专使来完成这番使命，态度显得非常之热心，以为从此买通了查理，对于将来的一场战争可以有个保护了，其实查理始终不曾有过从事这场战争的意思，因而不免暗暗在窃笑。

"倘使我对国家干过的许许多多事，"他等条约签订之后对阿林敦说道，"都要跟着我一同死去的话，至少这一回的功绩总算我留给英国了。这一次的条约包含无限的希望，英国将来会成为地球上最最强大的国家，我们的法国盟友如果想要把欧洲大陆拿去，那就让他拿去罢。世界广阔得很呢，等到我们击败了荷兰，那么他所统属的一切海面都归了英国了。"

阿林敦正将一只疲倦的手按住他那作痛的脑袋，听见这话微微发了声叹息。"我希望英国将来会感激你，陛下。"

查理咧开嘴，耸耸肩，弯下身子将他很亲热地拍了拍。"感激吗，哈利？几时有过一个国家或是一个女人对于你给她的恩惠感激过的？唔——我想我的妹子现在总该上床了，我是照例每天晚上要去看她一次的。你这几天也太辛苦了，哈利，不如吃点安眠药好好休息一夜罢。"说完他就走出房去了。

他发现米妮姐正坐在一张罩着庞大天幔的四柱大床上等着他。

其时她的最后一批侍女都已溜出房去了。半睡半醒在她膝跨里的是一只小哈巴狗咪咪。他在她旁边一张椅子上坐下，一时两个人都默默无言，只是笑嘻嘻地相互对视着。查理伸出一只手去将她的两只手儿一起盖住了。

“唔，”他说，“事情办妥了。”

“到底办妥了。我还有点不能相信呢。我为了这事费了很大的劲儿，亲爱的——因为我知道这是你想要它成功的。路易常常责备我，说我对于你的事情比对他的事情还关切。”她微微笑了一笑。“他的自尊心很柔嫩呢。”

“我想还不止自尊心罢，米妮妲——你看是不是？”说着他微笑起来，有意要将她惹恼。因为当时仍旧有一种谣言，说路易爱得她发狂似的，已经有好几年，至今仍旧还没有死心。

但她不愿跟他谈到这桩事。“我不知道呢。哥哥——我有一桩事情你必须答应我。”

“无论什么事情都可以答应，亲爱的。”

“请你答应我，不要马上宣布改归天主教。”

一种惊异的神情来到查理的眼中，但很快就消失了。他的面容难得会泄漏他的心事。“你为什么要说这话呢？”

“因为法王正为这事在担忧。他怕你马上就要宣布，因而拒绝了日尔曼皈依新教的诸王——等我们对荷兰开战的时候他是要用得着他们的。他又怕你骤然改了教，英国人民不能容忍你——他想最好的时机当在一场胜利战争的当中。”

一个几乎抑制不下的微笑泛到查理嘴边来，但他竭力将它压回去了。

原来路易心里以为，英国人民是不能容忍一个天主教的君主的——又怕英国发生的革命也许要蔓延到法国来。于是查理对于这位法国盟兄有点瞧他不起了，但又喜得他一直都这样容易受骗。其实查理迄今不曾有过意思要强迫他的人民接受天主教，因为他知道他们当然不能容忍，所以觉得不如保牢他的王位要紧了。他一心一意想要太太平平晏驾白宫。

但他当时却一本正经地回答米妮姐，因为他心中的秘密连她也不能全部参与。“我不跟他商量过后决不会贸然宣布改教，这点意思你可以代我告诉他。”

米妮姐微笑起来，她的小手儿亲亲热热地按着他的手。“那我高兴极了——因为我知道这事对于你的意义是多么重大。”

查理几乎觉得有点惭愧，急忙把眼睛低了下来。

我知道这事对于你的意义是多么重大，他在心里暗暗重述道。意义多么重大——他巴不得这事对于他的意义一直都跟现在这样重大，他不愿意让她知道怎样叫做无所信，对于任何事情都没有信心。于是他重新抬起头来。她的眼睛凝视着他，他的黝黑面孔一本正经地不露丝毫的笑容。

“你瘦了，米妮姐。”

她似乎是惊异了。“是吗？怎么——也许是的。”说着她低下头看看自己，而当她这样动弹起来的时候，她怀里的那只小狗就呶呶的发起牢骚来，恼她扰乱它的清梦了。“可是我从来就没有胖过呢，你也知道。你是一直都叫我‘米妮姐’的。”

“你觉得身体好吗？”

“怎么，好的，当然啰。”她说得很快，像一个不愿意说谎的人一般，“哦——也许不时要有点头痛。或者由于太兴奋，觉得有点儿疲倦罢。但这都是一会儿就会过去的。”

他的面孔渐渐铁板起来。“你觉得快乐吗？”

他的神色仿佛也已将她诱入陷阱了。“我的天！这是什么话呀！倘使有人问你：‘你觉得快乐吗？’你打算怎样回答？我想我跟大多数人一样快乐。你的意思是，没有一个人是真正快乐的。甚至你已经得到生活中的一半需要——”她微微耸了一耸肩，一只手儿做了一个手势。“怎么，一个人所能希望的也就不过如此了，是不是？”

“那么你已经得到生活中的一半需要了吗？”

她将眼睛移开，看到床前那块雕刻精致的踏脚板上去，她的手指摆过咪咪身上那件芬芳滑泽的大衣。“是的，我想我已经得到了。我已有你——我又有了法兰西，我对于你们俩都是爱的——”她突地抬起头给他一个渴望的微笑。“而且我想你们俩也都是爱我的罢。”

“我的确是爱你的，米妮妲。我的爱你比对世界上的任何东西都爱得更厉害。我从来以为没有男人值得我们的友情，也没有许多女人值得男人的爱。可是你却不可一概而论，米妮妲，全世界上只有你一个人对我有意义。”

她的眼睛透出一种戏弄的光芒。“只有我一个人对你有意义？你听我说，你这句话不见得出于真心罢，因为有你那么许多——”

他的答话几乎有点粗鲁了。“我并不是和你开玩笑，只有你一个人对我有意义——至于那一班女人——”他耸了耸肩膀。“你知道她们是做什么用的。”

米妮妲轻轻摇摇她的头。“有时候，哥哥，我几乎为你的那些情人觉得遗憾呢。”

“你不必这样。她们并不怎样爱我，犹之我并不怎样爱她们一般。她们都拿了她们所需要的东西走了，其中大多数人都是并不配拿了。你告诉我罢，米妮妲——自从那武士被驱逐之后，腓力到底怎样对待你？每个游历法国的英国人都带回来许多关于他对你的行为的传说，使我听了浑身血液都冰冷。我早就懊悔你不该嫁给那个坏心眼儿的小猴子了。”他的乌黑眼睛闪出一种冷酷的憎恨，同时咬紧了牙关，以致下颌的肌肉显得在那里抽搐。

米妮妲很温存地回答他，脸上露出一种近乎母爱的怜悯。“可怜的腓力。你的确批评得他太严酷了。他实在是爱那个武士，后来路易把那武士送走的时候，我还怕腓力要心神失常，他又说这事该由我负责。老实告诉你罢，我倒也巴不得他送回国来，免得我自己在那里发生许多无谓的麻烦。而腓力在我身上是妒忌得很的，甚至有人对我身上穿的一件新衫子恭维几句，他心里就要觉得痛楚非凡。他知道我这次要回来的消息，便几乎发狂起来，而且说来你也无论如何不肯相信，他竟夜夜都跟我同床，希望我有身孕，便可将这次回国再耽搁下去。”说到这里她轻轻笑了一声，可是那笑声之中并不显得多大的快乐，“他就是这样一种脾气。这是有点奇怪的，”她又沉思地继续说道，“可是在我们结婚之前，他就觉得自己是爱我的了。现在呢，他却又说他一想跟女人同床就立刻要翻胃。哦，对不起，亲爱的。”因她看见他的脸色忽然变白了，那种本来红铜色的皮肤里面竟透出一种青灰色，便吓得连忙这样说道，“我决不是存心要跟你讲这种事情，这种事情实在全不相干的，其他可谈的事情原是很多很多，我又何必谈到这种讨人嫌厌的事呢!”

查理脸上突地起了一种痛楚的痉挛，低下了他的头，拿他两个掌尖蒙住了两眼。米妮妲不胜惊骇，连忙伸出手碰碰他。

“哥哥，”她轻轻地说道，“哥哥，哦！请你饶恕我的这套傻话罢!”她将那只小哈巴狗一手挥开，急忙爬下床来站在他身边，一把搂住他的肩膀，然后在他面前跪下来，但是他的脸儿是遮没了看不见的。“亲爱的哥哥——你看着我罢，求求你——”她抓住了他的手腕，他起先还和她抗拒，后来她才慢慢将他的两手拉下来。“我的哥哥!”她又喊道，“请你不要这副样子罢!”

他深深地叹了一口气，突地把紧张的面容松弛下来。“很对不起，可是我可以赌咒，我恨不得一拳将他打杀！从今以后他不会再这样对待你了，米妮妲。路易会叫他兄弟改变这行为，否则我就要将那张天杀的条约扯得粉碎。”

在那个小小的房间里，石头的墙壁上面都垂挂着猩红的帷帘，上面是金丝绣的斯图亚特王室的征帜，烛台上面点着一大簇细蜡烛，因其时虽不过点心时分，屋里却已黑暗了，因为那间房子没有窗，只有几条开得高高的狭缝。一股浓重的香水气和汗臭气冲进鼻孔来。说话的声音很低，都是毕恭毕敬地在那里低语。扇子在怠懈的手中刷刷微响着，五六个乐师在那里低奏温和的弦琴。

只有查理和米妮妲是坐着椅子的，其余的人大多数站在那儿，也有一些男人坐有地板上散布着的厚垫子上。孟冒司公坐的一个垫子就在他姑母的脚跟，他双手捧着自己的膝踝，仰头看着他的姑母，脸上显然露出不胜倾慕的神情。原来米妮妲虽然算不得天姿国色，却是人人看见都爱她，这种品性正同她的哥哥一样，能使百姓爱他，却不晓得所以爱他的缘故。

“我要送给你一件东西，”她对查理说道，“使你可以留着做纪念。"

"亲爱的——" 查理嘴上带着一种恍恍惚惚的微笑。"你这么说来好像我会忘记你呢。"

"可是让我给你一点小小的赠品，或许是一点珠宝罢——使你不时戴起来，就会想到我——" 她回转头对她身边站着的露易丝说起话来。凡是查理在房间里的时候，露易丝是从来不离开米妮妲左右的。"请你去将我的珠宝箱拿来，就在那口柜子的中间抽屉里。"

露易丝行了一个轻俏的万福，原来她的一举一动都是优雅而有风韵的，因她具有一种经过善良教养的羞涩神情，而又兼有一种落落大方的自然态度，这两种品性都为查理所喜爱，但在他自己宫廷里的那些泼辣女人身上从来没有见到一个兼而有之的。她是一个道地的巴黎人，她的身体的每一根纤维乃至她的衣服的每一条丝缕都是纯然巴黎的质地。她虽也曾对他卖弄过风情，却并没有那种冒昧无耻的态度——她是那种必须经过一番追求而后能够到手的女人。查理是跟一班烂污女人来往惯了的，现在想起自己重新得做追求者，而不为人所追求，就不免有点愤然了。

及等她双手捧着那珠宝箱子站在米妮妲面前，查理就开口说道："这里就有我想要的一件宝贝——让她留在英国罢，米妮妲。"

露易丝红起脸儿来，红得恰如其分，并急忙低下了她的眼睛。几个英国太太显然身子耸动起来了。乐文斯柏公爵夫人和卡塞曼伯爵夫人交换了愤怒的眼色——因为查理原来的一班情妇一看见露易丝的面，就立刻连盟起来，一致对她戒严了。一班男人脸上都现出了微妙的笑容。可是米妮妲只摇了摇她的头。

"我要对她的父母负责，陛下。他们交托给我要我带她一同回国去。" 她为要打开这僵局，便把话岔开去了。"这儿——随你喜欢什么——你拣一件最最容易纪念我的罢。"

查理呈出一个蕴藉的微笑，毫无一点羞恼的意思，便向珠宝箱里去拣择起来。霎时之间他仿佛已经完全忘记这个小插剧，但其实他并没有忘记。他在心里暗暗发愿，愿我总有一天要弄到这个女人——而他对于这种事情的记忆特别长，犹之对于其他事情的忘记特别短。

就在这个当儿，王后带了几个宫廷命妇走进房来了，其中有一个就是荔枝门公爵夫人，因为近日来她一直不离王后左右。原来司徒馥兰自从天花毁容之后，就跟王后一天天亲密起来，现在竟至于形影不离，结果又惹起白宫里面许多丑恶的谣言。

第二天米妮妲就动身走了。

查理同着约克、孟冒司、吕贝也都上了那条法国船，送出海峡一段路。这回他从和妹子见面的时候起，一直都害怕着这离别的一刻儿，现在他尤其觉得难舍难分了，因他心里怀着一种不祥的恐惧，仿佛这一次的生离就是死别，从此永远不能再跟她见面一般——他总觉得她的神情显得疲劳、幻灭而且有病。

他对她说了三次“再见”，但是每次说了都重新回去拥抱她。“哦，我的天，米妮妲!”他终于喃喃说道，“我实在舍不得你走呢!”

米妮妲一直都熬住了哭，至此不禁泪如泉涌了。“记得你应允我的事儿。记得我是爱你的，并且一直都比任何人更爱你，要是我不能再跟你见面——”

“不要说这种话罢!”他不禁将她轻轻摇起来。“当然我会和你再见的，你到明年又要回来了——答应我罢——答应我罢，米妮妲!”

米妮妲仰起她的头，对他微笑着，脸上突地变得清明平静了。这时她像一个乖乖的孩子，学着他的话儿道：“我明年就要回来的——我答应你——”

第六十八章

米妮妲此番归来只能限制住在多佛这桩事，琥珀是差不多跟查理一样觉得懊恼，因为她实在不愿意离开伦敦。当初一般宫廷命妇都要跑到多佛去欢迎，她曾踌躇到最后一刻，及至王后要动身，她方才不得不跟去。但她在多佛住的两个星期中，心里一直都是郁郁不乐忐忑不安的。她急于要回伦敦，想出法子来跟伯鲁再见一面。等到米妮妲动身回国，她方才觉得如同遇赦一般。

她在白宫里的一厢房子仍旧保留，并且常常要到那里去住。这回从多佛回来，她先进宫中去，并且立刻差了一个跟车的去打探伯鲁的行踪。在那里等回信的时候，她的脾气暴躁得非常厉害，一直都在那里找是非，一会儿责怪露菲夫人新近一件衣服给她做坏了，一会儿又骂马夫路上将她颠簸得太厉害，立刻把他开除了；忽又骂到米妮妲的随从露易丝身上去，说她真是晦气，才会碰到这种妖形怪状的婊子。

“这个王八蛋跑到哪里去了？”末了她又大骂起来道，“他去了两个多钟头了！回来我非打折他的腰不可！”但她正在骂时，忽然听见背后轻轻叫了一声“夫人”，便刷地转过身子。“嗨，混账！”她吆喝道，“你给我当差可以这样当法的吗？”

“对不起，夫人。阿木笔府里的人告诉我说爵爷在码头上。”（原来打从去年八月起，伯鲁的那些船舶已经到美洲去过两个来回了，现在正在准备第三趟出发，再下一趟他们就要开到法国的港埠去，他跟科丽娜要到巴黎去买些家具，然后从那里动身到美洲去。）“可是我赶到码头，却又找他不着。他们说他大约是跟城里的商人去吃中饭了，那天下午回不回船他们不知道。”

琥珀怒冲冲地眼睛看在地板上，右手抚着自己的颈脖。她的满脸焦急又添上这一场失望了，还有一点使她烦恼的，就是她也有些疑心自己又已怀了孕。如果这是真的话，那么这个孩子一定又是贾爷的，她虽然急巴巴地想要告诉他，却又有些不敢。她曾想去恳求傅垒塞医生，要替他把这个胎打掉，但又一时下不了这个决心。

“贾夫人在家里。”那跟车的继续说道，因他巴不能够替她效点劳。

“管她在家里不在家里呢！”琥珀嚷道，“这跟我什么相干！你替我滚开去罢，不要再在这里啰嗦了！”

那跟车的毕恭毕敬鞠躬如也地退了出去，但是琥珀早已转过头，沉落进她自己的焦急和计划里去了。她决计跟他再见一面，虽然他曾分明现出不愿见她的意思，她也不去管他了。忽地她记起跟车的一句话来，“贾夫人在家里”，当即她弹着手指，回转身来。

“南儿！叫个人去吩咐把马车预备起来！我要去拜访贾夫人！”南儿吓得瞠视着她，一时回不出话来，可是琥珀气呼呼地将手掌拍了一下。“你别站在这儿噘嘴呀！照我的话去办好了，赶快些！”

“可是，夫人。”南儿抗议道，“我刚刚差人去开除马夫了呢！”

“唔，那么赶快追个人去叫他不要走，至少今天我还要用他。”

她就匆忙捡起她的手笼、手套、面具、扇子、大氅等，尾随着南儿的脚后跟出房而去。刚巧苏姗娜听说母亲回来了，从育儿室跑来找她，琥珀就跪下去匆匆地和她亲热了一会，亲了一个嘴，然后告诉她说有要事要出门。苏姗娜也要跟去，琥珀不答应，她就哭起来，随即顿着脚，大跳大叫。

“我也要去！”

“不，你不能去，你这顽皮的小妖精，不许哭，再哭我就要打你了！”

苏姗娜马上就停住了哭，显出一种伤心和惊异的神情——因为她母亲经常出门几日和她不见面，回来总跟她有一番肉麻，而且总要带点东西回来给她。琥珀看见她这样，心里也觉懊悔，立刻跪下去将她搂在怀里，亲亲热热地吻了她，理理她的头发，并且答应她今天晚上可以让她上楼来做晚祷。苏姗娜经这一番劝慰，虽仍泪流满面，却不由得微笑起来，眼看着她母亲跟她挥手告别而去。

后来琥珀在科丽娜的前室里等着她出来的时候，却又有些懊悔，觉得这一番不应该来。

因为伯鲁倘使刚巧回来，她知道他一定要大光其火，那么他们日后言归于好的任何机会都要被破坏了。于是她觉得难受极了，浑身都发起冷来，暗暗在那里发抖，惟恐跟科丽娜见面。谁知这个当儿，门儿已经开来，科丽娜已经从里面踏出。她一看见琥珀坐在那里，脸上也稍稍露出一点惊异的神情，但她马上定了神，对琥珀行了个万福，并且很客气地谢过了她的拜访。然后她请琥珀到客厅里去。

琥珀从椅子上站起来，心里仍旧迟疑不决，恨不得找句托辞立刻逃出去，但是科丽娜正在那里让她，她就只得踏进客厅里去了。其时科丽娜身上穿着一件飘逸的绸寝衣，是玫瑰和深蓝两种浓艳花色的，她的浓重黑发披在肩膀上和脊背上，上面插着两三朵月下香，胸口上也插着一簇同样的花朵。

哦，我多么恨你啊！琥珀突地狠起心来暗暗忖道，我恨你，我瞧不起你，我恨不得你立刻就死。

在科丽娜这边呢，虽然面子上装得非常客气，心里却也对这客人未必会有好感。她嘴里虽说自己不相信伯鲁跟这女人继续有来往，那却不过是一句谎话，现在一看见这个蜜色头发和琥珀色眼睛的人儿在面前，就不由得泛起满腔的憎恶来了。她几乎已经相信她们两个如果都存在世上，那是谁都不能有太平日子好过。当时她们就面面相觑——原来是两个同爱一个男人的女人，两个势不两立的仇敌。

琥珀觉得自己非说几句话不可，便竭力装出非常随便的口气：“阿木笔告诉我说你不久就要动身了。”

“一等能走就马上要走，夫人。”

“你巴不得早些离开伦敦罢，我看是。”

她此番来意并不是要对人当面恭维，也不是要逢迎献媚，因此她嘴里虽然和婉，那双眼睛却一动不动，亮晶晶地冒出凶焰，仿佛猫儿等着耗子一般。

科丽娜也反过来瞪视她，一点儿不露慌张畏怯的样儿。“我确实有这种意思。只是原因也许并不如你所想。”

“我不懂得你这句话的意思。”

“对不起，我想你是懂的。”

琥珀听见这句话，不觉伸出手来。你这婊子，她心里想道。你等着罢，我要跟你算账的，我一定有法子要你出汗。

“我倒佩服你，夫人，你的样儿倒齐楚得很——一个丈夫不忠实的女人难得这样的。”

科丽娜的眼睛惊异地大大睁开，暂时她默然不响，然后平心静气地说道：“你今天为什么到这里来，夫人？”

琥珀将身子扑了上前，双手紧紧地捏住手套，眼睛瞅起来，声音低沉而有力。“我是到这里来跟你谈谈的。我到这里来告诉你，不论你自己心里怎样想，他仍旧是爱我的，他永远都要爱我！”

谁知科丽娜的回答那么冷冰冰，使她大为惊异。“你喜欢这么想尽管这么想罢，夫人。”

琥珀从她的椅子上一下跳起来。“我喜欢这么想尽管这么想。”她带着讥讽的口气道，“你不要做傻子呢！你不肯相信我的话，因为是你不敢相信的缘故。他至今没有跟我断绝往来呢！”她心里的激动可怕地高涨起来。“我们一直都在秘密地幽会，一个星期要有两三回，就在马革广场的一个公寓里，那许多下午你以为他在打猎或是在戏院里，其实他都跟我在一起！那许多夜晚你以为他在白宫里或是酒馆里，其实他也跟我在一起！”

她看见科丽娜的面孔顿时变白了，左眼角上一根筋肉在那里扭动，她不由得狂喜起来。这个女人到底也感觉到了！这就是她此番来的目的，就是要将她挑拨起来，刺激起来，使她知道自己的丈夫对她不忠实，因而会觉得羞愤。她要亲眼看见那女人现在无地自容的窘态。她要亲眼看见那女人狼狈得如同挨打一般。这样才能发泄她心头之恨。

“现在，你觉得他对于你的忠心还能够靠得住吗？”

科丽娜只把一双眼睛瞠视着她，一种憎恶的惊惶出现在她的脸上。“我看你是丝毫廉耻之心都不存在罢！”

琥珀的嘴儿扭成一种丑恶的讥讽，她并不觉得自己的嘴脸怎样难看，即使觉得她也不去管了。“廉耻！见什么鬼叫做廉耻啊！这是从前那种怪人拿来吓吓小孩用的，现在早已用它不着了。你真不晓得自己这几个月来在我们的心目中是怎样一个傻子呢——我们大家都在暗地里笑你——哦，你不要自欺欺人罢——连他也是跟我们一起在窃笑你的！”

科丽娜也从椅子上站了起来。“夫人，”她冷然说道，“我从来想不到天底下的女人会像你这样没有教养。现在我才相信你真的是个街头出来的人——因为你的行为很像这种人，你的说话也像这种人，我只是不懂你怎么养得出小伯鲁那样一个孩子。”

琥珀不觉大大张开嘴，被她这一句话吓退了。贾爷从来不曾对她说过他的太太知道她是那个孩子的母亲，然而他的太太竟是知道的，却又从来不曾向谁提起过一字，又不肯拒绝那孩子待在自己身边，又似乎是爱得他跟自己亲生的孩子一般。

我的好上帝！那个女人虽是个傻子，却并不如自己想的那么傻呢！

“那么你已经知道那个孩子是我养的。好罢，现在你既然认识了我，我可不晓得你知不知道我的儿子将来要世袭爵爷，凡是你丈夫所有的一切都将属于我的儿子而不属于你，你对于这事抱怎样的感想呢？喂，难道你真的这么有德，这么持重，以至于丝毫无动于衷吗？”

当时她离科丽娜站得很近，口气互相接触着，眼睛瞠视着对方。她想要揪住她的头发，扒破她的脸儿，毁坏她的容颜乃至于她的生命，然而有一种连她自己也不知道是什么的东西将她控制住了。

“请你离开我的房间罢，夫人。”科丽娜说，其时她的嘴唇已经气得发硬了，虽然在那里发抖，却仍勉强说出这一句话来。

琥珀突地呵呵笑起来，却是一种愤怒万分竭力压住的怪笑。“你听她说的！”她嚷道，“好好，我自然会走。只是我舍不得马上离开你罢了。”说着她就粗手笨脚地捡起她的手笼和落在地上的扇子，又回转头面对气喘吁吁的科丽娜。这时她已经无暇思索，便将心里要说的话冒失地冲出口来。

“你是不久就要做产了，是不是？那么请你不时想念想念我罢——否则你以为他会像一头忍耐的狗似的一直侍候在你床边，直等到你——”

她看见科丽娜的眼睛慢慢闭起来。这个当儿，一个男人的粗暴声音像一个轰雷似的冲进房间里。

“琥珀！”

她回转身子，看见伯鲁正大踏步向她走来，愤怒得仿佛连身子也涨得非常庞大。她不觉吃了一惊，几乎想要逃走了，但他一把抓住她的肩膀，将她转了一个身，同时伸出一只手狠狠地打了她一个巴掌。霎时之间她竟完全盲目了，她仰起头看见了他的脸，痉挛而丑恶——她就知道他愤怒得已经起了杀心了。

她的反应非常之迅速，一部分由于恐惧和她自己有力的自卫本能，又一部分由于她的理性早就失去了控制，凶猛得像一头野兽一般，她开始对他脚踢，指抓，拳打，一面竭力地呼喊，拿最最不堪入耳的话咒骂他。当时她的报复心十分激烈，只要她有力量也竟可以将他杀死——所有因他而遭受的种种苦痛，所有因科丽娜而起的种种妒心，一时都交迫而至，将她造成一个凶恶、危险，如同魔鬼一般的怪物了。

伯鲁经过开头一阵暴发的愤怒，立刻就平静下来，现在他只尝试要使她回复意识，但她因暴怒而迸发的那股气力，已经使他无法将他控制了。

“琥珀！”他想要打破她的耳鼓而盲目地向她急喊道，“琥珀，你看上帝的分上静一静罢。”

其时他的半边脸儿已经在淌血，长长的指印划过了他的面皮，他的假发和帽子都已落下，琥珀的衫子也从领口扯到胸膛，头发纷然披散了。科丽娜站在旁边注视着他们，惊吓得不能动弹。

突地伯鲁抓住琥珀的发根，给她一阵猛烈的摇撼，震得她的脊梁骨都几乎断了。琥珀痛得发出一声尖叫，随即向他面孔上狠命一拳，打得他的脑壳晃荡不定，于是他的眼睛发绿了，就双手抓住她的颈脖，十个指头渐渐抽紧了她的咽喉。她的脸儿发了黑。她将指甲拼命抓他的手儿，同时舌头也伸出来了，眼珠子也快蹦出了，她竭力要喊却喊不出。

科丽娜急忙赶过来，抓住了他的臂膀，拿拳头拼命打他。他突地放手，琥珀就同一只口袋似的倒在地上了。他脸上带着一种莫可明言的厌恶——仿佛不但厌恶琥珀而且也厌恶自己似的——走开了。他抬起他的手儿，指节仍旧弯在那里，眼睛瞪着它，仿佛不是他自己的手儿一般。科丽娜站在那里看着他，脸上现出一种慈母一般的怜悯。

“伯鲁——”她终于说，她的声音很温柔，“伯鲁——我想你得去叫产婆了。我已经肚子痛了起来——”

他呆呆地看了她一会儿，脸上现出明白的神色来。“你已经肚痛了吗——哦，科丽娜！”他的声音带着一种痛悔的调子，突地将她抱了起来，走进里边一间房间里去，放她在床上安顿好。他衣裳上的血渍已经染上了她的衣裳和她的面颊，他伸手将它擦去，掉转身重新走出外间来。

琥珀不知人事地在地板上躺了两三分钟之久。当她刚刚有点回复意识时，她还以为自己躺在一张温暖、柔软、舒适的床上，竟至伸手要拉好被头。过了一会儿她才完全恢复意识，记起自己现在在什么地方，曾经遭遇什么事。于是她勉强坐了起来，只觉耳朵里和眼睛里的血液都在狂跳，同时喉咙在作痛，头脑在发昏。后来她好容易爬起身来，颤巍巍地站在那里，仿佛挂在一个钩子上一般，将头低低地垂着。及等伯鲁从里间走出，她才稍稍抬起头，他也就在她身边站住了。

过了许久他方才开起口来。“你滚出去罢，”他轻轻说，“赶快滚罢。”

第六十九章

这事以后的几天当中，琥珀都住在乐文斯柏公爵府里，难得离房门一步，所有的客人都被挡住，宫里也一次都不曾去过。有人放了个谣言，说她被贾夫人下毒了，已到了弥留之际，别人却说她刚刚打过胎，现在正在家里调养。但也有人坚持说她是新近闹脾气闹出事来的。琥珀对于这一套谣言，当然不会去理睬，及后查理差人来问她，她才说是害了沉重的疟疾。

大部分时间她都只躺在床上，头也懒得洗。她的眼睛旁边已经长起了一个黑圈，她的皮肤也变焦黄了，而且整天难得吃东西，只是拼命灌酒。她的舌头觉得粗硬而麻木，无论吃什么东西都没有味儿，她巴不能够立刻死去。

从前她也曾经尝味过了寂寞、凄凉、恐慌、疑虑等的苦况，现在她的愁还不止是如此了。所有她将来的希望，那天在阿木笔府里都已丢失得干干净净，只在几分钟之内她已将一切都破坏了，而且破坏得非常彻底，已经是一点重新建设的基础都不留了。甚至于她的精力，她那一股永远不衰的勃勃生气，也似乎都突然消失了。

其时巴铿汉刚好又有一个新计谋，特地来找她商量，谁知她竟漠然不感兴趣，几乎是麻木不仁，他为要激起她的反应来，不得不将原来打算给她的贿赂加上了一倍。但他这次的计谋是最最阴险狂妄的，所以虽至倾家荡产也在所不惜，原来他是想要毒杀阿林敦。

琥珀听他将计策解释明白，也不由得提起一点兴致来，末了她耸耸肩膀。“我的天，倒看不出你这位公爷是个善用心机的谋杀者。那么你将来预备用怎样的计划来干掉我呢？”

巴铿汉公很温柔地笑了。“干掉你，夫人？我抗议，为什么我要干掉你呢？你对我的用处太大了。”

“当然啰，”她同意道，“你自己的脑袋比我宝贵，当然不把脑袋拿到伦敦桥上去示众了。”

“呸，皇上对你是两样的呢，哪怕你谋杀了他的亲兄弟，他也不会拿你去办的。他对自己相好过的女人心肠都很软，决然舍不得办她们。可是你尽管放心，夫人，我并不是一个笨拙的计谋家，以至于危及你我自己的性命。”

为什么他办这桩事情非有她不可，为的是事情万一出了毛病，他得要有一只替罪羊，而且当时在宫里的人，也只有她能够哄得皇上相信阿林敦不是被人害死的。如果这一点她办不成功，那么就得她自己去受罪吃苦。

但是琥珀做事向来不肯相信自己会失败。当时巴铿汉公一把他的计策对她说明，她就立刻想出她自己的一条计策来。她觉得这条计策可以同时欺骗巴铿汉，赚取阿林敦，冒险不多而大量的金钱可以稳拿到手。

巴铿汉公将他答应她的二千五百镑交付给她——还有一半等阿林敦安然入墓之后才交——她就立刻叫牛散达来拿了去。她怕这笔钱放在家里要被巴铿汉偷回，然后她跟阿林敦约定一个时间去跟他密会了。

那天将近半夜的时候，她藏在一只大衣笼里由两个扛夫抬出官来，身上盖着许多脏衣服，使人看去只当一筐衣服抬到洗衣坊里去的。一会儿之后，南儿也打那个门口出来了。她穿戴着琥珀日间用过的衣服和首饰，头上装着跟琥珀的头发一般颜色的假发，脸上罩着假面具。其时门口有一个男人在那里徘徊，自从入夜以后就在那里的，起先看见那衣筐抬了起来，将它注视了一回就罢了，后来南儿坐上琥珀那部大马车，他就向自己的马车夫吹了一声信号，也跳上马车尾随而去了。

南儿的车子曲折绕过许多路，这才到了甘菊街，回头看见巴铿汉公的那个密探紧紧跟踪在后边，心里只觉得好笑。后来她走进一家公寓去了，那人站在门口足足等了她三个钟头，及等她出来之后，那人进去问房东，那几间房子是谁租的。房东告诉他说租的人名叫哈利斯，是约克公戏院里的一个年轻的戏子，他就回到公爷那里去报告交差了。

在这期间，琥珀已被抬到西寺区的一条狭窄胡同里，抬上两张峭楼梯，到了三层楼上一个肮脏不堪的小房间里才放下。那两个扛夫就退出去了，琥珀当即推开盖子从衣筐里爬出来，同时阿林敦也正从里间一个门口走出，一件黑色大氅拖在地板上，一顶帽子拉到眉梢，一只手里拿着面具。

“我们的时间很匆促，爵爷，”琥珀一下掀去自己肩膀上和颈脖上的一件里衫一面说，“我有一个大有价值的情报——我愿意以五千镑的代价卖给你。”

阿林敦听见这话，并没有改变表情。“这我是非常感激你的，夫人。可是五千镑是一笔很大的款子，我想我一时未必能——”

琥珀觉得不耐烦起来，当即打断他的话。“我并不是一个棉布商人，我的爷，不会给你赊账的。我的款子必须要现钱，可是也许我们可以来做一桩买卖罢。我现在可以把我所知道的事情告诉给你一部分，等明天把款子付清，我就设法来破坏这个计划。只要你不——”她轻轻耸了一耸肩，言外之意就是一种很不愉快的灾祸要落到他身上来了。

“这种办法在你们女人是可算得合理的。”

“有人想要谋杀爵爷——我并且知道在什么时候，用什么方法。如果你拿钱给我，我能够破坏这个计划——”

阿林敦依然不动声色，他的仇敌本来就很多，竟出他意想之外，其中有很多人是他自己明明知道的，至于这桩案子似乎尤其显而易见了。

“我想这个计划我自己也能破坏，夫人，这五千镑是我乐得可省的。”

“你怎样破坏呢？”

“如果我去告发——”

“那你是不敢的，你自己也该明白罢！”

琥珀这话是对的，因为他莫说是告发，只消对皇上去表示一点怀疑，巴铿汉公就要老实对他不客气，对他公然干起来，而且这位公爷仍有很大的势力，将宫廷以外的各界都拉拢来，那各界的人物正是皇上竭力想要他们拥护的。倘使阿林敦竟去告发他蓄意谋杀，他就索性从政治上去打倒他，甚至比拿毒药断送他的性命还要快，也许他的本意并不在此，也许他把琥珀拉进里面的用意就是存心要她去放风。在阿林敦呢，却只怪女人多管闲事，倒使他的事情更加难处更加费钱了。

“在我看来，”他说，“这也许只是你想弄钱的一种计策罢。我是皇上钦命的堂堂国务卿，想来没有人敢毒杀我的。”

琥珀对他这种牛皮无动于衷，只向他笑了笑。“但是倘使有人竟敢这样呢？那么你到下一个星期或是下一个月里就要跟一条咸鱼似的挺在那里了。”

“假如我拿钱给你，我又怎么知道你会不会把这计划破坏呢，如果真有这计划的话？”这时那男爵的脸上显得大为愠怒。他知道琥珀已经拿住自己，他的性命和金钱无论如何不能两全了。因为他不敢冒这个险，他知道巴铿汉的为人，有时发起脾气来是杀人不眨眼的。不过也许并不是巴铿汉，而是一个较小的仇敌呢——总之，这天杀的女人可恶极了！她为什么要问我拿五千镑呢？皇上养的那些婊子钱都来得很容易，至于他要弥补这大笔支出，那就该得几个月的辛劳工作了。他对于一般女性本来就不大喜欢，这回对于这乐文斯柏公爵夫人尤其恨她切骨。

“我想法子明天把这笔钱付给你罢。晚安，夫人，多谢你。”

“哪儿的话，爵爷！你的生命对于英国实在是太宝贵了，谢谢你。”

巴铿汉公的计划很简单。第二天他就带了阿林敦家里一个年纪才十五岁的美貌仆孩来见琥珀，叫她劝诱他为皇上和国家起见毒杀他的主人。将来等阿林敦死了，巴铿汉公预备给这仆孩一百镑，就说他害天花死掉了，把他送到外国去。但事前并没有对仆孩说。

琥珀就对他大施媚术，牛约翰立刻上了她的钩，同意了那个计划。可是她既拿过阿林敦的钱，就只给牛约翰一服不会致命的安眠药，叫他调进他主人的糖乳酒里去。第二天她去见王后，巴铿汉公将她半路拦住，满脸焦急而又愤怒的神色。“你的事情到底怎么办的？”他质问，“现在他还跟皇上在一起呢！”

琥珀停住脚跟他面对面站在那儿。“是吗？”她假装非常惊异的样子。“唔——那么事情是奇怪了，是不是？”

“对啊，是不是？”他讥讽地重述道，“约翰说那糖乳酒他连碰都没有碰过一下呢——他是每天晚上都要喝的！这我明明知道，因我注意他的习惯已经好久了。你赶快回答我罢，你这婊子！你到底怎么办的？”

他们站在那里互相瞪视着，大家都不能再假装下去了，双方脸上都显然流露出憎恶的神色。等到琥珀开口回答时，她的话是从齿缝里慢慢透出来的。

“老实告诉你罢，微佐治，你如果再敢对我这样无礼，我就要让皇上听听你所不愿意他知道的一切事情了。”

说完她也不等他回答，就别转身子管自走开去了。巴铿汉公看着她的背影，站在那里迟疑了一刻儿，也回转身向相反的方向迈步而去。南儿站在那里看着他，眼睛睁得大大的，也撩起裙子急忙去追琥珀。

“我的天，夫人！你得看看他的脸色呢！简直是个魔鬼了！”

“这魔鬼去出天花去！我真不怕这种多管闲事的酒鬼呢！我恨不得——”

她正想要踏进王后宫里，却见阿木笔穿过人群向这边走来了。他跟其他三个男人一起，一路谈笑而来。她从那天到他府里等他之后，一直没有见到他，现在她就停住步，站在那里等他了，希望他能给她一点关于伯鲁的消息。她又知道那天科丽娜已养下了一个儿子，他们不久就要开船到法国去了，所以急于要打探一点消息。谁知她却大吃了一惊，因为阿木笔一看见她，便突然掉转身子，向旁边一条大走廊里躲开去了。

“怎么！”她不由大喊起来，直气得像在大庭广众之中吃人打耳光一样，可是她毫不迟疑地向他拼命追赶过去。及等赶到他后边，她就一把抓住了他的臂膀。

“阿木笔！”

他很不耐烦地慢慢旋转身，低头看着她，可是一句话都不开口。

“怎么回事啊？”她质问道，“你为什么要躲避我呢？”

他没有回答，只是微微耸耸肩。

“告诉我，阿木笔：他们什么时候走？”

“快了。明天，也许是，或者后天。”

“他有没有——”她有点迟疑起来，“他没有跟你提起过我呢？”

一阵厌恶的神情闪过他的脸。“没有。”

“哦，阿木笔，”她带着哀求的声调嚷着，也顾不得四面八方那些好奇的眼睛在注视她了，“你不见得也会恨我罢！我是吃苦吃够了——现在只剩下你一个朋友！那天的事我一定是昏了神！可是，哟，阿木笔，我实在是爱他的！现在他走了，我从此不能再见他的面了！我必须跟他再见一面才好——你肯帮忙吗？求求你！我一句话不说就是了——我只要看他一看。现在我不知道到什么地方找他去——他始终都没有进宫。哦，阿木笔，我非跟他再见一面不可！”

阿木笔憎恶地掉转头走开去了。“我不帮你的忙，你是见不到他的。”

那日阿林敦待在家中，跟一班医生在一起，正拿水蛭在治病，及至门房出乎意外地进来通报巴锃汉公爷到来，这才将那些虫子急匆匆拔去，带着满肚的血重新扔进那个喂养它们的小口瓶。巴锃汉公被招待进房时，看见阿林敦躺在床上，拿好些枕头支垫着，其时巴锃汉公态度非常柔和，为多年来所未见，进得门来就是一个躬，并且装出一个紧要关头所必须要的微笑。

“爵爷。”

“殿下。”

阿林敦将手一指，公爷就在他床边一张椅子上坐下来，随即跟他低声说着话，神情仿佛跟他非常知己。“我有一桩顶顶严重的事情要跟爵爷商量。”

阿林敦当即屏退了仆从，心知有一两人会待在近旁听候使唤。

“我现在也用不着跟爵爷讲假话，”巴铿汉公一等仆人退去之后就继续说，“你当然知道，乐文斯柏公爵夫人曾被我雇用了一些时期。”

阿林敦差不多不可觉察地微微点了头。

“同时我又知道她也受你的雇用——两方面拿钱，却跟我们都不利。这我倒不怪她，因为这已成了宫廷里的一种风气了。可是我现在探知这位夫人竟想来谋杀爵爷呢。”

阿林敦那张冷冰冰的严肃的脸上微微露出一点惊异的神色，可是他所惊异的却在这位公爷的厚颜——他为了自己的好处竟会不顾一切利用任何机会。

“她想要谋杀我吗，你说是？”他柔声问道。

“是的，爵爷，她确有此意。我怎样会知道的呢？那我不能告诉你，可是我能告诉你一个大概的情由。这个计划是由法国发动的，因为法国有一些高级当局怕爵爷要阻碍两国之间正在提议的协约，这时有人拿了一笔巨款买通她，要将爵爷去掉。我现在用老朋友的名义特来警告你，你得对她防备着才是。”

当他发表这一番话时，阿林敦却拿那一双淡蓝色的暴眼睛很庄严地看着他。他心里明明知道巴铿汉公是为了他的计划失败了，这才捏造这番话来替他自己掩饰的。

“这个女人实在是讨厌，”巴铿汉继续说，“我想她只要有人肯出价，连老势厘也会毒杀呢。可是皇上向来有一种弱点，对于他曾一度爱过的女人永远舍不得去掉她，所以她的势力也许还有许多年可以保持——除非爵爷和我们大家商量一下，设个法儿去掉她。”

阿林敦谨而慎之地将两手的指尖儿交插在一起。“那么殿下打算用什么法子来去掉她？”

于是巴铿汉公装出一种非常坦白的神情。“爵爷是深知我的，当然不会想我专为你的利益打算，我自己对她也是恨之入骨——她曾花了我无数的钱，我可不曾得过她一点好处。可是我们不好毒杀她，也不好绑票她到外国去。”

“可见殿下真有骑士风度。”阿林敦带点讥讽的语气称赞他。

“别来这一套罢！我只是要将她弄出英国——无论用什么手段我都不管，免得将来要受她的累！”事实上，他怕她要泄漏自己谋杀阿林敦的企图，所以急于要将她去掉。现在他已觉得他们二人不能并存在英国——然而他自己是不愿意走的。

阿林敦听到这里，方才去掉他那种超然事外的态度和瞧不起人的神情。他虽明知道这位公爷是满口的胡言乱语，但对于他这提议完全表示同情，因为她倚皇上的势力的确已使人感到种种不便了。她若是走了，至少使他可以少对付一个女人，至于巴铿汉，他确知他已经吓得不敢再存谋杀他的心思了。

“我想有一个法子可以使她立刻就离开英国，而且是她自己情愿会走的。”他说。

“什么法子？赶快告诉我罢。”

“我想殿下不如将这桩事交给我去办，倘使我失败了，那听凭你怎样去处置就是了。”

琥珀坐在她的马车里，心慌意乱地将她刚从家里带出来的一把扇子撕得一条条的。其时天色还很早，浓雾将所有高房子的屋顶都给雾掩没了。她已在那里待了一会儿，只觉心里虚得慌，几乎懊悔此番不该来，因为她想起自己要跟他重新见面，竟有些害怕起来了。

原来她在几天前曾经买通了阿木笔的一个小厮，今天一清早他就跑到宫里来给她报信，说贾爷就要出门到码头上去了。其时她还在睡觉，听见这个消息就匆匆穿好衣服，梳了一梳头，动身走了。现在她在车子里等着无事，便拿她那颤抖的手扑了些粉，但她一双眼睛屡次瞟到车窗外，不敢一直对着手里的小镜儿。她等了一会儿不见动静，就以为贾爷已经走了，事实上她也巴不得如此，因为她想见他的愿望虽然迫切，但怕见他的愿望也许更强。

突地她屏住呼吸，机警地坐挺起来，不觉手里的镜儿和粉匣都掉进膝胯里。原来阿木笔府的大门已经开了。

在她瞠视着眼睛迫切注视的当儿，伯鲁和阿木笔都已从门里走出，跟他们后边的一个人说着话，慢慢踏下台阶。琥珀这回坐的是一部出租马车，离开大门一段路停在那里，被那黄色的浓雾笼罩着，所以两个人都没有注意到它。他们站在那里谈了三四分钟，等着他们的马由马夫牵了来，他们就跨上去，从容不迫地向她这边骑过来。

琥珀坐在车里激动得浑身僵直而颤抖，觉得自己再也提不起勇气来跟他说话了。直至他们的马到她车子旁边，她才从车窗里伸出头叫他的名字。

“贾爷!”

他们两个人都急忙转过头，一阵惊慌的神色掠过了伯鲁的脸，他就将马缰勒住了。他在鞍上稍稍侧转了身子，低下头来看着她。

“是夫人吗?”

他的声音仿佛跟陌生人说话，他的眼睛仿佛从来没有见过她的面。琥珀的喉咙痛得肿起来，心里急得要喊出来：请你再爱我这么一分钟罢，亲爱的，留下一点使我快乐的东西让我纪念纪念罢。

但她只轻轻说道：“我希望贾夫人已经复原了罢?”

“是的，谢谢你。”

她急忙探索着他的眼睛，一定还有一点东西留在那里的，一点可以表示他们曾经相知相爱这许多年的东西留在那里的。谁知那双眼睛只是瞠视着她，冷冰冰地闪着绿光，没有一点儿情绪，也没有一点儿记忆了。

“你要动身了吗?”

“今天就要动身，如果顺风的话。”

琥珀知道自己又快要发那种疯劲了。因而她咬紧牙关竭力将自己镇定住，只喃喃地说：“但愿你一路顺风，爵爷。”说着她将眼睛垂下来，捏紧一个拳头拼命捂住她的嘴。

“谢谢你，夫人，再见。”

他的帽子重新回到他的头上，两个人都轻轻提了提马缰，两匹马儿便都起步了。琥珀寂然不动地僵坐了一会儿，不觉哇的一声哭了出来。“走罢！”她嚷道，马车慢慢掉转头，便也动起身来。她跟自己拼命挣扎了一会儿，终于熬忍不住。她掉转身跪在车座上拿一只潮湿的手掌擦去车窗上面的灰尘，这时他们两人离开还不远，她已辨认不清哪一个是伯鲁了。

那天中午时分，阿木笔的那个小厮又来告诉她，说贾爷和贾夫人刚刚坐了一条专载贵客的皇家游艇动身渡过海峡了。

第三天下午，她接到柏爷寄的一封信，因为他也坐着那条游艇过海峡去的。琥珀大感兴趣地立刻将那信拆了开来。“夫人，”她念着那信，“我相信这桩事情你会觉得有点儿关切。贾夫人渡过海峡的时候突然害起急病，不想船到克雷就去世了。据说贾爷的意思是立刻要回美洲去的，你的忠仆柏上。”

当时要买船票到美洲去不是一桩容易的事，因为大多数的商船都结成大队而行，且每年只有三次。琥珀终于找到一个船长，他有一条旧船名叫“幸运”的正要开航。她给了他相当的贿赂，他就加紧装好了货色，一等潮涨马上动身。

“我要把房子封锁起来，装做下乡去的样子。”她告诉南儿说，“我不能多带东西去——可是我们等到那里住定之后，要什么东西再寄去好了。哦，南儿！这是——”

“你不要太高兴罢，夫人，”南儿警告她道，“为了别人的死而快乐，是要触霉头的。”

琥珀听了这话立刻就清醒过来，这一点是她自已也觉害怕的，她也已觉得有些不敢像她现在这样快乐，不敢庆幸她这一个心愿终于得偿。因此她不肯再去想它了。她现在忙得很，激动得很，哪里还有工夫去多想呢？但她告诉她自已，这桩事情全是出于天意，应该他们两口子重新团聚的。这点意思是当初那场大疫之后她早就对伯鲁说过的了——他们是前世就注定了应该在一起的，只是伯鲁对于这点必须等过许多年才发现罢了。也许他直到现在也还没有明白罢，可是他和她重新见面之后一定会明白的。就是她肚子里那个不受欢迎的身孕，也来得适当其时，这也该是命中注定的，因为有了这个孩子，他就容易忘记他们以前了。

那天晚上她住在宫中，一切都装得跟平常一样，却叫南儿在公爵府里收拾行李，并将几个孩子和他们的奶妈准备起来好动身。他们预备同去的一共十个人，此外当然还有麦歇钱。那天晚上她还到大厅戏院去看戏，看了戏回来她就不打算睡觉了，便心急巴巴地换好衣服，东看看，西瞧瞧，盘算着哪几件东西是将要寄去的。

但她那时候心乱如麻，终于并没有决定什么。快要五点钟的时候，她的跟车进来告诉她，“幸运”号再过一个钟头就要起锚了。

琥珀便抓起了她的大氅，将它披上身，却把手套落在地上了，连忙捡了起来，便向门口跑去，但又重新回头拿扇子，直至进入走廊里，忽又记起她的面具来了。她机械地上车转身，想重新回去拿，但又突地站住了，口里喃喃自语道：“哦，见了鬼了呢！”便仍向前跑去。她的马车已经在宫门口等了一个晚上了，南儿他们约好了在码头上跟她碰头。

她从小廊子里跑进石画廊，看见一大群人刚从阿林敦住的那厢屋子里走出，横断了她的去路。那时候天色还没有大亮，那群人的前面有个小厮照着火把，她吃了一惊，不觉站住了，但看不清那些人到底是谁，便仍不顾一切地欲上前去，谁知忽有一个很耳熟的声音跟她打起招呼来。

“你早啊，夫人。”

她抬头一看，却原来是阿林敦，便突地恐慌起来，不知是否皇上知道了她的计划才派阿林敦来阻止她，正转念时，便见巴铿汉公也从人丛里面来跟阿林敦站在一起了。她就知道他们又在那里行什么计策，但是她去意甚切，无论什么东西都挡不住了，她就不理巴铿汉，只是很倔强地抬着头看看阿林敦。

“是爵爷吗？”她的声音冷冰冰尖棱棱的。

“夫人出门得好早啊。”

她出乎自己意外地竟马上造起一个谎来。“阿木笔夫人在那里害病，差人来叫我去的。爵爷不也很早吗？”她尖酸地问道。

“是的，夫人，我要去办一桩极要紧的公事——我刚刚听说皇上的妹妹昨天早晨故世了。”琥珀吓得暂时忘记了自己的事情。“是米妮姐吗？”她又问道，“米妮姐死了吗？”

“是的，夫人。”他弯下了他的头。

“哦，真可悲痛呢。”她心里有些怜悯查理。

于是阿林敦又抬起头朝她看着，突地她看见他眼睛里含着一种暗笑的神情，她又急忙看到巴铿汉身上，见他脸上也是笑嘻嘻的，他们两个似乎都在那里笑她。这是什么缘故啊？他们又听到什么新闻了？又有什么事故发生了？这一定跟她有关系，而且一定不是好事情，方才使得他们这么开心。

但是一转念之间她就又觉得释然，再过一个钟头她就已经永远离开了英国，永远离开了白宫和它的一切阴谋诡计——她会这么乐意地离开英国！

我对你们大家都已非常厌倦了，她心里暗暗想道，可是阿林敦又开口了。

“我不便再耽误夫人的工夫了，夫人，你的事情也很重要。你请便罢。”

琥珀行了个万福，阿林敦鞠了个躬就彼此交叉而去了。

巴铿汉公掉转头去看着她，阿林敦并不回顾，但是他们交换了一个微笑。“你真摆布得好清脱！”那公爷喃喃说道，然后他突地大笑起来，“等她追到弗吉尼亚，看见贾夫人安然无恙，不知她要变得怎样一副嘴脸呢！我的天，恨不得跑到那里去看看。现在我得给你道贺，爵爷，你的计策成功得出我意外了。我们总算已经把麻烦煞人的婊子摆脱掉了。”

“这一个总算摆脱了。”阿林敦说道，“不过白宫里的麻烦是没有穷尽的。”他这话里分明有言外之意，巴铿汉公不由得疑心起来，朝他看了看，可是阿林敦的脸上已经变得没有表情了。“来罢殿下，今天早上有真正重要的事情要商量呢。”

这时琥珀已经撩起裙子直往前奔，出得宫门，天色已经大亮，太阳已经洒到屋顶来。她的马车在那里等着。她的跟车一见她来，连忙开了车门退后一步直僵僵地立正着。琥珀不觉笑起来，一面跨上车，一面拿了指头对那跟车的满是丝绦的胸口上戳了一下，然后她从容不迫地关上车门，给赶车的挥了一下手，车子就碾动起来了。她仍旧吃吃笑着探出头，向两边那些严闭的空窗不住摆着手。

（全书完）